Blwydd\
gyda Iesu

365 o fyfyrdodau dyddiol
ar gyfer pob dydd
o'r flwyddyn

Selwyn Hughes

Addasiad Cymraeg: Meirion Morris

CYHOEDDIADAU'R
GAIR

ⓗ Cyhoeddiadau'r Gair 2006

Testun gwreiddiol: ⓗ Selwyn Hughes
Cyhoeddwyd yn wreiddiol o dan y teitl *Every day with Jesus*, gan CWR
Addasiad Cymraeg: Meirion Morris

Dymuna'r cyhoeddwyr gydnabod cymorth
Adrannau Cyngor Llyfrau Cymru.

Golygydd Cyffredinol: Aled Davies
Clawr: Ynyr Roberts

ISBN 1 85994 554 6
Argraffwyd yng Nghymru.

**Cyhoeddwyd gan
Cyhoeddiadau'r Gair, Cyngor Ysgolion Sul Cymru,
Ysgol Addysg, PCB, Safle'r Normal,
Bangor, Gwynedd LL57 2PX.**

Rhagair

Bu imi gychwyn cyfieithu darlleniadau dyddiol Selwyn Hughes flynyddoedd yn ôl bellach, a hynny am fy mod yn argyhoeddedig o'u gwerth, ac yn sylweddoli fod y ddarpariaeth o nodiadau Beiblaidd sydd yn bodoli i'r Cymry Cymraeg yn brin iawn. Er bod y gwaith wedi bod yn ysbeidiol, cefais nifer o gynorthwywyr parod iawn, a llwyddwyd i gyhoeddi dwsin o rifynnau deufisol yn ystod y blynyddoedd. Llawenydd imi felly oedd cael y cyfle hwn i baratoi gwerth blwyddyn ohonynt, ac yr wyf yn ddiolchgar i Gyhoeddiadau'r Gair am y gwahoddiad.

Mae Cristnogion dros y byd yn medru tystio i'r budd y mae'r nodiadau hyn wedi dwyn i'w bywydau, ac mae'n dda medru rhoi i Gristnogion Cymru y cyfle o fedru cael llyfryn fel hwn i'w harwain drwy rannau helaeth o'r Beibl mewn blwyddyn. Yr wyf wedi cynnwys yma saith thema, chwech sydd yn cymryd bron i ddeufis, ac un sydd yn gyfres o astudiaethau ar gyfer wythnos yn unig. Fy ngweddi yw y bydd i Dduw ddefnyddio'r nodiadau hyn i adeiladu ei bobl yng Nghymru, y byddant yn foddion bendith o ddydd i ddydd, a thrwy'r cwbl y bydd i enw Iesu gael ei ddyrchafu fwyfwy yn ein bywydau.

Carwn ddiolch yn arbennig i Mair Owen am ei pharodrwydd i fynd ynglwn â'r gwaith o deipio, ac i Huw Powell Davies a Gwenda Wallis am eu cymorth gyda'r cyfieithu. Diolch hefyd i Aled Davies am y cyfle. Bydded i'r cyfan fod er gogoniant ein Duw, yn Iesu Grist.

Meirion Morris

*Blwyddyn
Gyda Iesu:*

*Cyflwynir er côf am
Selwyn Hughes*

"Colli dim"

"'Oherwydd myfi sy'n gwybod fy mwriadau a drefnaf ar eich cyfer,'
medd yr Arglwydd ...'" (adn. 11)

Beth am ddarllen Jeremeia 29:1–14 ac yna myfyrio

Un o'r pethau mwyaf cyffrous y dois i ar eu traws ar fy siwrne trwy'r bywyd Cristnogol yw'r syniad bod stori ddwyfol yn cael ei sgwennu ym mywyd pob crediniwr. Trwy holl ddigwyddiadau dirifedi ein bywydau mae llaw sy'n ein harwain, gan gymryd deunydd crai bywyd a llunio stori ohono ac, er ei bod wedi ei chuddio oddi wrthym ar hyn o bryd, a fydd, pan gawn ni olwg arni o safbwynt tragwyddoldeb, yn ein synnu ni.

Dros y ddeufis nesaf rwy'n gobeithio eich helpu i sylweddoli, os ydych yn grediniwr, nad cyfres o ddigwyddiadau hap a damwain ydy eich bywyd chi, ond naratif. Mae gan Dduw y gallu i gymryd popeth sy'n digwydd inni gan wneud stori ohono – stori sydd yn cydlynu, ac sydd â phwrpas iddi hi ac yn ffitio i mewn i'r stori fwy o lawer y mae ef yn ei hadrodd. Mae gan stori ddechrau, canol a diwedd. Mae popeth ynddi i bwrpas. Does dim sy'n amherthnasol.

Dywed yr awdur Thornton Wilder y dylem ddeall ein bywydau fel tirlun mawr sy'n ymestyn ymhell y tu hwnt i'r hyn y mae llygad ein profiad ni yn gallu ei weld. "Pwy a ŵyr," meddai ef, "sut y gall un profiad sydd mor wrthun inni osod cyfres o ddigwyddiadau ar waith a fydd yn bendithio cenedlaethau'r dyfodol?" Dyma'r meddwl sydd yn rhaid iddo gael gafael arnom ni wrth inni ddechrau ein myfyrdodau: y tu ôl i'r digwyddiadau yn ein bywyd sy'n ymddangos yn gwbl ddi-drefn, y mae yna stori fwy, stori *ddwyfol*, yn cael ei sgwennu. Fe ddisgrifiwyd awdur fel "un sydd yn colli dim". Gallaf eich sicrhau nad ydy'r Awdur Dwyfol yn colli dim. Fe ddywedwyd am un oedd yn sgwennu storïau byrion y gallai hwnnw wneud stori allan o restr siopa. Gall Duw wneud yn anhraethol well na hynny: gall ef wneud stori allan o unrhyw beth.

Beth am fynd ymlaen i ddarllen:
Gen. 45:4–8; 50:20;
Esth. 2:1–10; 2:15–18; 4:5–16; 7:1–3

Meddyliwch am y cwestiynau hyn:
1. Sut oedd Joseff yn gweld stori ei fywyd?
2. Pa ddefnydd wnaeth Esther o'r newid byd a ddaeth iddi?

Gweddi
Dad, wnei di yrru'r gwirionedd nad oes yna ddim yn cael ei golli yn fy mywyd, yn ddwfn i mewn i'm hysbryd. Mae popeth sy'n digwydd imi – da, drwg, a chyffredin – yn cael ei ddefnyddio i ffurfio stori. Rwyt ti'n newid popeth i fod yn llawn ystyr. Rydw i mor ddiolchgar. Amen.

5

Mwy na dim ond ffeithiau

"Oherwydd buoch farw, ac y mae eich bywyd wedi ei guddio gyda Christ yn Nuw." (adn.3)

Beth am ddarllen Colosiaid 3:1–17 ac yna myfyrio

Fe ddechreuom ni ddoe trwy ddatgan bod stori ddwyfol yn cael ei sgwennu ym mywyd pob Cristion. Yn ôl y geiriadur, hyn yw stori: "darn o naratif, chwedl o unrhyw hyd wedi ei hadrodd neu'i hargraffu mewn rhyddiaith neu farddoniaeth ynglŷn â digwyddiadau gwirioneddol neu ffuglennol". Mae stori'n cynnwys llawer iawn mwy na ffeithiau wedi eu gosod at ei gilydd. Mae ganddi rythm a symudiad, uchaf ac isaf bwyntiau, golau a chysgod, plot a gwrthblot.

Gallaf sôn wrthych chi am fy mywyd i trwy roi rhestr o ffeithiau ichi, ond fyddan nhw ddim yn dweud stori fy mywyd i. Dim ond pan fo esgyrn y ffeithiau hynny yn derbyn cnawd manylion y dramâu sydd wedi digwydd yn fy mywyd i – gyda'r rhythmau – y mae'r stori yn dod i'r amlwg. Fel hyn y gwahaniaetha'r seicolegydd Cristnogol Dan Allender rhwng casgliad o ffeithiau a stori: "Os dywedaf i, 'Bu farw'r brenin a bu farw'r frenhines.' yna'r cyfan sydd gen i yw ffeithiau. Ond os dywedaf i, 'Bu farw'r brenin a bu'r frenhines farw o alar', nawr mae gen i sail i stori."

Rhaid inni ddysgu gweld ein bywydau fel mwy na chasgliad o ffeithiau. Hyd yn oed yn y bywyd mwyaf cyffredin, mae 'na stori yn cael ei chreu, a fyddai, o'i gweld o bersbectif tragwyddol, yn dwyn ein gwynt oddi arnom. Efallai eich bod yn meddwl mai digon cyffredin a di-ddigwydd yw eich bywyd, ond os ydych yn Gristion, yna mae'r Duw sofran ar waith yn nyddu pob ffaith yn stori. Peidiwch, da chi, â chael eich dal gan syniadau'r byd i'r fath raddau nes eich bod yn anghofio, fel y dywed ein testun heddiw, bod "eich bywyd wedi ei guddio gyda Christ yn Nuw". Mae gan unrhyw fywyd sydd yng Nghrist ystyr sydd yn ymestyn ymhell y tu hwnt i'r hyn sydd yn amlwg o'r digwyddiadau yma ar y ddaear.

Beth am fynd ymlaen i ddarllen:
2 Cor. 6:3–10; 11:23–31;
1 Cor. 9:19–23;
1 Ioan 3:2

Meddyliwch am y cwestiynau hyn:
1. Pa stori mae Paul yn ei gweld y tu ôl i ffeithiau moel ei fywyd?
2. Sut mae Ioan yn gosod allan ffeithiau a stori ym mywyd y Cristion?

Gweddi Dad, sut allaf fi byth ddiolch digon i ti am y ffaith bod fy mywyd wedi ei guddio gyda Christ ynot ti? Datguddia imi fwyfwy bob dydd holl oblygiadau'r gwirionedd bendigedig hwn. Helpa fi i sylweddoli ei ryfeddod yn llawn. Yn enw Crist rwy'n ei ofyn. Amen.

Elfennau stori

"Ac yr ydym yn eich annog ... byddwch yn amyneddgar wrth bawb." (adn.14)

Beth am ddarllen 1 Thesaloniaid 5:12–28 ac yna myfyrio

Parhawn i feddwl am yr hyn sy'n gwneud stori. Pan ddechreuais i gyntaf ar fy ngweinidogaeth o sgwennu, fe ymunais â chwrs ar gyfer sgwenwyr, ac roedd un adran ohono yn ymdrin â'r dechneg o sgwennu storïau byrion. Dywedwyd wrthyf y dylai fod pedair elfen i stori fer: (1) cymeriadau; (2) plot; (3) symudiad; (4) diweddglo neu ddadleniad. Cymerwch y cyntaf o'r rhain: *cymeriadau*. Mae llawer o gymeriadau gwahanol i stori dda – cymeriadau arweiniol, rhai cynorthwyol, gwrthwynebwyr, ac felly ymlaen. Mae amrywiaeth o gymeriadau yn eich stori chithau a'm un innau: ffrindiau, gelynion, pobl sydd o'n plaid a phobl sydd yn ein herbyn.

Arferai fy ngweinidog ddweud wrthyf fi pan oeddwn yn Gristion ifanc: "Cofia bob amser fod y bobl rwyt ti'n ymwneud â nhw yn rhan o fwriad Duw ar gyfer dy fywyd." Mae'r rhai nad ydyn nhw'n Gristnogion yn byw eu bywydau ar eu hyd heb i'r brychau yn eu cymeriadau gael eu heffeithio fawr o gwbl, ond mae pethau'n wahanol efo chdi a mi. Er na fydd y gwaith yn cael ei ddwyn i ben nes inni gael gweld yr Arglwydd wyneb yn wyneb, mae'r siapio mwyaf sylweddol ar ein cymeriadau yn digwydd yma yn awr. Bwriad Duw yw ein gwneud ni'n debyg i Iesu, ac un o'r dulliau sydd ganddo o wneud hyn yw defnyddio'r bobl sydd yn croesi'n llwybr ni fel offerynnau yn ei law i'n siapio ni a'n gwneud ni'n debycach i Grist.

Mae'r bobl sydd yn dy fywyd di wedi eu dewis gan Dduw ei hun er mwyn amlygu dy dymer, dy falchder, dy ystyfnigrwydd – beth bynnag yw dy wendidau. Dydy rhedeg oddi wrthyn nhw ddim yn ateb o gwbl. Dydy hynny ddim o werth, oherwydd bod gan Dduw lawer yn rhagor i ddod yn eu lle. Gwnewch restr o'r holl bobl nad ydych chi ddim yn cyd-dynnu â nhw a gofynnwch i chi eich hunain: Beth mae Duw yn ceisio ei ddangos imi amdanaf i fy hun trwyddyn nhw? Byddwch yn sicr o hyn: bod y cymeriadau sy'n ymddangos yn eich stori chi yn cael eu defnyddio gan Dduw i ddatblygu eich cymeriadau eich hunain.

Beth am fynd ymlaen i ddarllen:
Luc 16:19–31; 22:54–62;
Ioan 21:15–17

Meddyliwch am y cwestiynau hyn:
1. Sut ddaru cymeriad y gŵr cyfoethog newid yn stori Iesu?
2. Pa ran chwaraeodd y gwas yn natblygiad cymeriad Pedr?

Gweddi Dad, helpa fi i ddod i'r afael â'r ffaith nad ydy perthynas efo pobl eraill yn achosi problemau yn gymaint ag y maen nhw'n datguddio problemau. Gwna'n siŵr nad ydw i'n methu'r gwersi rwyt ti'n ceisio eu dysgu imi trwy'r bobl rwyt ti'n eu caniatáu i mewn i 'mywyd. Yn enw Iesu. Amen.

Y plot dwyfol

"Oherwydd, cyn eu bod hwy, fe'u hadnabu, a'u rhagordeinio i fod yn unffurf ac unwedd â'i Fab." (adn.29)

Beth am ddarllen Rhufeiniaid 8:28–39 ac yna myfyrio

Ddoe fe ddaru ni ddweud bod stori dda yn cynnwys pedair elfen: Cymeriadau, plot, symudiad a dadleniad. Edrychwn heddiw ar yr ail o'r rhain: *plot*. Mae'r geiriadur yn diffinio 'plot' fel "cynllun o'r prif ddigwyddiadau neu faterion mewn drama, cerdd, nofel, a.y.y.b". Rwyf wastad yn llawn chwilfrydedd pan fyddaf ar brydiau yn darllen gwaith nofelydd da a glân ei feddwl sydd yn cymryd gwybodaeth foel bodolaeth ac yn gwneud stori ohoni. Mae storïwyr sydd yn gallu gosod allan y plot a'i ddilyn ymlaen trwy ei amrywiol droadau wedi rhoi cryn foddhad i mi o'u darllen dros y blynyddoedd. Dydy'r math yma o sgwennu ddim o fewn fy nghyrraedd i. Dim ond un stori fer sgwennais i erioed yn fy mywyd a doedd gan yr un cyhoeddwr ddiddordeb yn y byd yn ei chyhoeddi!

Mae Duw, fel y buom yn ei ddweud, yn y busnes dweud stori yma hefyd. Ond beth yw ei blot ef? Fel hyn mae John Stott yn mynegi'r peth: "Mae Duw yn gwneud bodau dynol yn fwy dynol trwy eu gwneud yn debycach i Grist." Fe fu i Dduw ein creu ni ar ei lun a'i ddelw ef ei hun yn y dechrau, ac fe fu i ninnau ddifetha hynny trwy ein pechod a'n hanufudd-dod. Erbyn hyn, mae o'n brysur yn ceisio adfer y llun a'r ddelw colledig.

Mae Duw mor frwd dros ei Fab Iesu Grist fel ei fod ef am wneud pawb yn debyg i'w Fab, nid o ran eu pryd a'u gwedd wrth gwrs, ond o ran eu cymeriad. Ac mae o'n defnyddio popeth sy'n digwydd inni – yn dda, yn ddrwg ac yn gyffredin – i'n gwneud yn debycach i Iesu. Y fath wahaniaeth a fyddai'n cael ei wneud inni pe caem afael ar y gwirionedd nad ydy Duw ond yn caniatáu i'n bywydau ni yr hyn mae ef yn gallu gwneud defnydd ohono.

Beth am fynd ymlaen i ddarllen:
Jona 1:1–17; 3:1–10;
Actau 12:25; 13:13; 15:36–39;
2 Tim. 4:11

Meddyliwch am y cwestiynau hyn:
1. Sut ddaru Jona ymateb pan gafodd ei brofi?
2. Sut ddaru perthynas Paul gyda Marc newid?

Gweddi Fy Nhad a'm Duw, helpa fi i gael gafael ar y ffaith mewn gwirionedd – nad wyt ti ond yn gadael i mewn i 'mywyd i y profion a'r anawsterau hynny sydd yn gallu hyrwyddo dy bwrpas di o'm gwneud i'n debycach i dy Fab. Yn enw Iesu. Amen.

"Fe arhosaf nes imi gyrraedd adref"

"Ond pan ddaw'r hyn sy'n gyfiawn, fe ddiddymir yr hyn sy'n anghyfiawn."
(adn. 10)

Beth am ddarllen 1 Corinthiaid 13:1–13 ac yna myfyrio

Edrychwn nawr ar drydedd elfen y gamp o ddweud stori dda: *symudiad*. Mae hwn ynglŷn â'r ffordd mae stori'n datblygu. Diffinia Eugene Paterson gynghori Cristnogol fel "gwrando ar stori rhywun a chwilio am symudiad Duw". Mae o'n cymryd yn ganiataol bod Duw wastad wrthi'n gwneud rhywbeth ym mywyd y Cristion. Eto, sut allwn ni gredu hynny pan fo bywyd yn dod i stop a dim byd i'w weld yn digwydd? A'r adegau hynny pan fydd gennym, nid ambell un, ond llu o ofidiau?

Yna aml, ar ôl eistedd gyda rhai y mae trasiedi wedi dod drostyn nhw fel ton fawr, y maen nhw'n gofyn: "Sgwn i beth sydd gan Dduw yn ei feddwl yn gadael i hyn ddigwydd?" A'm hateb innau fel arfer yw: "Wn i ddim, ond beth bynnag sy'n digwydd, mae ef yn mynd drwyddo fo gyda chi." Dydi amser o drasiedi ddim yn amser i areithio ar broblemau mwyaf y bydysawd. Mae'n amser i godi golwg fry ac ymddiried yn dawel. Nid pob Cristion, fodd bynnag, sy'n gryf o ran ffydd ac yn gallu moli Duw ynghanol trybini a chredu ei fod yn dwyn rhywbeth da allan o'r cyfan. Byddai'r rhan fwyaf ohonom efallai, a minnau'n un ohonyn nhw, yn uniaethu gyda'r dyn y bûm yn sgwrsio efo fo'n ddiweddar ac a ddywedodd: "Y gorau allaf fi ei wneud ar adegau o drafferthion a thrasiedi yw arddangos ufudd-dod mud."

Mae yna rai problemau digon tywyll yn fy mywyd i fy hun na fedrais i erioed eu deall yn llawn. Tywynna *peth* golau ar y problemau hynny, ond does dim ateb *cyflawn* yn ei gynnig ei hun. Fodd bynnag, beth bynnag yw bwriad Duw, dywedir wrthyf yn yr Ysgrythur mai da ydyw. Mae'n rhaid imi ddal gafael yn hynny. Ceir digon o olau'n taro ar ein llwybr inni gael gweld ein ffordd ymlaen. Ond er mwyn cael yr esboniad terfynol rhaid inni aros nes inni gyrraedd adref, ac yna bydd ef ei hun yn ei esbonio inni.

Beth am fynd ymlaen i ddarllen:
Job 13:15;
Hab. 3:17–19;
Actau 16:22–25

Meddyliwch am y cwestiynau hyn:
1. Sut y gallwn ymddiried fel Job a llawenhau fel Habacuc?
2. Sut ddaru Paul a Silas ymateb i'w drafferthion anhaeddiannol?

Gweddi Fy Nhad a'm Duw, helpa fi ar yr adegau hynny pan na fedraf i gael hyd i unrhyw atebion i godi 'ngolwg fry ac ymddiried yn dawel – i dy drystio di pan na fedraf dy olrhain di. Yn enw Crist y gofynnaf hyn. Amen.

9

Darfod yn dda

"Oherwydd y baich ysgafn o orthrymder sydd arnom yn awr, darparu y mae, y tu hwnt i bob mesur, bwysau tragwyddol o ogoniant i ni." (adn. 17)

Beth am ddarllen 2 Corinthiaid 4:1–18 ac yna myfyrio

Y bedwaredd elfen i stori dda yw y dadleniad – y datrysiad terfynol. Rwyf newydd ddarfod darllen *The God of Small Things* gan Arundhatiti Roy, a enillodd iddo'r wobr Booker yn 1997. Er bod adrannau yn y llyfr sy'n annerbyniol i Gristion, eto i gyd cefais fy nghyfareddu gan ei defnydd o iaith, y ffordd yr oedd hi'n tynnu gorchudd ar ôl gorchudd o ddirgelwch i ffwrdd, a'i gallu i gynhyrfu'r emosiynau gyda geiriau. Dyma gampwaith o ysgrifennu yn wir. Ond y peth gorau yn y llyfr (yn fy nhyb i) yw ei ddadleniad.

Wedi ei ddarllen, allwn i ddim peidio â gofyn y cwestiwn: Sut fydd stori fy mywyd fy hun yn darfod? Pa sgiliau arbennig fydd yr Awdur Dwyfol yn eu defnyddio wrth roi manylion terfynol fy naratif personol i at ei gilydd? Wrth i mi fyfyrio fel hyn, fe gofiais ddyfyniad o waith C.S. Lewis, a ddaeth yn fyw iawn i mi: "Rydym yn teithio gyda'n cefnau at yr injan… does gennym ni ddim amgyffred o faint o'r daith yr ydym wedi ei gwneud… mae stori yr union fath o beth na ellir mo'i deall nes clywed y cyfan ohoni."

Dydw i ddim yn gwybod sut fydd Duw yn sgwennu tudalennau olaf fy stori bersonol i, ond rwyf yn sicr o hyn: bydd yn bwrw cysgod dros unrhyw beth a lunnir gan hyd yn oed y nofelydd mwyaf. Rwy'n ymddiried yn ei allu i wneud hyn. Felly hefyd, fy nghyfaill, y dylet tithau. Oherwydd y ffaith bod dy fywyd wedi ei guddio gyda Christ yn Nuw, elli di ddim bod yn ddim ond ystadegyn yn y raddfa torpriodas, yn un sydd yn dioddef o iselder, yn greadur annysgedig nad yw yn ffitio i mewn; drama yw dy fywyd, ac efallai fod rhai o'r digwyddiadau a'r areithiau gorau eto i'w hysgrifennu. G.K. Chesterton a ddywedodd: "Fedrwch chi ddim darfod sym y ffordd liciwch chi, ond mi fedrwch chi ddarfod stori y ffordd liciwch chi." Mae holl straeon Duw yn darfod yn dda.

Beth am fynd ymlaen i ddarllen:
1 Cor. 15:42–44;
Math. 25:14–30

Meddyliwch am y cwestiynau hyn:
1. Sut mae Duw yn dwyn stori bywyd y crediniwr i ben?
2. Pa gyfrifoldeb sydd gennym ni yn stori ein bywyd ein hunain?

Gweddi Dad nefol cariadus, er dy fod ti'n gallu troi popeth er daioni, helpa fi i weld bod gennyf i beth cyfrifoldeb hefyd. Bydded i mi fyw mewn ffordd nad yw'n rhwystr i ti sgwennu'r diweddglo rwyt ti wedi ei gynllunio ar gyfer fy stori i. Amen.

Y dychymyg yn drên

"Os yw dy law neu dy droed yn achos cwymp i ti, tor hi ymaith a'i thaflu oddi wrthyt." (adn. 8)

Beth am ddarllen Mathew 18:1–9 ac yna myfyrio

Pan ddechreuwn edrych ar ein bywydau fel straeon, yna mae popeth yn newid. Dydy bodolaeth ddim yn cael ei resymoli ar bapur graff rhyw astudiaeth ond mae'n dod yn fyw yn symudiadau drama, lle mae peth ohoni eto i'w hysgrifennu. Mae llawer o Gristnogion wedi dweud yr hanes sut y bu i'r syniad mai stori yw eu bywydau hoelio eu sylw a thanio eu dychymyg mewn ffordd na fu i ddim arall ei wneud. William Kilpatrick, seicolegydd Cristnogol, sy'n honni "y gall y bywyd Cristnogol a'r bywyd dychmygol dyfu i fyny gyda'i gilydd".

Fe aeth J.R.R. Tolkien mor bell â dweud y gallai Cristion, trwy gyfrwng dychymyg wedi ei sancteiddio, "gynorthwyo yn y dadleniad a'r ymgyfoethogiad o'r greadigaeth". Roedd rhai o'r storïwyr mawr, megis George Macdonald, C.S. Lewis, G.K. Chesterton, Dorothy Sayers a Daniel Owen a Gwenallt gennym ni yn Gymraeg, nid yn unig yn sgwenwyr arbennig, ond hefyd yn amddiffynwyr y ffydd Gristnogol ar yr un pryd. Bu iddyn nhw agor bydoedd inni oherwydd y bydoedd oedd wedi eu hagor iddyn nhw wrth iddyn nhw drwytho eu meddyliau yn yr Ysgrythur Sanctaidd.

A ddarllenoch chi stori enwog C.S. Lewis am y Gadair Arian rhyw dro? Ynddi mae brenhines hardd y byd tanddaearol bron â pherswadio'r plant yr uwchfyd mai ei theyrnas ddiflas hi ei hun yw'r unig realiti mewn gwirionedd, ac nad ydy eu teyrnas nhw ond yn freuddwyd ddychmygol. Mae'r tywysog ifanc, y ddau blentyn a'u cyd-deithiwr 'Marsh-wiggle', mewn perygl o gael eu rhwydo gan honiadau'r frenhines pan fo 'Marsh-wiggle', er mwyn rhwystro geiriau'r frenhines rhag cael gafael arnyn nhw, yn hyrddio'i droed i mewn i'r tân. Mae'r sioc yn ei helpu i wynebu realiti, ac, wrth iddo ef godi ei lais yn erbyn y frenhines, mae'r plant yn gweld y pwynt mae o'n ceisio ei wneud, yn rhedeg i fod wrth ei ochr ac yn dianc. Fedrwch chi feddwl am unrhyw beth sydd yn adeiladu'n fwy dychmygus ar eiriau ein Harglwydd a ddarllenom yn ein testun heddiw?

Beth am fynd ymlaen i ddarllen:
Gen. 32:22–31; Ioan 21:18–19; Actau 9:10–17

Meddyliwch am y cwestiynau hyn:
1. Beth oedd y gost gorfforol i Jacob o gael ei gyfoethogi'n ysbrydol?
2. Beth ddywedwyd wrth Pedr a Paul oedd eto i ddod yn eu bywydau?

Gweddi O Dad, un o'r rhesymau pam y gwn i fod dy Air yn ysbrydoledig ydy ei fod yn fy ysbrydoli i. Daw popeth yn fyw ynof fi wrth imi ei ddarllen. Helpa fi i agor bydoedd newydd i eraill wrth i ti agor bydoedd newydd i mi. Yn enw Iesu. Amen.

Ydy'r syniad yma'n Feiblaidd?

"Onid yw'r un a blannodd glust yn clywed, a'r un a luniodd lygad yn gweld?"
(adn. 9)

Beth am ddarllen Salm 94:1–23 ac yna myfyrio

Mae'n gwbl bosibl eich bod erbyn hyn yn meddwl: Pa seiliau Beiblaidd sydd dros gredu bod Duw yn awdur storïau? O ble mae'r syniad hwn yn codi yn yr Ysgrythur? Wel, wn i ddim am yr un testun sy'n dweud yn hollol bendant bod Duw yn awdur storïau, ond mae nifer o adnodau sy'n awgrymu bod Duw ynglŷn â'r gwaith o sgwennu. Ceir un ohonyn nhw yn Effesiaid 2:10: "Oherwydd ei waith ef ydym." Gellid cyfieithu'r adnod hon fel hyn hefyd: "Cerddi ydym ganddo ef." Y gair Groeg a ddefnyddir yma yw *poiéma*, lle ceir y gair Saesneg "poem" ohono. Ceir un arall yn 2 Corinthiaid 3:3: "Yr ydych yn dangos yn eglur mai llythyr Crist ydych." Os cyfunwn y ddau destun hyn, yna fe welwn fod y Cristion i fod yn farddoniaeth Duw a rhyddiaith Duw. Mae'n bywydau i fod i ymgorffori dirgelwch dwyfol – barddoniaeth – ac ar yr un pryd i fynegi neges ddwyfol – rhyddiaith.

Fe gofnodir tri achlysur yn yr Ysgrythur pan fu i Dduw ysgrifennu. Y cyntaf oedd ar fynydd Sinai pan ysgrifennodd y Deg Gorchymyn ar ddwy lechen (Deut.4:13), yr ail yng ngwledd Belsassar (Daniel 5:5), a'r trydydd, pan fu iddo, ym mherson ei Fab, ysgrifennu yn y tywod (Ioan 8:6). Ond pan ystyriaf y testun sydd ar ben y ddalen hon yr wyf i'n fwyaf argyhoeddedig fod Duw yn awdur storïau.

Pryd bynnag y darllenaf stori sydd yn cydio ynof gyda'i chynllun dyfeisgar ac yn fy nghadw ar ymyl fy sedd wrth imi ddilyn y gwahanol droadau a newidiadau, yna fe fyddaf yn dweud wrthyf fy hunan: Os yw Duw'n gallu donio rhai pobl gyda'r fath ddychymyg, yna pa nerth o ddychymyg y mae'n rhaid fod ganddo ef ei hun. Onid yw'r Un sy'n rhoi syniadau dychmygus yng nghalonnau dynion a merched yr un fath ei hun? Os cawn ni ein cyffroi gan ryw nofel arbennig, yna beth rydym ni'n ei ddisgwyl y down ni o hyd iddo mewn bywyd go iawn pan nad yw'r awdur yn neb llai na'r Duw Hollalluog?

Beth am fynd ymlaen i ddarllen:
Rhuf. 15:4;
Dat. 21:5–7

Meddyliwch am y cwestiynau hyn:
1. Beth oedd pwrpas pob dim a ysgrifennwyd yn y gorffennol?
2. Beth sy'n cael ei addo mewn geiriau sydd yn ffyddlon a gwir?

Gweddi Dad graslon, helpa fi i gael fy nghyffroi wrth weld fy mywyd i fy hunan yn gymaint mwy na dim ond stori i'w hadrodd, ond fel stori sydd wedi ei sgriptio gan awdur storïau mwyaf dychmygus a dyfeisgar y byd yn grwn. Yn enw Iesu. Amen.

Wastad ar y blaen

"Y mae'n mynd o'ch blaen chwi i Galilea." (ad. 7)

Beth am ddarllen Marc 16: 1–8 ac yna myfyrio

Pan fu imi ddeall gyntaf bod stori ddwyfol yn cael ei sgwennu ym mywyd pob crediniwr, fe newidiodd hynny fy holl agwedd fel bugail a chynghorwr. Pan oeddwn i'n weinidog ifanc, mae'n rhaid i mi gyfaddef fy mod i'n cael fy niflasu wrth wrando ar bobl yn sôn am eu problemau personol. Yna un dydd, wrth baratoi pregeth Basg, fe siaradodd yr Arglwydd â mi yng ngeiriau'r testun ar gyfer heddiw: "Y mae wedi ei gyfodi … y mae'n mynd o'ch blaen chwi i Galilea."

Wrth imi astudio'r darn hwn fe wawriodd hi arnaf, pryd bynnag y byddwn yn eistedd i lawr gyda rhywun i wrando ar eu problemau personol, *bod y Crist atgyfodedig wedi mynd yno o 'mlaen i*. Yr oedd o ym mywyd y person, yn gwneud rhywbeth yn dweud rhywbeth, yr oedd angen i mi ei ddeall gyda chymorth yr Ysbryd Glân. Fe sylweddolais i nad fy ngwaith i oedd chwarae rhan fugeiliol draddodiadol, darllen ychydig adnodau a gweddïo, ond bod yn effro i'r stori roedd Duw yn ei sgwennu ym mywyd y person hwnnw.

Cyn gynted ag y deuthum i'n ymwybodol mai cerdded i mewn ar rywbeth oedd eisoes ar waith oeddwn i, ac na ddylid edrych ar y digwyddiadau ym mywyd person fel problemau unigol ond fel rhan o stori oedd i barhau, fe newidiodd cynghori wedyn i mi o fod yn weithred ddiflas i fod yn rhywbeth hynod gyffrous oedd yn ysgogiad imi. Fy ngwaith i wedyn oedd helpu unigolion i ddehongli y stori honno, a'u hannog i fynd yn eu holau dros ryw linell neu hyd yn oed dudalen yr oedden nhw wedi ei fethu neu wedi ei chamddarllen er mwyn dod o hyd i ryw ran hanfodol o'r cof. Fe wnes i ddarganfod, po fwyaf oedd pobl yn ei ddeall bod stori fwy yn cael ei datgelu y tu hwnt i stori eu bywydau nhw, yna gymaint fwy cynhyrchiol oedd y cwnsela. Dyma un o'r cysyniadau mwyaf nerthol a mwyaf abl i drawsnewid. Yr ydym ni'r hyn ydym ni oherwydd y stori ddwyfol sy'n cael ei sgwennu yn ein bywydau.

Beth am fynd ymlaen i ddarllen:
Exodus 13:21;
Marc 10:32–34

Meddyliwch am y cwestiynau hyn:
1. Pa gymorth a gawn ni gan y Duw sydd wastad ar y blaen?
2. Beth ddylem ni fod yn barod i'w dderbyn oddi wrth yr hwn sydd ar y blaen?

Gweddi O Arglwydd, rydw i angen mwy o oleuni ac arweiniad ar y mater yma. Rwy'n gofyn iti olchi fy llygaid a glanhau fy nghalon er mwyn imi gael gweld. Dangos imi mewn llythrennau eglur, clir dy fod ti, beth bynnag sy'n digwydd imi, wastad ar y blaen. Amen.

13

"Gras rhagflaenol

"Yr wyt wedi cau amdanaf yn ôl ac ymlaen, ac wedi gosod dy law drosof."
(adn. 5)

Beth am ddarllen Salm 139:1–6 ac yna myfyrio

Ddoe bûm yn adrodd am y tro y deuthum i sylweddoli bod bywyd pawb yn stori, ac fel y trodd fy nghynghori o fod yn orchwyl diflas i fod yn rhywbeth bywiog a chynhyrfus. Byddai pobl yn newid o flaen fy llygaid wrth iddyn nhw gael gafael ar y syniad fod eu bywydau yn stori. Dywedodd un person wrthyf: "Mae'r syniad yma yn fy nghyffroi cymaint, mae bron â'm llethu. Os wyf fi yn rhan o stori, yna does dim sy'n digwydd yn fy mywyd i'n amherthnasol."

Yn gynharach, fe ddywedais fod Eugene Paterson yn diffinio cynghori fel "gwrando ar stori rhywun a chwilio am symudiad Duw". Sylwch ar y geiriau *symudiad Duw*. Mae Eugene Paterson, fel y soniais, yn cymryd yn ganiataol bod Duw wrthi yn *gwneud* rhywbeth ar unrhyw un adeg. Dyma bwynt y byddaf yn aml yn ei gyflwyno wrth siarad gyda gweinidogion a chynghorwyr. Mae mwy nag un wedi ymateb i hyn a dweud mor galonogol yw hi i sylweddoli, wrth iddyn nhw eistedd i lawr gyda rhywun sy'n mynd trwy amser caled, bod y Meistr wedi mynd o'u blaenau.

Digwyddais sôn am y syniad yma mewn cynhadledd i weinidogion yn Singapore yn ddiweddar. Wedi hynny, fe ddaeth gweinidog o Tsieina ataf fi a dweud: "O hyn allan, fe fyddaf yn gweld fy ymweliadau ag ysbytai a sesiynau cynghori mewn goleuni newydd. Byddaf yn dweud wrthyf fy hun wrth gerdded i mewn i'r ystafell gynghori neu ward yr ysbyty: "Crist a gyfodwyd ac sy'n mynd o'ch blaen chi." Fe ychwanegodd wedyn: "Mae'r syniad bod y Meistr wastad ar y blaen i mi yn ennyn cymaint o chwilfrydedd ynof fi, a phan fyddaf yn cyfarfod ei blant ef, cofiaf fy mod yn cerdded i mewn ar rywbeth sydd eisoes ar waith. Mae hyn wedi chwyldroi fy ngweinidogaeth." Mae diwinyddion yn galw hyn yn "ras ragflaenol". Mae gras *yno*, hyd yn oed cyn bod ei angen arnom.

Beth am fynd ymlaen i ddarllen:
Gen. 28:16–19;
Math. 28:16–20

Meddyliwch am y cwestiynau hyn:
1. Sut ddaru Jacob ymateb i bresenoldeb Duw?
2. Beth yw amod yr addewid mae Iesu'n ei rhoi inni i fod gyda ni bob amser?

Gweddi O Dad, mor fendigedig yw deall bod dy ras di'n rhagflaenol a'i fod yno hyd yn oed cyn imi fod ag angen amdano. Helpa fi i ymddiried yng ngallu trawsnewidiol y gras hwnnw hyd yn oed pan fo tywyllwch yn ei guddio o'm golwg. Yn enw Iesu. Amen.

Draenen Paul yn ei gnawd

"Deisyfais ar yr Arglwydd dair gwaith ar iddo'i symud oddi wrthyf." (adn.8)

Beth am ddarllen 2 Corinthiaid 12:1–10 ac yna myfyrio

Gan ddilyn ymlaen o'r hyn a ddywedais ddoe, rwy'n rhag-weld os na fydd cwnselwyr Cristnogol yn dechrau sylweddoli bod bywydau pawb yn stori, os na ddysgan nhw wrando ar y stori mae Duw yn ei hadrodd ym mywyd person a chyd-fynd â hynny, yna fe fyddan nhw'n methu â helpu pobl yn y ffordd y maen nhw angen eu helpu. Fe siaradais ychydig yn ôl efo cwnselydd Cristnogol ifanc oedd dan hyfforddiant a gofynnais iddo pa nod oedd o wedi ei osod ar ei gyfer ei hun pan fydd yn ceisio helpu eraill. Fe atebodd: "Wel, yn naturiol cael gwared ar y broblem." Fe awgrymais wrtho y dylai fod nod uwch na hynny i gwnsela Cristnogol na datrys problemau; y nod ddylid ei gosod yw *adnabod Duw yn y broblem.*

Dychmygwch y dyn ifanc hwnnw'n eistedd i lawr gyda'r apostol Paul, sydd yn y testun o'n blaenau heddiw, yn sôn am broblem oedd ganddo fel "draenen yn fy nghnawd". Os mai ei nod oedd cael gwared ar broblem Paul yna byddai wedi bod yn gweithio yn groes i fwriadau Duw. Yn amlwg, roedd yr Arglwydd yn caniatáu i'r broblem barhau ym mywyd Paul am ei fod yn gweithio er gwneud yr apostol yn berson mwy dibynnol arno a diamddiffyn hebddo.

Ar lawer achlysur rwyf wedi eistedd gyda rhywun sydd mewn trafferthion, ac ar ôl ceisio deall pa ran a chwaraeai eu problem nhw yn stori Duw, rwyf wedi dweud rhywbeth yn debyg i hyn wrthyn nhw: "Rhaid i chithau hefyd aros gyda'r broblem hon am ychydig eto am fod Duw yn ei defnyddio i ddyfnhau eich cymeriad a'ch cymell i mewn i berthynas agosach ag Ef ei hun." Y nod uchaf sydd yn rhaid i ni ei chael pan ydym yn ceisio helpu rhywun yn ysbrydol ydy, nid datrys y broblem, ond deall amlinelliad y stori y gall fod Duw yn ei sgwennu. Mae unrhyw beth llai na hyn yn Gristnogaeth ddiffygiol.

Beth am fynd ymlaen i ddarllen:
Eseia 38:9–15;
Math. 26:36–42

Meddyliwch am y cwestiynau hyn:
1. Pa fendithion ysbrydol welodd Heseceia o'i salwch?
2. Sut datblygodd gweddi Iesu?

Gweddi Fy Nhad a'm Duw, diolch iti am f'atgoffa nad datrys problemau yw nod uchaf y Cristion. Dy adnabod Di ydy'r nod uchaf. Gwna fi'n gwbl ymwybodol o'r gwirionedd hwn. Yn Enw Iesu. Amen.

15

"Y cymeriad ar dudalen 29"

"... yn ôl arfaeth yr hwn sy'n gweithredu pob peth yn ôl ei fwriad a'i ewyllys ei hun." (adn.11)

Beth am ddarllen Effesiaid 1:11–23 ac yna myfyrio

Afrealistig ydy meddwl y gallwn ni wneud synnwyr o'n bywydau ar hyd bob cam o'r ffordd. Ond dydy hynny ddim yn golygu nad oes synnwyr i'w gael. Wrth imi godi nofel i'w darllen o dro i dro, fe fyddaf yn cael fy nal gymaint gan y plot nes fy mod yn cael fy hun yn cynnal sgwrs ddychmygol gydag un o'r cymeriadau a allai fod yn ymddangos yn fuan yn y llyfr (tudalen 29, dyweder), ac yn dweud wrtho ef neu hi: "Rwyt ti mewn dipyn o drafferth ar hyn o bryd, ac ys gwn i sut mae dy grëwr di am dy gael di allan o hyn." Yna, wrth imi ddarllen ymlaen a gweld sut mae'r awdur, llawer iawn ymhellach ymlaen, yn achub y cymeriad o'i drybini ac yn troi'r holl sefyllfa ar ei phen, rwy'n mynd yn ôl yn fy nychymyg at y cymeriad ar dudalen 29 ac yn dweud: "Dyna ti, roeddet ti'n poeni heb fod angen on'd oeddet? Doedd pethau ddim yn gwneud synnwyr ar y pryd ond roeddet ti mewn dwylo da ... roedd dy grëwr wedi cynllunio'r ffordd allan ar dy gyfer yn barod."

Fyddai'r cymeriad ar dudalen 29, petai wedi gallu f'ateb yn ôl, ddim wedi gallu gwneud synnwyr o'r hyn oedd yn digwydd y pryd hwnnw am nad oedd ef neu hi yn ymwybodol ar y pryd bod stori fwy yn cael ei hysgrifennu. Mae bywyd yn debyg iawn i hyn gyda llawer o bethau'n digwydd nad ydyn nhw'n gwneud synnwyr. Beth sydd gen i i'w ddweud wrthyt ti felly? Hyn: *dwyt ti ddim ond ar dudalen 29.* Cwyd dy galon; ymhellach ymlaen ar y daith, mae'r Awdur Dwyfol yn mynd i ddangos arwyddocâd yr hyn sy'n digwydd iti. Y peth pwysig rŵan ydy dy fod yn ymddiried yn yr awdur ac yn chwarae dy ran yn dda. Gall hynny fod yn golygu helpu person arall, peidio gadael eraill i lawr, dangos cariad er nad wyt ti'n teimlo felly. Rwyt ti'n rhan o stori ac mae'r hyn rwyt ti'n ei wneud yn cyfrif, yn dragwyddol.

Beth am fynd ymlaen i ddarllen:
Eseia 55:6–9;
Jer. 29:11–13;
1 Thes. 4:14–18

Meddyliwch am y cwestiynau hyn:
1. Beth wyddom ni am fwriadau Duw ar ein cyfer?
2. Pa gamau allwn ni eu cymryd pan na wyddom beth ydy bwriadau Duw?

Gweddi O Dad, helpa fi i ymddiried yn dy gynlluniau di pan nad oes gennyf fi gynlluniau fy hun. Rwy'n gweddïo ar iti f'atgoffa i fod pethau'n gweithio yn ôl y bwriad, dy fwriadau di, nid fy mwriadau i. Yn enw Iesu rwy'n gofyn hyn. Amen.

"Beth am stori?"

"...heb ddameg ni fyddai'n llefaru dim wrthynt." (adn.34)

Beth am ddarllen Marc 4:21–34 ac yna myfyrio

Wedi oes o fyfyrio ar y natur ddynol, rwyf wedi dod i'r casgliad fod pobl yn awchu am storïau yn union fel maen nhw'n awchu am fwyd a diod. Does dim sy'n well gan blant ar amser gwely, fel y gwyddoch, na chael rhywun i ddweud stori wrthyn nhw. Heno, mewn miliynau o gartrefi ar hyd a lled y byd, bydd rhieni yn clywed eu plant yn gofyn wrth iddyn nhw gael eu rhoi yn eu gwlâu: "Wnei di ddweud stori wrthaf fi?"

Mae'r awydd am gael rhywun i adrodd stori wrthym cyn hyned â'r ddynoliaeth ei hun. A dydyn ni ddim yn colli'r awydd yma pan ddown yn oedolion. Yn yr ystyr yma dydyn ni byth yn tyfu i fyny mewn gwirionedd. Sonia André Malruaux yn ei lyfr *Anti Memoirs* am gydnabod iddo, hen offeiriad gwledig profiadol, a ddywedodd: "Does mo'r fath beth â pherson wedi tyfu i fyny. Plant ydym ni i gyd yn y bôn. Mae rhai ohonom yn gwybod sut i guddio'r ffaith yn well nag eraill." Fe wyddai Iesu o'r gorau beth oedd cryfder stori ac fe'i defnyddiodd i'w lawn effaith. Mae geiriau ein testun heddiw yn gwneud hynny yn eglur iawn. Aralleiria Eugene Paterson yr adnod hon yn *The Message* fel hyn: "Doedd o byth heb stori pan siaradai."

Un o'r rhesymau pam y defnyddiodd Iesu storïau oedd ei fod yn gwybod cymaint o arbenigwyr oedd dynion a merched ar eu harfogi eu hunain rhag derbyn gwirionedd. Dydy'r natur ddynol ddim yn newid. Pan fo llawer ohonom yn mynd i wasanaeth rydym yn gwrando ar bregeth o'r tu ôl i wal ymenyddol. Rydym ni'n wyliadwrus rhag i unrhyw beth a allai ein herio, groesi ein hamddiffynfeydd a chyffwrdd ein cydwybod. Ond rydym ni'n wahanol wrth wrando ar storïau. Mae stori'n cael rhwydd hynt i hedeg i mewn yn ddilyffethair i ganol y meddwl, a chaiff y gwirionedd sy'n cael ei fynegi ynddi fynediad llawn cyn bod neb yn dyfalu ei phwrpas. Mae stori'n cyffwrdd y cydwybod nes ei fod yn cael ei bigo mewn cadarnhad o'r pwynt. Codir baner yr ildio ac mae'r enaid wedi ei ddarostwng.

Beth am fynd ymlaen i ddarllen:
Eseia 5:1–7;
Math. 21:33–46

Meddyliwch am y cwestiynau hyn:
1. Pa wirionedd fwriadwyd i stori Eseia ei gyfleu?
2. Beth sy'n dangos i stori Iesu groesi amddiffynfeydd ei wrandawyr?

Gweddi O Dad, rwy'n gweld dy fod wedi rhoi awch ynof am stori. Helpa fi i werthfawrogi mwy y ffaith yma, a gad i mi weld sut i ddefnyddio storïau yn fy ngweinidogaeth i eraill. Yn enw Iesu. Amen.

Achubwyd – gan stori

"Yna dywedodd Dafydd wrth Nathan, 'Yr wyf wedi pechu yn erbyn yr Arglwydd.'" (adn.13)

Beth am ddarllen 2 Samuel 12:1–14 ac yna myfyrio

Daliwn ati i archwilio'r syniad fod gan bawb angen stori. Mae'n ymddangos bod Duw wedi gosod yr awydd yma yn nefnydd pawb ohonom. Nid dim ond yr awydd i wrando stori chwaith, ond i'w dweud hefyd.

Fe ddadleua'r awdur Thomas Howard – ac fe ddadleua'n llwyddiannus iawn – bod y ddynoliaeth yn rhywogaeth o adroddwyr stori a heb stori buasai ein bywydau'n llawer iawn tlotach. "Yr holl storïau hynny," meddai, "am fechgyn amddifad sy'n cychwyn ar daith ac yn cofio'n ffyddlon eiriau'r hen gardotes, sy'n ymladd yn erbyn temtasiwn, yn gweld trwy ragrith, ac sy'n gweld erbyn diwedd eu taith nad plentyn amddifad mohonynt o gwbl ond mab i frenin – mae'r holl storïau hynny yn canu clychau yn ein dychymyg, oherwydd hynny, mewn gwirionedd, ydy *y* stori." Dywedodd J.R.R. Tolkien, awdur yr epig *The Lord of the Rings* a'r dyn a ysbrydolodd C.S. Lewis ac a roddodd gymaint o syniadau iddo ar gyfer ei storïau ei hun: "Anifail sy'n dweud stori yw dyn ac am y rheswm hwn mae Duw wedi rhoi stori iddo i'w byw."

Mae'r adran sydd gennym dan sylw heddiw yn sôn sut y bu i Dduw achub Dafydd trwy stori. Mae'n debyg mai dyma'r unig ffordd y gallai fod wedi cael ei achub. Anfonodd Duw y proffwyd Nathan ato gyda stori syml am ddyn cyfoethog oedd â phreiddiau mawr iawn ganddo ond a ddygodd oen oddi wrth un gŵr tlawd, ei unig oen, ac a'i lladdodd. Cafodd Dafydd ei gyffwrdd a'i gyffroi gan y stori, ond oherwydd ei fod wedi twyllo ei hun mor drylwyr allai o ddim gweld unrhyw berthnasedd iddo'i hun yn y stori. Cyn i'r stori orffen bron, mae o'n bloeddio'n flin: "Cyn wired â bod yr Arglwydd yn fyw, y mae'r dyn a wnaeth hyn yn haeddu marw!" Yr eiliad nesaf, mae'r proffwyd yn ei herio gyda'r geiriau: "Ti yw'r dyn." Roedd y celwydd wedi ei amlygu a'r twyll resymu ar ben. Roedd o wedi cael ei ddal – gan stori.

Beth am fynd ymlaen i ddarllen:
Gen. 41:15–36; Luc 10:25–37

Meddyliwch am y cwestiynau hyn:
1. Sut achubwyd yr Aifft gan y stori ym mreuddwyd Pharo?
2. Pa chwe gair yw gwir bwrpas stori Iesu?

Gweddi O Dad, rwy'n gweddïo na lwyddaf byth i dwyllo fy hunan gymaint nes peidio â gweld perthnasedd i mi yn y gwirioneddau, yr egwyddorion a'r straeon yr wyt ti wedi eu cofnodi er fy lles yn yr Ysgrythur. Helpa fi i fod yn hunanymwybodol, Arglwydd. Yn enw Iesu y gweddïaf. Amen.

Y straeon sy'n apelio fwyaf

"... dewiswch ichwi'n awr pwy a wasanaethwch ..." (adn.15)

Beth am ddarllen Josua 24:1–18 ac yna myfyrio

Dydy'n hangen ni am stori ddim yn golygu y gwnaiff unrhyw stori y tro. Mae nofelwyr yn gwybod mai'r straeon sy'n apelio fwyaf yw'r rheiny sy'n cynnwys elfen o ramant a chyffro ynddyn nhw. Mae pob stori ramant a chyffro dda yn cynnwys elfennau arbennig: grym rhyw gariad mawr, presenoldeb da a drwg, bygythiad o berygl, barnu'r drygioni yn y diwedd, taith anturus neu siwrne, ac, yn bwysicach na dim, arwr neu arwres sy'n llwyddo mewn amryw o brofion er mwyn gwneud popeth yn dda neu achub ei fywyd neu ei bywyd ei hun.

Byddai llawer o adrannau o'r Beibl y mae pobl yn cael trafferth eu darllen yn colli rhywbeth pe na byddai'r elfennau o gyffro neu ramant yno. Dychmygwch, mewn storïau tylwyth teg, pe gallai'r tywysog drygionus neu'r ewyrth cas bechu'n ddigerydd, pe byddai'r ddraig yn un hawdd i'w goresgyn, neu pe gallai'r tywysog da achub y dydd, fel petai, trwy eistedd yn ei gastell yn astudio athroniaeth. Os fel hyn y byddai hi, yna fyddai neb yn eu darllen nhw. Roedd y rhai a ysgrifennodd y storïau hynafol hyn yn gwybod am yr angen i gynnwys elfennau o berygl, cyfyngiadau amser, ceisiadau i achub, ac felly ymlaen. Rhaid i bobl wneud penderfyniadau pwysig oddi mewn i ffrâm amser: "Os na chaiff y maen ei ddychwelyd i'w le priodol yn y tŵr cyn i haul y bore daro'r wal ddwyreiniol, yna byddi'n colli dy deyrnas a'th briodferch."

Un yw'r stori sydd o'n blaenau heddiw o'r nifer o adrannau yn y Beibl sy'n dangos inni mai, o blith yr holl ddewisiadau y gelwir arnom i'w gwneud yn ystod ein bywyd, y pwysicaf ohonyn nhw i gyd yw ochri o blaid yr Arglwydd. Ond mae'n rhaid inni gadw mewn golwg bob amser, er eu bod yn llawn rhamant a chyffro, nad storïau tylwyth teg, ond ffaith yw storïau'r Beibl. Mae'r materion bywyd a marwolaeth yma yn hanfodol: "…gosodwyd i ddynion eu bod i farw un waith, a bod barn yn dilyn hynny." (Heb. 9:27)

Beth am fynd ymlaen i ddarllen:
Gen. 6: 9–22; Luc 15:11–32

Meddyliwch am y cwestiynau hyn:
1. Pa wirioneddau hollbwysig mae stori Noa yn eu cyfleu?
2. Ymhle rwyt ti'n gosod dy hun gan gofio'r stori a ddywedodd Iesu?

Gweddi Helpa fi, fy Nhad, i ddarllen y Beibl, nid fel petai'n ddalen wedi ei rhwygo o'r gorffennol, ond fel drych sy'n adlewyrchu'r fan lle rwyf fi wedi ei chyrraedd ar fy nhaith o ffydd bersonol. Gad imi agor fy hun bob amser i wirioneddau dy Air. Yn enw Crist. Amen.

Y broses o adnabod

"Hyfforddaf di a'th ddysgu yn y ffordd a gymeri." (adn.8)

Beth am ddarllen Salm 32:1–11 ac yna myfyrio

Caiff rhai Cristnogion drafferth derbyn y syniad bod eu bywydau yn cynnwys stori. Rhai blynyddoedd yn ôl, yn ystod sesiwn gynghori, y ceisiais gyfleu y syniad i un wraig, a oedd yn dioddef yn sgil trafferthion yn ei bywyd, bod yna stori ryfeddol yn cael ei hysgrifennu trwy'r cyfan i gyd. Allai hi ddim, fodd bynnag, gredu bod hynny'n wir. "Dydy 'mywyd i'n ddim mwy na chyfres o ddigwyddiadau damweiniol," oedd ei hymateb, "heb unrhyw arlliw o synnwyr na chynllun." Er imi geisio dweud rhagor wrthi hi, doedd hi ddim am wrando ac fe adawodd y stafell gynghori gan fwmian wrthi ei hun: "Fedra'i mo'i gredu o … fedra'i mo i gredu o … fedra'i mo i gredu o."

Wedi llawer o bendroni pam fod rhai Cristnogion yn ei chael hi'n anodd i dderbyn y syniad o stori, rwyf wedi penderfynu bod yna nifer o resymau. Mae a wnelo'r rheswm cyntaf, mi dybiaf, â theimladau o hunanymwrthodiad. Mae hi'n rhyfeddol faint o bobl sydd yn mynd trwy'u bywydau yn gwrthod eu hunain. Ddaru nhw erioed deimlo eu bod yn cael eu derbyn gan y rhai a'u magodd nhw, a chan gredu nad ydyn nhw'n deilwng o dderbyniad maen nhw'n meithrin synnwyr o hunangasineb a hunanymwrthodiad. Allan nhw ddim credu y gallai unrhyw fod dynol gymryd diddordeb ynddyn nhw, heb sôn am Dduw ei hun.

Fe ddiffinia C.S. Lewis yr hyn yw gweddi yn ei lyfr *Letters to Malcolm Chiefly on Prayer*, fel hyn: "Fe olyga gweddi gymryd rhan yn y broses o gael ein hadnabod mewn dyfnder." Dyna ddweud mawr a thrylwyr. Mae Duw yn gwybod pob dim am eliffant, ond dydy'r eliffant ddim yn gallu ymuno yn y broses o gael ei adnabod. Dim ond person wedi ei wneud ar lun a delw Duw all wneud hynny. Ceir eraill na allan nhw ymuno'n llawen yn y broses o gael eu hadnabod, oherwydd maen nhw'n siŵr, os cân nhw eu hadnabod mewn dyfnder, y byddan nhw'n cael eu gwrthod. Maen nhw'n byw gyda'r ofn o fod yn gwbl annheilwng o sylw. Rwyf innau'n dweud, gyda'r holl argyhoeddiad sydd ynof i, nad ydy Duw yn edrych ar neb yn y ffordd yna. Neb o gwbl.

Beth am fynd ymlaen i ddarllen:
Ioan 1:45–51;
Heb. 2:10–11; 2:17–18

Meddyliwch am y cwestiynau hyn:
1. Sut ddaru Nathanael ymateb i'r ffaith bod Iesu yn gwybod y cyfan amdano?
2. Pam allwn ni fod yn sicr bod Duw yn ein hadnabod yn drwyadl?

Gweddi O Dad, dyma syniad sy'n fy nghyffroi eto: y gallaf ymuno yn y broses o gael f'adnabod. O'r fath gyfaill wyt ti i mi; rwyt ti'n gwybod y cyfan sydd i'w wybod amdanaf i ac eto'n fy ngharu er gwaethaf y cyfan. Diolch iti fy Nhad. Amen.

Mae gan Dduw ddiddordeb

"Am hynny mor werthfawr yw dy feddyliau gennyf, O Dduw!" (adn. 17) (B.W.M.)

Beth am ddarllen Salm 139:7–24 ac yna myfyrio

Rheswm arall pam fod Cristnogion yn amau bod yna stori ynghudd yn eu bywydau o gwbl ydy nad ydyn nhw'n siŵr bod Duw yn cymryd diddordeb yn yr hyn sy'n digwydd iddyn nhw. Mae nifer o bethau yn ei gwneud hi'n anodd iddyn nhw gredu bod Duw yn cymryd diddordeb personol yn y materion sy'n eu heffeithio – pethau fel mawredd y gofod, er enghraifft. Cofiaf seryddwr sy'n dweud ei fod yn Gristion yn dweud wrthyf fi un tro: "Pan ydw i'n edrych i fyny ar y sêr ac yn astudio dibendrawdod y gofod, mae hi'n ymddangos mor druenus o naïf i fod yn dweud, 'Mae gan Dduw ofal drosof fi, am berson bychan dinod fel fi.'"

Soniodd Samuel Chadwick yn ei lyfr *The Path to Prayer* am un beirniad na allai dderbyn y ffaith fod Duw ar waith ym mywydau ei blant, ac a heriodd bob crediniwr a gyfarfyddai efo'r geiriau hyn: "Dyma sydd gen i i'w ddweud wrthych chi wybodusion bach … dydw i ddim yn eich credu chi pan ddywedwch fod gan Dduw ddiddordeb ym materion eich bywyd. Mae Duw yn fawr." Wrth ddweud, "Mae Duw yn fawr", golygu roedd o, wrth gwrs, ei fod o'n *rhy* fawr i gymryd diddordeb yn y bobl sy'n byw yma ar y ddaear.

Yr ydym ni, fodd bynnag, yn dal ein gafael yng ngofal personol a diddordeb Duw yn ein bywydau, nid *er gwaethaf* ei fawredd, ond *o 'i herwydd*. Er ei fod ymhell uwchlaw'r hyn y gallwn ni ei ddychmygu na'i feddwl amdano, yr ydym yn beiddio credu ei fod yn dod i lawr atom i ofyn am gariad ein calonnau tlawd ni. Er bod bydoedd hefyd yn cylchdroi yn ôl ei air, mae o'n dweud wrthym ni: "Ymlonyddwch, a dysgwch mai myfi sydd Dduw" (Salm 46:10). Efallai fod cyfarwyddwyr cwmni a phrif swyddogion yn gadael rhai manylion i'r rhai sydd oddi tanyn nhw, ond nid felly yr Hollalluog. Dydy o ddim yn dirprwyo'r gwaith o ddatblygu llinell stori ein bywydau ni i neb. Mae'n gwneud y gwaith ei hun. Gadewch i'r syniad yma dreiddio'n ddwfn i'n hymwybyddiaeth heddiw: bod y Duw y mae'n rhaid i angylion guddio eu hwynebau rhagddo yn ymgrymu i lawr atom i fod ynglŷn â'r manylion lleiaf yn ein bywydau.

Beth am fynd ymlaen i ddarllen:
Ex. 3:1–12; 4:10–12; Eseia 42:5–7; Jer.1:4–9

Meddyliwch am y cwestiynau hyn:
1. Faint mor agos yn union mae Duw yn dod atom?
2. Beth yw ei bwrpas wrth ddod mor agos atom?

Gweddi O Dduw, mae'r syniad dy fod ti'n ymostwng i lawr er mwyn gofyn am gariad ein calonnau a bod gennyt ddiddordeb personol yn holl fanylion fy mywyd yn wybodaeth ry ryfedd i mi. Eto mae'n rhaid imi ei gredu am ei fod yn wir. "Rwyf fi yn credu, helpa di fy anghrediniaeth!" Yn enw Iesu. Amen.

Adnabod Duw

"Rwyf am ei adnabod ef, a grym ei atgyfodiad." (adn. 10)

Beth am ddarllen Philipiaid 3:1–11 ac yna myfyrio

Ystyriwch ymhellach drydydd rheswm pam fod rhai pobl yn ei chael hi'n anodd credu bod gan Dduw ddigon o ddiddordeb ynddyn nhw i gyfansoddi stori yn eu bywydau: dydyn nhw ddim yn ei adnabod yn ddigon da.

Roeddwn i'n chwilfrydig wrth ddarllen yn ddiweddar am y gwahanol reolau mae'n rhaid i berson eu dilyn pan gaiff o neu hi eu cyflwyno i'r Frenhines. Ceir canllawiau ynglŷn â gwisg. Awgrymir bod rhai yn cael gwersi ymddygiad. Disgwylir i rywun fod yno ymhell cyn pryd ac i fod yn barod i ddisgwyl. Gwerthfawrogir pan fo merched yn gwneud cyrtsi a dynion yn moesymgrymu. Gosodwch hyn ochr yn ochr ag ymddangos gerbron llys y nef a chael bod yng nghwmni Brenin y Brenhinoedd. Gall unrhyw un ddod – does dim ystyriaeth i safle cymdeithasol. Does dim rhaid wrth gyflwyniadau, does neb sy'n ceisio mynediad yn cael ei rwystro, a does dim angen i neb oedi dod oherwydd eu hymddygiad na'u gwisg. Yn awr, fel y bu erioed, "aberthau Duw yw ysbryd drylliedig; calon ddrylliedig a churiedig" ni fydd yn dirmygu'r rhain (Salm 51:17). Eto faint o bobl sy'n esgeulus o'r fraint hon ac yn ymddwyn fel petai'r drws dan glo iddyn nhw?

Dro ar ôl tro rwyf wedi cael fy synnu pan fu i Gristnogion gyfaddef imi eu bod yn adnabod eu teuluoedd yn well na'r Arglwydd. Mae yna dristwch mawr yn hyn. *Crist ddylai fod y person mae pob Cristion yn ei adnabod orau.* Sut ddown ni i'w adnabod o? Trwy dreulio amser gydag ef mewn gweddi ac astudiaeth o'i Air. Y rhai hynny nad ydyn nhw'n ei adnabod o'n dda sy'n cael trafferth gyda'r syniad ei fod ef yn cyfansoddi stori yn eu bywydau. Wrth gwrs, mae'n rhaid wrth ddisgyblaeth. Mae'n fy rhyfeddu bod pobl yn gallu neilltuo oriau lawer er mwyn meistroli rhyw ddiddordeb neu'i gilydd, tra'n tybio y gallan nhw ddod i adnabod Duw yn ystod ychydig funudau cysglyd ar ddiwedd y dydd.

Beth am fynd ymlaen i ddarllen:
Math. 11:25–30;
1 Cor. 1:26–31

Meddyliwch am y cwestiynau hyn:
1. O dan ba amod yr ydym yn dysgu oddi wrth Iesu?
2. Beth sy'n dod i'n rhan yn sgîl doethineb Duw?

Gweddi O Dad, rwy'n dyheu am gael d'adnabod di'n well. Eto, mae yna bris i'w dalu yn nhermau disgyblaeth ac amser. Helpa fi i dalu'r pris, oherwydd mae gwybodaeth ohonot ti yn werth llawer iawn mwy na'r pris. Yn enw Iesu. Amen.

Y Beibl – stori

"Hysbysodd i ni ddirgelwch ei ewyllys ... sef dwyn yr holl greadigaeth i undod yng Nghrist, ... pob peth yn y nefoedd ac ar y ddaear." (adn. 9–10)

Beth am ddarllen Effesiaid 1:1–10 ac yna myfyrio

Trown nawr i ystyried y ffaith bod y Beibl ei hun yn stori yn anad dim arall. "Ymddengys fod rhai pobl," meddai John Stott, "yn meddwl am y Beibl fel jyngl di-lwybr, yn llawn croesddywediadau, bratwaith o syniadau digyswllt. Mewn gwirionedd, yr eithaf arall sy'n wir, oherwydd un o brif ogoniannau'r Beibl yw ei gydlyniad." Fe ychwanega wedyn: "Mae'r Beibl yn gyfan o Genesis i'r Datguddiad yn adrodd stori pwrpas sofran gras Duw, ei gynllun llywodraethol o iachawdwriaeth trwy Grist." Pan ddarllenwn yr Ysgrythur, darllen cyfres o straeon ydym ni sy'n cael eu cyfuno ynghyd i adrodd y stori ehangach.

Daw llawer o Gristnogion at y Beibl yn yr un ffordd bron ac y deuan nhw at yr 'Yellow Pages' – fel rhywle i fynd pan maen nhw mewn trafferthion. Dydyn nhw ond yn ei weld fel llyfr a all roi testunau iddyn nhw i'w priodoli i'w brwydrau beunyddiol. Does dim byd o'i le, wrth gwrs, mewn chwilio am destunau addas pan deimlwn yn isel neu mewn angen cymorth ysbrydol, ond mae'n rhaid inni weld bod gan y Beibl lawer iawn mwy i'w ildio inni na phresgripsiwn ar sut i beidio â phoeni, sut i osgoi dicter, ac felly ymlaen. O flaen pob dim arall, stori yw'r Beibl – stori yn adrodd sut mae Duw ar waith, yn symud o gynllun a sylfaenwyd yn nhragwyddoldeb i uchafbwynt oddi mewn i hanes, ac yna ymlaen y tu hwnt i ffiniau amser i'r dyfodol. Mae'r stori mae Duw wrthi'n ei hadrodd ym mywydau pob un ohonom yn rhyfeddol, ond mwy rhyfeddol fyth yw'r stori a adrodda Duw yn yr Ysgrythurau.

Dros y blynyddoedd, ar fy nhaith i fy hun gyda Duw, rwyf wedi dod ar draws peth digon rhyfedd: po fwyaf y caf i fy rhwydo ynghanol y stori mae Duw yn ei hadrodd yn y Beibl, lleia'n y byd o ddiddordeb sydd gen i yn fy mhroblemau i fy hun. Gallaf ddweud wrthych nad oes dim yn ein grymuso fwy ar gyfer byw o ddydd i ddydd na chael ein dal ynghanol ei stori *ef*.

Beth am fynd ymlaen i ddarllen:
Gen. 2:7–8; Dat.21:1–4

Meddyliwch am y cwestiynau hyn:
1. Beth sy'n gysgod ar y ddynoliaeth ar ddechrau stori'r Beibl?
2. Beth sy'n tywynnu dros y ddynoliaeth ar ddiwedd stori'r Beibl?

Gweddi O Dad, agor fy llygaid i weld y darlun mawr mae'r Beibl yn ei ddatgelu. Wedi imi gael cip ar y ffaith bod gennyt ti stori sydd yn fwy na'm stori i, rwyf ar dân i gael gwybod mwy. Arwain fi ymlaen, addfwyn Dad. Yn enw Iesu. Amen.

Argraff yn unig o ddyfnder

"Myfi yw y drws; os daw rhywun i mewn trwof fi, caiff ei gadw'n ddiogel."
(adn.9)

Beth am ddarllen Ioan 10:1–21 ac yna myfyrio

Ddoe fe sylwom fod y Beibl yn cael ei rannu yn nifer o storïau sydd yn adrodd un stori gyfansawdd. Fel hyn mae Howard Hendricks yn mynegi'r peth: "Nid fel athrawiaeth drefnus y daw'r Beibl atom, ond fel naratif. *Ac mae'r ffurf stori a gymera yr un mor bwysig â'r stori a adrodda.*" Roeddwn i wedi ymroi gymaint i geisio dadansoddi'r Beibl ym mlynyddoedd cynnar fy ngweinidogaeth nes imi fethu â rhoi sylw i'r ffaith mai stori yw'r Beibl o flaen popeth arall.

Un o'r pethau y sylwais i arno wrth imi astudio seicoleg ydy nad oes ganddo synnwyr o stori. Canolbwyntio mae seicoleg ar yr hyn mae'n ei olygu i fod yn "berson" a does dim amgyffred wedyn o'r hyn mae'n ei olygu i fod yn etifedd i deyrnas sydd wedi ei sylfaenu ers dechrau amser. Ac am y rheswm ei fod yn amddifad o'r stori, mae'n methu â dweud y stori'n gyfan. Mae hi fel chwa o awyr iach wedyn i droi o fyd seicoleg i fyd y Beibl a gweld nad ydy'r Ysgrythur yn tywallt dŵr oer dros ein dychymyg nac yn gwneud yn fach o'n chwant am stori, ond yn hytrach yn ei danio, yn ei annog, ac yn rhoi inni rai o'r straeon mwyaf cyffrous sydd wedi eu hadrodd erioed.

Mae lle, wrth gwrs, i ddisgyblaethau seicoleg a chymdeithaseg yn nhrefn pethau, ond maen nhw'n amddifad o ddyfnder ynddyn nhw eu hunain. Maen nhw fel y neuadd ddrychau mewn ffair lle gwelwn wahanol adlewyrchiadau ohonom ein hunain. Ond dyna'r cwbl a welwn ni. Wedi amser, yr ydym am gael mynd allan, am ddod o hyd i'r drws. Fe soniodd Iesu amdano ef ei hun fel drws neu adwy. Os wyt ti'n edrych am fyd newydd – byd gyda dyfnder iddo – bydd rhaid i tithau ddod o hyd i'r drws. Crist yw'r drws hwnnw. Ac mae mynd trwy'r drws hwnnw yn dod â thi i fyd llawer mwy cyffrous nag y gallet ti erioed ei ddychmygu.

Beth am fynd ymlaen i ddarllen:
Marc 4:33–34;
2 Cor. 5:17

Meddyliwch am y cwestiynau hyn:
1. Beth yw'r amod i ddeall storïau Iesu?
2. Beth yw'r amod i fwynhau bywyd newydd cyflawn?

Gweddi O Dad, mor falch ydw i 'mod i wedi dod o hyd i'r drws yna. Trwy dy Fab rwy'n cael mynediad i fyd sydd y tu hwnt i unrhyw un o'm dychmygion. Galluoga fi i helpu eraill ddod o hyd i'r drws hwn. Yn enw Iesu. Amen.

Llyfr storïau rhyfeddol Duw

"A galwasant ar Rebeca, a dweud wrthi, 'A ei di gyda'r gŵr hwn?' Atebodd hithau, 'Af.' (adn. 58)

Beth am ddarllen Genesis 24:1–67 ac yna myfyrio

Daliwn ati i fyfyrio ar y ffaith bod y rhan fwyaf o'r Beibl wedi ei hysgrifennu ar ffurf stori. Os collwn ein golwg ar hyn, yna fe gollwn ein golwg ar un o ddoniau mawr Duw, oherwydd, fel y dywedodd G.K. Chesterton, "Duw yw'r adroddwr storïau gorau yn y byd." Mae storïau'r Beibl yn ein paratoi ar gyfer gwirioneddau mawr. Fel enghraifft o hynny, mae'r stori a ddarllenwyd gennym heddiw yn rhoi help i ni i ddeall y ffordd ryfeddol yr anfonodd Duw ei Ysbryd Glân i mewn i'r byd er mwyn ceisio priodferch i'w Fab. Yn union fel y bu i'r gwas yn y stori symud o dan arweiniad Duw nes iddo o'r diwedd ddod o hyd i'r un yr oedd Duw wedi ei ddewis i fod yn wraig i Isaac, felly y mae'r Ysbryd wedi symud (ac yn dal i symud) trwy'r byd, yn ceisio'r rhai mae Duw wedi eu dewis ac yn eu paratoi ar gyfer y dydd pan fydd y Briodferch (yr Eglwys) a'r Priodfab (Crist) yn cael eu huno ynghyd yn dragwydd.

Un o'r disgrifiadau gorau rwyf i wedi ei glywed o'r Hen Destament yw hyn: *Llyfr stori rhyfeddol Duw.* Dyna ydy o, yn wir. Perthyn tueddiad peryglus i ddiwylliant ein dyddiau ni; ymddengys fel petai'n colli golwg ar werth stori. Heddiw mae llawer o blant yn dechrau mynd yn anniddig pan ofynnir iddyn nhw wrando ar stori'n cael ei hadrodd. Pan oeddwn i yn yr ysgol gynradd, byddai chwarter awr olaf pob diwrnod yn cael ei neilltuo ar gyfer darllen stori gan ein hathro. Os byddai rhywun wedi camymddwyn yn ddifrifol, un o'r cosbau fyddai'n cael ei weithredu fyddai amddifadu'r dosbarth o'i stori ddyddiol. Pryd bynnag y byddai hynny'n digwydd byddem ni'n dannod cymaint i'r drwg weithredwr ar y ffordd adref o'r ysgol nes y byddai hwnnw, neu honno, yn meddwl dwy waith cyn camymddwyn eto. Dyma beth sy'n fy mhoeni i am y tueddiad yma yn ein cymdeithas. Os yw Satan yn dinistrio ein diddordeb ni mewn stori, yna mae arnaf ofn y byddwn ni'n colli ein diddordeb yn stori Duw.

Beth am fynd ymlaen i ddarllen:
Neh. 8:1–12;
Actau 8:26–39

Meddyliwch am y cwestiynau hyn:
1. Beth oedd canlyniad clywed Llyfr Duw yn cael ei ddarllen?
2. Beth ddigwyddodd fel canlyniad i'r eunuch ddarllen Llyfr Duw?

Gweddi O Dduw, gwared fi rhag y tueddiadau dinistriol yn ein cymdeithas heddiw. Rwyt ti wedi rhoi'r llyfr storïau mwyaf rhyfeddol i mi. Fi fy hun sydd ar fy ngholled o'i esgeuluso. Helpa fi i beidio â cholli golwg byth ar ei bwysigrwydd aruthrol ac ofnadwy. Yn enw Crist y gofynnaf hyn. Amen.

Hanes – stori Duw

"Felly, bu'r Gyfraith yn was i warchod trosom hyd nes i Grist ddod, ac inni gael ein cyfiawnhau trwy ffydd." (adn. 24)

Beth am ddarllen Galatiaid 3:15–25 ac yna myfyrio.

Fe roddwyd y Beibl at ei gilydd er mwyn adrodd stori Duw, ac fe roddwyd inni trwy'r straeon yn y Beibl yr hyn mae Thomas Howard yn ei alw'n "stori pob stori, yr unig stori sydd yn y diwedd". Betha olygir gan "yr unig stori sydd yn y diwedd"? Mae Frederick Buechner yn ei lyfr *The Complete Literary Guide to the Bible* yn crynhoi holl neges yr Ysgrythur fel hyn: "Mae Duw yn creu, yn colli ac yn adfer." Fe â ymlaen i ddweud: "Nid dim ond casgliad o ragdybiaethau neu syniadau athronyddol yw Cristnogaeth, ond stori sydd yn gafael yn y dychymyg."

Crynhoa'r Dr Larry Crabb y peth ychydig yn wahanol pan ddywed bod saith o benodau i stori Duw: (1) Duw yn y Drindod; (2) Duw a'r angylion; (3) Dechrau drygioni; (4) Creu paradwys; (5) Colli paradwys; (6) Gogoniant yn cael ei ddatguddio trwy Grist; (7) Mwynhau gogoniant dros byth. Does yr un awdur arall yn y Testament Newydd yn llwyddo i fynegi rhediad tragwyddol bwriadau Duw fel mae Paul yn llwyddo yn y llythyr at yr Effesiaid. Ond yma yn y darn a ddarllenom heddiw fe lwydda i grynhoi stori'r Hen Destament – cyfnod o tua 2,000 o flynyddoedd – i mewn i 11 o adnodau. Mae fel petai'n disgrifio cadwyn o fynyddoedd gydag Abraham a Moses yn gopaon yn y gadwyn a Iesu Grist yn gopa uchaf – yn Everest – i'r cyfan. Hyn yw ei neges yn syml: cafodd addewid Duw i Abraham ei gadarnhau gan Moses a'i gyflawni yn Iesu Grist.

Yn yr adnodau hyn mae Paul yn ein dysgu am unoliaeth y Beibl, tra'n rhoi synnwyr inni hefyd bod Duw wedi bod ar waith trwy hanes yn cyflawni pwrpas a allai fod yn guddiedig ar y pryd, ond a oedd, er gwaethaf hynny, yn rhan o gynllun tragwyddol. "Mae mawr angen yn yr Eglwys heddiw am athroniaeth Gristnogol Feiblaidd o hanes," meddai rhywun heddiw. Mae hynny'n sicr o fod yn wir, am mai ei stori ef yw hanes i gyd.

Beth am fynd ymlaen i ddarllen:
Gal. 4:4–7;
Heb. 1:1–3

Meddyliwch am y cwestiynau hyn:
1. Beth yw hawliau llawn meibion?
2. Beth yw hawliau llawn y Mab?

Gweddi O Dad, po fwyaf a ddysgaf am y stori rwyt ti wrthi'n ei dweud, mwyaf awyddus wyf i ddysgu. Dos â fi'n ddyfnach i mewn i'r pwnc hwn, addfwyn Arglwydd. A pha bynnag lyfr arall a esgeulusaf, helpa fi i beidio byth ag anwybyddu dy Air ysbrydoledig di. Yn enw Iesu. Amen.

Hanes yr achub

"...yr hwn y mae'n rhaid i'r nef ei dderbyn hyd amseroedd adferiad pob peth a lefarodd Duw... erioed." (adn. 21)

Beth am ddarllen Actau 3:11–26 ac yna myfyrio

Ddoe fe ddaru ni gloi gyda'r dyfyniad: "Mae mawr angen yn yr Eglwys heddiw am athroniaeth Gristnogol Feiblaidd o hanes." Dywed John Stott fod: "cymaint ohonom mor brysur yn meddwl am newyddion y funud ... nes nad oes lawer o ddim sydd o ddiddordeb i ni yn y gorffennol nac yn y dyfodol. Rydym ni'n methu gweld y coed gan brennau. Mae angen inni sefyll yn ôl er mwyn cael golwg ar holl gyngor Duw, ei bwrpas tragwyddol i brynu pobl iddo'i hun trwy Iesu Grist."

Does gan rai pobl fawr o amser i'r Hen Destament am eu bod yn ei weld fel hanes. Ond er mwyn deall epig gyffredinol Duw, mae'n rhaid inni sylweddoli nad yn unig yn y canrifoedd ar ôl Crist y mae ef wedi bod ar waith, ond yn y canrifoedd ynghynt hefyd. Gwelai'r hen Roegiaid hanes ar ffurf cylch cyfan heb fod yn mynd i unlle yn arbennig a byth yn cyrraedd nod benodol. Dywedodd G.N. Clarke yn un o'i anerchiadau cyntaf ym Mhrifysgol Caergrawnt: "Nid oes yr un cyfrinach na chynllun i'w ddarganfod mewn hanes." Fel hyn yr ysgrifennodd André Maurois, y cofiannydd Ffrengig: "Difater yw'r bydysawd. Pwy a'i creodd? Pam ein bod ni yma ar y domen fwd fach hon sy'n cylchdroi yn nibendrawdod y gofod? Does gen i mo'r syniad lleiaf, ac rwy'n ddigon siŵr nad oes gan neb arall chwaith."

Duw hanes yw Duw y Beibl – hanes yr Hen Destament yn ogystal â hanes y ddwy fil blynyddoedd ers i Grist droedio'r ddaear. Mae'r Hollalluog, sydd yn ei alw ei hun yn Dduw Abraham, Isaac a Jacob, wedi dewis Israel o blith llawer o genhedloedd i fod yn bobl ei gyfamod, a daeth atom ni ym mherson ei Fab ar awr a gofnodwyd mewn hanes. Yr hanes mae'r Beibl yn ei alw i gof yw "hanes yr achub", ac mae'r achubiaeth sy'n cael ei chyhoeddi ynddo wedi cael ei chyflawni trwy ddigwyddiadau hanesyddol.

Beth am fynd ymlaen i ddarllen:
Salm 90:1–4;
1 Cor. 15:20–28

Meddyliwch am y cwestiynau hyn:
1. Beth mae'r Salmydd yn ei ddysgu am Dduw a hanes?
2. Beth fydd yn digwydd ar ddiwedd hanes?

Gweddi
Dad, rwy'n gweld yn eglur mai "hanes yr achub" yw'r hanes a gofnoda dy Air. Rwyt ti wedi bod yn gweithio trwy hanes er mwyn cyflawni dy amcanion. Yn wir, dy hanes di yw hanes i gyd. Diolch iti, fy Nhad. Yn enw Iesu. Amen.

Cael yr olwg hiraf

"Am fod Duw am i bobl wybod ei fod e ddim yn newid ei feddwl ac y bydd yn gwneud beth mae wedi ei addo iddyn nhw ..." (adn.17) (Beibl.net)

Beth am ddarllen Hebreaid 6:13–20 ac yna myfyrio

Myfyriwn ychydig eto ar y ffaith mai Duw hanes yw ein Duw ni. Dywedodd Henry Ford yn ei achos enllib yn erbyn y *Chicago Tribune* ym 1919: "History is bunk." Ysgrifennodd Rudolf Bultmann: "Mae cwestiwn ystyr mewn hanes wedi mynd yn ddiystyr." Byddai rhai eraill yn cytuno â'r geiriau hyn: "Y siart cywiraf o ystyr hanes yw'r ôl traed a adewir gan bry meddw yn ymdrybaeddu a'i draed yn wlyb gan inc ar draws dalen o bapur gwyn. Dydy o'n arwain i unlle nac yn adlewyrchu'r un patrwm o ystyr." Ydyn nhw'n iawn? Wrth gwrs nad ydyn nhw. Dynol yw'r golygon hyn; maen nhw'n methu â gweld pethau o bersbectif Duw, o olwg tragwyddol. Ychydig sy'n cael ei ddweud wrthym ni pan edrychwn ar dameidiau o hanes, ond pan gymerwn "yr olwg hiraf" fe allwn weld, fel mae C.S. Lewis yn ei roi, bod: "hanes yn stori a ysgrifennwyd gan fys Duw."

Does gan haneswyr a chosmolegwyr ein dyddiau ni, sy'n gweld y gorffennol yn unig fel un argyfwng diystyr ar ôl y llall, ddim ateb i'r cwestiwn: O ble y daethom ac i ble rydym yn mynd? Ac oherwydd eu bod yn ystyried nad oes gan hanes yr un synnwyr o batrwm, maen nhw'n fuan yn dod o dan ddylanwad athroniaeth dirfodaeth (ynglŷn â'r hyn sy'n bodoli ar y pryd), sydd yn cofleidio'r presennol ac yn cau allan y dyfodol a'r gorffennol. Eto, ynghanol llanw a thrai athroniaethau modern, mae'r Cristion crediniol yn sefyll yn gadarn ac yn sylweddoli, er gwaethaf yr holl anawsterau a achoswyd gan bechod, bod yna eto gynllun dwyfol sydd yn rhedeg trwy holl hanes.

Bydded iti gael dy sicrhau, fy nghyfaill, nad cyfres o ddigwyddiadau damweiniol mo hanes, a phob achos gydag effaith ac effaith gydag achos iddo, a'r cyfan yn dweud nad oes patrwm o gwbl. Mae'r Duw sy'n cael ei ddatguddio yn y Beibl yn gweithio yn ôl cynllun ac yn cyflawni pob dim yn ôl bwriad ei ewyllys (gw. Effesiaid 1:11).

Beth am fynd ymlaen i ddarllen:
Eseia 44:6–8;
Eff. 2:1–7; 3:7–11

Meddyliwch am y cwestiynau hyn:
1. Beth oedd ein cyflwr pan oeddem ni'n dilyn ffyrdd y byd?
2. Pam ddaru Duw ein codi i fyny gyda Christ?

Gweddi
O Dad, maddau imi fy mod i mor brysur yn edrych ar y presennol fel nad oes i mi ddiddordeb mawr yn y gorffennol na'r dyfodol. Helpa fi i gamu'n ôl a chael golwg ar holl fwriad Duw – a chael yr olwg hiraf. Yn enw Iesu. Amen.

Gwahoddiad i briodas

"... daeth dydd priodas yr Oen, ac ymbaratôdd ei briodferch ef." (adn. 7)

Beth am ddarllen Datguddiad 19:1–10 ac yna myfyrio

Wedi treulio tridiau yn myfyrio ar y ffaith mai stori Duw ydy hanes, fe symudwn ymlaen nawr i'n holi'n hunain: Beth yn union yw'r stori gyfan mae'r Beibl yn ei hadrodd? Beth yw stori fawr Duw? *Stori garu* yw hi. Ddaru ni gyffwrdd ar y pwynt hwn ychydig ddyddiau yn ôl wrth edrych ar hanes Abraham yn gyrru ei was, Eliasar, i ddod o hyd i wraig i Isaac, ond dewch imi gael sôn amdano mewn mwy o fanylder.

George Macdonald ysgrifennodd: "Pan ydym ni'n dinoethi ffeithiau hanes, ynghyd â datganiadau niferus yr Ysgrythur, fe ddown ar draws stori garu anferthol ei maint – cariad y Tad at y Mab, a chariad y Mab at ei Briodferch." Fel hyn y dywed A.W. Tozer y peth: "Y diwedd oedd gan y Tad mewn golwg ar gyfer ei fydysawd pan luniodd ef hi gyntaf oedd darparu priodferch ar gyfer ei Fab. Hyn, a hyn yn unig, sydd yn datguddio inni'r holl ystyr y tu cefn i hanes ac sy'n ei wneud yn bosibl inni ei amgyffred." Felly, mae stori fawr Duw yn ei hanfod yn un ramantus.

Mae gofal Duw am ddarparu priodferch ar gyfer ei Fab yn cael ei ragfynegi yn y teipiau a'r cysgodion o hynny a geir yn yr Hen Destament; fe'i datblygir yn llawnach ar ein cyfer gan yr apostol Paul, a daw i'w lawn ddatblygiad yn yr adran o'n blaenau heddiw. Y digwyddiad mwyaf yn y tragwyddoldeb sydd i ddod fydd gwledd briodas yr Oen.

Flynyddoedd lawer yn ôl, fe ysgrifennodd rhywun y geiriau digalon hyn: "Ym mha ffordd y daw'r byd i ben? Nid gyda *bang*, ond gydag ochenaid." I Gristnogion, nid ochenaid fydd diwedd pob dim, ond priodas. Byddwn ni sydd wedi ein denu gan Grist a'n hennill iddo ryw ddydd yn briod ag ef. Haleliwia!

Beth am fynd ymlaen i ddarllen:
Math. 22:1–14;
Ioan 2:1–11

Meddyliwch am y cwestiynau hyn:
1. Beth sy'n ddisgwyliedig o bawb sy'n mynychu priodas?
2. Pa eiriau a ddywedwyd gan Mair a fydd yn ein harbed rhag cael ein cau allan?

Gweddi
O Dad, mae'r wybodaeth hon yn rhy ryfedd eto i mi. Byddai wedi bod yn ddigon cael fy achub rhag uffern a rhoi lle imi yn y nef. Ond cael fy uno â thi, bod yn un â thi, mae hyn yn ormod imi bron. Y cyfan y gallaf i ei ddweud yw: Diolch iti, addfwyn Arglwydd. Diolch iti. Amen.

Stori fawr Duw

"Y mae'r dirgelwch hwn yn fawr. Cyfeirio yr wyf at Grist ac at yr eglwys."
(adn. 32)

Beth am ddarllen Effesiaid 5: 22–33 ac yna myfyrio

Daliwn i fyfyrio ar y ffaith bod yr epig gyffredinol mae Duw wrthi'n ei sgwennu yn un ramantus. Rydym i gyd yn gyfarwydd â'r stori dylwyth teg sy'n sôn am dywysoges yn cusanu broga a hwnnw wedyn yn troi'n dywysog golygus. Mae stori fawr Duw ynglŷn â phriodfab yn cyffwrdd pechaduriaid brwnt fel ti a fi, a thrwy ei ras yn ein troi ni'n bobl sydd yn gymwys i gael ein huno ag ef mewn priodas ac i fod yn gymdeithion tragwyddol iddo.

Pan fo'r apostol Paul yn sôn am ŵr a gwraig yn dod yn un cnawd mae'n gwneud y sylw: "Mae'r dirgelwch hwn yn fawr (ond) cyfeirio yr wyf at Grist ac at yr eglwys." Beth yw'r "dirgelwch" sy'n mynd â'i fryd yn y fan yma? Y "dirgelwch" y bydd yr eglwys, yn union fel mae pâr priod yn dod yn un cnawd, hefyd yn un gydag ef yn nhragwyddoldeb.

Fedr haneswyr nad ydyn nhw'n Gristnogion ddim amgyffred bod yna stori garu wrth wraidd y bydysawd. Cefais fy hun unwaith yn eistedd wrth ymyl hanesydd ar awyren. Yn ystod y sgwrsio fe ofynnais i'r dyn pa wersi oedd o'n gallu eu codi o'i astudiaeth o hanes. Oedodd am ennyd cyn dweud: "Mae'n ymddangos nad oes dim ystyr mewn hanes." Wrth i mi geisio esbonio bod, er gwaetha'r anhrefn ymddangosiadol, gynllun dwyfol yn cael ei weithredu – un rhamantus – edrychodd arnaf i mewn syndod. Gan droi'n ôl at ei bapurau, fe ddywedodd, er y byddai'n hoffi trafod y mater ymhellach, bod ganddo lawer o waith i'w wneud eto. Wrth iddo ddweud wrthyf ar ddiwedd y daith ei fod yn dal awyren arall ac yn mynd yn ei flaen i rywle arall, allwn i ddim peidio â meddwl: ysgwn i i ble?

Beth am fynd ymlaen i ddarllen:
Hosea 2:16–20;
1 Pedr 2:9

Meddyliwch am y cwestiynau hyn:
1. Pa effeithiau pellgyrhaeddol a ddaw yn sgìl priodas yr Oen?
2. Beth mae pobl Dduw yn cael eu galw i'w wneud?

Gweddi
O Dad, y fath ragolygon – y fath stori! Ein bod ni, a oeddem wedi ein staenio'n ddwfn gan bechod ac yn awr yn lân trwy waed dy Fab, i gael ein huno â thi am byth. Fedra i ddim dod dros y peth. Bendigedig fyddo dy enw di byth mwy. Amen.

Awgrym dwyfol?

*"...ac o'r asen a gymerodd gwnaeth yr Arglwydd Dduw wraig,
a daeth â hi at y dyn." (adn. 22)*

Beth am ddarllen Genesis 2:15–25 ac yna myfyrio

Eto am un dydd fe fyfyriwn ar y syniad mai diben pennaf Duw o ddechrau amser oedd darparu Priodferch ar gyfer ei Fab. Ymddengys fod awgrym o'r gwirionedd yma yn hanes creu Efa o Adda. Dyma a ddywedodd y Dr Cynddylan Jones, un o fawrion y pulpud Cymreig yn niwedd y bedwaredd ganrif ar bymtheg: "Mae'r hyn a ddigwydda yn nhudalennau cyntaf y Beibl yn rhagredegiad ar gyfer yr hyn sy'n digwydd yn nhudalennau olaf y Beibl, pan fydd yr Eglwys, Priodferch Crist, a oedd *ynddo* Ef ac a ddaeth *allan* ohono Ef, yn cael ei *huno* gydag Ef mewn priodas a fydd yn para am dragwyddoldeb."

Dweud roedd Cynddylan gyda'r geiriau hyn bod creu y wraig yn ddarlun o'r Eglwys Gristnogol. Ar y cyntaf, roedd y wraig yn y dyn – yn syniadol o leiaf. Yna cafodd ei chymryd allan ohono pan agorodd Duw ochr Adda. "Adeiladodd" Duw wraig o gwmpas yr asen a gymerodd ganddo. Yn olaf, fe roddodd Duw y wraig yn ei hôl i'r dyn, gan weld hynny fel y weithred o lân briodas (adn. 24).

Onid ydy'r weithred yma o greu yn debyg i genhedliad, creadigaeth a chyflawniad priodas yr Eglwys, Priodferch Crist? Dywedir wrthym yn Effesiaid 1:4 bod Duw wedi ein gweld *yng* Nghrist cyn sefydliad y byd. Yn adnod 7 fe welwn fod inni brynedigaeth trwy ei waed – y gwaed a ddaeth, fe gofiwch, o'i ochr a holltwyd. Ym mhennod 5 fe ddarllenwn y byddwn ni a oedd *ynddo* ef ac a ddaethom *allan* ohono ef yn cael ein *huno* eto gydag ef. Dywedodd Cynddylan Jones: "Allai Duw ddim disgwyl i gael dweud wrth y byd sut y bwriadai ddarparu Priodferch ar gyfer ei Fab, ac felly fe adeiladodd y gwirionedd hwnnw ar ffurf teipolegol i mewn i'r greadigaeth wreiddiol." Oedd o'n iawn? Penderfynwch chi.

Beth am fynd ymlaen i ddarllen:
Eff. 4:15–16;
Col. 1:15–19

Meddyliwch am y cwestiynau hyn:
1. Sut fydd yr Eglwys yn tyfu i mewn i Grist?
2. Sut mae Pen y Corff i fod yn flaenaf?

Gweddi
Fy Nhad a'm Duw, os mai dy bwrpas di pan greaist Efa allan o Adda oedd rhaglunio yr hyn rwyf wedi darllen amdano heddiw ai peidio, mae un peth yn sicr: daeth fy iachawdwriaeth oddi wrthyt ti, a'm tynged yw cael fy uno â thi. Haleliwia! Amen.

31

Y cymeriad canolog

"Fel hyn y bu genedigaeth Iesu Grist." (adn. 18)

Beth am ddarllen Mathew 1:18–25 ac yna myfyrio

Fel arfer ceir cymeriad canolog mewn stori – seren y stori, os hoffwch chi. A'r cymeriad canolog yn stori fawr Duw ydy Iesu Grist. Meddylia rhai am Iesu fel cymeriad canolog y Testament Newydd yn unig, ond ef yw cymeriad canolog yr Hen Destament hefyd. "Mae cyfyngu stori Iesu i'r Testament Newydd yn unig," meddai un esboniwr, "yn golygu camddeall holl bwrpas y Beibl."

Roeddech chi'n falch rwy'n siŵr mai gydag adnod 18 roedd y darlleniad heddiw'n dechrau ac nid gyda'r adnod gyntaf. Eto, mae Mathew'n rhoi achau ein Harglwydd inni am bwrpas arbennig. Dydy o ddim yn caniatáu inni ddarllen am enedigaeth Iesu cyn inni dyrchu trwy'r hyn sy'n ymddangos fel rhestr ddiflas o gymeriadau hanesyddol, oherwydd na fyddwn ni'n deall ei stori ef yn iawn nes gwelwn ni Grist yng nghyd-destun ei gyn dadau a mamau. Fe sefydlodd achau Iddewig yr hawl i berthyn i gymuned pobl Dduw. Fel yma yng Nghymru roedd yr achau yn rhoi hunaniaeth a statws i bobl. Roedd cenhadaeth Iesu yn gofyn ar iddo berthyn i'r bobl a oedd i ddwyn bendith i'r ddaear; ef oedd cyflawniad yr holl addewidion yn yr Hen Destament ynghylch y Meseia. Rhaid edrych ar Iesu yng ngoleuni stori fwy sydd yn ymestyn yn ôl dros lawer o ganrifoedd.

Mae'r Hen Destament, meddai Chris Wright yn ei lyfr *Knowing Jesus through the Old Testament*, yn adrodd y stori mae Iesu'n ei chwblhau. "Heb yr Hen Destament," mae'n honni, "mae Iesu'n colli realaeth yn fuan ac un ai'n dod yn gymeriad mewn ffenestr liw – lliwgar ond llonydd a heb ofynion arnom – neu'n ddoli deiliwr y gellir ei gwisgo er mwyn siwtio'r ffasiwn bresennol." Fyddai Iesu ddim y person y gwyddom ei fod heb y stori fwy. Nid cymeriad ystrydebol ydy Iesu; mae'n ddyn go iawn – er yn gymaint mwy na dyn, wrth gwrs.

Beth am fynd ymlaen i ddarllen:
Eseia 42:1–4;
Salm 72:1–17

Meddyliwch am y cwestiynau hyn:
1. Beth sy'n dilyn pan fo Duw yn rhoi ei Ysbryd yn ei Anwylyd?
2. Pam fydd brenhinoedd yn plygu iddo a chenhedloedd yn ei wasanaethu?

Gweddi
Arglwydd Iesu, tra ydw i'n gorfoleddu mai ti ydy cymeriad canolog yr Ysgrythur, rydw i'n fwy balch fyth mai ti ydy'r cymeriad canolog yn fy mywyd i. Hebot ti ni fyddai bywyd yn werth ei fyw. Amen.

"Fy arwr"

"Daeth Mab y Dyn i geisio ac i achub y colledig." (adn. 10)

Beth am ddarllen Luc 19:1–10 ac yna myfyrio

Daliwn ati i feddwl am yr hyn y buom yn ei drafod ddoe, sef mai Iesu ydy seren stori Duw. Nid i'r rhai sy'n cael eu hachub y rhoddir y clod, ond i'r un sydd yn achub. Yn ddiweddar gwelais raglen deledu yn rhoi hanes gwraig oedd wedi ei hachub rhag boddi ar draeth yn Awstralia. Nid achubwr-bywyd oedd y dyn a'i hachubodd – dim ond dinesydd cyffredin a oedd wrthi'n mynd â'i gi am dro ar hyd y traeth. Fedrai'r dyn ddim nofio hyd yn oed. Ond pan welodd fod y wraig mewn trafferthion fe ruthrodd i nôl gwregys achub, aeth allan i mewn i'r môr cyn belled ag y gallai, a'i luchio ati hi. Yn ffodus medrodd y wraig ei ddal, ac am fod yna raff yn sownd ynddo gallodd yntau ei thynnu i ddiogelwch y lan. Digwyddai criw teledu fod wrth law a dechreuwyd holi'r achubwr yn syth. Tra canolbwyntiai un gŵr camera ar y dorf oedd wedi casglu o gwmpas y dyn i'w longyfarch, fe drodd camera arall ei lens at y wraig oedd wedi ei hachub – yn eistedd ar ei phen ei hun, wrthi'n cael ei gwynt ati. Ni wnaed yr un sylw a doedd dim angen yr un sylw chwaith. Mae'r clod, fel y dywedais uchod, yn cael ei roi i'r rhai sydd yn achub, nid i'r rhai sy'n cael eu hachub.

Mae'r rhai nad ydyn nhw'n Gristnogion yn meddwl yn aml pam ein bod ni'n rhoi cymaint o sylw i Iesu. Pe bydden nhw ond yn cael gwybod am lawenydd bywyd yn ei holl gyflawnder, pechodau wedi eu maddau, ac fel mae Williams yn canu: "Golwg, Arglwydd ar dy wyneb sydd yn codi'r marw o'r bedd," ac yntau'n gwirioni gymaint ar yr Arglwydd Iesu. Datganodd pregethwr a glywais ychydig yn ôl: "Iesu ydy fy arwr i." Doeddwn i ddim yn siŵr iawn beth i'w wneud o'r datganiad ar y cychwyn. Ond po fwyaf y meddyliwn am y peth, mwya'n y byd y gwelwn ei fod yn iawn. Nid arwr Duw yn unig ydy Iesu, ond fy arwr innau hefyd.

Beth am fynd ymlaen i ddarllen:
Ioan 6:66–69;
Dat. 5:9–14

Meddyliwch am y cwestiynau hyn:
1. Pa ddau reswm mae Pedr yn eu rhoi dros aros gyda Iesu?
2. Pam fod yr holl greadigaeth yn ymuno i addoli'r Oen?

Gweddi
Arglwydd Iesu Grist, sut allaf fi fyth ddiolch digon iti am f'achub i ac am fod yn achubwr mor rhyfeddol? Rhoddaf iti'r clod i gyd am fy iachawdwriaeth i. A gwnaf hynny byth mwy. Amen.

33

Yr unig iachawdwr

*"Ac nid oes iachawdwriaeth yn neb arall, oblegid nid oes enw arall dan y nef ...
y mae'n rhaid i ni gael ein hachub drwyddo." (adn. 12)*

Beth am ddarllen Actau 4:1–12 ac yna myfyrio

Daliwn ati i feddwl am y ffaith mai Iesu ydy arwr stori fawr Duw. Mae crefyddau
eraill yn rhoi parch uchel i Iesu, ond dydyn nhw ddim yn ei gydnabod fel canolbwynt
bwriadau Duw. Mae'r Hindŵiaid yn falch o'i gydnabod fel "avatar" (disgynnydd) o
Vishnu. Mae Mwslemiaid yn ei gydnabod fel un o'r proffwydi lle mae ei eni
gwyrthiol, ei fywyd dibechod, ei weithredoedd o dosturi, ei wyrthiau a'i ddychweliad
ryw ddydd i'r ddaear yn cael eu cadarnhau yn y Qur'an. Mae Iddewon sy'n gwrthod
Iesu fel y Meseia yn dal i sôn amdano fel gŵr o gymeriad neilltuol a gyflawnodd
lawer. Roedd hyd yn oed Karl Marx, a oedd yn ffyrnig ei feirniadaeth o grefydd ac
yn edrych arni fel yr opiwm oedd yn llesmeirio'r rhai dan orthrwm i dderbyn
anghyfiawnderau'r rheiny oedd mewn grym, er gwaethaf y cyfan, â meddwl uchel
ganddo o Iesu.

     Rhai blynyddoedd yn ôl, bûm yn siarad efo grŵp o fyfyrwyr nad oedden
nhw'n Gristnogion ar thema " Yr Iesu Hanesyddol". Wedi imi orffen, fe gododd y
cadeirydd ar ei draed a dweud: "Tair bloedd i Iesu." Teimlwn yn drist nad oedd fy
mhwynt wedi cyrraedd adref, oherwydd nid "tair bloedd" sydd gan Iesu ei eisiau
gennym, ond gwrogaeth ein calonnau.

     Nid un Iachawdwr ymhlith llawer ydy Iesu Grist ein Harglwydd; ef ydy'r
unig iachawdwr. Nid un o blith 330 miliwn o dduwiau'r Hindŵiaid ydy o, nac
ychwaith un o blith y deugain proffwyd sy'n cael eu cydnabod yn y Qur'an. Nid ydy
o chwaith, yng ngeiriau John Stott: "yn Iesu Fawr, fel y byddech yn dweud Llywelyn
Fawr neu Napoleon Fawr ... ef yw'r unig un i ni; dim ond Iesu. Ellid ddim ychwanegu
dim at hynny; mae o'n unigryw." Gan fyw fel yr ydym mewn oes lle mae'r ysgolion
yn dysgu bod i'r holl grefyddau werth cyfartal, gadewch i ni beidio ag anghofio nad
un grefydd ymhlith llawer ydy Cristnogaeth; ond ei bod mewn dosbarth ar ei phen
ei hun. Nid *un* Iachawdwr yw Crist, Ef yw'r *unig* Iachawdwr.

Beth am fynd ymlaen i ddarllen:
Ioan 5:24; Actau 17:29–31

Meddyliwch am y cwestiynau hyn:
1. Beth yw'r unig ffordd o groesi o farwolaeth i fywyd?
2. Sut mae Duw yn dangos mai Iesu yw'r unig Iachawdwr?

Gweddi
O Dad, gwared fi rhag cael fy sgubo gyda lli'r plwraliaeth sydd yn rhemp yn ein
cymdeithas heddiw, gan golli golwg ar y ffaith mai Iesu yw'r *unig* Iachawdwr. Helpa
fi i fod yn driw i'r Ysgrythur, ond gyda thiriondeb. Yn enw Iesu y gweddïaf. Amen.

Seren y stori

"A dyma lais o'r nefoedd yn dweud, 'Hwn yw fy Mab, yr Anwylyd.'" (adn. 17)

Beth am ddarllen Mathew 3:13–17 ac yna myfyrio

Treuliwn ddiwrnod ymhellach yn ystyried goblygiadau'r ffaith mai Iesu ydy'r cymeriad canolog yn stori fawr Duw. Ceir rhai sy'n anesmwyth gyda rhoi'r rhan ganolog i Iesu mewn Cristnogaeth, ac yn gweld Cristnogaeth yn unig fel cyfundrefn foesegol. Soniant am egwyddorion dyrchafol y Bregeth ar y Mynydd, y Rheol Aur, ac felly ymlaen, gan anghofio bod yr egwyddorion yn y Bregeth ar y Mynydd yn amhosibl eu cadw heb bresenoldeb Crist yn ein bywyd. Fel y dywedais i lawer gwaith o'r blaen, pan gyflwynodd Iesu'r egwyddorion a amlinellir yn y Bregeth ar y Mynydd doedd o ddim yn dweud, "Byw fel hyn ac mi ddoi yn Gristion;" ond yr hyn roedd o'n ei ddweud oedd, "Tyrd yn Gristion ac mi fyddi byw fel hyn." Allwch chi ddim tynnu dysgeidiaeth Iesu ar foesoldeb o ganol y cyfan a'i chyflwyno ar ei phen ei hun.

Dydy hi'n gwneud dim synnwyr sôn am foeseg Gristnogol ac anwybyddu Crist. Allwch chi ddim cymryd geiriau Iesu a chymryd arnoch mai geiriau unrhyw berson da arall ydyn nhw. Sut fyddai hi'n ein taro ni pe byddai unrhyw ddyn arall, faint mor fawr bynnag fyddai hwnnw, yn dechrau sôn amdano'i hun yn yr un ffordd â Iesu? Pe byddai Tony Blair, er enghraifft, yn dweud: "Myfi yw'r atgyfodiad a'r bywyd?" Neu pe byddai rhyw gymeriad arall byd-enwog sy'n byw yn dda yn honni: "Cyn Abraham yr wyf i?" Nid eu stori nhw ydy honno. Mae'r llinellau hynny'n perthyn i un person ac i un person yn unig – ein Harglwydd Iesu Grist.

Mae'r rheiny sy'n edrych ar Gristnogaeth fel dim mwy na dysgeidiaeth foesol yn methu'r pwynt. "Cristnogaeth," meddai un diwinydd, "ydy Crist." Ynddo ef mae holl wirioneddau'r Hen Destament yn crynhoi ac ohono ef mae holl wirioneddau'r Testament Newydd yn ymddangos. Ef yw canol llonydd y Beibl, hanfod yr Efengyl, *seren stori Duw.*

Beth am fynd ymlaen i ddarllen:
Heb. 1:3–4; 1:8; 3:3–6;
1 Tim. 2:5–6

Meddyliwch am y cwestiynau hyn:
1. Beth mae Hebreaid yn ein dysgu am ragoriaeth Iesu?
2. Sut mae Timotheus yn darlunio unigrywiaeth Iesu?

Gweddi
O Dad, gyda gostyngeiddrwydd rwy'n addef nad seren dy stori di yn unig ydy Iesu, ond seren fy stori innau hefyd. Hebddo ef dydw i'n ddim. Yn union fel y bu i tithau orfoleddu yn dy Fab, yr wyf innau'n gorfoleddu ynddo hefyd. Amen.

35

Meidroldeb ac anfeidroldeb

"...atebodd Iesu ... 'Y mae fy Nhad yn dal i weithio hyd y foment hon, ac yr wyf finnau'n gweithio hefyd.'" (adn. 17)

Beth am ddarllen Ioan 5:16–30 ac yna myfyrio

Wedi i ni gydnabod lle canolog Iesu yn stori fawr Duw, rhaid i ni ystyried y cwestiwn yn awr: Beth fydd yn digwydd os na chawn ni afael ar yr ymdeimlad yma o stori sydd yn brif thema yr Ysgrythur? Un peth sy'n sicr: fe gawn ein dal yn ein stori ein hunain ac ymgolli yn ein hunain yn hytrach nag yn y Gwaredwr. Dywedodd yr athronydd Jean-Paul Satre na all unrhyw fan sydd â therfyn iddi fod yn gyd-destun addas ar gyfer ei hystyried ei hun. Hyn rwyf i'n ceisio ei ddweud, sef, os cymeraf fan terfyn fy stori i fy hun ni allaf ddod o hyd i ystyr iddi heb ei gosod mewn cyd-destun ehangach. Mae stori ehangach Duw yn gosod fy stori i mewn cyd-destun. Mae fy meidroldeb i ynghlwm wrth anfeidroldeb. Rhaid imi ofyn i mi fy hun: Fedra i weld stori sy'n llawer mwy na fi neu ai gweld fy hun fel dechrau a diwedd y stori ydw i?

Peth arall fydd yn digwydd fydd na chawn ni unrhyw ymwybyddiaeth o gael ein tynnu i mewn i weithgarwch Duw. Mae'r Hollalluog ar waith yn y byd. Gwna ein testun heddiw hynny'n gwbl amlwg. Sylwch fel mae'r geiriau "gweithio" yn cael eu gosod yn y modd presennol i gyd. Ar ganol pa waith mae'r Tad? Mae ar ystod eang o bethau, wrth gwrs, ond rhan o'i waith ydy datblygu stori ei iachawdwriaeth – stori gyda rhan arbennig ynddi i ti a minnau.

Mae pob crediniwr yn cael ei gynnwys yn stori Duw, yn teithio tuag ato ef ac yn cael eu tynnu'n nes ato ef. 'Wyt ti'n ymwybodol o'r teimlad o fod ar siwrne wrth symud o un dydd i'r nesaf – a dy fod yn cael dy siapio a'th fowldio, dy ddisgyblu a'th ffitio i'w gynllun ef? Os nad oes gennyt ti'r ymdeimlad yma o fod yn rhan o weithgaredd Duw, yna rho daw ar bopeth, dos ar dy liniau, a myfyria ar yr hyn y bûm i'n ei ddweud yn ystod y dyddiau diwethaf yma.

Beth am fynd ymlaen i ddarllen:
Ex. 3:13–14; Marc 12:24; Luc 24:25

Meddyliwch am y cwestiynau hyn:
1. Sut y dangosodd Duw i'r Israeliaid Ei fod wrth Ei waith?
2. Pam ein bod mor aml ar fai ac yn ffôl?

Gweddi
O Dad, os ydw i'n ara' deg i ddysgu bod fy mywyd i yn rhan o stori fwy, stori dragwyddol, plîs wnei di faddau i mi. Helpa fi i edrych ar y gwirionedd yma, nid trwy lygaid oer amheuaeth, ond yn hytrach trwy lygaid cynhesol ffydd. Yn enw Iesu. Amen.

Cael ein gyrru – neu ein denu?

"Meddai Iesu wrthynt, 'Onid dyma achos eich cyfeiliorni, eich bod heb ddeall na'r Ysgrythur na gallu Duw?' (adn. 24)

Beth am ddarllen Marc 12:18–27 ac yna myfyrio

Ddoe fe ddaru ni sôn am ddau beth fydd yn digwydd os methwn ni â dal ein gafael yn yr ymdeimlad o stori: Fe fyddwn ni'n prysuro'n hunain yn ein byd bach ein hunain, ac fe amddifadwn ein hunain o'r ymwybyddiaeth a'r wefr o gael bod yn rhan o weithgaredd Duw. Peth arall pellach fydd yn digwydd yw hyn: byddwn yn trin y Beibl fel system i'w ddehongli'n fanwl gan fethu darganfod ei wir rym. Mae Eugene Peterson yn agos iawn i'w le wrth ddweud: "Pan fethwn ni â datblygu ymwybyddiaeth o stori, yna fe ddechreuwn ddefnyddio'r Beibl drwy gymryd meddiant o ryw adnod neu ddysgeidiaeth neu foes gyda'r bwriad o roi trefn ar ryw damaid bach o'n hunain."

Ond daliwch am funud – onid dyna ddylem ni ei wneud efo'r Beibl – ei gysylltu â'n bywyd beunyddiol? Yn sicr fe ddylem ni ddefnyddio egwyddorion Beiblaidd, ond fe fethwn ystyr sylfaenol y Beibl os dyna'r oll a wnawn ni. Roedd y Sadwceaid ers talwm yn ddarllenwyr dyfal o'r Ysgrythurau, ond roedden nhw'n methu â gweld eu prif bwrpas; roedden nhw'n rai da am godi testunau penodol ond, fel y gwelwn o'n darlleniad heddiw, fe fethon nhw â deall y gwir ystyr. Mae sawl Cristion yn byw bywyd rhagorol yn nhermau moesoldeb ac eto yn ddi-fflach a heb unrhyw angerdd. Maen nhw'n gwybod sut i gymhwyso testunau unigol ar gyfer materion bob dydd, ac eto heb allu gweld y stori fwy sydd y tu hwnt i'r testunau Ysgrythurol. Maent yn bobl sy'n cael eu gyrru yn hytrach na'u denu.

Fel y buom ni'n ei ddweud yn barod, nid system foesegol mo Cristnogaeth yn ei hanfod, ond stori yn hytrach. Stori yw hi yn bennaf am y Meistr – pwy ydy o, o ble y daeth o, beth wnaeth o, a beth mae o'n mynd i'w wneud. "Mae'r pethau y byddwn ni'n eu gwneud fel Cristnogion," yn ôl William Kilpatrick, "yn bethau a wnawn yn bennaf nid am resymau moesol ond am ein bod ynghlwm mewn stori."

Beth am fynd ymlaen i ddarllen:
Luc 11:42; Marc 10:17–22; Math.5:17–19

Meddyliwch am y cwestiynau hyn:
1. Sut, yn ôl Iesu, y dylem fynd tu hwnt i'r testunau Beiblaidd?
2. Beth oedd agwedd Iesu tuag at lythyren y Gyfraith?

Gweddi
O Dad, helpa fi i archwilio fy hun heddiw er mwyn cael gweld os mai awydd mewnol i gydymffurfio â set o reolau sy'n fy ngyrru ynteu ydw i'n cael fy nenu i fyw er dy fwyn am fy mod ynghlwm yn dy stori di. Yn enw Iesu. Amen.

Dim ymdeimlad o stori

"Ac fel yr oedd yr offeiriaid ... yn esgyn o ganol yr Iorddonen, a gwadnau eu traed yn cyffwrdd tir sych, dychwelodd dyfroedd yr Iorddonen i'w lle." (adn. 18)

Beth am ddarllen Josua 4:1–24 ac yna myfyrio

Dydw i ddim yn petruso dweud nad oes dim asbri i'w gael wrth geisio byw y bywyd Cristnogol heb ymwybyddiaeth o stori. Caiff yr hyn yr wyf ar fin ei ddisgrifio nawr ei feirniadu gan rai fel ffrwyth gor-ddychymyg, tra bydd eraill rwy'n siŵr yn gweld bod gwirionedd ynddo.

Fe â Cristnogion i'r capel ar y Sul, ac am ennyd mae dyfroedd anhrefn a dryswch yn cilio wrth iddyn nhw ganolbwyntio ar addoli Duw. Mae gwirionedd yn chwythu'r niwl yn eu meddyliau i ffwrdd am awr neu ddwy, ac maen nhw'n paratoi i adael a mynd allan i feddiannu'r wlad.

Mae'r gweinidog yn ysgwyd llaw efo pobl wrth iddyn nhw fynd i'w ffyrdd eu hunain ac yn cyffwrdd dwylo sy'n grynedig dan faich pryder, dicter, euogrwydd, a llawer o emosiynau eraill. Mam, o bosibl sydd newydd ddarganfod bod ei mab yn gaeth i gyffuriau. Gweithiwr ar fin colli ei swydd. Gwraig sydd wedi darganfod bod ei gŵr yn anffyddlon iddi. Teulu yn wynebu marwolaeth un annwyl. Faint o gredinwyr sy'n ffeindio o fewn oriau o gyrraedd adref fod y dyfroedd unwaith eto wedi gorlifo'r glannau, fel yn y darlleniad heddiw. Os nad oes gan Gristnogion unrhyw ymwybyddiaeth o stori – o'r hyn mae un esboniwr yn ei alw'n "wybod fod ein hanesion personol wedi eu himpio i mewn i stoc hanes yr achub"– yna fe ddaw diflastod yn fuan iawn.

O! fel yr wyf yn dyheu am glywed y neges hon yn cael ei phregethu o fwy o bulpudau: fod Duw ar waith, yn cymryd popeth sy'n digwydd yn ein bywydau a'i blethu'n rhan o stori ei Iachawdwriaeth ef. Os na welwn fanylion ein bodolaeth yma ar y ddaear fel paragraffau neu benodau yn stori Duw, yna hawdd fydd i ni ddisgyn i mewn i gors anobaith a phesimistiaeth. Dydw i ddim yn gwybod am ddim sy'n fwy effeithiol i'n galluogi i feddiannu gwlad ein hetifeddiaeth ysbrydol na'r ymwybyddiaeth fod ein storïau personol ni'n cael eu gwau i mewn i stori Duw.

Beth am fynd ymlaen i ddarllen:
Deut. 8:5–18; Phil. 1:12–21

Meddyliwch am y cwestiynau hyn:
1. Beth mae llyfr Deuteronomium yn ei gynnig fel modd i wrthsefyll digalondid a phesimistiaeth?
2. Sut gafodd stori Paul ei gwau i mewn i stori Duw?

Gweddi
Dad trugarog, agor fy llygaid imi gael gweld – gweld o ddifri' – fod fy hanes personol i yn cyd-fynd â stori dy iachawdwriaeth di. Helpa fi, fy Nhad, oherwydd mae'n rhaid i mi gael gafael ar hyn. Yn enw Iesu. Amen.

Mae i bawb ei ran

*"...bu newyn yn y wlad, ac aeth dyn o Fethlehem... gyda'i wraig a'i ddau fab i
fyw... yng ngwlad Moab." (adn. 1)*

Beth am ddarllen Ruth 1:1–14 ac yna myfyrio

Ddoe fe arhosom i ystyried mai un o'r pethau tristaf a all ddigwydd i Gristion yw
methu â sylweddoli fod ein stori bersonol ni yn gyson â'r stori mae Duw yn ei
hadrodd yn ei epig gyffredinol sy'n cwmpasu'r bydysawd yn gyfan. Mae llawer
gormod o Gristnogion yn ymateb i'r ffaith bod ganddyn nhw ran yn stori
iachawdwriaeth Duw rywbeth fel hyn: "Fedra i ddim credu fod gan fy mywyd i
unrhyw ran yn y cynllun tragwyddol. Dw i'n rhy fach a dibwys i gael unrhyw ran
ym mhwrpas cosmig Duw." Mae eu heuogrwydd, eu hofnau a'r ymdeimlad o
israddoldeb yn dod at ei gilydd i wneud iddyn nhw deimlo efallai fod yna ran i bobl
eraill ym mhwrpas cyffredinol Duw ond nid iddyn nhw eu hunain. Sut allwn ni
ddianc rhag y fath agwedd?

Awgrym a allai fod o gymorth inni yw i ni droi at stori Ruth yn yr Hen
Destament. Mae edrych ar Lyfr Ruth, yn anad unrhyw lyfr arall, yn ein helpu i
ddeall mai penodau ydy'n bywydau yn epig fawr hanes Duw yn achub. Y peth
diddorol ynglŷn â llyfr Ruth ydy'r ffaith nad oes yna unrhyw bersonoliaethau nodedig
ynddo – dim brenhinoedd, proffwydi, barnwyr nac offeiriaid. Stori gyffredin, syml
am dair gweddw a ffarmwr a'u profiadau bob dydd yn cael eu gwau i mewn i epig
fawr Duw.

Gall enwau mawr y Beibl, megis Abraham, Isaac, Jacob, Joseff, Solomon,
Dafydd a Daniel fod yn ormesol i bobl gyffredin. "Does bosib" medde nhw, "y
galla' i gael fy nghynnwys mewn cast o sêr mor enwog." Mae stori Ruth, fel y
gwelwn ni dros y dyddiau nesaf yma, yn chwalu safbwynt felly. Mae pob manylyn
o fywyd pob credadun yn rhan o'r epig gyffredinol – stori iachawdwriaeth. Ac rwyt
ti a fi cymaint rhan o hynny ag ydy Abraham, Isaac, Jacob, Joseff, Solomon, Dafydd,
Daniel – a Ruth.

Beth am fynd ymlaen i ddarllen:
Eseia 55:1–2 Dat. 22:17

Meddyliwch am y cwestiynau hyn:
1. Beth sydd ar gael yn economi Duw i'r rhai sy'n teimlo nad oes ganddyn nhw
ddim byd?
2. I bwy mae dŵr bywiol yn cael ei gynnig yn rhad ac am ddim?

Gweddi
O Dad, a all hyn fod yn wir, fod manylion fy mywyd i yn cael eu clymu i mewn i
stori'r iachawdwriaeth....fy mod i yn rhan o dy stori fawr di? Mae'n swnio'n rhy
dda i fod yn wir ond hefyd yn rhy dda i beidio â bod yn wir! Dangos fwy i mi,
annwyl Arglwydd. Yn enw Iesu. Amen.

Tair angladd a phriodas

"Peidiwch â'm galw'n Naomi, galwch fi'n Mara, oherwydd bu'r Hollalluog yn chwerw iawn wrthyf." (adn. 20)

Beth am ddarllen Ruth 1:15–22 ac yna myfyrio

Rŵan cawn edrych yn fwy manwl ar fywydau pobl gyffredin iawn a gweld sut y cafodd eu storïau personol hwythau eu plethu i mewn i epig fawr Duw. Dros y blynyddoedd rydw i wedi clywed sawl un yn mynegi barn am stori Ruth, ond dim yn fwy rhyfeddol na hyn: "Dynes ddŵad ddinod oedd Ruth ond sydd â'i bywyd yn hanfodol er mwyn adrodd stori gyflawn iachawdwriaeth." Dynes na anwyd i'r ffydd Iddewig – dynes ddŵad – a ddaeth yn rhan annatod o stori fwy pobl Dduw.

Dylai'r rheiny sy'n meddwl mai dim ond yr enwau mawr mae Duw yn eu gwau i dapestri ei bwrpas tragwyddol astudio Llyfr Ruth, gan fod ei stori syml ond hyfryd hi yn dangos mai'r gwrthwyneb sy'n wir. Stori ydy hi am newyn, tair angladd a phriodas! Ond gwell dechrau o'r dechrau.

Cychwynna'r stori gyda chyhoeddi newyn yng ngwlad Jwda. Yn nhref fechan Bethlehem mae 'na ddyn o'r enw Elimelech yn cymryd ei wraig Naomi a'u dau fab a mynd i fyw yng ngwlad Moab. Ar ôl ryw hyd bu farw Elimelech ac mae'r ddau fab yn priodi merched o wlad Moab. Yn ddiweddarach bu farw'r ddau fab hefyd, gan adael Naomi a'i dwy ferch-yng-nghyfraith mewn amgylchiadau anodd. Mae Naomi yn penderfynu dychwelyd i Fethlehem, ac mae Ruth, un o'i merched-yng-nghyfraith, yn crefu am gael mynd efo hi.

Wrth i Naomi ddychwelyd o'r diwedd i Fethlehem ar ôl cyfnod o ddeng mlynedd, mae yna orfoleddu mawr yn y dref. Ond tristwch sydd yn llethu Naomi, a dim ond geiriau o alarnad sydd ganddi: "Yr oeddwn yn llawn wrth fynd allan, ond daeth yr Arglwydd â mi'n ôl yn wag." Mae'n bosib fod hyn yn swnio'n beth negyddol iawn i'w ddweud, ond mae hyd yn oed ei gwacter hi yn cael ei wau i mewn i'r plot, ac yn dod, fel y cawn ni weld, yn achlysur ar gyfer dangos rhagluniaeth Duw.

Beth am fynd ymlaen i ddarllen:
Ex. 17:1–7;
1 Bren. 19:1–16

Meddyliwch am y cwestiynau hyn:
1. Beth oedd ymateb Duw i gwyn yr Israeliaid ?
2. Sut oedd Elias yn rhan o stori Duw er gwaethaf ei gwyn?

Gweddi
O Dad, gwelaf nad ydy teimladau negyddol na hyd yn oed cwynion a gaiff eu lleisio yn fy ngwahardd rhag cael rhan yn dy stori. Rwyt ti yn cymryd ein cwynion o ddifri'. Rydw i'n ddiolchgar iawn am hynny. Amen.

Dim dileu golygyddol

"Twyllaist fi, O Arglwydd, ac fe'm twyllwyd. Cryfach oeddit na mi, a gorchfygaist fi." (adn. 7)

Beth am ddarllen Jeremeia 20:7–18 ac yna myfyrio

Ddoe mi ddaru ni orffen efo'r syniad fod gwacter Naomi wedi ei wau i gynllun Duw ac iddo ddod yn rhan o ragluniaeth Duw. Cafodd cwyn Naomi ei gymryd o ddifrif; chafodd o ddim ei ddileu o'r stori, ei liniaru na'i wneud yn fwy ysbrydol. Ni ddylem fethu'r pwynt, bod cwyn Naomi'n dod yn rhan o'r stori. Mae cwynion yn eithaf cyfarwydd yn yr Ysgrythur. Mae'n debyg mai cwyn Jeremeia yn ein darlleniad heddiw ydy'r un mwyaf adnabyddus.

Yn ei sylwadau ar Ruth yn yr *Anchor Bible* dywed Edward F. Campbell: "Nid yn unig mae Duw yn goddef cwynion, ond efallai dyma'r safbwynt y dylai person sydd yn cymryd Duw o ddifrif fod yn ei gymryd: Jona biwis, Jeremeia ymroddedig, Job ddyfalbarhaus, a saif Naomi yn eu cwmni." Pe bai cwyn Naomi wedi ei olygu allan o'r testun – pe byddai wedi ei ystyried yn anaddas mewn stori am iachawdwriaeth – yna nid cofnod hollol ffeithiol gywir fyddai gennym ni. Er iddi weld ei hun yn wag, cafodd ei llenwi'n symbolaidd wrth i Ruth ddychwelyd oddi wrth Boas efo rhodd hael o haidd iddi. Fel hyn mae'r Beibl Cymraeg Newydd yn trosi geiriau Boas: "Ni chei fynd yn waglaw at dy fam-yng-nghyfraith." (3:17)

Yn ddiweddarach gwelwn ei gwacter yn cael ei droi ar ei ben ar ôl geni Obed, a merched y pentref yn gweiddi: "Ganwyd mab i Naomi." (4:17) Nid i Ruth sylwer, ond i Naomi. Rydym yn sylwi hefyd nad ymyrrodd Duw ar unwaith, gan roi eglurhad i Naomi o'i ddulliau a'i ffyrdd pan gwynodd hi. Yn hytrach, cafodd ei hun, yn ôl un esboniwr: "mewn cyfres o berthnasau byw oedd yn datblygu ac yn ymestyn ymlaen i'r dyfodol." Chafodd ei theimladau negyddol mo'u dileu o stori Duw, ond eu gwneud yn rhan ohoni.

Beth am fynd ymlaen i ddarllen:
Salm 142:1–7;
Jona 4:1–11

Meddyliwch am y cwestiynau hyn:
1. Sut mae cwyn y salmydd yn troi'n ddathliad?
2. Beth ddysgodd y winwydden, y pry a'r gwynt i Jona am ofal Duw?

Gweddi
O Dad, dw i'n falch na wnest ti ddileu cwyn Naomi o'r stori na'i ystyried yn anaddas i'w gynnwys mewn stori am iachawdwriaeth chwaith. Ddaru ti ei gymryd a'i ddefnyddio i ddangos dy ragluniaeth. Am ardderchog. Amen.

41

Llefaru eich geiriau eich hunain

"Lleda gan hynny dy adain dros dy lawforwyn, canys fy nghyfathrachwr i ydwyt ti." (adn. 9) (B.W.M.)

Beth am ddarllen Ruth 3:1–18 ac yna myfyrio

Gwelsom mai ar sail cwyn y cafodd Naomi ei chynnwys yn stori'r iachawdwriaeth sy'n cael ei hamlinellu ar ein cyfer yn Llyfr Ruth. Heddiw gofynnwn: Sut ddaeth Ruth i mewn i'r stori? *Drwy wneud ei dymuniad yn eglur.* Erbyn hyn, roedd Naomi wedi rhoi gwybod i Ruth fod Boas yn berthynas agos i'r teulu ac yn un oedd â hawl i adfer sefyllfa'r teulu yma yn ôl arferion Iddewig y cyfnod – cyfathrachwr ydy'r term Cymraeg, *kinsman-redeemer* a geir yn Saesneg. Mae'r un syniad sydd wedi bodoli ymhlith rhai teuluoedd Cymreig lle mae un yn gyfrifol am weithredoedd gweddill y teulu yn cyfleu peth o gyfrifoldeb Boas tuag at y teulu bach hwn. Roedden nhw'n gwybod felly, dim ond iddyn nhw drin y sefyllfa'n iawn, bydden nhw'n cael eu hachub rhag tlodi a byddai gan Ruth ŵr. Fel hyn mae Naomi yn hyfforddi Ruth: "Wedi i ti ymolchi ac ymbincio a rhoi dy wisg orau amdanat, dos at y llawr dyrnu... Pan â i orwedd, sylwa ymhle y mae'n cysgu... dos a chodi'r dillad o gwmpas ei draed... fe ddywed ef wrthyt beth i'w wneud." (3: 3–4). Mae Ruth yn gwneud yn union fel mae ei mam-yng-nghyfraith yn ei gynnig gydag un eithriad. Dydy hi ddim yn disgwyl i Boas ddweud wrthi beth i'w wneud; yn hytrach, mae hi'n achub y blaen ac yn dweud wrth Boas beth i'w wneud:" Lleda gan hynny dy adain dros dy lawforwyn, canys fy nghyfathrachwr i ydwyt ti"(3:9). Ffordd symbolaidd oedd hyn o ofyn "Wnei di fy mhriodi i?" Mae'n bosib' fod ymyrraeth Ruth yn edrych braidd yn hy, ond fel y dywedodd un esboniwr: "Dydy bod yn rhan o stori Duw ddim yn golygu gadael i bob dim ddigwydd inni'n ddistaw. Dydy o ddim yn golygu ymostwng yn fud, nac ufudd-dod dall chwaith."

Mae 'na adegau pan mae hi'n iawn i ni lefaru ein geiriau ein hunain, nid dim ond dynwared y rhai a glywsom gan eraill. Gallwch fod yn siŵr o hyn: chewch chi mo'ch gadael allan o stori Duw am ddweud eich geiriau eich hunain sy'n dod o'r galon yn hytrach na chael eu gorfodi arnoch gan eraill. Does dim o'i le mewn gadael i'n hunain gael ein hyfforddi gan rieni, athrawon ac eraill, ond mae 'na adegau pryd y mae'n rhaid i ni fod yn barod i ofyn am yr hyn rydym ni ei eisiau – i lefaru ein llinellau ein hunain.

Beth am fynd ymlaen i ddarllen:
Ex. 2:1–10; Ioan 20:24–28

Meddyliwch am y cwestiynau hyn:
1. Beth ddeilliodd o Miriam yn siarad ei llinellau ei hun?
2. Beth enillodd Tomos o'i feddylfryd annibynnol?

Gweddi
Dad, gwelaf dy fod yn cydnabod creadigrwydd yn ogystal â derbyn cwyn. Dwyt ti ddim yn gwrthod y rhai sy'n cyfansoddi eu geiriau eu hunain. Ac am hynny hefyd, rwyf yn ddiolchgar iawn. Amen.

Nid chwaraewr goddefol

"...taenais gwr fy mantell drosot a chuddio dy noethni." (adn. 8)

Beth am ddarllen Eseciel 16:1–14 ac yna myfyrio

Hwyrach eich bod yn meddwl fod y sylw a wnes i ddoe – fod gweithred Ruth o ofyn i Boas daenu cwr ei fantell drosti yn ffordd symbolaidd o ofyn iddo ei phriodi – braidd yn annhebygol. Ond fe ddefnyddir yr iaith yma eto yn ein testun heddiw yng nghyd-destun cyfamod priodas Duw ag Israel: "deuthum heibio i ti drachefn a sylwi arnat, a gweld dy fod yn barod am gariad; taenaist gwr fy mantell drosot a chuddio dy noethni." Drwy ei gweithred dangosai Ruth ei bod yn gosod ei hun o dan amddiffyniad Boas: "Taena gwr dy fantell [amddiffynnol] dros dy forwyn, oherwydd yr wyt ti'n berthynas agos."

Ceir tystiolaeth o'r arfer yma gan esbonwyr megis Edward F. Campbell, sy'n tynnu sylw at yr arfer hynafol Arabaidd o ddodi mantell dros ddynes fel symbol o'r hawl i'w phriodi. Dywedwyd wrthyf yn ddiweddar pan oeddwn yn Bahrain fod rhai Arabiaid yn dal i ymarfer yr arwydd symbolaidd yma wrth ddewis gwraig.

Mi ddywedaf i eto: er mwyn i Ruth fod yn rhan o stori Duw doedd hi ddim yn dilyn fod yn rhaid iddi fod yn chwaraewraig oddefol. Er mai dynes ddŵad oedd hi (sonnir amdani chwe gwaith fel y Foabes), ac wedi ei geni y tu allan i ffiniau cenedl cyfamod Israel, fe ddaw hi i ganol symudiad y stori wrth iddi gamu allan o'r rôl a roddwyd iddi gan eraill; ac yn ogystal â gwneud yr hyn a gynghorodd Naomi iddi ei wneud, mae hi'n cymryd y cam cyntaf ac yn siarad ei llinellau ei hun. O'r herwydd, mae hi'n cymryd ei lle mewn hanes fel hen-nain y Brenin Dafydd ac fel un o hynafiaid y Meseia.

Beth am fynd ymlaen i ddarllen:
1 Sam. 17:32–40; 17:48–50
2 Bren. 5:1–3; 5:13–14

Meddyliwch am y cwestiynau hyn:
1. Beth oedd canlyniad Dafydd yn gwrthod cyngor Saul?
2. Beth ddigwyddodd pan fu i forwyn gwraig Naaman siarad allan?

Gweddi
O Dad, er fy mod yn ddiolchgar i'r rheiny sydd wedi fy hyfforddi mewn pethau ysbrydol, helpa fi i beidio ag ailadrodd dywediadau pobl eraill yn unig ond, pan fo'r angen, i mi gamu ymlaen a siarad fy llinellau fy hun. Yn enw Iesu. Amen.

43

Mr Hwn a Hwn

"...oherwydd gennyt ti y mae'r hawl i'w brynu, a chennyf finnau wedyn." (adn. 4)

Beth am ddarllen Ruth 4:1–4 ac yna myfyrio

Chwaraewr pwysig arall yn y naratif yw Boas, wrth gwrs. Sut ddaeth Boas yn rhan o stori iachawdwriaeth Duw? *Drwy dderbyn cyfrifoldeb.* Perthynas cefnog i ŵr Naomi oedd Boas ac mae o'n cael ei weld fel gŵr bonheddig perffaith a chymeriad eithriadol ganddo: yn gadarn, yn onest ac unionsyth. Ystyr ei enw yw "nerth" neu "sylwedd", ac ef yw arwr y stori. Fe gytunodd i briodi Ruth yn unol â'r arfer briodasol yn Llyfr Lefi ble roedd y perthynas gwrywaidd agosaf yn priodi gweddw dyn.

Roedd yna, fodd bynnag, un perthynas yn perthyn yn agosach i Ruth – cymeriad di-enw y bu Boas yn bargeinio ag ef. Fe lwyddodd Boas i berswadio'r dyn yma i hepgor ei hawl i briodi Ruth. Pe bai wedi dymuno fe allai Boas fod wedi gwrthod priodi Ruth heb boeni am golli ei enw da, gan fod yna ddyn arall â mwy o gyfrifoldeb nag ef. Dyma beth mae un esboniwr yn ei ddweud amdano: "Fe allai Boas fod wedi cadw at lythyren y ddeddf a chyfeirio Ruth at y perthynas agosaf, 'Mr Hwn a Hwn'. Mae'r olygfa wrth borth y ddinas ble mae goblygiadau'r un sy'n gwaredu'r teulu hwn yn cael eu gweithio allan, yn ei gwneud hi'n amlwg y bydd Boas, 'y dyn o sylwedd', yn cyfiawnhau yr enw sydd ganddo."

Yn y stori fe welwn fod Boas wedi cael cyfle i ymddwyn yn gyfrifol ac fe fachodd ar y cyfle hwnnw, nid yn unig am fod disgwyl iddo wneud hynny, ond am ei fod eisiau gwneud. Doedd o ddim yn ddyn a oedd yn fodlon byw yn ôl llythyren y ddeddf, ond yn un oedd yn edrych am ffyrdd o roi ei gyfoeth a'i safle ar waith er mwyn eraill. Yn Boas fe gawn ddyn oedd yn byw yn ôl ysbryd y ddeddf – nid ei lythyren.

Beth am fynd ymlaen i ddarllen:
Math.18:21–22;
Marc 7:9–13

Meddyliwch am y cwestiynau hyn:
1. Beth oedd Iesu yn ei ddweud wrth Pedr mewn gwirionedd?
2. Pa berygl sydd o gael ein clymu i draddodiad?

Gweddi
O Dad, gwared fi rhag ceisio cadw at lythyren y ddeddf heb fynd ymhellach na hynny byth. Helpa fi i edrych yn greadigol ar y ffyrdd y gallaf i roi fy holl ddoniau a galluoedd ar waith er mwyn eraill. Yn enw Iesu y gofynnaf hyn. Amen.

Fel hyn y dylai hi fod...

"Am hynny y dywedodd y cyfathrachwr wrth Boas, Pryn i ti dy hun: ac efe a ddiosgodd ei esgid." (adn. 8) (B.W.M.)

Beth am ddarllen Ruth 4: 5–8 ac yna myfyrio

Ddylem ni ddim anghofio'r ffaith fod stori Ruth wedi ei gosod yn ystod y cyfnod "pan oedd y barnwyr yn llywodraethu" (1:1) adeg yn ystod hanes Israel pan "Yr oedd pob un yn gwneud yr hyn oedd yn iawn yn ei olwg ei hun." (Barnwyr 21:25) Roedd o'n gyfnod pan oedd grym yn bwysig, "cyfnod," yn ôl un esboniwr, "ble roedd nerth yn gyfystyr â bwlio a gormesu a phobl yn gofalu am eu hunain ar draul gweddwon a phlant amddifad." Mor braf, felly, yw dod ar draws dyn fel Boas ynghanol y fath gyfnod, a aeth y tu hwnt i lythyren y ddeddf ac a geisiodd roi ei gyfoeth a'i safle ar waith er mwyn eraill.

Cyfrifoldeb ei pherthynas gwrywaidd agosaf oedd pob gwraig yn Israel. Yn ôl deddf teulu, roedd gan y perthynas agosaf rai dyletswyddau yn cynnwys ymorol am etifedd os oedd dyn wedi marw'n ddi-blant er mwyn parhad ei enw, a phrynu tir er mwyn ei gadw yn y teulu. Yr oedd Boas yn un o'r rhai oedd â dyletswydd tuag at Ruth, fel y datguddia sylw Naomi: "Agos i ni yw y gŵr hwnnw, un ydyw sydd iawn iddo ollwng." (2:20) (B.W.M.)

Mae Edward F. Campbell yn disgrifio rhan y cyfathrachwr, neu'r un oedd yn gollwng fel un: "i weithredu ar ran personau a'u heiddo o fewn cylch y teulu estynedig... i fod yn gyfrifol am yr anffortunus ac i sefyll fel cefnogwr ac i siarad o'u plaid... i ofalu am y rhai na chafodd gyfiawnder." Am i Boas dderbyn ei gyfrifoldeb, am iddo fyw yn gyfystyr â'i enw a gwneud mwy na gofynion y ddeddf, fe ddaeth yn rhan o stori a anfarwolodd ei enw. Roedd yr egni a fyrlymai trwy ei enaid yn troi o gwmpas eraill. Dyna sut ddylai hi fod efo pawb sy'n rhan o stori Duw.

Beth am fynd ymlaen i ddarllen:
Gen. 43:1–9; 2 Cor. 5:21; Marc 15:34

Meddyliwch am y cwestiynau hyn:
1. Pa mor bell oedd Jwda yn barod i fynd dros ei frawd?
2. Pa mor bell aeth Iesu drosom ni?

Gweddi
Fy Nhad a'm Duw, helpa fi i gymryd fy rhan yn dy stori di gan afael ym mhob cyfrifoldeb a gaiff ei gynnig i mi gyda brwdfrydedd ac ysbryd hael. Gwna fi yn berson mae ei fywyd yn wir droi o gwmpas eraill. Yn enw Iesu. Amen.

45

Fy eithaf i'w oruchaf ef

"Yr wyf hefyd wedi prynu Ruth y Foabes yn wraig imi i gadw enw'r marw ar ei etifeddiaeth." (adn. 10)

Beth am ddarllen Ruth 4:9–12 ac yna myfyrio

Treuliwn ddiwrnod eto yn myfyrio ar ran Boas yn stori iachawdwriaeth Duw fel y caiff hi ei hadrodd yn Llyfr Ruth. Dyma ddyn â'i galon ar dân nid yn unig at gadw llythyren y ddeddf, ond i roi ei *oll* yn wasanaeth i eraill. Nid am wneud cyn lleied ag y gallai oedd yn ei boeni, ond yn hytrach, beth oedd y mwyaf y gallai ei wneud. Gallai arwyddair ei fywyd fod wedi bod (o fenthyg brawddeg hardd Oswald Chambers) *fy eithaf i i'w oruchaf ef.*

Mae thema prynedigaeth yn cael ei thanlinellu yn y stori hon gan fod Boas, nid yn unig yn gyfarwydd â gofynion un o hen ddeddfau Cyfraith Moses, ond fod ganddo hefyd galon ddigon hael i fynd y tu hwnt i'w gofynion. Soniwyd eisoes mai ystyr yr enw Boas yw "sylwedd" neu "nerth." Defnyddia rhai pobl eu nerth a'u sylwedd er mwyn cynnal eu hunain yn unig, a hyn o bosibl ar draul rhywun arall. Y cwestiwn mae'n rhaid i bob un ohonom ei ateb heddiw yw hyn: I ba gyfeiriad y mae'r egni sy'n gyrru ein personoliaethau ni yn cael ei gyfeirio – atom ein hunain ynteu at eraill?

Mae rhai Cristnogion yn ystyried mai nhw bia'r hawl ar eu cyfoeth, heb ystyried fyth y ffaith fod cyfrifoldebau yn dod yn sgìl y breintiau a gawn. Dw i'n hoff o beth ddywedodd un esboniwr am Boas: "Pan benderfynodd ymddwyn fel hyn (yn hael yn hytrach na chadw llythyren y ddeddf yn unig), fe deimlir 'adain' Duw (2:12–13) yn y stori drwy 'adain' Boas (3:9)." Maddeuwch imi ailadrodd: mae disgwyl mwy gennym na chadw at lythyren y ddeddf. Mae disgwyl i ni fynd yr ail filltir. Ac os faddeuwch hefyd y newid idiom yma, pan ddaw yr Ysbryd Glân i breswylio ynom ni, nid diferion neu lif bychan a ddisgwylir i lifo allan o ddyfnder ein bod ond, yn hytrach, ffrydiau o ddyfroedd byw. *Ffrydiau!*

Beth am fynd ymlaen i ddarllen:
Luc 6:38;
Ioan 4:13–14; 7:37–39

Meddyliwch am y cwestiynau hyn:
1. Sut rydyn ni'n penderfynu ar ba lefel yr ydym yn derbyn?
2. Pa amod sy'n dal i fodoli er mwyn i'r Ysbryd gael ei roi?

Gweddi
Dad nefol cariadus, bydded i'r hyn rwyt ti'n ei dywallt i mi hefyd lifo allan ohonof. Nid wyt ti yn grintachlyd yn dy roi i mi; helpa finnau i beidio â bod yn grintachlyd yn yr hyn yr wyf yn ei roi i eraill. Rwy'n gofyn yn enw Iesu. Amen.

46

Mynediad i bawb

"Galwasant ef Obed; ef oedd tad Jesse, tad Dafydd." (adn. 17)

Beth am ddarllen Ruth 4:13–17 ac yna myfyrio

Mae pwrpas rhyfeddol iawn y tu ôl i arweiniad Duw i gynnwys stori Ruth yn rhan o'r Ysgrythur. Mae'r llyfr bach yma'n dangos mor glir i ni'r ffordd mae Duw'n cymryd pobl gyffredin a'u codi nhw o'u cyffredinedd i mewn i ddrama ei epig fawr ef. Mae yna, wrth gwrs, gymeriadau eraill yn ogystal â Naomi, Ruth a Boas yn y llyfr, ac er bod y rhan fwyaf ohonyn nhw'n ddienw, maen nhw hefyd yn bwysig: y dyn ifanc a oedd yn fforman ar y medelwyr, er enghraifft, y perthynas agosach ym mhennod 4, y ddynes anhysbys a gyhoeddodd fod gan Naomi fab yn 4:17, ac yn y blaen. Maen nhw hefyd yn dod i mewn i'r stori. Pwy a ŵyr pe bai'r golau yn disgyn arnyn nhw y gallen nhw adrodd storïau hefyd, er nad mor ddramatig ag un Ruth, ond a fyddai ag arwyddocâd iddyn nhw.

Rhaid inni nawr roi sylw i eiriau olaf y llyfr, yn arbennig yr adnod yn ein testun heddiw. Mae'r adnod fel petai hi'n gwneud dim mwy na gwneud datganiad syml am achau'r teulu, ond y fath drysor o wirionedd a geir ynddi hi. Gafaela'r geiriau yn ein llaw a'n harwain oddi wrth stori ramantus at ddealltwriaeth o sut mae cymeriadau cyffredin yn cael eu dal i fyny a'u cynnwys mewn stori fwy. Dweud hyn mae'r geiriau mewn gwirionedd: "Gwelwch nawr fel mae Duw wedi plethu y pethau a ddigwyddodd i'r cymeriadau yma i mewn i'w stori ef ei hun – stori iachawdwriaeth. Daeth Ruth yn fam i Obed a oedd yn dad i Jesse, a oedd yn dad i Ddafydd… o linach yr hwn y daeth y Meseia ei hun."

Ni ddylid darllen stori Ruth, felly, er mai naratif yn gallu sefyll ar ei phen ei hun ydy hi, heb fod yn ymwybodol o'r darlun cyflawn. Stori ydy hi sy'n ein harwain i mewn i epig Duw. A gall unrhyw un ddod i mewn i'r stori yna – dim ond iddyn nhw fod yn barod i ddod i mewn drwy'r drws, sef, Iesu Grist, wrth gwrs.

Beth am fynd ymlaen i ddarllen:
Rhuf. 8:18; 8:35–39; 2 Cor. 4:16–18

Meddyliwch am y cwestiynau hyn:
1. Beth sy'n ei gwneud hi'n bosibl i oddef popeth?
2. Sut allwn ni gadw cydbwysedd rhwng yr hyn sy'n rhaid i ni ei ddioddef a'r hyn yr ydym yn disgwyl amdano?

Gweddi
O Dad, sut allaf i byth ddiolch digon i ti fy mod i wedi cael dod i mewn drwy'r drws a dod yn rhan o hanes dy iachawdwriaeth? Gallaf oddef unrhyw beth a ddigwydd i mi pan rwy'n gallu ei weld yn cyfrannu at dy stori di. Amen.

Ystod fawr gwaredigaeth Duw

"...Boas oedd tad Obed, Obed oedd tad Jesse, a Jesse oedd tad Dafydd." (adn. 22)

Beth am ddarllen Ruth 4:18–22 ac yna myfyrio

Rydym ni'n meddwl yn aml bod y rhestrau achau a geir yn y Beibl yn anniddorol ac amherthnasol, ond mewn gwirionedd, mae'r wybodaeth a gawn ni ohonyn nhw, o'i deall, yn datguddio rhai o'r agweddau mwyaf cynhyrfus ar stori Dduw. Gwelsom ddoe sut dangosodd y frawddeg syml "galwasant ef Obed; ef oedd tad Jesse, tad Dafydd," i ni fod Ruth yn hen-nain i'r Brenin Dafydd, ac o'i linach ef y daeth ein Harglwydd Iesu Grist ei Hun.

Beth amser yn ôl buom yn edrych ar Mathew 1 ac ar linach Iesu, a gwelwn fod yna gysylltiad efo'n myfyrdodau ni dros y dyddiau diwethaf yma gan fod sôn yno am enw Ruth. Yn wir, mae'r llinach ym Mathew yn anarferol iawn am iddo wyro oddi wrth yr arferiad ar y pryd o restru'r ochr wrywaidd yn unig, ac yn cynnwys enwau pedair o ferched: Tamar, Rahab, Ruth a Bathsheba, mam Solomon. Twyllodd Tamar ei thad-yng-nghyfraith i genhedlu ei phlentyn (Gen. 38:18). Putain oedd Rahab a drigai yn Jericho (Josua 2). Fel y gwelsom, fe gyfeirir sawl gwaith at Ruth fel y 'Foabes' – dieithryn. Gwraig Ureia yr Hethiad oedd Bathsheba a gafodd berthynas odinebus â'r Brenin Dafydd. (2 Sam. 11:4). Mae'r esbonwyr wedi tynnu sylw at y ffaith fod pob un o'r merched hyn un ai yn ddieithriaid, yn anfoesol neu yn annerbyniol, ac eto fe gafon nhw eu cynnwys yn achau y Meseia.

Gwnaeth Eugene Peterson y sylw hyn ar y mater: "Mae hanes yr achub yn hanes dyfeisgar a chynhwysol. Does dim gwahaniaeth pwy oedd eich mam. Gall unrhyw un ddod i mewn i'r teulu. Gall hanes personol unrhyw un fod yn rhan o hanes y teulu." Ar yr olwg gyntaf, fe all achrestri ymddangos yn hynod o ddiflas, ond maen nhw'n dangos yn rymus iawn ddulliau achubol Duw.

Beth am fynd ymlaen i ddarllen:
Eseia 45:1–6;
Actau 10:34–48

Meddyliwch am y cwestiynau hyn:
1. Pam mae Duw yn dewis rhai nad ydyn nhw'n ei gydnabod?
2. Beth newidiodd safbwynt y credinwyr enwaededig?

Gweddi
O Dad, rwyf ar goll am eiriau pan ystyriaf yr holl ffyrdd sydd gennyt ti o adfer a defnyddio sefyllfaoedd. Mae dy allu rhagorol i droi pethau negyddol yn rhai cadarnhaol yn fy nghyfareddu ac yn fy nghalonogi hefyd. Diolch i ti, O Dad. Amen.

Yn frith o enwau

*"..a rhof hefyd garreg wen, ac yn ysgrifenedig ar y garreg enw newydd na fydd
neb yn ei wybod ond y sawl sydd yn ei derbyn."* (adn. 17)

Beth am ddarllen Datguddiad 2:12–17 ac yna myfyrio

Ddoe gwelsom fel mae'r achrestri yn y Beibl, sy'n golygu diflastod ym meddyliau
llawer, yn dod, unwaith y deellir eu pwrpas, yn rhai o rannau mwyaf cynhyrfus yr
Ysgrythur. Mae'n siŵr ichi sylwi ryw dro mai ychydig iawn o bobl ddienw sydd yn
y Beibl. Mae'r Ysgrythur, fel y soniodd rhywun, yn "frith o enwau". "Yn ôl ei
enw," medd un awdur, "caiff person ei ddewis yn un o blith llawer ar gyfer cariad
personol, agosrwydd arbennig a chyfrifoldebau penodol."

Fe ŵyr y storïwr mawr, George Macdonald, pa mor bwysig yw enw. Yn ei
ddadansoddiad o destun heddiw fe sgrifennodd: "Drwy roi'r garreg wen efo'r enw
newydd mae Duw'n cyfleu ei farn am y dyn wrth y dyn. Dengys y gwir enw gymeriad,
natur, ac ystyr y person sy'n ei arddel... Pwy all roi hyn i ddyn, ei enw ei hun? Neb
ond Duw. Am nad oes neb ond Duw yn gweld sut un ydy'r dyn... Dim ond wedi i'r
dyn gael ei gydffurfio â'i enw mae Duw'n rhoi'r garreg efo'i enw arni iddo fo,
oherwydd bryd hynny yn unig y medr o ddeall arwyddocâd ei enw."

Un dydd fe gaiff pob credadun enw newydd – enw fydd yn disgrifio'r person
a'i derbyniodd yn berffaith. Beth mae hyn i gyd yn ei ddweud wrthym ni? Dweud
mae o: fod cariad Duw yn ymestyn at fanylion ac yn gariad sydd wrth ei fodd yn
gweinidogaethu arnom ni, nid yn unig yn gyffredinol fel corff o bobl, ond hefyd fel
unigolion. Os wyt ti'n ei chael hi'n anodd credu y byddi di'n bwysig yn y nefoedd
am dy fod yn teimlo mor ddibwys i lawr yma ar y ddaear, yna meddylia am hyn:
mae Duw wedi neilltuo enw newydd i ti a fydd yn cael ei roi iti oherwydd yr hyn a
ddaethost trwy ei gymorth a'i ras ef yn Iesu Grist.

Beth am fynd ymlaen i ddarllen:
2 Sam. 12:24–25;
Ioan 1:40–42;
Luc 22:31–34;
Ioan 21:15–17

Meddyliwch am y cwestiynau hyn:
1. Pam y newidiwyd enw Solomon?
2. Pam alwodd Iesu frawd Andreas yn ôl enwau gwahanol?

Gweddi
O Dad, po fwyaf gwelaf i dy gariad yn ymestyn at y manylion, mwya'n y byd mae
fy nghariad innau'n llifo tuag atat ti. Allai ddim disgwyl i dderbyn a chael fy
nghydffurfio â'm henw newydd i. Diolch i ti, fy Nhad. Amen.

Crist – Gwyddor Duw

"'Myfi yw Alffa ac Omega,' medd yr Arglwydd Dduw." (adn. 8)

Beth am ddarllen Datguddiad 1:1–8 ac yna myfyrio

Cyn inni adael stori Ruth a symud ymlaen at agweddau eraill o'n thema, fe oedwn i wneud y pwynt canolog yma eto: er mor hyfryd ydy stori Ruth, nid dyna'r stori gyfan. Mae'r stori gyfan yn sôn am y Meseia – yr un a ddisgrifir fel 'Alffa ac Omega' yn ein testun heddiw. Alffa ac Omega, fel y gwyddoch rwy'n siŵr, ydy llythrennau cyntaf ac olaf yr wyddor Roeg.

Beth amser yn ôl deuthum ar draws y dyfyniad yma: "Crist yw'r wyddor drwy'r hon mae Duw yn mynd ati i lunio pob brawddeg, pob paragraff, a phob pennod o'i stori iachawdwriaeth." Cofiaf roi bloedd wrthyf fy hun. "Yn wir!" meddwn. Fel y bu inni gofnodi o'r blaen, mae pob ffordd yn yr Hen Destament yn cyfarfod ynddo ef a phob ffordd yn y Testament Newydd yn ymddangos ohono Ef. Mae popeth yn y Beibl yn troi o'i gwmpas. Ychydig a feddyliodd y gwragedd a weddïodd ar i Ruth fod "fel Rachel a Lea" (Ruth 4:11) y byddai tref fechan Bethlehem yn cael ei gosod ym mhrif ffrwd bwriadau rhyfeddol Duw ac yn dod yn fan geni yr Iachawdwr ei hun. Dyma un o'r ffyrdd oedd yn arwain ato ef.

At Iesu Grist mae'r stori a gofnodir yn Llyfr Ruth yn ein harwain yn y pen draw. Er mai Ruth, Naomi a Boas oedd y rhai a gymerodd ran, oherwydd eu perthynas â Iesu Grist mae yna arwyddocâd i'r rhannau hynny. Mae hi'r un fath gyda chi a fi. Efallai'n wir bod ein bywydau'n ddigon diddorol, ond yr hyn sy'n eu gwneud nhw'n arwyddocaol ydy pan maen nhw, trwy ein perthynas efo Iesu Grist, yn cael eu gweu i mewn i'w stori ef. Gosodir ein henwau ar goeden deuluol Crist – nid cyn ei ddod, wrth gwrs, ond yn sgìl ei ddod.

Beth am fynd ymlaen i ddarllen:
Rhuf. 9:23–26;
Eff. 2:11–19

Meddyliwch am y cwestiynau hyn:
1. Pam fod Duw yn ein galw'n bobl iddo, y rhai nad ydyn nhw'n bobl iddo?
2. Sut y daethpwyd â ni oedd ymhell i ffwrdd yn agos bellach?

Gweddi
O Dad, rwy'n plygu o dy flaen eto gyda diolch yn llenwi 'nghalon fy mod i, a oeddwn gynt ar y tu fas, trwy aberth dy Fab drosof ar y groes, bellach ar y tu mewn. Mae fy enw i lawr ar goeden deulu yr Iachawdwr. Bendigedig fyddo dy enw di byth mwy. Amen.

Derbyn yr anorfod

"Yn gwbl ofer y cedwais fy nghalon yn lân." (adn. 13)

Beth am ddarllen Salm 73:1–28 ac yna myfyrio

Wedi gweld peth o'r ffordd mae Duw yn gwau manylion ein bywydau i mewn i'w stori fawr ei hun, fe symudwn ymlaen i wynebu'r cwestiwn: Sut y dylem fyw fel rhai'n cymryd rhan yn stori fawr Duw? Yn gyntaf *mae'n rhaid inni dderbyn y pethau anorfod mewn bywyd.* Fe ddechreuodd y seiciatrydd enwog M. Scott-Peck ei lyfr *The Road Less Travelled* gyda'r geiriau hyn: "Mae bywyd yn galed." Os wynebwn ni'r ffaith honno, meddai, "unwaith y cawn ni wybod mewn gwirionedd bod bywyd yn galed, yna dydy bywyd ddim bellach yn galed. Oherwydd unwaith y derbyniwn hynny, dydy'r ffaith bod bywyd yn galed ddim yn cyfrif mwyach. Gallwn godi uwchlaw iddo wedyn."

Cawsom ein geni i fyd syrthiedig, ac mae pethau'n digwydd nad ydyn nhw wrth ein bodd. Fel Cristnogion rhaid i ni beidio â disgwyl cael ein heithrio rhag wynebu canlyniadau'r Cwymp. Mae'n wir bod Duw ar brydiau yn goresgyn ei effeithiau (pan fydd, er enghraifft, yn ei drugaredd yn iachau ein cyrff). Ond mae hyd yn oed y rheiny sydd wedi profi ei gyffyrddiad iachusol (ac rwyf fi'n un ohonyn nhw) yn gwybod nad ydy Duw yn iachau pob afiechyd ac y bydd yn rhaid i bob un ohonom ni farw yn y diwedd.

Mae rhai Cristnogion yn dal i honni, os byddwn yn byw ein bywydau yn agos at Iesu, yna ei bod hi'n bosibl byw bywyd sydd yn rhydd o drafferthion ac afiechyd – profiad Gardd Eden o fath. Ond does dim ffordd yn ôl i fewn i Ardd Eden – fe osododd Duw angylion yn fownsars yn y fan honno (Gen. 3:24). Mae rhywbeth gwell na Gardd Eden yn aros amdanom ni, ond nid yma ar y ddaear mae hynny. Yn y cyfamser, rydym yn disgwyl ac yn derbyn yr hyn sy'n anorfod mewn bywyd gyda dewrder a gras. "Yn y fan yma," fel dywedodd ffrind i mi, "mae rhywbeth o'i le ar bopeth; yn y fan draw fydd yna ddim o'i le ar unrhyw beth."

Beth am fynd ymlaen i ddarllen:
Rhuf. 8:20–23;
2 Cor. 12:9

Meddyliwch am y cwestiynau hyn:
1. Beth yw gobaith byd sy'n ochneidio?
2. Sut fedrwn ni dderbyn y pethau na allwn ni eu newid?

Gweddi
Fy Nhad a'm Duw, helpa fi i ddeall 'mod i'n byw mewn byd syrthiedig, ac er nad ydy drygioni ac afiechyd yn rhan o dy fwriadau da di, bod yn rhaid i mi fyw efo nhw a'u goresgyn. Dysga fi sut i dderbyn y pethau na fedraf i eu newid. Yn enw Iesu. Amen.

51

Paid â chau'r afon

"Pwy yw'r Hollalluog i ni ei wasanaethu?" (adn. 15)

Beth am ddarllen Job 21:1–21 ac yna myfyrio

Ddoe fe ddaru ni ddweud mai'r peth cyntaf sydd yn rhaid i ni ei wneud wrth fyw fel rhai sy'n cymryd rhan yn stori fawr Duw ydy derbyn yr anorfod. Os ydym ni'n mynnu y dylem ni fel Cristnogion gael ein heithrio rhag effeithiau'r Cwymp, fe fydd ein hagwedd yn ein rhoi mewn lle sydd yn groes i fwriadau Duw ar gyfer ein bywydau. Rhaid inni dderbyn popeth sydd yn digwydd inni gyda gras a heb warafun. All Duw ddim gweithio gwaith y nef mewn calon sydd yn gyndyn.

Cymerwch, er enghraifft, pan fydd rhywun mewn profedigaeth. Mae rhai pobl y gwn i amdanyn nhw wedi profi colledion enbyd a heb ddod i delerau erioed â hynny yn eu calonnau. Maen nhw'n derbyn na allan nhw hawlio'r un annwyl yn ôl, eto mae chwerwedd yn llechu y tu mewn iddyn nhw. Maen nhw'n gwarafun hapusrwydd i bobl eraill ac yn sôn gyda chwerwedd am yr iechyd da yr ymddengys mae drwgweithredwyr yn ei fwynhau. Yn eu calonnau maen nhw'n wrthwynebus i Dduw. Yn yr un modd, fe welwn ni o'r darn o'n blaenau heddiw bod Job yn cael ei adegau o fod yn wrthwynebus i Dduw. Yn ddiweddarach, fodd bynnag, fe ddaeth i weld ffolineb ei sefyllfa.

Fe gollodd Dr Barnardo, sefydlydd y cartrefi plant Barnardo yma ym Mhrydain, ei fab bach naw oed o diptheria. Ddaru o gyhuddo'r nef a phrotestio wrth yr Hollalluog? Na. Ond dywedodd: "Wrth i fy hogyn bach annwyl orwedd yn fy mreichiau'n methu â chael ei wynt ac wrth imi syllu i mewn i'r wyneb bach nychlyd yn graddol oeri gan farwolaeth, fe ymddangosodd cannoedd o wynebau plant bach eraill imi trwy ei un yntau. Fe benderfynais i eto y byddwn i trwy gymorth gras Duw yn cysegru fy hunan o'r newydd i'r gwaith bendigedig o achub rhai bychain diamddiffyn rhag enbydrwydd bywyd diymgeledd a bywyd o bechod."

Wyt ti'n dal dig neu â malais yn dy galon? Meiddia ei ildio yn awr. Efallai fod gras yn llifo fel yr afon, ond bydd gwenwyn yn cau yr afon honno.

Beth am fynd ymlaen i ddarllen:
Luc 15:11–32; 10:38–42;
Ioan 11:20–27

Meddyliwch am y cwestiynau hyn:
1. Beth gollodd y brawd hynaf oherwydd y gwenwyn ynddo?
2. Sut ddaru Martha fanteisio o ildio'i dicter?

Gweddi
O Dduw, maddau imi os yw dicter yn cau afon dy ras di. Helpa fi i ildio pob gwenwyn i ti yn y fan yma nawr er mwyn i ras lifo'n ddi-rwystr trwy fy nghalon i. Yn enw Iesu y gweddïaf. Amen.

Grym galar

"Y mae fy nghalon mewn gwewyr, a daeth ofn angau ar fy ngwarthaf." (adn. 4)

Beth am ddarllen Salm 55:1–23 ac yna myfyrio

Mater arall mae'n rhaid inni ei wynebu fel rhai sydd â rhannau yn stori fawr Duw ydy hyn: *rhaid inni fod yn barod i alaru.* Rwy'n ymwybodol nad ydy hon yn thema sy'n boblogaidd gyda mwyafrif Cristnogion heddiw, sydd fel petaen nhw'n meddwl mai'r peth gorau i'w wneud gydag unrhyw deimlad negyddol pan fo'n codi ydy ei anwybyddu a chymryd arnyn nhw nad ydy o yno. Ydych chi'n sylweddoli bod 70% o'r Salmau yn alarnadau? Roedd y galarnadau yma'n codi oddi wrth y siomedigaethau, y colledion, a'r trasiedïau a wynebai'r salmwyr, oherwydd nad oedden nhw'n fodlon osgoi'r materion yma na gwadu chwaith fod pethau fel ag yr oedden nhw.

Dywed un esboniwr "bod diwinyddiaeth galaru yn un o'r agweddau y rhoddir y lleiaf o sylw iddo yn niwylliant Cristnogol ein dydd". Dywed Eugene Paterson wrth gymharu'r Salmau gyda diwylliant secwlar ein cyfnod: "Mae gennym ni arddull newyddiadurol mewn print ac ar y cyfryngau sydd yn adrodd yn ddiddiwedd am drychineb. Yn sgìl beth bynnag sydd wedi mynd o'i le neu ba ddrwg bynnag a wneir, mae sylwebyddion yn straella, newyddiadurwyr yn cyfweld, golygyddion yn rhefru, phariseaid yn moesegu, ond does dim un llinell o alarnad." Sylwch ar yr ychydig eiriau olaf yna: *does dim un llinell o alarnad.* Ychydig o ysgrifenwyr secwlar heddiw sydd yn fodlon galaru am y ffaith bod egwyddor foesol wedi ei thorri. Pam hynny? Am y rheswm, o siarad yn gyffredinol, nad ydy'r fath bethau â gwirionedd, cyfiawnder a chariad yn cael eu cymryd o ddifrif yn y byd sydd ohoni. Yr hyn sy'n cyfrif ydy "newyddion". Mae pobl yn galw allan am y ffeithiau, ac yn aml heb fod â diddordeb yn yr ystyriaethau moesegol sydd yn eu tanlinellu. Pan fyddwn ni'n gwneud yn fach o rinweddau gwirionedd, cyfiawnder a chariad, yna mae ein cymdeithas yn anelu am y creigiau.

Gwrandewch ar eiriau Dafydd yn y Salm o'n blaenau heddiw. Mae o'n wynebu popeth ac yn gweddïo trwy bopeth. Fe honna Eugene Paterson mai: "Canlyniad galarnadau Dafydd yw'r mawrhydi gerwin a'r urddas sy'n ei osod ben ac ysgwyddau'n uwch na neb arall." Rwyf innau'n cytuno.

Beth am fynd ymlaen i ddarllen:
Salm 137:1–6; 2 Sam. 18:29–19:4

Meddyliwch am y cwestiynau hyn:
1. Beth sy'n dangos dwyster galarnad yr alltudion am Jerwsalem?
2. Sut ddaru Dafydd fynegi dyfnder ei alar ef am Absalom?

Gweddi
Fy Nhad A'm Duw, helpa fi i ddeall pwysigrwydd galarnadu. Arbed fi rhag ceisio mynd o un fan i fan arall yn rhy gyflym, heb roi amser i'm henaid deimlo'r boen. Yn enw Iesu y gweddïaf. Amen.

53

"Y Salmau dicllon"

"Clyw fy llais, O Dduw, wrth imi gwyno." (adn. 1)

Beth am ddarllen Salm 64:1–10 ac yna myfyrio

Fe ddaru ni ddweud ddoe bod mwyafrif y Salmau yn alarnadau. Dywedodd un Cristion amdanyn nhw fel hyn: "Dydw i byth yn darllen y Salmau dicllon gan eu bod nhw'n ei gwneud hi'n anoddach, nid yn haws, imi ymddiried yn Nuw. Dwi'n teimlo fel petawn i'n gwneud dim mwy na grwgnach yn erbyn Duw pan ydw i'n eu darllen nhw – rhywbeth mae'r Beibl yn ei gondemnio."

Mae Dan Allender yn dwyn ein sylw wedyn at y ffaith bod "galarnadu mor wahanol i rwgnach ag ydy chwilio am rywbeth penodol i grwydro'n ddiamcan." Mae'r grwgnachwr wedi dod i'w gasgliadau am fywyd eisoes, wedi cau pob drws sydd yn gadael y meddwl yn agored gyda chwestiynau sydd yn ddim mwy na chyhuddiadau cudd. Mewn cyferbyniad i hynny wedyn, mae'r person sy'n galarnadu yn mynegi awydd i ddeall yr hyn sy'n digwydd. Mae'r person hwnnw'n curo ar ddrws calon Duw ei hun ac yn dweud: "Helpa fi i amgyffred beth sy'n digwydd, beth yw'r diben y tu ôl i'm sefyllfa." Dydy o, neu hi, ddim yn chwythu bygythion o safbwyntiau sydd eisoes wedi eu penderfynu, ond yn tywallt teimladau poenus allan yn y gobaith y bydd rhai atebion yn cael eu rhoi. Cri o boen yw galarnad. Ceir llawer o enghreifftiau yn Salm 80. Dyma un ohonyn nhw: "Am ba hyd y gwrthodi weddïau dy bobl?" (adn. 4). Mae galarnadu, o'i ddeall yn iawn, yn fwy o ymdeimlo â phoen colli yn hytrach nag ymdrechu i gael ateb.

Sylwch mor aml mae'r salmwyr, wedi iddyn nhw fynegi eu poen, yn disgyn yn ôl i freichiau Duw ac yn dweud: "Ond ymddiriedaf fi ynot ti" (Salm 55:23). Pan fyddwn ni'n galarnadu yr ydym ni'n bod yn real efo'n hemosiynau, yn bod yn driw i'r ffordd yr ydym yn teimlo am yr hyn sydd wedi digwydd i ni. Ond wedi mynegi'n teimladau, byddwn wedyn yn disgyn yn ein holau ar y sicrwydd bod Duw yn gwybod yn union beth mae o'n ei wneud. Mae lle i alarnadu ym mywydau pob un ohonom ni, ac mae grym mawr ynddo.

Beth am fynd ymlaen i ddarllen:
Salm 22:1–5; Galar. 3:22–33; 3:38–40

Meddyliwch am y cwestiynau hyn:
1. Pa beth cadarnhaol all ddod allan o fynd i mewn i boen colli?
2. At ba weithredu cadarnhaol ddylai galarnadu arwain?

Gweddi
Dysga rym galarnadu imi, fy Nhad, er mwyn imi allu ymdrin â holl anghenion fy enaid mewn ffordd sy'n cyfrannu at fy iechyd ysbrydol. Gwared fi rhag y math o ddelfrydiaeth nad oes dim realaeth iddo. Yn enw Iesu. Amen.

Adnabod Duw yn well

"Yn ydd fy nghyfyngder ceisiais yr Arglwydd." (adn. 2)

Beth am ddarllen Salm 77:1–20 ac yna myfyrio

Rhaid treulio diwrnod arall yn myfyrio ar arwyddocâd galarnadu. Cynhwysir y salmau sy'n alarnadau yn yr Ysgrythur am y rheswm ein bod angen gweld pwysigrwydd bod yn onest ac yn real ynglŷn â'n hemosiynau. Pan ddaw colled i'n rhan, neu siomiant yn cymylu'n byd, rhaid inni fod yn barod i wynebu'r boen ac i'w deimlo. Dydy hi ddim yn hawdd, fel dywedodd un Cristion wrthyf yn ddiweddar, i ddygymod â rhyw drasiedi bersonol pan ydych chi newydd ddarllen geiriau fel y rhain: "Er i fil syrthio wrth dy ochr, a deng mil ar dy ddeheulaw, eto ni chyffyrddir â thi." (Salm 91:7). Mae ein hymdrech yn fawr ar adegau felly, ac mae galarnadu yn rhan o'r ymdrech honno.

Mae gan alarnadu'r gallu ynddo i newid ein hagweddau am ei fod yn ein hargyhoeddi bod yn rhaid noethi'r galon o bopeth balch ac yn ein gorfodi i ymgodymu efo Duw. O'r ymgodymu hwnnw fe ddaw ymwybyddiaeth newydd o Dduw a synnwyr newydd o'i bresenoldeb. Does dim gwarant y caiff ein cwestiynau eu hateb, ond byddwn yn ei adnabod *ef* yn well.

Mae hi'n benbleth i lawer sy'n astudio'r salmau pam fod, fel yn y salm o'n blaenau heddiw, yr un sy'n ei chanu yn gallu bod mor wyllt yn erbyn Duw un funud, ac yna'r funud nesaf ddatgan ei ddaioni tuag ato. Dyma'n syml ydy profiad yr enaid yn codi trwy ddryswch, hyd yn oed ddicter, i gydnabod wedi'r cyfan bod Duw yn gwybod beth mae o'n ei wneud ac mai Duw daionus ydy o. Ar ben hynny, mae'r ymdrechion yr awn ni drwyddyn nhw er mwyn cyrraedd y canlyniad hwnnw, ynddyn nhw eu hunain yn brofiadau sy'n nerthu. Disgrifiwyd galarnadu fel gwneud y gorau o'n colledion a'n siomiant heb fynd i ymdrybaeddu ynddyn nhw. Cyfaddefwn beth rydym yn ei deimlo, ymdrechwn gydag ef, yna symud ymlaen i gydnabod mawredd a daioni Duw. Mae galarnadu yn ffordd bwysig o gymryd rhan yn stori Duw.

Beth am fynd ymlaen i ddarllen:
2 Sam. 1:17–27;
2 Tim. 4:9–18

Meddyliwch am y cwestiynau hyn:
1. Beth sy'n greadigol am alarnad Dafydd?
2. Pa ddaioni a ddaeth o amryw siomiadau Paul?

Gweddi
O Dad, rwy'n gweld bod yn rhaid imi ddelio'n onest gyda materion fy enaid os wyf am gymryd rhan yn dy stori di. Mae galarnadu yn bwnc difrifol ond yr un mor angenrheidiol â dim arall. Helpa fi wrth imi geisio ei ddeall yn fwy trylwyr. Amen.

Y ffordd i droi drygioni'n ddaioni

"Llawenhaf a gorfoleddaf ynot ti." (adn. 2)

Beth am ddarllen Salm 9:1–10 ac yna myfyrio

Dros yr ychydig ddyddiau diwethaf yma buom yn dweud bod yn rhaid bod yn fodlon rhoi'r gorau i ddicter, derbyn yr hyn sy'n anorfod, a bod yn barod i alarnadu er mwyn cymryd rhan yn stori fawr Duw. Ond dyma ni bwynt arall hefyd: *rhaid inni gredu yng ngallu Duw i newid pethau.* Gall anghrediniaeth fod yn rhwystr, er nad yn un parhaol efallai, i Dduw Hollalluog wneud ei waith. Awn ati, felly, i ddatblygu hyder yng ngallu Duw i droi y pethau sy'n ein dal yn ôl mewn bywyd yn bethau sy'n ein gwthio 'mlaen. Gall gymryd sefyllfaoedd o ddrygioni ac anghyfiawnder mawr a'u troi at ddibenion da.

Digwyddodd peth rhyfedd yn Ne Affrica rai blynyddoedd yn ôl. Cafwyd gwraig groenddu'n euog o ryw fân drosedd a'i dirwyo am union werth darn arian oedd ganddi yn ei meddiant, wedi iddi ei etifeddu gan ei mam. Pan roddodd y darn arian – oedd wedi ei wneud o aur – i glerc y llys, fe welodd hwnnw bod y darn, yn ôl y safon aur (*gold standard*) ar y pryd, yn werth llawer mwy na'i werth fel darn arian. Felly, fe roddodd y clerc swm o newid yn ôl i'r wraig oedd yn fwy na'r hyn a dybiai hi oedd gwerth y darn arian yn y lle cyntaf! Heb wybod dim am y safon aur, fe adawodd y wraig y llys gyda'i meddwl yn troi. Wedi cyrraedd yn ôl i'r pentref, fe ofynnodd y wraig i'w ffrindiau sut oedd hi'n bosibl iddi hi gael ei chyhuddo o drosedd ac eto dderbyn elw yn ei sgìl.

Efallai eich bod chi wedi profi rhywbeth tebyg mewn rhyw ran arall o fywyd. Drygioni ydy drygioni, meddech chi, trasiedi ydy trasiedi. 'Does dim all newid hynny. Marwolaeth un annwyl inni, buddsoddiad yn cael ei golli, anffyddlondeb cymar, enllib maleisus – pethau i'w condemnio yn unig ydy'r rhain. Sut all rhywun fanteisio oddi wrthyn nhw? Derbyn yr hyn sy'n digwydd heb chwerwedd, bydd barod i alarnadu am hyd priodol o amser, bydd â ffydd yng ngallu Duw i drawsnewid, a bydd yn troi popeth drwg yn dda.

Beth am fynd ymlaen i ddarllen:
1 Bren. 17:1–16; Dan. 3:13–28

Meddyliwch am y cwestiynau hyn:
1. Sut ddaru'r wraig weddw ganiatáu i Dduw droi ei thrasiedi hi yn ddaioni?
2. Pa ddaioni a ddygodd Duw allan o ddrygioni Nebuchadnesar?

Gweddi
O Dad, efallai na chaf fyw i weld rhai o'r pethau rwyt ti'n eu trawsffurfio ac yn eu dwyn i fod ar hyn o bryd, ond gall fod y bydd y rheiny a ddaw ar fy ôl i'n mynegi gyda'r salmydd: "Gwaith yr Arglwydd yw hyn, ac y mae'n rhyfeddod yn ein golwg." Eto rwyf yn ddiolchgar iti am hynny. Amen.

Pan giliodd pechod

"Diarfogodd y pwerau a'r awdurdodau a'u harwain mewn prosesiwn gyhoeddus – fel carcharorion rhyfel wedi eu concro ganddo ar y groes." (adn. 15 Beibl.net)

Beth am ddarllen Colosiaid 2:6–15 ac yna myfyrio

Ddoe fe ddaru ni ddweud bod Duw yn gallu trawsnewid popeth sy'n dod i mewn i'n bywydau – hyd yn oed y math gwaethaf o ddrygioni. Meddyliwch am y groes. Dyma'r esiampl orau un. Os gallodd Duw drawsffurfio'r hyn a ddigwyddodd yn y fan honno, fe all wneud hynny yn unrhyw le. Gyda'r groes, fe gymerodd y peth mwyaf enbyd a ddigwyddodd erioed a'i droi i fod y peth mwyaf hyfryd. Y croeshoeliad yw pechod gwaetha'r byd a gobaith penna'r byd. Mae hanfod drygioni yma; dyma'r arddangosiad uchaf o gariad.

Fel hyn y dywedodd un awdur: "Petai ffrind neu aelod o'ch teulu chi wedi marw ar grocbren fyddech chi ddim yn cerdded o gwmpas gyda chrocbren aur am eich gwddf. Byddech yn ceisio cuddio'r gwarth rhag pob llygad. Ond rydym yn dal dull marwolaeth Crist i fyny i'r holl fyd. Dydy pen uchaf tŵr eglwys ddim yn rhy uchel ar ei chyfer; prin fod bwrdd y cymun yn ddigon amlwg iddi. Sylwch mor gyflawn fu'r trawsnewidiad. Ei neges ef sydd arni, nid neges y rhai a'i croeshoeliodd ef." Pan glywyd sŵn y morthwyliad olaf ymysg y dorf a'r groes yn cael ei gollwng i'w lle fe allen nhw fod wedi disgwyl clywed melltithion, ond clywed Iesu ddaru nhw ddweud: "O Dad, maddau iddynt, oherwydd ni wyddant beth y maent yn ei wneud." (Luc 23:34). Roedd y trawsnewidiad rhyfeddol wedi cychwyn. Fe giliodd pechod, fe'i trechwyd ef, gan ddod megis cefndir tywyll yn unig i'w gariad llachar ef.

Os ydy Duw'n gallu gwneud hynny gyda'r groes, yna beth mae o'n alluog i'w wneud gyda'r drygioni sy'n dod i mewn i'n bywydau ni? A ellir ei drechu gan gamdriniaeth, casineb di-ildio, torcyfraith, colled? Na, bydd yn gwlychu ei bin ysgrifennu yn y lliwiau tywyll hyn ac yn ysgrifennu stori fydd yn troi y drygioni yn ddaioni. Duw sy'n adrodd y stori hon cofiwch – y storïwr gorau yn y bydysawd i gyd.

Beth am fynd ymlaen i ddarllen:
1 Cor. 1:22–24; 2 Cor. 5:15; Gal. 6:14; Heb. 12:2–3

Meddyliwch am y cwestiynau hyn:
1. Beth mae Duw wedi ei wneud o rywbeth oedd yn dramgwydd i gred?
2. Beth gynhyrchodd y groes yn y diwedd i ni ac i Iesu?

Gweddi
O Dad, pryd bynnag ddaw amheuon i darfu arnaf am dy allu di i droi drygioni'n ddaioni, helpa fi i aros wrth y groes. Yno fe drowyd y peth gwaethaf a allai ddigwydd byth i fod y peth gorau a ddigwyddodd erioed. Gogoniant fo i dy enw di. Amen.

Mynd i mewn i'r dirgelwch

"Yn wir, rwyf wedi mynegi pethau nad oeddwn yn eu deall, pethau rhyfeddol, tu hwnt i'm dirnad." (adn. 3)

Beth am ddarllen Job 42:1–6 ac yna myfyrio

Peth arall sy'n rhaid inni ei wneud fel rhai sy'n cymryd rhan yn stori fawr Duw ydy mynd i mewn i'r dirgelwch a'i ddathlu. Beth sydd gen i meddech chi? Gadewch imi ei roi fel hyn: bydd y rhan fwyaf ohonom pan fyddwn yn wynebu rhyw ddirgelwch, yn hytrach na chael ein hunain yn rhan ohono a llawenhau bod Duw yn gwybod mwy na ni, byddwn yn ymdrechu i ddatrys y dirgelwch a'i dorri i lawr yn dameidiau y gallwn ni ddygymod efo nhw. Mae dirgelwch yn erydu'n synnwyr o feistrolaeth; felly, fe awn ati i'w esbonio a'i resymoli.

Wrth gwrs, gellir esbonio rhai o fwriadau "dirgel" Duw. Mae'r bwriad rhamantus y buom yn sôn amdano'n gynharach yn y rhifyn hwn, yn rhywbeth y medrwn ni ei amgyffred unwaith y caiff ei esbonio. Allwn ni ddim, fodd bynnag, esbonio rhai pethau sy'n digwydd inni, faint mor galed bynnag y ceisiwn wneud synnwyr ohonyn nhw, oherwydd yr ydym ni, fel y dywedodd C.S. Lewis, yn teithio "gyda'n cefnau at yr injan". Allwn ni ddim gweld beth mae'r gyrrwr yn ei weld o'i flaen. Mae'n rhaid inni, felly, fynd i mewn i'r dirgelion hyn a'u dathlu nhw, gan ymddiried bod ein bywydau mewn dwylo diogel. Mae dirgelwch yn ein herio ni i weld faint rydym ni'n fodlon ymddiried. Mae Duw yn caniatáu pethau i ddigwydd inni nad oes gennym ni ddim esboniad amlwg arnyn nhw, ac, felly, mae'n rhaid inni ildio i'r hyn mae Duw'n ei wneud gydag ymddiriedaeth lwyr ynddo ef.

Sonia C.S. Lewis am ferch o'r enw Lucy yn un o'i straeon, ac mae hi'n gofyn i gymeriad arall, Mr Beaver, ynglŷn ag Aslan y Llew (symbol o Grist): "Ydy o'n ddiogel?" "Nac ydy," meddai Mr. Beaver, "Dydy o ddim yn ddiogel, ond mae o'n dda." Dydy'r byd yr ydym ni'n byw ynddo ddim yn ddiogel, ond mae Duw yn dda. Rhaid inni ddal ati i gredu hynny, hyd yn oed yn wyneb y dyfnaf o ddirgelion.

Beth am fynd ymlaen i ddarllen:
Ioan 13:3–7;
Rhuf. 11:2–5

Meddyliwch am y cwestiynau hyn:
1. Beth sy'n cael ei addo inni pan nad ydym ni'n deall?
2. Beth yw graddfa darpariaeth gudd Duw o'i chymharu â hunandosturi Elias?

Gweddi
Fy Nhad a'm Duw, cymer fy llaw a cherdda gyda mi trwy bob sefyllfa o ddirgelwch y caf fy hun ynddi. A helpa fi i gofio, er y gall bywyd ar brydiau fod yn ddrwg, yr wyt ti bob amser yn dda. Yn enw Iesu. Amen.

Gorfoleddu mewn dirgelwch

"Traetha fy nghalon beth da:
dywedyd yr ydwyf y pethau a wneuthum i'r brenin." (adn. 1) (B.W.M.)

Beth am ddarllen Salm 45:1–17 ac yna myfyrio

Efallai eich bod yn cofio imi ddweud pan oeddem yn sôn am ran Naomi, na ddaru Duw ddim dileu ei chwyn hi o'r cofnod ysbrydoledig o'r hanes, ond fe'i gadawodd i mewn yno a'i ddefnyddio i hyrwyddo'i amcanion ef ei hun. Roeddwn i'n chwilfrydig wrth imi ddod ar draws y datganiad yma beth amser yn ôl: "Dydy Duw ddim yn ymhyfrydu yn yr hyn fyddwn ni'n ei olygu a'i ddileu, ond mae o wrth ei fodd gyda'n barddoniaeth ni." Beth oedd ystyr hynny, meddwn i wrthyf fy hun.

Wrth imi feddwl amdano, fe ddois i i'r casgliad bod yna wahaniaeth rhwng barddoniaeth a rhyddiaith. Maen nhw'n gwbl wahanol yn eu natur a'u pwrpas. Canlyniad nwyd ydy barddoniaeth. Mae 'na rywbeth ffrwydrol ynglŷn ag o, yn chwyddo i fyny yn enaid y bardd fel lafa berwedig gan ferwi drosodd mewn iaith sydd yn cyffrwdd â'n synhwyrau. Fedr y bardd ddim peidio â sgwennu'r gerdd. Mae o neu hi yn ei sgwennu hi hyd yn oed os nad oes yna neb yn debygol o'i darllen hi byth. Mewn gwirionedd, does gan rai beirdd fawr o ots a gaiff eu gwaith ei ddarllen o gwbl; y cwbl sydd ganddyn nhw mewn golwg ydy rhoi mynegiant geiriol i'w meddyliau. Nid felly mae hi gyda rhyddiaith. Yn gyffredinol, mae'r awdur rhyddiaith yn penderfynu'n gyntaf beth mae o am ei ddweud ac yna'n mynd ati i'w ddweud yn yr iaith egluraf bosibl.

Pan sonia awdur y datganiad uchod am Dduw yn gwgu ar ein dileu a'n golygu ninnau ond yn ymhyfrydu yn ein barddoniaeth, rwy'n credu mai sôn mae o am y gwahanol agweddau y gallai fod gan y bardd a'r awdur rhyddiaith tuag at y dirgel. Gallai'r awdur rhyddiaith fod yn edrych ar rywbeth yn ddadansoddol, gan ddweud: "Mae angen mwy o oleuni arnaf cyn y gallaf ddweud dim." Mae'r bardd yn fwy tebygol o ymateb trwy fynd i mewn i'r dirgelwch a chyfansoddi cerdd amdano. Dyma beth mae'r salmydd yn ei wneud yn y salm a ddarllenom ni heddiw. Dydy o ddim yn ceisio rheoli dirgelwch Duw; dim ond gorfoleddu ynddo fo.

Beth am fynd ymlaen i ddarllen:
Rhuf. 11:27–36; Job 11:7; Preg. 3:11; Eseia 40:28

Meddyliwch am y cwestiynau hyn:
1. Beth mae Paul yn ei ddweud am farnedigaethau a ffyrdd Duw?
2. I ba gasgliad y daeth Eseia?

Gweddi
O Dad, rho imi gael ymateb i'r hyn rwyt ti'n ei wneud yn fy mywyd i gyda barddoniaeth diolchgarwch a mawl. Arbed fi rhag chwilio am bethau i'w dileu. Ond gad imi dderbyn popeth gyda gras a diolch. Yn enw Crist y gofynnaf hyn. Amen.

Mwy am farddoniaeth

"O ddyfnder cyfoeth Duw, ... Mor anchwiliadwy ei farnedigaethau, mor anolrheiniadwy ei ffyrdd!" (adn. 33)

Beth am ddarllen Rhufeiniaid 11:25–36 ac yna myfyrio

Daliwn ati i feddwl am y datganiad yr edrychom ni arno ddoe: "Dydy Duw ddim yn ymhyfrydu yn ein dileu a'n golygu ni, ond mae o wrth ei fodd gyda'n barddoniaeth." Dywed G.K. Chesterton yn ei lyfr *The Romance of Faith*, pan fyddwch chi'n wynebu bywyd gyda gonestrwydd fe ddowch yn ymwybodol bod chwaraewyr gwyddbwyll yn mynd yn orffwyll ond nad ydy beirdd byth yn gwneud hynny. Mae Chesterton yn defnyddio gormodiaith, wrth gwrs – ond i bwrpas. Mae'r chwaraewr gwyddbwyll wrthi'n barhaus yn ystyried ei strategaeth, ac yn ceisio canfod rhyw drefn er mwyn deall pethau. Wrth imi wylio fy hoff raglen deledu ychydig yn ôl – *Star Trek: The Next Generation* – fe glywais i Commander Data yr Android yn dweud bod yn well ganddo fo wyddbwyll i farddoniaeth am ei fod yn teimlo'n fwy cyfforddus gyda threfn y gellid ei rheoli. Ond, wrth gwrs, does gan Android ddim emosiwn. Mae bardd yn sylweddoli bod yna drefn mewn bywyd, ond dydy o ddim yn ymdrechu i geisio ei deall; yn hytrach, mae o'n nofio ar y tonnau a mynd i mewn i'r dirgelwch trwy gyfrwng barddoniaeth.

Pan wynebir ni â dirgelwch stori Duw yn ein bywydau, mae gennym ni ddau ddewis: un ai fe awn ati i geisio darganfod beth yw ffyrdd Duw a mynd ati efo siswrn y golygydd i ddileu rhai pethau, neu fe allwn ymateb trwy nofio ar donnau ei fwriadau ef, gan ddweud: "Arglwydd, rydw i'n dy foli di am nad oes modd olrhain dy ffyrdd di," fel mae Paul yn ei wneud yn y darn a ddarllenom heddiw. Mae beirdd yn adnabod dirgelwch ac yn gorfoleddu ynddo heb geisio ei reoli.

Peidiwch â cheisio gwneud synnwyr o ddirgelwch pan fyddwch chi'n cael eich hun yn ei ganol. Gorfoleddwch ynddo. Mae holl hanfod bywyd yn gofyn ar inni fod yn feirdd yn hytrach na chwaraewyr gwyddbwyll. Gwyn eu byd y rheiny sy'n caniatáu iddyn nhw eu hunain ryfeddu at yr hyn mae Duw'n ei wneud yn eu bywydau ac yn ymateb iddo gyda rhythm barddoniaeth a mawl.

Beth am fynd ymlaen i ddarllen:
Job 9:1–12; Col. 2:2–4

Meddyliwch am y cwestiynau hyn:
1. Sut mae Job yn mynd ati i ddisgrifio daeargryn a chlip ar yr haul yn farddonol?
2. Beth sydd gennym os oes gennym ddirgelwch Duw?

Gweddi
O Dad, helpa fi i ymateb i ddirgelion bywyd yn yr un ffordd ag y gwnaeth Paul – nid trwy ymdrechu i weithio popeth allan, ond trwy ymgrymu mewn rhyfeddod, cariad a mawl. Amen.

60

Peidiwch â grwgnach – canwch!

"Henffych well, syr! Myfi yw'r wraig oedd yn sefyll yma yn d'ymyl yn gweddïo ar yr Arglwydd." (adn. 26)

Beth am ddarllen 1 Samuel 1:21–2:11 ac yna myfyrio

Fedraf i ddim meddwl bod yna wefr mwy i'w chael na gwybod ein bod yn cael ein dal ynghanol stori fawr Duw. Cymerwch Hanna y buom yn darllen amdani heddiw. Rydych chi'n gyfarwydd â'r stori rwy'n siŵr, ond caniatewch imi roi braslun o rai o'r manylion.

Roedd Hanna yn un o ddwy wraig Elcana, ac enw'r llall oedd Peninna. Roedd gan Peninna blant "ond nid gan Hanna" (1:2). Byddai Peninna'n gwawdio a gwneud hwyl am ben Hanna yn rheolaidd am ei bod yn anffrwythlon. Ond er iddi ei brifo'n arw gyda'i geiriau, mae'n ymddangos bod Hanna wedi dygymod â'r sefyllfa gyda hunan-barch ac wedi ymatal llawer arni ei hun. Yn y diwedd, mae Duw'n clywed gweddi Hanna, ac mae hi'n beichiogi gan roi genedigaeth i fab bach mae hi'n ei enwi'n Samuel. Ymhen ychydig ar ôl ei eni mae Hanna yn cyflwyno Samuel i'r Arglwydd ar gyfer oes o wasanaeth yn y Deml. Wrth iddi gyflwyno Samuel i'r Arglwydd, mae hi'n canu cân sydd ymysg yr harddaf yn yr Ysgrythur. Ond sylwch *pryd* ddaru hi ganu ei chân – nid pan feichiogodd ar Samuel na phryd y ganwyd ef, ond pan gyflwynodd hi ef i wasanaeth yr Arglwydd.

Dywed Dr Larry Crab: "Cenir y caneuon dyfnaf a mwyaf cyfoethog, nid ar adegau o fendith, ond ar yr adegau hynny pan synhwyrwn ni ein bod yn cael ein dal i fyny yn symudiad Duw, a'n bod wedi ein codi i mewn i stori fwy." Canodd Mair, mam Iesu, ei chân hyfryd hithau pan ddeallodd hi ei bod hithau'n cael ei dal i fyny mewn symudiad dwyfol a ddeuai â iachawdwriaeth i'r byd (Luc 1:46–55). Wyt ti'n ymwybodol o rywbeth sy'n mynd ymlaen yn dy fywyd di sy'n fwy na dy agenda di dy hun – dy fod ti'n cael dy ddal ynghanol stori fwy? Yna cana dy gân! Hon fydd y gân fwyaf arwyddocaol a geni di byth.

Beth am fynd ymlaen i ddarllen:
Ex. 15:1–13; Luc 1:68–79

Meddyliwch am y cwestiynau hyn:
1. Pa hyder yn y dyfodol mae cân Moses yn ei dangos?
2. Pa sicrwydd ar gyfer y dyfodol welwn ni yng nghân Sachareias?

Gweddi
Fy Nhad a'm Duw, pryd bynnag mae'n rhaid imi ildio rhywbeth, helpa fi i weld hynny yng nghyd-destun y stori fwy. Ac yn hytrach na grwgnach, helpa fi i ganu. Yn enw Iesu. Amen.

Drama tra rhagorol

"Wele, er lles y bu'r holl chwerwder hwn i mi." (adn. 17)

Beth am ddarllen Eseia 38:9–22 ac yna myfyrio

Rydw i wedi treulio cyfran dda o'm hoes yn gwrando ar straeon pobl, ac wedi darganfod bod pobl yn gallu adrodd eu straeon mewn nifer o wahanol ffyrdd. Mae rhai'n ei hadrodd fel petai hi'n gomedi – gan wneud hwyl amdani am y byddai delio â'r stori'n ddifrifol yn ormod iddyn nhw. Mae eraill yn ei hadrodd fel trasiedi – fedran nhw ddim gweld dim pwrpas yn yr hyn sydd wedi digwydd iddyn nhw. Yna mae 'na rai eraill sydd yn ei hadrodd fel eironi – gan sôn yn wawdlyd am addasrwydd pethau. Ond rydw i wedi cyfarfod â rhai – dim ond rhai – sydd yn sôn am eu bywydau fel drama tra rhagorol. Galwant i gof y pethau sydd wedi digwydd iddyn nhw gyda synnwyr eglur bod yna Dduw cariadus wedi caniatáu iddyn nhw fynd trwy'r profiadau hyn i bwrpas.

Pryd bynnag y byddaf yn gwrando ar Joni Eareckson Tada, er enghraifft, yn dweud ei hanes, dydw i ddim yn clywed dim sy'n agos at fod yn gomedi, yn drasiedi nac yn eironi. Mae 'na rywbeth buddugoliaethus am ei stori hi. Sonia am y digwyddiadau a arweiniodd at y ffaith ei bod wedi ei pharlysu yn ei phedwar aelod, nid fel trasiedi, ond fel drama tra rhagorol. Does dim ond rhaid i rywun wrando arni er mwyn bod yn ymwybodol o ras Duw yn tywynnu o'i phersonoliaeth. Gall hawlio sylw ac edmygedd miliynau oherwydd ei bod yn siarad o ganol ei dioddefaint – dioddefaint sydd wedi ei waredu. Mae hi'n cyfaddef, wrth reswm, bod yna adeg o gwyno wedi bod yn ei bywyd pan oedd hi'n codi dwrn yn wyneb Duw, ond mae hi wedi gweithio drwy'r teimladau hynny nawr ac wedi dod i sylweddoli bod gan Dduw, o fod wedi caniatáu i'w damwain ddigwydd, bwrpas ar gyfer ei bywyd sydd wedi cyffwrdd â bywydau miliynau o bobl.

Sut fyddech chi'n mynd ati i adrodd stori eich bywyd pe bai rhywun yn gofyn ichi, tybed? Fel comedi, trasiedi, eironi, neu ddrama tra rhagorol?

Beth am fynd ymlaen i ddarllen:
Amos 7:10–15;
1 Tim. 1:12–16

Meddyliwch am y cwestiynau hyn:
1. Sut mae Amos yn disgrifio trywydd dramatig ei fywyd?
2. I ba bwrpas mae Paul yn credu bod trugaredd wedi ei ddangos tuag ato?

Gweddi
O Dad, rydw i mewn man caled. Sut fyddwn i'n mynd ati i adrodd fy stori? Fel comedi, trasiedi, eironi, neu ddrama ddwyfol? Helpa fi i feddwl am hyn heddiw a dod i benderfyniad. Yn enw Crist rwy'n gofyn hyn. Amen.

Sut alla' i ddod i mewn?

"Yn wir, yn wir, rwy'n dweud wrthyt, oni chaiff rhywun ei eni o'r newydd ni all weld teyrnas Dduw." (adn. 3)

Beth am ddarllen Ioan 3:1–15 ac yna myfyrio

Rwy'n teimlo bod yn rhaid imi wneud un peth cyn inni dynnu tua'r terfyn, sef gwahodd y rheiny nad yw yn 'nabod Iesu Grist i ddod yn rhan o'i stori ef. Mae *Pob Dydd Gyda Iesu* yn cael ei ddarllen mewn llawer o lefydd ar draws y byd lle mae 'na bobl sydd â diddordeb mewn pethau Cristnogol, ond sydd heb ymddiried eu hunain i Iesu Grist eto. Heddiw rydw i am roi gwahoddiad i'r rheiny ohonoch chi sydd heb fod yn rhan hyd yma o stori iachawdwriaeth Duw i ddod yn rhan ohoni. Ac felly, er mwyn y rheiny nad ydynyt yn ei adnabod ef yn bersonol, rwy'n gosod y cwestiwn hwn: Sut ydw i'n dod i berthynas efo Duw ac yn dod yn rhan o'i epig dragwyddol ef?

Rwyt ti'n dod i berthynas efo Duw trwy ei Fab Iesu trwy gael, fel mae'r Beibl yn ei roi, dy "eni o'r newydd". Fe bregethais i gyfres o bregethau ar y testun "Mae'n rhaid eich geni chi o'r newydd" (adn. 7) unwaith, dros gyfres o chwe nos Sul. Gofynnodd rhywun imi pam fy mod i'n cymryd yr un testun dros chwe nos Sul yn olynol. Atebais innau: "Oherwydd mae'n rhaid eich geni chi o'r newydd." Mae sôn am yr angen i gael ein geni o'r newydd drwy'r Testament Newydd. Rydym ni'n rhannu pobl yn ôl eu hil, eu dosbarth, eu rhyw, eu cenedl, eu cyfoeth a'u tlodi, eu haddysg a'u diffyg addysg, ond rhannodd Iesu pob dyn a dynes yn ddau ddosbarth yn unig: y rhai wedi eu geni unwaith a'r rhai wedi eu geni ddwywaith.

Os wyt ti wedi troi at Iesu Grist, os cefaist ti dy eni o'r newydd, yna rwyt ti i mewn yn y deyrnas. Os na chefaist ti dy eni o'r newydd rwy'n dy wahodd nawr i agor dy galon i Dduw A'i Fab ef Iesu Grist. Dywed y weddi yma ac fe fyddi di'n derbyn yr enedigaeth newydd fel mae niferoedd dirifedi wedi ei derbyn ym mhob oes. Fe gei di dy eni o'r newydd.

Beth am fynd ymlaen i ddarllen:
Ioan 6:37–40; 10:7–11

Meddyliwch am y cwestiynau hyn:
1. Beth yw'r holl addewidion sy'n cael eu gwneud yn Ioan 6 ar dy gyfer di?
2. Beth oedd y pris a dalodd Iesu er mwyn i ti gael bywyd yn ei holl gyflawnder?

Gweddi
O Dad Nefol, rydw i eisiau bod yn rhan o dy stori di. Rydw i'n dod atat ti nawr er mwyn cael fy ngeni o'r newydd. Rydw i'n ildio popeth i ti – fy mywyd cyfan, fy nghalon – fy mhopeth. Derbyn fi a gwna fi'n blentyn i ti. Yn enw Iesu yr ydw i'n gweddïo. Amen.

"Yn fy llais fy hun"

"Dyn ni'n gofyn i Dduw ddangos i chi yn union beth mae ei eisiau, a'ch gwneud chi'n ddoeth i fedru deall pethau ysbrydol." (adn. 9) (Beibl.net).

Beth am ddarllen Colosiaid 1:1–14 ac yna myfyrio

Ar ein dydd olaf gyda'n gilydd, buaswn yn hoffi gadael y myfyrdod hwn gyda chi: does dim ots pa mor ddibwys deimlwn ni ein bod ni, os wyt ti'n grediniwr, y gwir ydy dy fod ti'n rhan o stori fawr Duw. Mae dy enw wedi ei sgwennu i mewn i'w epig gyffredinol ef. Un dydd, pan fydd y stori'n cael ei datguddio'n gyfan yn nhragwyddoldeb, cei weld bryd hynny pa ran chwaraeaist ti yn nhrefn dragwyddol pethau. Does dim rhaid iti dreulio dy amser yn ceisio gweithio allan mewn manylder ym mha olygfa rwyt ti'n ymddangos. Ymddirieda fod y Cyfarwyddwr Castio wedi rhoi rhan iti ei chwarae sydd, nid yn unig yn gwneud defnydd o dy arbenigrwydd a dy bersonoliaeth di fel unigolyn, ond yn bwysicach fyth, y ffordd y bu gras dwyfol ar waith yn dy fywyd di.

Mae dim ond cael rhan yn epig fawr Duw, cael ein rhwydo ynghanol y naratif mae o ar ganol ei sgwennu, yn un o'r breintiau mwyaf a roddir inni fel bodau dynol. Dyma mae cyfaill i mi, Phil Greenslade, yn ei ddweud: "Does dim ots gen i fod yn ddim mwy na chludydd arfau cyn belled â mod i'n rhan o stori fawr Duw."

Fe'ch gadawaf gyda'r llinellau hyn gan Paul Goodman, sy'n eu disgrifio fel "gweddi fechan".

> *Fesul tudalen a thudalen rwyf wedi byw yn dy fyd di*
> *Yn y ffordd sy'n adrodd stori, Arglwydd,*
> *Yn fy llais fy hun rwy'n dweud dy stori di.*

Yn fy llais fy hun rwy'n dweud dy stori di. Geiriau grymus. Mor wahanol ydy bywyd pan ddown i sylweddoli bod stori ddwyfol, stori fwy yn cael ei sgwennu trwy'r cyfan sy'n digwydd inni. Disgyn dy angor i ddyfnderoedd y datguddiad yma sy'n llawn calondid ac anogaeth inni. Fe fydd, yn nhymhestloedd cryfaf bywyd, yn gymorth i dy gynnal, rwy'n addo hynny.

Beth am fynd ymlaen i ddarllen:
1 Sam. 20:35–42; Ioan 9:16–38

Meddyliwch am y cwestiynau hyn:
1. Pa fantais fawr allwn ni ei chael o'i chymharu â chludydd arfau Jonathan?
2. Sut allwn ni weld a dweud am Iesu mor eglur ag y gwnaeth y dyn dall?

Gweddi
Fy Nhad a'm Duw, sut allaf i fyth ddiolch digon iti am y fraint werthfawr o gael dweud dy stori di yn fy llais fy hun? Helpa fi o'r dydd hwn ymlaen i weld pob dim o dy safbwynt di dy hun. Yn enw Iesu. Amen.

Amlhau – ynddo ef

"Oherwydd os yw'r rhain gennych yn helaeth, byddant yn peri nad diog a diffrwyth fyddwch." (adn. 8)

Beth am ddarllen 2 Pedr 1:1–8 ac yna myfyrio

Yn y rhifyn hwn, byddwn yn canolbwyntio ar dair adnod fendigedig sydd yn ail lythyr Pedr (1:5–7) lle mae'r apostol yn ein hannog i arfogi ein hunain gyda saith rhinwedd arbennig. Mae'r bennod agoriadol yma yn ail lythyr Pedr yn rhoi'r argraff fod Pedr â diddordeb mawr mewn mathemateg oherwydd mae'n cynnwys dwy sỳm ysbrydol. Yn yr ail adnod, mae'n sôn am y modd y mae Pedr am i ras a heddwch gael eu lluosogi tuag at y gwrandawyr, ac yna yn adnod 5, mae'n annog y saint i ychwanegu neu adio at eu ffydd, daioni, gwybodaeth ac yn y blaen. Mae un yn sỳm luosi, a'r ail yn sỳm adio. Mae Duw yn lluosi, rydan ni'n ychwanegu. Ond mae'n rhaid nodi na allwn ond ychwanegu i'r graddau yr ydym yn meddiannu y gras y mae Duw yn ei luosogi atom.

Yn adnodau 3 a 4, mae Pedr yn rhoi darlun hyfryd i ni o ogoniant person Iesu. Ynddo ef, mae yna rym di-ball, mae yna ddaioni di-ball, mae yna addewidion mawr a gwerthfawr. Ymhellach, ar sail ein perthynas ag ef, gallwn feddiannu y natur ddwyfol. Ond mae Pedr am bwysleisio ei bod yn bosibl i fod yn gyfranogion o natur ddwyfol a hefyd i fod yn bobl sydd yn ddiog ac yn ddiffrwyth yn ein perthynas a'n hadnabyddiaeth o Iesu Grist. Mewn geiriau eraill, mae'n bosibl i wreiddio ein bywyd yng Nghrist ond i beidio ag adeiladu ein bywyd ar Grist. Mae'r cyfeiriad at wreiddio yn sôn am ein perthynas bersonol ni â'r adnoddau sydd yn Iesu Grist ar ein cyfer ni. Mae'r ymadrodd "adeiladu" yn ein gorfodi i ymdrech bersonol. Gwaith Crist yw ein gwneud yn gyfranogion o'r natur ddwyfol. Ein gwaith ni yw sianelu ein holl ymdrech er mwyn arfogi ein hunain gyda'r saith rhinwedd mae Pedr yn eu nodi. Mae angen i'r saith rhinwedd yma nid yn unig i fod ynom ni ond i fod ynom ni mewn mesur helaethach. Mewn geiriau eraill, mae angen iddyn nhw orlifo.

Nid yn unig mae bywyd yng Nghrist, ond bywyd cyflawn. Nid yn unig mae galw arnom ni i fod yng Nghrist ond i amlhau yn ein perthynas ag ef.

Beth am fynd ymlaen i Ddarllen:
Ioan 15:1–16; Col.2:1–7

Meddyliwch am y cwestiynau hyn:
1. Sut mae amlhau yng Nghrist?
2. Sut mae aros yng Nghrist?

Gweddi
O Dduw, maddau i mi os rwyf yn wag ynghanol digon, yn anwybodus ynghanol gwybodaeth, yn ddifywyd ynghanol bywyd. Rwy'n rhoi fy nghwpan wag o dan ffynnon dy ddaioni di-ball di. Llanw fi fel y byddaf yn orlawn o'th ddaioni. Yn enw Iesu. Amen.

Diffyg cof ysbrydol

"Oherwydd os gwnewch hyn, ni lithrwch byth." *(adn. 10)*

Beth am ddarllen 2 Pedr 1:8–11 ac yna myfyrio

Fe ddywed Pedr wrthym: "Os byddwn yn meddiannu y saith rhinwedd y mae ef yn eu nodi yn adnodau 5–7 – rhinwedd, gwybodaeth, hunan-ddisgyblaeth, dyfalbarhad, duwioldeb, brawdgarwch a chariad, yna ni fyddwn yn llithro na syrthio byth! Mae'n siŵr mai'r hyn fyddem yn ei ddeall o'r geiriau hyn yw nad ydym yn debygol o lithro na syrthio. Ond nid dyna ddywed yr apostol. Mae'n bendant. "Gwnewch y pethau hyn," meddai, "ac ni fyddwch yn llithro." Dyma'r warant sydd gennym.

Y tro cyntaf i mi ddarllen y geiriau yma meddyliais fod hyn yn dipyn o ddweud. Sut mae'n bosibl byw y bywyd Cristnogol heb faglu? Mae'n dibynnu, wrth gwrs, beth a olygwn wrth faglu. Nid wy'n tybied fod Pedr yn dweud: "Petawn yn meddiannu y saith rhinwedd yma, ni fyddaf byth yn syrthio i bechod eto." Yn fy marn i, meddwl y mae am y bywyd Cristnogol yn nhermau gorymdeithio. Pan fyddwn yn ychwanegu at ein ffydd sylfaenol y saith rhinwedd mae'n eu nodi yma, yna ni fyddwn byth yn syrthio yn ein hymdrech, byth yn cael ein gadael ar ôl. Mi fyddwn yn parhau hyd ddiwedd y daith.

Heb y rhinweddau yma, fe ŵyr Pedr ein bod yn mynd yn fyr ein golwg a dall; yn fyr ein golwg oherwydd nad ydym ond yn gweld pethau fel y maent y funud hon, yn ddall, oherwydd na allwn weld y cam nesaf. Mae'n dweud hefyd fod y Cristion sydd yn methu â sylweddoli pwysigrwydd ychwanegu y rhinweddau hyn at ei ffydd yn arwyddo ei fod wedi anghofio y waredigaeth a gafodd oddi wrth bechod. Mae cof o'r hyn y mae Duw wedi ei wneud trosom wrth glirio ein dyled, y ddyled oedd yn ein herbyn (Rhufeiniaid 12:1–2) i fod yn sbardun inni symud ein bywyd ysbrydol yn ei flaen. Rhaid wrth symud ymlaen cyson ar y llwybr Cristnogol. Does neb i sefyll yn ei unfan. Yn wir, os nad ydym yn mynd ymlaen, rydym yn mynd yn ôl.

Beth am fynd ymlaen i ddarllen:
1 Ioan 2:1–29

Meddyliwch am y cwestiynau hyn:
1. Pa gamau yn y bywyd Cristnogol mae Ioan yn eu nodi?
2. Sut mae'n bosibl inni osgoi cerdded yn y tywyllwch a baglu?

Gweddi
O Dad, cynorthwya fi i beidio â bod yn un y gellir ei ddisgrifio fel person sydd wedi adnabod bywyd ac yna wedi baglu. Rwy'n hiraethu am gael symud ymlaen a symud i fyny. Caniatâ hyn, yn enw Iesu. Amen.

Gwna dy orau

"... gweithredwch, mewn ofn a dychryn, yr iachawdwriaeth sy'n eiddo ichwi; oblegid Duw yw'r un sydd yn gweithio ynoch." (adn. 12–13)

Beth am ddarllen Philipiaid 2:12–30 ac yna myfyrio

Ddoe, bu inni orffen trwy weddïo ar yr Arglwydd i beidio â chaniatáu inni fod yn bobl sydd wedi adnabod bywyd ac yna baglu. Mae'n wir am lawer o Gristnogion fod eiliad o frwdfrydedd wrth iddyn nhw ddarganfod gogoniant gwirionedd Cristnogol yn cael ei ddilyn gan fethiant i weithio allan eu hiachawdwriaeth ac i symud ymlaen yn barhaus.

Cyn inni edrych yn fanwl ar y saith rhinwedd y mae angen inni eu hychwanegu at ein ffydd sylfaenol yng Nghrist, mae angen inni oedi am ddiwrnod neu ddau i ystyried y geiriau "Gwnewch eich gorau glas i ychwanegu at eich ffydd..." ac yn y blaen (2 Pedr 1:5). Yn anffodus, mae llawer o Gristnogion yn ei chael yn anodd i dderbyn y cyngor "Gwnewch eich gorau glas" neu "Gwnewch bob ymdrech", oherwydd i rai mae'n swnio fel iachawdwriaeth trwy weithredoedd. Ac eto, fel y gwelwn o'r darlleniad heddiw, mae Paul yn dweud rhywbeth tebyg iawn. Er bod y bywyd Cristnogol yn fywyd sydd yn cael ei sicrhau gan ffydd, nid gan weithredoedd, mae hefyd yn wir i ddweud bod y ffydd nad yw i'w weld mewn gweithredoedd ddim yn ffydd o gwbl.

Yn yr Eglwys heddiw, mae yna bwyslais mewn rhai cylchoedd ar ffydd a rhy ychydig o bwyslais ar yr angen i gymhwyso egwyddorion yr Ysgrythur i'n bywyd o ddydd i ddydd hefo Iesu. Byddaf yn beio diffyg mewn dysgeidiaeth gyson mewn llawer o eglwysi. Yn ôl John Stott, mae'r gwendidau ym mywydau Cristnogion yn adlewyrchu y gwendidau mewn pregethu Cristnogol. Un canlyniad i'r diffyg dysgeidiaeth gyson yma yw bod llawer o bobl ifainc sydd yn Gristnogion heb feddwl am eiliad bod dim byd o'i le mewn cysgu gyda'u cariadon cyn priodi. Yn anffodus, ni welant unrhyw gysylltiad rhwng eu ffydd a'u hymddygiad. Os na fydd y bwlch sydd yn agor rhwng ffydd a gweithredoedd yn cael ei gau, mi fydd yn sicr o ddwyn Cristnogaeth i amarch yng ngolwg y byd.

Beth am fynd ymlaen i ddarllen:
1 Cor. 15:58; Eff. 2:8–10; Heb. 4:1–11; Iago 2:14–26

Meddyliwch am y cwestiynau hyn:
1. Beth yw perthynas ffydd a gweithredoedd?
2. Beth yw perthynas gras ac ymdrech?

Gweddi
O Dduw daionus a grasol, rwy'n gweld yn gliriach o ddydd i ddydd fod ffydd heb weithredoedd yn farw. Cynorthwya fi i fod yn un sydd yn arddangos fy ffydd mewn gweithredoedd da ac ymddygiad duwiol. Rwy'n gofyn hyn yn enw Iesu. Amen.

Fy enaid, estyn ymlaen

"Rhowch i farwolaeth, felly, y rhannau hynny ohonoch sy'n perthyn i'r ddaear."
(adn. 5)

Beth am ddarllen Colosiaid 3:1–17 ac yna myfyrio

Cyn inni orffen trafod y gorchymyn "Gwnewch bob ymdrech", mae angen inni fod yn berffaith glir nad siarad yr ydym am ymdrech y cnawd yn unig. Yn yr Ysgrythur, pan bwysleisir ymdrech ddynol, mae llawer o Gristnogion yn ystyried hyn fel ymdrech i fyw ein bywyd Cristnogol dan rwymedigaeth ein hewyllys ac yna yn dod i'r farn fod y bywyd Cristnogol yn gallu bod yn rhywbeth cyfreithiol iawn. Yn y llyfr *Your God is Too Safe,* fe ddywed Mark Buchanan: "Yr ydym yn rhy barod i weld rhyw grefydd gyfreithiol yn gorwedd y tu ôl i bob ymdrech i fyw yn sanctaidd." Bob tro y byddaf yn dweud wrth rywun i weithio allan ei iachawdwriaeth, fe fydd rhywun yn clywed fi'n dweud "Gweithiwch er mwyn eich iachawdwriaeth". Mae'r ddau beth yn gwbl wahanol.

Yn anffodus, mae llawer o Gristnogion yn cael trafferth i weld y gwahaniaeth rhwng gras ac ymdrech. Credant, gan eu bod wedi eu hachub trwy ras, nad oes angen ymdrech. Nid yw gras ac ymdrech yn wrthgyferbyniol. Mae gras ac elwa yn eiriau gwrthgyferbyniol. Mae'r gred y dylech weithio er mwyn eich iachawdwriaeth yn heresi ond mae gweithio allan eich iachawdwriaeth yn Feiblaidd. Wrth gwrs, mae gwneud pob ymdrech yn golygu ymdrech yr ewyllys. Ond mae'r ymdrech a wnawn i ychwanegu at ein ffydd y rhinweddau y mae Pedr yn eu hamlinellu yn fwy nag ymdrech yr ewyllys. Mae yna rym sydd yn gweithio gyda'n hewyllys – grym gras Duw ei hun. Rwyf wedi dweud droeon o'r blaen, Duw sydd yn darparu yr ynni a'r grym; y cyfan yr ydym ni yn ei ddarparu yw yr ewyllys.

Yn ôl un esboniwr, mae'r geiriau "Gwnewch bob ymdrech" yn golygu 'ymestynnwch'. Ymhellach fe ddywed: "Os na fedrwch wneud yr ymdrech i ymestyn er budd datblygiad eich enaid, a hynny oherwydd na allwch drafferthu gyda'r anghyfleustra mae'n ei ddwyn i'ch bywyd, mae'n anodd gennyf gredu eich bod wedi cael gafael yn y peth iawn." Wyt ti'n credu dy fod wedi cael gafael yn y peth iawn? Ardderchog! Ymestynna! "Fy enaid, ymestyn ymlaen."

Beth am fynd ymlaen i ddarllen:
Jos. 14:6–14; 1 Cron. 4:10; Salm 18:21–36; Eseia 54:1–3

Meddyliwch am y cwestiynau hyn:
1. Sut mae ymestyn ein tiroedd ysbrydol?
2. Beth oedd Caleb a Jabes yn ei rannu?

Gweddi
O Dduw, rwy'n gofyn i ti faddau i mi fy mod wedi caniatáu i'm bywyd ysbrydol fynd yn ddiymdrech. Rwy'n gofyn i ti roi cyhyrau ysbrydol i mi. Rwy'n gwybod fy mod wedi cael gafael yn y peth da. Cynorthwya fi nawr i ymestyn ac i ymdrechu ac i gael gafael fwyfwy yn Iesu. Amen.

Ffydd yw...

"Ond cynifer ag a'i derbyniodd, rhoes iddynt hwy, y rhai sy'n credu yn ei enw, hawl i ddod yn blant Duw." (adn. 12)

Beth am ddarllen Ioan 1:1–14 ac yna myfyrio

Mae'n amser canolbwyntio ar y rhestr o rinweddau y mae Pedr yn ei annog ar ein cyfer, y rhinweddau y dylem eu hychwanegu at ein bywyd Cristnogol. Mae'n bwysig nodi, fodd bynnag, nadyw'r rhinwedd cyntaf y mae'n nodi, sef ffydd, yn rhywbeth y dylem ei ychwanegu at ein bywyd os ydym eisoes yn Gristnogion, ond rhywbeth sydd yn ein meddiant yn barod. Os nad yw ffydd yn bresennol, yna mae'r holl rinweddau y mae Pedr yn eu rhestru yn gwneud dim ond ychwanegu at ryw foesoldeb personol. Mae'n gwneud crefydd yn ddim mwy nag ymarfer moesol. Mae'n wir i ddweud fod tyfiant Cristnogol yn dibynnu ar ychwanegu y rhinweddau hyn, ond mae'r bywyd Cristnogol yn dechrau hefo ffydd bersonol. I osod hyn yn ei ffordd symlaf, ni all neb fod yn Gristion os nad yw y person yma wedi ymarfer ffydd.

Ond beth yw ffydd? Fy hoff ddiffiniad i yw 'croesawu yr hyn yr ydych yn ei gredu'. Rwy'n hoff o'r diffiniad oherwydd mae'n pwysleisio fod ffydd yn fwy na chredo meddyliol. Mae ffydd yn croesawu fel ffaith yr hyn yr ydym yn ei gredu fel syniad. Mae'r testun heddiw yn gwneud pwynt fod ffydd yn fwy na chredu, mae ffydd yn derbyn. Ni all yr un diffiniad o ffydd fod yn ddigonol os yw yn ei chaethiwo i fyd credo yn unig. Ni fyddai hyn yn gwneud dim mwy na chydnabod yn feddyliol rhyw wirionedd allanol heb gynnwys yr elfen o ymddiriedaeth.

Yn y bôn, y syniad sydd yn waelodol i'r gair Groeg am ffydd (*pistis*) yw y syniad o ymddiriedaeth. Yn y Beibl, nid dal at gredo yn unig yw ffydd, ond yn hytrach person ffydd yw y person sydd yn mentro ei holl bersonoliaeth ar ymddiried mewn un sydd yn deilwng o ymddiriedaeth. Diwedd ffydd Feiblaidd yw uno y person sydd yn credu hefo'r person yr ydym yn credu ynddo. Dim ond i'r graddau yr ydych yn cael eich uno mewn ffydd hefo Crist y medrwch feddiannu y cyfoeth o fywyd sydd yn rhagflas o dragwyddoldeb.

Beth am fynd ymlaen i ddarllen:
Math. 10:40; Col. 1:1–14; Iago 2:19; 1 Ioan 5:1–13

Meddyliwch am y cwestiynau hyn:
1. Beth am gymharu credo a ffydd?
2. Sut mae rhoi ein hymddiriedaeth yn Nuw?

Gweddi
O Dad, sut allaf fyth ddiolch digon i ti am fy nghynorthwyo i, nid yn unig i gredu, ond i dderbyn dy Fab i mewn i'm calon a'm bywyd. Am hyn, byddaf yn dy ganmol i dragwyddoldeb. Amen.

Mentro ar Dduw

"Trwy ras yr ydych wedi eich achub, trwy ffydd. Nid eich gwaith chwi yw hyn;
rhodd Duw ydyw." (adn. 8)

Beth am ddarllen Effesiaid 2:1–10 ac yna myfyrio

Rhaid inni aros am ychydig ddyddiau hefo'r cwestiwn o ffydd er mwyn inni ddeall ychydig yn well cyn inni fentro ar y dasg o ychwanegu ato. Mae'r adnod sydd o'n blaen heddiw, un o adnodau mawr yr Ysgrythur, yn ei gwneud yn berffaith glir mai Duw ei hun yw tarddle ffydd. Yr ydym yn cael ein hachub trwy ras, trwy ffydd – mae hyn yn rhodd Duw. Mewn ffordd ddirgel, mae Duw yn dod at berson sydd yn ymestyn tuag ato, ac yn rhoi gras i gredu ac i dderbyn. Sylwch ar yr ymadrodd 'credu a derbyn'. Nid yw credu sydd heb symud tuag at dderbyn yn ffydd yn ystyr Feiblaidd y gair.

Yn y Testament Newydd, mae ffydd yn cael ei disgrifio mewn amryw ffyrdd ac mae pob disgrifiad yn cyfrannu at ddealltwriaeth ddyfnach o'r hyn ydyw. Yn yr efengylau, fe gysylltir y gair yn fynych â gwyrthiau iachau yr Arglwydd. Roedd Iesu yn medru adnabod ffydd ac roedd ei gyffyrddiad iachusol yn gorffwys ar rai oedd trwy ffydd yn dod ato ac yn disgwyl gwyrth. Yn llythyron Paul, mae ffydd yn cael ei disgrifio fel ymddiriedaeth bersonol. Mae'n ei gwneud yn glir bod ymddiried ein hunain yn llwyr i'r Crist yn agor drws, a thrwy'r drws yma medrwn gael meistrolaeth ar foesoldeb. Mae'r llythyr at yr Hebreaid yn datguddio fod ffydd yn fath o welediad ysbrydol. Dyma'r grym sydd yn ein cynorthwyo i weld y realiti sydd yn gorwedd y tu ôl i'r hyn sydd ond yn ymddangosiadol. I'r apostol Pedr, ffydd yw yr hyder sydd gennym fod yr hyn a ddywed Iesu yn wir ac y medrwn ymddiried yn llwyr yn ei addewidion, gan fentro ein bywyd arno ef.

Mae ffydd, fel nofio, bob amser yn wahoddiad i fentro allan ac, fel nofio, ni allwn fod yn sicr nes inni fentro. Am y fam a ddywedodd nad oedd ei phlentyn i fynd i nofio nes y gwyddai sut i nofio, roedd rhaid iddi naill ai newid ei meddwl neu wrthod y profiad iddo am byth.

Beth am fynd ymlaen i ddarllen:
Num. 13:16–14:11; Heb. 11:1–6

Meddyliwch am y cwestiynau hyn:
1. Sut all diffyg ffydd gyfyngu ar ein profiad o Dduw?
2. Beth yw eich profiad eich hun o ffydd?

Gweddi
Fy Nuw, fy Nhad, cynorthwya fi i ddeall mwy am y ffydd yr wyt ti wedi ei rhoi i mi, er mwyn i mi, nid yn unig wybod mwy amdani, ond mentro mwy arni hefyd. Yn enw Iesu. Amen.

Nawddsant

"A paid â bod yn anghredadun, bydd yn gredadun." (adn .27)

Beth am ddarllen Ioan 20:24–31 ac yna myfyrio

Fe gyfeirir yn fynych at Thomas fel nawddsant y rhai sy'n amau. Mewn sawl ffordd, mae'n drist fod yr un hanes hwn am Thomas yn cael ei gofio a phobl yn siarad amdano i'r fath raddau fel ei fod yn cysgodi y cyfan a ddywed yr Ysgrythur amdano. Yr ydym yn anghofio ei fod wedi symud yn fuan iawn y tu hwnt i'w amheuon ac mai ef oedd y cyntaf o'r disgyblion yn ôl yr Ysgrythur i gyffesu fod Iesu Grist yn Dduw.

Mewn unrhyw drafodaeth am ffydd, mae'n bwysig i nodi y gwahaniaeth rhwng amheuaeth ac anghrediniaeth, oherwydd mae llawer o Gristnogion wedi cael anhawster wrth ystyried eu hamheuon fel anghrediniaeth. Mae anghrediniaeth yn ganlyniad i feddwl sydd wedi ei gau, meddwl sydd wedi ei osod yn erbyn credu. Mae amheuaeth yn wahanol. Mae amheuaeth yn dweud, "Dwi ddim yn siŵr am hyn, ond os yw yn wir, yna yr wyf am gredu."

Un o'r pethau sydd wedi fy synnu i yn fy mywyd Cristnogol yw sut mae amheuon yn medru cyd-fyw mor rhwydd gyda ffydd. Mae yna adegau pan fyddaf wedi cael fy meddiannu yn llwyr yng nghwmni Duw a hynny mewn gweddi. Ac yna, fe ddaw rhyw amheuaeth am ychydig eiliadau fel gwyfyn gan awgrymu mai 'siarad â thi dy hun yr wyt'. Beth bynnag, er bod amheuaeth yn ymweld â chalon y rhai sydd â ffydd ym modolaeth Duw, nid oes angen i'r amheuon gael cartref yn ein calon.

Mae'r byd yr ydym yn byw ynddo yn cael ei amgylchynu gan rym a nerth ein Duw ni, grym sydd beunydd beunos yn edrych am fynedfa i mewn i fywyd dynol ond yn cael ei rwystro gan anghrediniaeth. Yr ydym yn darllen fod Iesu wedi methu â gwneud unrhyw wyrthiau mawrion yn Nasareth oherwydd anghrediniaeth y bobl (Mathew 13:18). Ffydd yw y rhodd y mae Duw yn ei chyfrannu yn ei ras i bechadur a thrwy'r ffydd yma, daw nerth Duw i'r amlwg yn ein bywyd. Pan fydd pobl yn credu i'r eithaf, mae Duw yn dod fel llanw i'w calon ac i'w henaid.

Beth am fynd ymlaen i ddarllen:
Math. 13:53–58; 17:14–21; Marc 9:14–27

Meddyliwch am y cwestiynau hyn:
1. Sut mae'r adroddiadau hyn yn dangos fod amheuaeth a chredo yn medru cyd-fyw?
2. Sut all credo oddiweddyd amheuaeth?

Gweddi
O Dad, rwy'n diolch i ti am fy atgoffa unwaith yn rhagor o'r gwahaniaeth rhwng amheuaeth ac anghrediniaeth. Cynorthwya fi fwyfwy i amau fy amheuon ac i gredu fy nghredoau. Yn enw Iesu. Amen.

71

Bwydo ffydd

"Felly, o'r hyn a glywir y daw ffydd, a daw'r clywed trwy air Crist." (adn. 17)

Beth am ddarllen Rhufeiniad 10:14–21 ac yna myfyrio

Yn ôl C. S. Lewis, petaech yn cymryd cant o bobl sydd wedi troi eu cefn ar y ffydd Gristnogol, fe fyddech yn sylwi mai ychydig iawn ohonynt sydd wedi eu perswadio yn erbyn yr Efengyl. Yr hyn fyddech yn ei ddarganfod yw fod llawer wedi rhyw hwylio i ffwrdd am na fu iddynt fwydo eu ffydd trwy astudiaeth gyson o air Duw.

Rydym ar dir peryg pan fyddwn yn esgeulus o'r Beibl, oherwydd, fel y dywed y testun heddiw, mae ffydd yn dod trwy glywed y neges ac mae'r neges yn cael ei chlywed trwy air Crist. Wrth inni ddarllen Gair Duw, yr ydym yn gwrando ar ei lais ac mae ffydd yn tyfu yn swn y llais hwnnw. Mae Cristnogion aeddfed yn gwybod fod yr amser y maent yn ei dreulio yn astudio y Beibl yn bwydo eu ffydd yn fwy na dim. Mae Duw wedi rhoi trwy'r Gair yr hyn y mae Pedr yn ei alw yn addewidion mawr iawn a gwerthfawr (2 Pedr 1:4). Mae ffydd yn tyfu trwy gymryd meddiant o'r addewidion hynny a chredu ynddynt.

Tybed a oes rhai o'r darllenwyr yn cofio yr hen focsys addewidion oedd i'w darganfod yng nghartrefi Cristnogion. O fewn y bocsys yma roedd yna ddarnau bychain o bapur wedi eu rholio ac arnynt addewidion yr oedd y saint wedi eu darganfod yn y Beibl. Wrth ichi ymweld â thŷ lle roedd yna focsys addewidion, fe fyddech yn cael gwahoddiad i ddewis addewid, fel arfer wrth i chi ymadael. Yn anffodus, fe ddaeth yr ymarfer yma o dan feirniadaeth lem, yn bennaf oherwydd bod pobl yn iawn yn dadlau fod y Beibl yn cynnwys llawer mwy nag addewidion, ac oherwydd bod yna adegau ym mywyd y Cristion pan nad addewid sydd ei angen ond gair i herio y cysurus. Er hynny, er bod y bocsys yn cael eu camddefnyddio, roedd yr olwg yr oedd gan y saint ar addewidion Duw yn iachach nag agwedd llawer o Gristnogion heddiw sy'n methu â rhoi dim amser i ddarganfod yr addewidion y mae Duw am i ni gymryd meddiant ohonynt.

Beth am fynd ymlaen i ddarllen:
Jos. 1:1–9;
Salm 1:1–6; 119:161–168

Meddyliwch am y cwestiynau hyn:
1. Sut yr oedd Josua i adnabod hyder a llwyddiant?
2. Pa sicrwydd a gawn yn y Salmau?

Gweddi
O Dad, cynorthwya fi i feddiannu y gwirionedd yr wyf wedi ei ddysgu heddiw. Da i mi gofio fod yr amser yr wyf yn ei dreulio yn astudio dy Air yn sicr o beri i'm ffydd dyfu. Rwy'n caru dy Air. Cynorthwya fi i'w garu fwyfwy. Yn enw Iesu. Amen.

Ffydd – gweithred

" 'Ewch i'ch dangos eich hunain i'r offeiriad.' Ac ar eu ffordd yno, fe'u glanhawyd hwy." (adn. 14)

Beth am ddarllen Luc 17:11–19 ac yna myfyrio

Ddoe, fe welwyd bod ffydd yn tyfu wrth inni ganiatáu i'r gwirionedd sydd yng Ngair Duw gael ei agor i'n meddyliau ac i'n calonnau a thrwy feddiannu yr addewidion. Ffordd arall mae ffydd yn tyfu yw trwy weithio allan ein ffydd. Mae un yn ein cynorthwyo i ddeall hyn trwy ddweud: "Darluniwch eryr bychan yn edrych dros ei nyth i wagle. Mae'n bosibl y gallai'r awyr ei ddal i fyny ond onid yw yn ffwlbri noeth i neidio i'r gwagle hwn? Onid yw marwolaeth yn aros yr aderyn bach os bydd yn mentro o'i nyth? Ond mae rhywbeth ynddo yn ei gyffroi ac mae'n lledu ei adenydd, neu mae'r fam yn chwalu'r nyth gan ddwyn diogelwch a chyw oddi arno. Mae'n mynd dros yr ymyl ac yna'n fuan yn profi mai y gwagle yw'r elfen honno sydd wedi ei dyfeisio i'w ddal ac nid yn unig ei ddal ond ei godi i fyny i'r uchelder." Mae'n hynod o bwysig ein bod yn lledu ein hadenydd ac yn caniatáu i awelon grymus yr Ysbryd Glân ein codi ninnau. Gall Duw wneud pethau rhyfeddol lle mae ffydd.

Roeddwn eisoes wedi cwblhau'r adran nesaf pan fu i'r Ysbryd sibrwd yn fy nghlust fod yr hyn yr oeddwn wedi ei ysgrifennu yn wahanol i'r hyn yr oedd wedi bwriadu i mi ei ddweud. Felly, dyma'r neges a roddodd i mi: "Os wyt ti angen gwyrth yn dy fywyd heddiw, rhywbeth yr wyt yn gwybod ei fod yn iawn i ofyn i Dduw amdano, yna, ymarfer ffydd."

Ychydig wedi i mi ddod yn Gristion, ysgrifennodd fy nhad y geiriau hyn yn fy Meibl: "Mae ffydd yn gadarnhad ac yn weithred sydd yn mynnu fod gwirionedd tragwyddol yn ffaith. Nid yn unig, rhaid cydnabod ffydd, ond rhaid gweithredu ffydd. Roedd y deg gwahanglwyf yn yr adran yr ydym wedi ei ddarllen heddiw wedi gweithredu ar orchymyn yr Iesu. Yr ydym yn darllen: "Ac ar eu ffordd yno, fe'u glanhawyd hwy." Yn y weithred o ufudd-dod, fe drodd eu ffydd yn wirionedd a chafwyd iachâd. Ac felly, beth bynnag y mae'r Arglwydd yn ei ddweud wrthyt y funud hon, gwna hynny. Mentra allan, ond cyn i ti fentro ar dy ffydd, gwna yn siŵr mai llais yr Arglwydd yr wyt yn gwrando arno ac nid llais neb arall.

Beth am fynd ymlaen i ddarllen:
Eseia 40:28–31; Math. 14:22–33; Ioan 9:1–7

Meddyliwch am y cwestiynau hyn:
1. Ai agwedd neu gweithred yw dy ffydd?
2. Sut allwn ni brofi gwyrthiau?

Gweddi
O Dad, rwy'n sylweddoli fod ffydd nid yn unig yn gydnabod ond yn weithred. Maddau i mi fy mod mor aml yn disgwyl i ti weithredu pan wyt ti'n disgwyl i mi weithredu. Cynorthwya fi i weithredu ar fy nghredo. Yn enw Iesu. Amen.

Sŵn y glicied yn cau

"A yw Duw wedi anghofio trugarhau?
A yw yn ei lid wedi cloi ei dosturi?" (adn. 9)

Beth am ddarllen Salm 77:1–20 ac yna myfyrio

Mae ffydd hefyd yn cael cyfle i dyfu wrth inni gael ein galw i fynd trwy sefyllfaoedd sydd yn anodd neu yn ansicr. Gall unrhyw un feddu ffydd pan fo'r haul yn tywynnu yn yr awyr a dim sôn am gwmwl yn unman. Ond beth sydd yn digwydd pan fo'r stormydd yn dod ac mae'r gwyntoedd yn chwythu, gwyntoedd rhagluniaethau croes. Yr hyn na ddylem ei wneud yw ein twyllo ein hunain nad ydynt yn cael unrhyw effaith. Os nad ydynt yn cael effaith, mae hynny'n iawn, ond os oes effaith rhaid cydnabod hynny. Nid yw Duw yn syrthio oddi ar ei orsedd oherwydd bod ein ffydd ni wedi ei hysgwyd. Nid ydym i gyd fel Abraham oedd yn peidio ag amau o gwbl ar sail addewid Duw (Rhufeiniaid 4:20), a hynny pan ddywedwyd wrtho gan Dduw fod Sara am gael plentyn a hithau bellach yn 90 oed.

Pan fu farw gwraig C. S. Lewis, Joy, o gancr, dyma'r hyn a ysgrifennodd am y niwl ysbrydol a'i gorchuddiodd: "Dos at Dduw pan wyt mewn cyfyngder garw. Pan fo pob cymorth arall yn wagedd, beth a weli, ai pob drws wedi ei gau yn dy wyneb a sŵn y glicied yn cau ac yn cloi ar y tu mewn? Ar ôl hynny, tawelwch. Cystal iti â throi i ffwrdd." Fe nododd un fod geiriau Lewis ar y pryd yn heresi. Na, nid heresi oedd y tu ôl i'r geiriau ond realaeth a phrofiad. Ni throdd Lewis i ffwrdd. Yn wir, fe ddaeth trwy'r profiad trwy gymorth Duw, ac fe ddaeth darllenwyr Lewis i glywed tinc newydd yn ei ysgrifennu. Cawn y stori sut y bu iddo ddarganfod Duw ynghanol ei boen, ac fe ddaeth yr hanes yma yn esiampl glasurol o'r modd y mae ffydd, nid yn unig yn gallu goddiweddyd, ond hyd yn oed yn gallu ffynnu mewn anhawster.

Oes na gymylau duon yn dy fywyd di ar y foment? Cymer afael. Wedi i ti ddod trwy'r adeg yma o anawsterau, fe wnei di ddarganfod fod mwy o gyhyrau yn dy ffydd nag a fuaset ti erioed wedi ei ddychmygu'n bosibl.

Beth am fynd ymlaen i ddarllen:
1 Bren. 19:1–19; Job 1:13 – 2:10; 42:1–10

Meddyliwch am y cwestiynau hyn:
1. Sut ddaeth Eleias trwy ei gyfyngder?
2. Beth oedd profiad Job?

Gweddi
O Dad, cynorthwya fi ar adegau anodd i fod, nid yn unig yn ddigon agored i gydnabod yr hyn yr wyf yn ei deimlo, ond i gydnabod hefyd dy fod ti yno er bod fy nheimladau yn gwrthod credu hynny. Cynorthwya fi yn enw Iesu. Amen.

74

Ffydd ar ei gorau

"Yna gweddïodd Eliseus, 'Arglwydd, agor ei lygaid, iddo weld.'
Ac agorodd yr Arglwydd lygaid y llanc." (adn. 17)

Beth am ddarllen 2 Brenhinoedd 6:8–23 ac yna myfyrio

Cyn i mi ymadael â ffydd, yr wyf am dynnu llun o'r Cristion hwnnw sydd yn gweld ffydd yn tyfu o'i fewn. Ni fydd yn honni ar unrhyw adeg fod ei ffydd yn ddi-syfl neu nad oes yna amheuon yn corddi o bryd i'w gilydd, ond mi fydd y person yma yn dod yn fwyfwy hyderus fod Duw yn gwybod orau ymhob sefyllfa. Mae ffydd sydd yn tyfu yn dod i weld mai byd Duw yw hwn ac yn credu hynny. Fel y dywed W. E. Sangster: "Rwyf yn gweld hynny nid trwy gau fy llygaid i'r gwrthddywediadau ymddangosiadol sydd yn y byd, ond trwy gredu yng ngolwg Duw, nad does yna ddim." Mae ffydd ar ei gorau ac ar ei chryfaf pan fydd ganddom ffydd yn ffyddlondeb ein Duw. Pan fyddwn yn gallu gweld fod y gwrthddywediadau ymddangosiadol yn ddim mwy na phethau sydd yn cuddio y cariad sydd yn llosgi ymhob peth, yna yr ydym yn tyfu mewn gwirionedd.

Wedi bron i 60 o flynyddoedd fel Cristion, ni allaf honni fy mod yn y man y dymunwn fod gyda golwg ar ffydd, ond rwyf ymhellach ymlaen nag y bûm. Efallai eich bod yn rhannu fy nheimlad. Gadewch inni weddïo dros ein gilydd fel y gweddïodd Eliseus dros ei was yn y stori heddiw. Roedd brenin Syria wedi peri i gylch mawr o geffylau a cherbydau ffurfio o gwmpas y ddinas, a phan ddeffrôdd gwas y proffwyd y bore canlynol a gweld y ddinas wedi ei hamgylchynu, cynhyrfwyd ei enaid. Ond ni chynhyrfwyd Eliseus. Beth bynnag, er mwyn tawelu ofnau ei was, gweddïodd Eliseus: "Arglwydd, agor ei lygaid iddo weld." Ac yna, fe agorodd yr Arglwydd lygaid y gwas ac fe edrychodd a gweld y bryniau yn llawn o geffylau a cherbydau tân. "'Chydig ffydd, ble rwyt yn llechu?"

Rwyf wedi gweddïo drosot, ddarllenwr, wrth i mi ysgrifennu'r ddalen yma, gan ofyn i Dduw ganiatáu i ti barhau i ddyfu mewn ffydd. Y cyfan ofynnaf yw dy fod tithau hefyd yn gweddïo drosof i.

Beth am fynd ymlaen i ddarllen:
Dan. 3:1–30; Heb. 11:7–40

Meddyliwch am y cwestiynau hyn:
1. Sut fu i'r tri Iddew amlygu eu ffydd?
2. Sut mae'n bosibl gweld y Duw anweledig?

Gweddi
O Dad grasol a thrugarog, grymusa ein ffydd fel ein bod ni yn gallu gweld, a gweld yn glir fod y mynyddoedd i gyd wedi eu goleuo, a hynny yn enw Iesu. Amen.

Y rhai sy'n cynorthwyo

"tywyllwch oeddech chwi gynt, ond yn awr goleuni ydych yn yr Arglwydd. Byddwch fyw fel plant goleuni." (adn. 8)

Beth am ddarllen Effesiaid 5:1–14 ac yna myfyrio

Wedi i mi ddod yn Gristion a minnau yn fy arddegau, fe siaradodd y gweinidog â mi ryw ddiwrnod gan dynnu fy sylw at 2 Pedr 1:5. Dywedodd, "Dyma'r rhinweddau y mae Duw yn awr am ychwanegu at dy ffydd. Mae i ffydd gynorthwywyr, a dyma'r rhai sydd yn angenrheidiol os yw ffydd am dyfu." Yna, aeth yn ei flaen, "Ond paid â cheisio'u meddiannu i gyd ar unwaith. Gwna'n siŵr fod dy draed ar ris gyntaf yr ysgol cyn i ti fentro at yr ail." Roedd hwn yn gyngor da ac yn rhywbeth y bu i mi ei gyfleu i lawer o Gristnogion newydd.

Y peth cyntaf sydd angen ei ychwanegu at ffydd yn ôl 2 Pedr 1:5 yw 'daioni'. Nawr, mae'r gair Groeg sydd yn cael ei gyfieithu 'daioni' (*arete*) yn cael ei ddefnyddio yn anaml iawn yn y Testament Newydd, ac yn ôl ysgolheigion Groegaidd gellir ei ddeall fel 'rhagoriaeth'. Mae un cyfieithiad yn defnyddio'r ymadrodd 'rhagoriaeth foesol' ac mae'n bur debygol mai dyma oedd ym meddwl Pedr wrth ddefnyddio'r gair. Nawr mae hyn yn peri inni ofyn cwestiwn. A yw y rhagoriaeth foesol yma y mae Pedr yn siarad amdani yn rhywbeth sydd yn dod oherwydd ymdrech ein hewyllys, neu a ydyw yn ymdrech y mae Duw yn ei roi ynom ni? Wel, mae'n debyg fod y ddau yn wir.

Y diwrnod ar ôl i mi wahodd yr Arglwydd Iesu i mewn i fy mywyd, es yn ôl i fy hen gynefin ymhlith yr hen demtasiynau a bu i mi ddarganfod fod llawer ohonyn nhw wedi colli eu gafael. Doedd gen i ddim dymuniad tuag atynt. Roeddwn yn ara deg yn deffro i'r gwirionedd fod yna rym newydd yn fy mywyd ac roedd hyn yn arwydd o bresenoldeb Crist ei hunan. Ond roeddwn yn gwybod hefyd yn fy anian na allai'r grym moesol yma weithredu heb i mi gydweithredu. Amhosibl oedd eistedd yn ôl a dweud, "Wel, does gan demtasiwn ddim gafael ynof mwyach." Roedd yn rhaid i mi eto wneud y penderfyniad i beidio ysmygu, i beidio dweud celwydd, i beidio dweud jôcs budr ac yn y blaen. Roedd rhaid i allu Duw a'm hewyllys i fynd law yn llaw.

Beth am fynd ymlaen i ddarllen:
1 Pedr 2:1–12; 1 Thes. 5:1–11

Meddyliwch am y cwestiynau hyn:
1. Pam fod angen cynorthwywyr ar ffydd?
2. Sut mae annog ein gilydd?

Gweddi
O Dad, rwyf mor ddiolchgar am y gwirionedd fod y Cristion, wrth gymryd gafael ynot ti, yn dy adnabod di, a'th fod yn cymryd gafael ynddo ef. Mae hwn yn wirionedd bendigedig. Gwna hyn yn fwyfwy real i mi bob dydd. Amen.

Fel plentyn

"Pwy bynnag, felly, fydd yn ei ddarostwng ei hun i fod fel y plentyn hwn, dyma'r un sydd fwyaf yn nheyrnas nefoedd." (adn. 4)

Beth am ddarllen Mathew 18:1–9 ac yna myfyrio

Fel y dywedais ddoe, y mae 'daioni' yn cael ei gyfieithu yn well fel 'rhagoriaeth foesol'. Ond os yw hyn yn cael ei ysgaru oddi wrth rym a nerth yr Ysbryd Glân, mae'n dirywio i fod yn ddim mwy na'r hyn a nodwyd o'r blaen, moesoldeb gwag. Mae moesoldeb fel crefydd yn beth i gilio oddi wrtho. Mae iddo agwedd meddwl balch a thrahaus. Mae'r rhai sydd yn ymarfer y math yma o foesoldeb yn cyfleu personoliaeth sydd yn awgrymu eu bod yn gryf yn eu nerth eu hunain. Ychydig iawn o ostyngeiddrwydd sydd yn perthyn iddynt, ac maent yn tueddu i edrych i lawr ar y rhai sydd yn cael trafferth gydag anawsterau moesol.

Un o'r arwyddion a welwch mewn Cristion sydd yn dibynnu yn llwyr ar nerth Duw yn ei fywyd yw gostyngeiddrwydd. Fe ddysgodd yr Arglwydd fod gostyngeiddrwydd yn un o'r nodweddion amlycaf sydd yn perthyn i'r rhai o fewn ei deyrnas (Mathew 5:3). Yn yr adran o'n blaen heddiw, mae'n siarad am yr angen i feddu ar y gostyngeiddrwydd sydd yn eiddo i blentyn. Mae llawer yn cael yr ymadrodd yma yn anodd ei ddeall, oherwydd, yn ôl un esboniwr, nid yw plant yn aml yn ostyngedig o ran cymeriad nac o ran ymarweddiad. Felly, beth oedd yr Arglwydd yn ei olygu pan ddywedodd hyn?

Yr hyn oedd ganddo mewn golwg, yn fy nhyb i, oedd statws yn hytrach nag ymddygiad. Mae plant, fel y gwyddoch, yn cael eu cyfeirio atynt fel rhai sydd yn ddibynnol. Maent yn ddibynnol ar eu rhieni am bob peth. Y gostyngeiddrwydd sydd yn perthyn i blentyn, felly, yw'r gostyngeiddrwydd sydd yn perthyn i ddibyniaeth. Does dim yn fwy hyll ym mywyd y Cristion na balchder, a dyna a welwch mewn rhyw grefydd foesol. Ar y llaw arall, does na ddim yn fwy annwyl a hoffus na gostyngeiddrwydd, a dyna a welwch chi yn y rhai sydd yn dibynnu ar rym yr Arglwydd.

Mae angen i ni gerdded yn ostyngedig o flaen yr Arglwydd a pheidio â chanmol ein hunain pan fyddwn yn cael gras i oresgyn anawsterau moesol. Bob dydd, fe ddylem ddod ato ef a gofyn iddo am nerth i fyw ein bywyd yn y ffordd iawn, y ffordd y mae ef am ein cynorthwyo i fyw, trwy yr Ysbryd Glân.

Beth am fynd ymlaen i ddarllen:
Micha 6:8; Luc 7:36–50; 18:9–17

Meddyliwch am y cwestiynau hyn:
1. Beth mae Duw yn ei ddymuno o'n bywyd ni?
2. Beth oedd y pethau gwahanol yr oedd y Phariseaid a'r pechaduriaid yn dibynnu arnynt?

Gweddi
Dad nefol, rwy'n blentyn i ti, un o'r rhai sydd yn dibynnu arnat. Cynorthwya fi i ddeall goblygiadau hyn ac i gerdded o'th flaen di gyda gostyngeiddrwydd sydd yn deillio o adnabod y gwirionedd. Yn enw Iesu. Amen.

Y meddwl ar ei orau

"Oherwydd y mae tri sy'n tystiolaethu, yr Ysbryd, y dŵr, a'r gwaed." *(adn. 7–8)*

Beth am ddarllen 1 Ioan 5:6–12 ac yna myfyrio

Un o'r pethau yr wyf wedi ei ddarganfod fel gweinidog a chynghorwr yw fod anawsterau moesol yn aml yn cael eu cuddio y tu ôl i anawsterau meddyliol. Gallwn ddatblygu problem yn ein meddwl er mwyn ceisio gwyro'r sylw oddi wrth yr hyn sydd yn mynd ymlaen yn ein henaid.

Un tro, daeth gŵr ataf â chwestiwn ynglŷn â'r Drindod. Dywedodd wrthyf ei fod yn cael amheuon meddyliol mewn perthynas â'r athrawiaeth fendigedig yma. Dyma ddweud wrtho: "Mae dysgeidiaeth mewn perthynas â'r Drindod yn anodd i'w deall ac, yn wir, allwn ni ddim deall oni bai fod Duw yn rhoi dirnadaeth ysbrydol inni. Mae'n debyg fod y gwirionedd yn rhywbeth aneglur iawn yn y Gair, os na fydd yr Ysbryd yn datguddio y gwirionedd inni." Defnyddiais eglureb a ddysgais wrth ddarllen gweithiau Awstin Sant. Ysgrifennodd unwaith: "Dos i'r Iorddonen ac fe weli y Drindod." Yno, adeg bedydd Iesu, roedd tri pherson y Duwdod ar waith. Clywir y Tad yn siarad yn eglur o'r nefoedd. Gwelir y Mab yn cael ei fedyddio yn yr afon, ac fe welodd Ioan yr Ysbryd yn disgyn ar y Mab. Roedd yn amlwg i mi fod llawer o'r hyn yr oeddwn yn ei ddw9eud yn cael ei golli ar y gŵr yma. Ond trwy drugaredd a dybiaf ddaeth trwy ddatguddiad gan yr Ysbryd Glân, gwelais i mewn i'w enaid. Rhoddais fy llaw ar ei law a dweud: "Wyt ti'n cael trafferth â phroblem foesol?" Syrthiodd ei wyneb. Cyffesodd fod yna anhawster, ac fe adawyd athrawiaeth y Drindod er mwyn delio â'r broblem yn ei enaid. Wedi gweddi a chyngor, mae'n dda gennyf ddweud fod y broblem wedi ei datrys.

Beth, felly, am yr anhawster meddyliol gyda golwg ar y Drindod? Ychydig yn ddiweddarach, fe ddywedodd wrthyf: "Nid wyf eto yn deall yr athrawiaeth ond, am ryw reswm, nid wyf yn ei gwrthod ychwaith." Mae'r meddwl yn gweithio ar ei orau pan fo'r enaid mewn perthynas iawn hefo Duw.

Beth am fynd ymlaen i ddarllen:
Salm 51:1–19; Ioan 4:7–29

Meddyliwch am y cwestiynau hyn:
1. Sut all trafodaeth grefyddol gau Duw allan?
2. Sut fu i Iesu ddirwyn y drafodaeth i ben?

Gweddi
Fy Nuw a fy Nhad, rwy'n gofyn i ti fy achub a'm gwared rhag i mi ddatblygu anhawster yn fy meddwl er mwyn cuddio anhawster yn fy enaid. Rwyt ti'n chwennych gwirionedd yn y dyn mewnol. Rwy'n gofyn am gael bod y math o berson rwy'n dymuno bod. Er mwyn Iesu. Amen.

78

A fu i Iesu ddweud celwydd erioed?

"Profwch eich hunain i weld a ydych yn y ffydd; chwiliwch eich hunain." (adn. 5)

Beth am ddarllen 2 Corinthiaid 13:1–10 ac yna myfyrio

Mae anawsterau moesol, fel y gwelwyd ddoe, yn aml yn cyfrannu at ddallineb ysbrydol. Mewn byd moesol, y peth allweddol yw ymateb moesol ac, felly, fel Cristnogion, mae angen i ni sicrhau yn fynych fod ein bywyd ni yn ddigonol gyda golwg ar gwestiynau moesol.

Yn ei lyfr *Strengthening Your Grip*, dywed Charles Swindoll am feddyg yn Efrog Newydd, gŵr o'r enw Dr Evan O'Neill, oedd wedi ei berswadio i'r fath raddau y gellir cyflawni rhai llawdriniaethau pan fo claf o dan anesthetig lleol, fel y bu iddo, er mwyn profi ei bwynt, gyflawni llawdriniaeth arno ei hunan trwy dynnu ei bendics. Yr oedd y llawdriniaeth yn llwyddiannus, ac fe fu iddo wella yn gyflymach na'r arferol yn dilyn y fath driniaeth. Gaf i awgrymu eich bod chi'n cyflawni llawdriniaethau arnoch chi eich hunan wrth inni fynd trwy'r astudiaethau yma, nid rhai corfforol, wrth gwrs, ond rhai ysbrydol. Gallwn alw hyn yn llawdriniaeth bersonol yr enaid. A ni yn gwbl ymwybodol, beth am ganiatáu i'r Ysbryd Glân i'n cynorthwyo i weithio ar ein henaid gyda'r unig offeryn sydd ei angen, yr Ysgrythur ei hun.

Beth am ddechrau trwy ystyried y cwestiwn: "A wyf yn berson y gellir dibynnu arno i ddweud y gwir ymhob sefyllfa?" Wedi dod yn Gristion, cefais hi'n anodd iawn i beidio â dweud celwydd. Roeddwn yn dweud celwydd wrth fy rhieni, wrth fy athrawon, ac wrth fy ffrindiau. Roedd yr awydd i newid ystyr rhywbeth er mwyn ennill dadl, i ychwanegu er mwyn creu argraff, wedi treiddio yn ddwfn i'm natur. Roedd yn rhaid gwneud penderfyniad penodol i beidio â dweud celwydd. Yn achos y Cristnogion cynnar wrth iddyn nhw sefyll o flaen y tribiwnlys, mi fuasai'n hawdd iawn iddynt achub eu bywydau trwy ddweud rhyw gelwydd bychan. Ond roedd yn well ganddynt farw. A ddywedodd Iesu gelwydd erioed? Yr ateb, wrth gwrs, yw "Na". Ni all Iesu ddweud celwydd ac nid yw yn rhoi yr hawl i ninnau ychwaith i ddweud celwydd.

Beth am fynd ymlaen i ddarllen:
Ex. 20:16; Salm 139:23–24; Math. 5:8; Eff. 4:17–32

Meddyliwch am y cwestiynau hyn:
1. Sut mae'n bosibl inni gadw golwg ar ein hiechyd ysbrydol?
2. Pam fod angen inni gadw golwg?

Gweddi
Dad nefol, dyro hyder i mi lefaru y gwirionedd, y gwirionedd i gyd a dim byd ond y gwirionedd – a gwneud hynny ymhob man a phob amser. Yn enw Iesu. Amen.

Gwylia rhag rhesymoliad

"Meistr, gwyddwn dy fod yn ddyn caled, yn medi lle heuodd eraill ac yn casglu lle gwasgarodd eraill." (adn. 24)

Beth am ddarllen Mathew 25:14–30 ac yna myfyrio

Rydym ni'n parhau i ystyried y cwestiwn: A ellir dibynnu arnaf i ddweud y gwir bob amser, ymhob sefyllfa? Beth am fod yn onest hefo ni ein hunain? Tybed a glywsoch chi y geiriau canlynol: "Bydd yn onest â thi dy hun, ac fel y mae y nos yn canlyn y dydd, ni elli felly fod yn anonest ag unrhyw ddyn."

Mae llawer ohonom yn meddu ar y duedd i chwarae hefo'r hyn y mae seicolegwyr yn ei ddisgrifio fel rhesymoliad. Yn y ddameg a ddarllenwyd ar ddechrau'r astudiaeth yma, mae'r dyn a gafodd un cod o arian yn beio ei feistr am ei anallu ef i luosogi yr hyn a gafodd, a'r esgus sydd ganddo yw ei fod wedi methu ag ychwanegu oherwydd bod ei feistr yn ddyn caled. Dyna resymoliad.

Dyma esiampl arall: Mae dyn yn caniatáu iddo'i hun i syrthio mewn cariad hefo gwraig dyn arall ac yna yn mynd yn ei flaen i geisio rhesymoli'r sefyllfa trwy berswadio ei hunan o arbenigrwydd y teimladau o gariad sydd ganddo. Yn fuan iawn y mae du yn edrych yn wyn. Mae wedi twyllo ei hunan. Fel y gwyddom o'r Beibl, fe wnaeth Dafydd rywbeth yn debyg iawn gyda golwg ar ei berthynas â Bathseba (2 Samuel 11:1–27).

Mae'r ymwybod dynol yn offeryn rhyfeddol pan ddaw i dwyllo ni ein hunain, oherwydd y mae ganddo'r gallu i wadu y pethau rhyfedd sydd yn ein calon ac yn ein natur. Beth am ateb y cwestiwn yma'n awr: "A wyf i'n barod i dorri allan o'm bywyd bopeth anonest, costied a gostio?" Efallai y bydd y penderfyniad yn golygu gwneud iawn. Er nad yw'n bosibl bob amser i wneud iawn, fe ddylai fod yna barodrwydd i wneud hynny, os yn bosibl. Gwnewch y penderfyniad i beidio byth â rhesymoli fan hyn. Mae gwneud hynny yn anghyson â rhagoriaeth foesol.

Beth am fynd ymlaen i ddarllen:
Ex. 20:13–17; 2 Sam. 11:1–12:13

Meddyliwch am y cwestiynau hyn:
1. Ym mha ffordd y medrai Dafydd osgoi pechod?
2. Sut yr argyhoeddwyd Dafydd o'i bechod?

Gweddi
O Dad, efallai nad oes yna unrhyw glwyfau agored yn fy enaid, ond rwyf yn hiraethu am fod y person yr wyt ti am i mi fod. O hyn ymlaen, fydd yna ddim rhesymoli pechod. Cryfha fi yn enw Iesu. Amen.

Rhyw – gwas neu feistr?

"Ond rwyf fi'n dweud wrthych fod pob un sy'n edrych mewn blys ar wraig, eisoes wedi cyflawni godineb â hi yn ei galon." (adn. 28)

Beth am ddarllen Mathew 5:21–30 ac yna myfyrio

Does dim amheuaeth mai un o'r brwydrau mwyaf sydd raid mynd i'r afael â hi er mwyn ymgyrraedd at berffeithrwydd moesol yw y frwydr gyda golwg ar ryw. Yn ôl Billy Graham, ni chyfyd brwydr fwy mewn bywyd na brwydr rhyw. Felly, sut mae paratoi ar gyfer y frwydr yma?

Yn gyntaf, mae'n rhaid cydnabod fod chwant rhywiol yn rhan o'r natur ddynol. Mae ymddwyn fel petasai'r rhan hon o'n natur ddim yn bodoli yn ei gyrru yn ddyfnach i mewn i'n hisymwybod. Yn yr isymwybod, mae yna bob math o nwydau cymhleth sydd yn eu tro yn esgor ar bob math o anawsterau. Mae i bob person normal chwant rhywiol, rhai yn fwy nag eraill. Does dim cywilydd yn perthyn i hyn – mae'n rhan o'n cyfansoddiad. Nid y cwestiwn yw "A oes chwant rhywiol yn perthyn i ni, ond a yw chwant rhywiol wedi ein meddiannu ni?" Fel gwas, mae'n gyrru ein personoliaeth; fel meistr, mae'n arwain at chwalfa. Ysgrifennodd gŵr ifanc oedd yn Gristion ataf unwaith: "Rwy'n mynd gyda gwragedd eraill ond nid wyf yn ystyried fy mod yn gwneud dim o'i le." Pa mor ddall yw ein natur, tybed.

Fel Cristnogion, yr ydym yn perthyn i feistr oedd, fel y gwelwn o'r testun heddiw, yn priodoli euogrwydd, nid yn unig i'r weithred gorfforol, ond hyd yn oed i'r bwriad meddyliol. Rhaid inni ofyn i Dduw yn barhaus i gadw ein meddyliau yn bur. Nid oes galw i fod fel Awstin Sant a oedd yn ei flynyddoedd cynnar fel Cristion, ac yntau yn cael anawsterau â chwant rhywiol, yn gweddïo: "Arglwydd, gwna fi yn bur ond nid rŵan." Os nad ydych wedi gwneud hyn o'r blaen, yna dyma'r amser i ildio eich chwant rhywiol i'r Arglwydd. Dyma'r awr. Yn ôl un hanesydd, mae'r gyfraith foesol wedi ei hysgrifennu i mewn i bopeth. Mae'r rhai sydd yn ufuddhau i'r gyfraith foesol yn gwybod am y canlyniadau, ac mae'r rhai sydd yn ei thorri yn gwybod am ganlyniadau hynny. Gwna benderfyniad i fod yn foesol ym myd rhyw fel ymhob rhan arall o'th fywyd.

Beth am fynd ymlaen i ddarllen:
Gen. 39:1–23; Diar. 6:20–32

Meddyliwch am y cwestiynau hyn:
1. Sut fu i Joseff ymwrthod â themtasiwn?
2. Pam all chwant rhywiol dilyffethair falurio'n bywyd ysbrydol?

Gweddi
Dad, cymer fi gerfydd fy llaw er mwyn diogelu na'm harweinir ar gyfeiliorn gan fy chwant rhywiol. Rwy'n gwybod o fynd ar gyfeiliorn yn y fan hon, byddaf yn fuan yn darganfod fy hun mewn rhwydau o bob math. Rwy'n dymuno bod yn bur ymhob peth. Cynorthwya di fi i fod felly. Yn enw Iesu. Amen.

Datglymu'r clymau

"Os cyffeswn ein pechodau, y mae ef yn ffyddlon ac yn gyfiawn, ac felly, fe faddeua inni ein pechodau, a'n glanhau o bob anghyfiawnder." (adn. 9)

Beth am ddarllen 1 Ioan 1:1–10 ac yna myfyrio

Rydym am dreulio un diwrnod arall yn meddwl am yr ymdrech sydd yn angenrheidiol wrth inni ychwanegu at ein ffydd 'ragoriaeth foesol'. Os oes yna unrhyw beth amheus yn ein bywyd, unrhyw beth sydd yn syrthio yn fyr o'r safon y mae Gair Duw yn ei osod, yna rhaid inni ymwrthod ag ef yn ddi-oed.

Dywedodd efengylwr oedd yn arfer teithio'r byd wrthyf unwaith ei fod yn gosod y Beibl ar ben ei ddillad wrth iddo osod y dillad yn y cas, fel pan fyddai yn mynd trwy borthladd neu yn hedfan, byddai'r rhai a fyddai'n archwilio yn darganfod ei fod yn grefyddol, ac yn peidio edrych am eitemau amheus oedd ar waelod y cas. Dywedodd wrthyf hefyd pryd bynnag y byddai'n pregethu, byddai yna lais bach, llais cydwybod, yn dweud: "Nid wyt y dyn y mae pobl eraill yn meddwl yr wyt ti." Pan benderfynodd gael gwared ar y math yma o anonestrwydd, fe fu iddo brofi grym newydd yn ei weinidogaeth.

Os pobl yr ydym ni sydd yn barod i gael rhyw bethau amheus yn ein bywyd, yna rhaid i ni symud i ffwrdd o'r math yna o fywyd ar fyrder. Disgrifiodd un pregethwr y broses yma yn ei fywyd fel cyffesu ei bechodau yn agored. Dywedodd un golygydd papur newydd yn India ei fod wedi bod yn cyhoeddi adroddiadau ffals yn ei bapur, ond, yn ddiweddarach, ei fod wedi cyffesu ei fod wedi gwneud hynny. Fe feirniadwyd ef yn hallt am gyffesu ei euogrwydd, ond dywedodd: "Bu i'r gyffes yna ddad-wneud y rhwymau oedd yn clymu fy enaid."

Mae hen ddywediad sydd yn dweud fod cyffes yn dda i'r enaid. Mae hyn yn berffaith wir. Ond wrth bwy y dylem gyffesu ein pechod? Wel, cyffesa dy bechod yn gyntaf i Dduw. Os oes eraill wedi eu heffeithio, cyffesa o'u blaen hwythau hefyd. Os nad oes pobl eraill wedi eu heffeithio, yna mater i ti a Duw yn unig yw ef. Does dim angen cyhoeddi ein pechod i bawb. Mae Duw yn delio gyda rhai pethau yn ei swyddfa breifat.

Beth am fynd ymlaen i ddarllen:
Salm 32:1–11; 38:1–22; Eseia 59:1–3

Meddyliwch am y cwestiynau hyn:
1. Beth sydd yn digwydd wrth inni guddio ein pechod?
2. Beth sydd yn digwydd pan fyddwn yn cyffesu ein pechod?

Gweddi
Arglwydd, wrth i mi edrych ar y cwestiwn yma o ragoriaeth foesol, a yw hi'n bosibl i mi gau fy nghalon i ti? Nid wyf yn dymuno gwneud hynny. Rwy'n dod fel ag yr wyf. Gwna fi yn bur yn foesol. Gwna fi yn lân. Yn enw Iesu. Amen.

Mae rhai pethau ar gau

"Yr wyf yn fwy deallus na'm holl athrawon, oherwydd bod dy farnedigaethau'n fyfyrdod i mi." (adn. 99)

Beth am ddarllen Salm 119:–97–104 ac yna myfyrio

Wedi inni ymrwymo i fod yn bobl o ragoriaeth foesol, y peth nesaf sydd ei angen arnom yw gwneud pob ymdrech i ychwanegu 'gwybodaeth' at ein ffydd, yn ôl yr apostol Pedr (2 Pedr 1:5). Ond pa fath o wybodaeth? Gwybodaeth fydol, gwybodaeth academaidd? Na, yr hyn yr oedd gan Pedr mewn golwg, dybiaf i, oedd gwybodaeth ysbrydol, yr wybodaeth sydd yn dod drwy berthynas glos gyda Duw a'i Air. Mae'r gair Groeg am wybodaeth *(gnosis)* yn air sydd yn delio â gwybodaeth ymarferol sydd yn ei gwneud yn bosibl i berson wneud y penderfyniadau iawn ac i gymhwyso yr egwyddorion iawn. Mae William Barclay yn disgrifio hyn fel y math o wybodaeth sydd yn ein cynorthwyo ni i ymddwyn yn anrhydeddus ac yn effeithiol yn amgylchiadau dydd i ddydd ein bywyd.

Beth am esiampl o fyd cynghori Cristnogol, byd sydd yn dal diddordeb arbennig i mi. Rwy'n cofio cynghorwraig yn dweud wrthyf unwaith am ffordd o ddelio gyda phobl oedd yn fy ngolwg i yn gwbl anysgrythurol. Pan fu i mi nodi hynny, ei hymateb oedd: "Ond, mae'n gweithio." Yn sicr, nid y cwestiwn yw, "A yw hyn yn gweithio?" ond "A yw hyn yn iawn?" Mae'r math yma o bragmatiaeth i fod yn rhywbeth y dylem ochel rhagddo. Yr unig ganllaw diogel yw geiriau Duw a'r egwyddorion hynny mae'n eu gosod ar gyfer byw bywyd effeithiol dros yr Arglwydd yn y byd.

Yn y testun heddiw, mae'r salmydd yn cyhoeddi mai myfyrio ar Air Duw sydd wedi peri fod ganddo fwy o ddirnadaeth na'i athrawon i gyd. Fe roddodd yr Ysgrythur iddo'r dirnadaeth yma oedd yn ei gynorthwyo i weld tu hwnt i'r hyn sydd yn amlwg mewn bywyd ac i weld i mewn i galon pethau. Mae rhai pethau yn y bydysawd yma sydd yn gwbl gaeëdig i feddyliau secwlar.

Beth am fynd ymlaen i ddarllen:
Salm 119:89–96; 119:105–112; 119:129–144

Meddyliwch am y cwestiynau hyn:
1. Beth yw manteision astudio Gair Duw?
2. Ar beth oedd bryd calon y salmydd?

Gweddi
O Dad, cynorthwya fi i ddeall fod dy waith di yn dadlennu dy Air, yn rhoi goleuni, goleuni na allaf ei dderbyn o unrhyw ffynhonnell arall. Cynorthwya fi i gerdded yn y goleuni hwnnw yn araf ac yn ofalus. Yn enw Iesu. Amen.

Addysg heb Dduw

"Fy nod... iddynt gael holl gyfoeth y sicrwydd a ddaw yn sgil dealltwriaeth."
(adn. 2)

Beth am ddarllen Colosiaid 2:1–15 ac yna myfyrio

Mae'r wybodaeth y mae'r apostol Pedr yn siarad amdani yn adnod 5 yn wybodaeth wahanol i'r hyn a ddaw trwy astudiaeth o fewn system addysgol sy'n cael ei dyfeisio gan y byd. Daw'r wybodaeth yma oddi wrth yr Arglwydd trwy ei Air. Nid oes dim o'i le mewn sicrhau addysg secwlar dda, ond mae angen gwahaniaethu rhwng gwybodaeth secwlar a gwybodaeth ysbrydol. Fe all dyn feddu ar gymwysterau addysgiadol uchel, tra ei fod yn gwbl anwybodus pan ddaw i faterion tragwyddol bywyd. Yn ôl Lloyd George, mae addysg heb Dduw yn gwneud cythreuliaid clyfar. Heddiw, mae yna gythreuliaid clyfar yn dod allan o brifysgolion a cholegau ymhobman.

Mae'r rhai sydd yn addysgu yn cytuno fod yna dri dull o wybod – gwybodaeth gynhenid, gwybodaeth resymol ac empiriaeth. Mae gwybodaeth gynhenid yn rhywbeth sydd yn peri ein bod yn gwybod i sicrwydd ynom ein hunain fod rhywbeth yn wir. Ambell waith, yr ydym yn 'gwybod' fod ffordd o wneud rhywbeth yn iawn er nad oes gennym unrhyw resymau gwrthrychol dros feddwl hynny. Dyna yw gwybodaeth gynhenid. Mae gwybodaeth resymol yn caniatáu inni fod â rhesymau da pam y dylem wneud yr hyn yr ydym yn ei wneud. Yma y mae rheswm a rhesymeg yn cyd-fyw. Mae empiriaeth, sydd yn cynnwys llawer o arbrofi, yn caniatáu inni wybod pethau trwy brawf camgymeriad, ac yn y blaen.

Er hynny, mae gan Gristnogion ffordd arall o wybod – datguddiad. Heb ddatguddiad (Duw yn dangos ei hunan trwy y Gair bywiol 'Iesu' a'r Gair ysgrifenedig), ni fyddai'n bosibl inni ddod yn arbenigwyr yn y gwaith o fyw ein bywyd fel Cristnogion. Mae sôn am un myfyriwr prifysgol yn rhwygo ei dystysgrif gradd a'i danfon yn ôl i'r brifysgol gan ddweud: "Fe addysgoch chi fi sut i wneud bywoliaeth ond nid sut i fyw." Dim ond y Beibl all ein dysgu i fyw yn effeithiol.

Beth am fynd ymlaen i ddarllen:
1 Cor. 2:1–16;
Eff. 1:16–23; 3:1–21

Meddyliwch am y cwestiynau hyn:
1. Sut mae profi datguddiad?
2. Cymherwch wybodaeth naturiol a gwybodaeth ysbrydol?

Gweddi
O Dad, rwy'n ddiolchgar i ti am y gwirioneddau sydd yn gynwysedig yn nhudalennau dy Air, y Beibl. Mae'n goleuo fy meddwl â'th wirionedd di. Caniatâ i mi fyw yn ei oleuni. Yn enw Iesu. Amen.

Her ein dydd

"Dewisais ffordd ffyddlondeb, a gosod dy farnau o'm blaen." (adn. 30)

Beth am ddarllen Salm 119:25–32 ac yna myfyrio

Rhaid aros eto hefo'r hyn a ddywedwyd ddoe, sef fod y rhai sydd yn ceisio gwybodaeth ymarferol i'w cynorthwyo i wneud y penderfyniadau iawn a chymhwyso'r egwyddorion iawn yn eu bywyd angen troi yn gyson at yr Ysgrythur. Y Beibl yw y llyfr sydd yn cynnwys geiriau awdurdodol Duw ei hun i'n gwneud yn arbenigwyr yn y maes o fyw bywyd.

Er hynny, rhaid inni wynebu'r ffaith fod yr oes yr ydym yn byw ynddi yn delio â'r Beibl mewn ffordd wamal iawn. Yn y byd heddiw, mae'r syniad fod yna un corff o wybodaeth fel y Beibl yn syniad sydd yn cael ei herio yn fynych. Mae pobl ifainc yn cael eu dysgu mewn colegau a phrifysgolion dros y byd i gyd nad oes y fath beth ag un corff o wybodaeth ddibynadwy, ac fe ddywedir wrthynt na all yr un llyfr gynnwys yr holl atebion sydd yn cael eu rhoi. Mae ôl-foderniaeth – syniad sydd yn honni fod pob awgrym o wirionedd yn rhywbeth cymharol i honiadau eraill, ac felly bod pob syniad a gwirionedd i'w trin gyda'r un parch – yn cael ei dderbyn gan lawer o Gristnogion ifainc. Dyna pam mae'n rhaid inni wneud popeth i sicrhau na fydd y byd yn cael ei wasgu i mewn i'w fowld. Yn fy marn i, ôl-foderniaeth yw yr her fwyaf i'r Efengyl ers y dadeni dysg a heriodd yn ei dro wirionedd yr Ysgrythur gan bwysleisio rheswm.

Fel myfyriwr ifanc, rwy'n cofio meddu ar gwestiynau lu am awdurdod y Beibl a pha mor ddibynnol oedd y Beibl, ond wedi i mi dderbyn trwy ffydd mai y Beibl oedd datguddiad Duw ac atal fy meddwl rhag ceisio gwneud y Beibl ffitio i fy ffordd i o feddwl, fe agorwyd fy llygaid. Dywedodd un o'm cynghorwyr ysbrydol: "Nid yw y Beibl yn wir oherwydd ei fod yn bodloni rheswm, ond mae'n bodloni rheswm oherwydd ei fod yn wir." Derbyn hyn trwy ffydd, ac fe fyddi di hefyd yn darganfod y Beibl yn dod yn llyfr newydd yn dy olwg.

Beth am fynd ymlaen i ddarllen:
Salm 119:33–56;
2 Pedr 1:19–21

Meddyliwch am y cwestiynau hyn:
1. Pam fod y Beibl yn rhagori ar bob llyfr arall?
2. Pa resymau sydd gan bobl dros ei wrthod?

Gweddi
O Dad, cynorthwya fi yn y dyddiau anodd yma pan mae dy Air tragwyddol di yn cael ei wawdio a'i wamalu, i lynu yn dynn wrth ei egwyddorion a'i wirionedd. Dyfnha fy argyhoeddiad yn ei wirionedd. Diolch fod dy Air yn gwbl ddibynadwy. Yn enw Iesu. Amen.

85

Ymateb i ddatguddiad

"...difethir fy mhobl o eisiau gwybodaeth." (adn. 6)

Beth am ddarllen Hosea 4:1–9 ac yna myfyrio

Mae un peth yn sicr, ni fydd y rhai sydd yn ymateb yn negyddol i'r Beibl yn symud ymhell ymlaen yn eu bywyd Cristnogol. Yn ôl John Stott: "Nid dweud yr wyf ei fod yn amhosibl i fod yn ddisgybl i Iesu heb feddwl uchel o'r Gair, eto rwyf am fentro dweud fod golwg lawn ac aeddfed ar ddisgyblaeth Gristnogol yn amhosibl pan nad yw'r disgybl yn darostwng ei hunan i ddysgeidiaeth ei Arglwydd a'r awdurdod sydd i'r ddysgeidiaeth honno fel ag y mae yn y Gair." Rwy'n cytuno. A dweud y gwir, buaswn i yn mynd ymhellach, gan ddweud fod y Cristnogion hynny sydd am wneud pob ymdrech i ychwanegu at eu ffydd y rhinweddau y mae Pedr yn eu rhestru yn y bennod gyntaf o'i ail epistol, ond sydd ddim yn derbyn y Beibl fel yr awdurdod terfynol ymhob peth ysbrydol, yn ymdrechu'n gwbl ofer. Nid yw ein bywyd Cristnogol ond yn effeithiol i'r graddau y byddwn yn ymateb yn bositif i'r datguddiad, ac, yn sicr, bydd yna wendidau mawr yn ein cerddediad os na fyddwn yn derbyn datguddiad gwrthrychol Duw. Mae hwn yn fater tyngedfennol, a rhaid inni ddod lawr y naill ochr neu'r llall.

Mae'r rhai hynny sydd yn gweithredu yn ôl rheswm dynol yn unig yn taflu gwawd arnom wrth inni ddweud ein bod yn derbyn y Beibl trwy ffydd. Nid ein bod yn gosod rheswm o'r neilltu ond mae rheswm yn medru bod yn arweinydd twyllodrus. Gwelodd y ddeunawfed ganrif wawr 'Oes Rheswm', ond i ble yr arweiniodd Oes Rheswm ddynoliaeth? Mae seiciatryddion yn galw'r dyddiau hyn yn 'Ddyddiau Gofid'. Mae Gair Duw yn rhoi goleuni. Mae esgeuluso Gair Duw yn dwyn tywyllwch.

Mae'r math o fywyd yr ydym wedi ei ddatblygu ac yn ei fyw yn ein dyddiau ni yn arwain at nerfau sydd yn chwilfriw, bywydau sydd wedi eu maglu droeon, cartrefi sydd wedi eu torri, a seiciatryddion sydd yn gwneud ffortiwn. Mae'n debyg eu bod yn gwybod popeth am fywyd ac eithrio sut mae byw. Dyna yw canlyniad anwybyddu'r Beibl a'i wirioneddau.

Beth am fynd ymlaen i ddarllen:
Math. 7:24–29; Ioan 20:30–31; Actau 17:10–12 1 Tim. 4:13

Meddyliwch am y cwestiynau hyn:
1. Pam fod y Beibl mor bwysig?
2. Pam fod pobl yn ei wrthod?

Gweddi
O Dad, diogela dy bobl rhag cael eu goddiweddyd gan fyd lle mae'r diafol yn llywodraethu. Caniatâ inni gael ein hadnabod unwaith eto fel pobl y Llyfr. Rwy'n gofyn hyn yn enw Iesu. Amen.

Iesu a'r Ysgrythur

"Onid ydych wedi darllen yr Ysgrythur hon: Y maen a wrthododd yr adeiladwyr, hwn a ddaeth yn faen y gongl." (adn. 10)

Beth am ddarllen Marc 12:1–12 ac yna myfyrio

Yr ydym yn ystyried pa fath o wybodaeth sydd angen ei hychwanegu at ddaioni, a'r hyn yr ydym yn honni yw mai gwybodaeth Feiblaidd sydd yn angenrheidiol. Rydym hefyd am ddweud fod y Beibl heddiw yn cael ei wawdio a'i wamalu, a bod y rhai sydd am feirniadu yn ein cyhuddo o hunanladdiad meddyliol pan ddywedwn wrthynt ein bod yn derbyn awdurdod y Gair.

Un o'r rhesymau am y ffordd yr ystyriwn y Beibl yw agwedd yr Arglwydd Iesu ei hun ymhob rhan o'i fywyd – ei agwedd foesol, ei drafodaethau gyda'r arweinwyr crefyddol, a dysgu ei ddisgyblion. Ei ofal pennaf oedd i fod yn ffyddlon i'r Ysgrythurau. Byddai'n cyfeirio at yr Ysgrythyrau yn gyson gan ofyn: "Sut all yr Ysgrythyrau gael eu cyflawni?" (Mathew 26:54), neu, "Onid ydych wedi darllen yr Ysgrythur?" Yr Hen Destament oedd ei faen prawf bob amser.

Gellir gofyn y cwestiwn: "Yr oedd Iesu yn derbyn yr Hen Destament, ond beth am y Newydd?" Wel, wrth gwrs, nid oedd y Testament Newydd wedi ei ysgrifennu yn ystod dyddiau Iesu ar y ddaear, ond caniataodd le iddo gael ei ysgrifennu drwy arfogi ei apostolion i fod yn athrawon ei Eglwys a disgwyliai i'w bobl wrando arnynt. "Mae'r rhai sydd yn gwrando arnoch chi yn gwrando arnaf i," meddai, "ac mae'r rhai sydd yn eich gwrthod chi yn fy ngwrthod i." (Luc 10:16). Golyga hyn fod darostwng i ddysgeidiaeth yr apostolion yn yr Ysgrythur yn rhan o'n darostyngiad i Iesu fel Arglwydd, oherwydd nid yw myfyriwr uwchlaw ei athro (Luc 6:40). Ni fedrwn honni bod yn ddilynwyr i Iesu Grist a gwrthod ei agwedd at Air Duw. Rwy'n gwybod fod yna bobl sydd am honni perthynas â Iesu ond maent yn gwrthod awdurdod y Beibl. Ond yng ngeiriau John Stott, nid yw y math yma o ddarostyngiad dewisol yn ddarostyngiad derbyniol.

Beth am fynd ymlaen i ddarllen:
Math. 4:1–11; 15:1–9
Luc 4:14–27; 17:26–37

Meddyliwch am y cwestiynau hyn:
1. Sut fu i Iesu osgoi pechod?
2. Sut fu i Iesu ddefnyddio'r Ysgrythur?

Gweddi
Dad tragwyddol, os oes yna unrhyw amheuon yn fy nghalon gyda golwg ar wirionedd a dibynolrwydd dy Air di, yna caniatâ i'r gwirionedd yr wyf wedi myfyrio arno heddiw dawelu yr amheuon hynny. Roedd dy Fab yn credu dy Air, rwyf finnau'n credu dy Air. Amen.

Pwrpas yr Ysgrythur

"Y mae pob Ysgrythur wedi ei hysbrydoli gan Dduw ac yn fuddiol i hyfforddi, a cheryddu, a chywiro, a disgyblu mewn cyfiawnder." (adn. 16)

Beth am ddarllen 2 Timotheus 3:10–17 ac yna myfyrio

Mae i'r Beibl nifer o fwriadau ac nid y lleiaf ohonynt yw bod yn gyfarwyddiadur i'r saint. Mae'n cynnwys nifer o wirioneddau inni fyfyrio arnynt, ond mae'n amhosibl inni fedi y bendithion cyflawn os nad yw'r Beibl yn cael ei ddarllen er mwyn dysgu sut mae cymhwyso ei egwyddorion i'n bywyd bob dydd ac i'n perthynas â'n gilydd.

Yn y testun o'n blaen heddiw, nid gwybod yr Ysgrythur yw'r pwyslais ond byw yr Ysgrythur. Mae'r Ysgrythur yn ddefnyddiol i ddysgu am ddaearyddiaeth Israel a'r cenhedloedd o amgylch, yn ddefnyddiol i wybod am arferion y Dwyrain Canol. Efallai! Ond nid dyna'r hyn oedd ym meddwl yr apostol. Mae'r Ysgrythur wedi ei bwriadu i'n llunio, ein hyfforddi, i gerdded mewn cyfiawnder, ac i gymhwyso Gair Duw i bob sefyllfa yn ein bywyd. Os nad ydym yn defnyddio Gair Duw i'r pwrpas hwnnw, yna yr ydym yn ei gamddefnyddio.

A wyt yn gwybod beth i'w wneud os oes gan rywun rywbeth yn dy erbyn? Cei hyd i'r wybodaeth yn Mathew 18. Wyt ti'n gwybod beth yw'r egwyddorion sydd yn cynorthwyo i gynnal priodas? Cei hyd iddynt yn Effesiaid 5. Os wyt ti'n ystyried ysgariad, yna cei hyd i eiriau Iesu ar y mater ym Mathew 5. Wyt ti'n gwybod sut i ddisgyblu dy blant? Beth am droi i Effesiaid 6. Wyt ti'n cael anhawster sefydlu perthynas â rhywun sydd mewn awdurdod drosot? Edrych ar gyfarwyddiadau Paul yn Rhufeiniaid 13.

Mae'r rhai sydd yn meddwl am y Beibl ddim ond fel llyfr diwinyddol sydd wedi ei ysgrifennu i ddysgu am natur Duw yn methu. Peidiwch â'm camddeall. *Mae* e'n llyfr diwinyddol, ond mae'r Beibl hefyd yn gyfarwyddiadur er mwyn ein cynorthwyo i ddarganfod yr atebion i'r problemau hynny sydd yn deillio o fyw bywyd o ddydd i ddydd. Atebion fydd yn dangos ffordd newydd o fyw i'r byd o'n hamgylch.

Beth am fynd ymlaen i ddarllen:
Salm 119:1–24; Eseia 55:8–9

Meddyliwch am y cwestiynau hyn:
1. Sut mae osgoi pechod?
2. Pam fod Gair Duw yn hanfodol i fywyd bob dydd?

Gweddi
O Dduw fy Nhad, sut fedraf ddiolch digon i ti am roi y Beibl yn gyfarwyddiadur i mi. Rwyf angen byw yn effeithiol drosot yn fy mywyd. Cynorthwya fi i bori yn helaeth yn yr Ysgrythyrau. Yn enw Iesu. Amen.

Tyfu gyda'r Beibl

"Gwna dy orau i'th wneud dy hun yn gymeradwy gan Dduw, fel gweithiwr heb achos i gywilyddio am ei waith, yn ddiwyro wrth gyflwyno gair y gwirionedd."
(adn. 15)

Beth am ddarllen 2 Timotheus 2:14–26 ac yna myfyrio

Derbyniodd darlithydd mewn coleg Cristnogol lythyr oddi wrth gyn-fyfyriwr yn diolch iddo am y sgyrsiau defosiynol yr arferai eu cyflwyno cyn ei ddarlithoedd bob bore. Ysgrifennodd y myfyriwr: "Wrth i mi edrych yn ôl ar fy nyddiau yn y coleg, rwy'n gweld fod y sgyrsiau hynny wedi cynnal fy ffydd." Roedd y darlithiwr wedi caniatáu i'r llythyr darfu arno a dywedodd wrth ei fyfyrwyr: "Sut mae posib i fyfyriwr fod mewn perygl o golli ei ffydd mewn coleg Cristnogol? Pam fod hwn yn dibynnu ar fwyta o'm llaw? Pam na fyddai'n hel bwyd â'i ddwylo ei hunan?"

Medraf ddeall ymateb y darlithiwr, oherwydd yr wyf yn derbyn nifer o lythyrau cyffelyb oddi wrth bobl yn dweud: "Ni allwn fynd drwy'r dydd heb *Pob Dydd Gyda Iesu*," neu, "Mae meddwl am ddiwrnod heb y llyfryn yn fy ngadael yn teimlo'n waglaw." Mae rhan ohonof sydd yn darganfod yn y fath deyrngedau fesur o fodlonrwydd, wrth gwrs. Ond cofia fod y nodiadau hyn i'w defnyddio ddim ond fel cyflwyniad. Nid dyma'r prif gwrs. Os dim ond *Pob Dydd Gyda Iesu* sydd yn darparu mewnbwn ysbrydol i'th fywyd, yna, yn fuan iawn, byddi yn methu ar dy bererindod. Astudia'r Beibl drosot dy hun. Pryna esboniad Beiblaidd defnyddiol, a defnyddia hwn i'th gynorthwyo i ddeall unrhyw adnodau a all fod yn anodd yn dy olwg. Mae'r bwyd i gyd yn y Beibl. Mae'n wledd ardderchog. Paid â bodloni ar ryw dameidiau. Wrth i ti gasglu gwybodaeth yn uniongyrchol o Air Duw, fe fyddi di'n cryfhau yn ysbrydol. Mae fy ngeiriau i yn y llyfryn hwn yn peidio o ran dylanwad ar ôl eu darllen unwaith, ond ni fydd dylanwad geiriau Duw byth yn peidio.

Mae'r Beibl yn rhoi datguddiad sydd yn derfynol ac eto yn parhau i fod yn newydd. Felly, ychwanega at ddaioni yr wybodaeth yma am Dduw y mae ei Air yn ei rhoi i ti.

Beth am fynd ymlaen i ddarllen:
Ex. 16:11–36; Job 23:12; Jer. 15:16; Esec. 3:1–3; Heb. 5:11–14

Meddyliwch am y cwestiynau hyn:
1. Pa debygrwydd sydd rhwng y manna a Gair Duw?
2. Sut mae bwydo ar Air Duw?

Gweddi
O Dad, maddau i mi os wyf yn treulio oriau dirifedi gyda phethau ymylol ac ychydig iawn o amser hefo ti yn dy Air. Gad i bethau newid gan gychwyn heddiw. Cynorthwya fi, O Dad, oherwydd ar ben fy hun, rwy'n wamal. Yn enw Iesu. Amen.

Gwneud ei ewyllys

"Ond ffrwyth yr Ysbryd yw cariad, llawenydd..., addfwynder a hunanddisgyblaeth." (adn. 22–23)

Beth am ddarllen Galatiaid 5:16–26 ac yna myfyrio

Yr ydym i ychwanegu at wybodaeth yn ôl yr apostol Pedr 'hunanddisgyblaeth'. Y gair Groeg a gyfieithir yma yw *enkrateia*. Roedd llawer yn yr hen fyd yn ystyried hunanddisgyblaeth fel y rhinwedd pwysicaf o bell ffordd. Roedd yr hen Roegiaid, er enghraifft, yn tystio bod hunanddisgyblaeth yn darddle i bob rhinwedd. Yn ôl Aristotl, un o athronwyr amlycaf Groeg, nid oes yr un dyn yn rhydd os yw ei nwydau yn ymladd yn erbyn ei reswm ac yn goddiweddyd. Mae ei ryddid yn dod i'r amlwg wrth i reswm ymladd yn erbyn ei nwydau a goddiweddyd.

Y gwahaniaeth elfennol rhwng yr hyn y mae Cristion yn ei ystyried fel hunanddisgyblaeth a'r hyn y mae dyn sydd ddim yn Gristion yn ei ystyried fel hunanddisgyblaeth yw hyn: yn achos y di-gred, dyma'r canolbwynt ac felly mae dyn yn rheoli ei hunan. Mae Cristion sydd yn ceisio hunanddisgyblaeth trwy Grist yn gwneud Crist yn ganolog – tarddle y weithred yw Crist a nid yr hunan. Yn ôl yr Apostol Paul yn 2 Corinthiaid 14, "Oherwydd y mae cariad Crist yn ein gorfodi ni." Tarddle gweithredu ym mywyd Paul oedd cariad at berson, person Iesu. Mewn geiriau eraill, rhywun gwell nag ef ei hun. Caiff ei ryddhau oddi wrth ei hunan, a hynny wrth iddo feddiannu Iesu. Fe dorrodd hyn gadwynau ei fywyd hunanganolog.

Mae pwyslais y Testament Newydd ar hunanddisgyblaeth sydd wedi gwreiddio mewn cariad at Iesu Grist. Yn ôl Awstin: "Câr Iesu a gwna'r hyn a ddymuni." Wrth i ti garu Iesu, y mae ei ddymuniadau ef yn dod yn ddymuniadau ti. Bob tro y byddi yn cael dy demtio i wneud rhywbeth na ddylet, yna byddi yn gwneud yr hyn y mae ef yn ei ddymuno, yn hytrach na dilyn dy chwantau dy hun. Dyna yw hunanddisgyblaeth Gristnogol.

Beth am fynd ymlaen i ddarllen:
1 Tim. 3:1–12; 2 Tim. 2:22–3:5; Titus 1:5–9

Meddyliwch am y cwestiynau hyn:
1. Pam fod hunanddisgyblaeth yn allweddol mewn arweinwyr?
2. Beth yw canlyniad diffyg hunanddisgyblaeth?

Gweddi
O Dad, rwy'n sylweddoli y medraf gael fy rheoli gan bob math o bethau. Ond gyda thi, a thrwy dy nerth di, medraf fod yn feistr ar bopeth. Mae hyn yn fy llawenhau ac yn esgor ar ddiolchgarwch yn fy enaid. Diolch yn enw Iesu. Amen.

Nid achos – Crist

"Y mae gennyf gryfder at bob gofyn trwy yr hwn sydd yn fy nerthu i." (adn. 13)

Beth am ddarllen Philipiaid 4:10–20 ac yna myfyrio

Ystyriwch y frawddeg hon a ddarllenais ychydig yn ôl: "Nid oes ond un ffordd i fod yn unigolyn moesol a'r ffordd honno yw i ddewis eich achos a'i wasanaethu." Mae'n berffaith wir i ddweud, os oes gennych achos yr ydych wedi ymroi yn llwyr iddo, yna mae yna ryw fesur o gytgord yn eich bywyd. Oni fyddai'n beth rhagorol petai ymrwymiad canolog y saint bob amser yn gorffwys ym mherson Iesu Grist? Wrth inni ildio i Iesu, yr ydym yn darganfod fod gennym achos – Y Deyrnas. Ond mae'r achos bob amser yn ddarostyngedig i'r person. Dyna pam na chlywch byth am Gristion yn sefyll i fyny ac yn rhoi ei dystiolaeth fel hyn: "Rhoddais fy mywyd i achos y deyrnas a chefais hyd i heddwch a llawenydd." Yr hyn sydd i'w glywed yw: "Rhoddais fy mywyd i Grist, ac o'i wasanaethu ef, rwyf wedi darganfod llawenydd oedd y tu hwnt i'm disgwyliadau."

Blynyddoedd lawer yn ôl, bûm yn cynghori gŵr oedd wedi treulio oriau mewn canolfan adfer yn ceisio torri'n rhydd o afael alcoholiaeth. Bûm yn meddwl llawer a oeddwn mewn sefyllfa i'w gynorthwyo. Er hynny, wedi i mi esbonio fod y sawl sydd yng Nghrist yn medru darganfod grym sydd yn llifo i mewn i'n calon ac yn grymuso ein hewyllys ni, aeth ar ei liniau ac ildio ei fywyd i Grist gan ofyn iddo ef ei reoli. Ar hyn, daeth yn ddyn newydd a pheidiodd yr yfed. Wrth i mi wasanaethu yn angladd y gŵr yma ugain mlynedd yn ddiweddarach, dywedodd ei wraig wrthyf nad oedd wedi cyffwrdd ag alcohol ers y dydd y bu iddo gael tröedigaeth. Dywedodd ei wraig,: "Pan syrthiodd mewn cariad hefo Crist, yna fe ddiflannodd y cariadon eraill, ei alcoholiaeth, er enghraifft." Cafodd hyd i hunanddisgyblaeth wrth i Grist lywodraethu yn ei galon.

Beth am fynd ymlaen i ddarllen:
1 Cor. 1:10–25;
Gal. 4:17–19; 6:14–18

Meddyliwch am y cwestiynau hyn:
1. Beth oedd achos Paul?
2. Sut fu i hyn ddylanwadu ar ei fywyd?

Gweddi
O Dad, rwy'n gweld mai ti sydd yn rheoli fy mywyd. Rwy'n gweld hefyd fy mod yn gallu gwneud pethau na allwn byth eu gwneud yn fy nerth fy hun. Mae'n perthynas yn golygu nad oes dim yn amhosibl gan fod dy rym di yn gweithio ynof fi. Arwain fi ymhellach, Arglwydd. Rwyf am dy ddilyn. Yn enw Iesu. Amen.

Cyfnewidfa Ddwyfol

"Ond dywedodd wrthyf, 'Digon i ti fy ngras i; mewn gwendid y daw fy nerth i'w anterth.'" (adn. 9)

Beth am ddarllen 2 Corinthiaid 12:1–10 ac yna myfyrio

Ddoe, buom yn sôn am y dyn yna a waredwyd oddi wrth alcoholiaeth. Efallai fod cwestiwn wedi codi yn dy feddwl: "Pam na all pawb sydd yn ildio i Iesu adnabod rhyddhad oddi wrth bethau sydd yn eu llethu?" Rwyf wedi cwrdd â nifer o bobl sydd yn dioddef o alcoholiaeth a brofodd dröedigaeth. Yn achos rhai ohonynt, fe fuont yn brwydro gyda'r broblem hon am flynyddoedd wedyn. Pam fod rhai yn cael eu rhyddhau mor fendigedig wrth iddyn nhw ildio i Grist ac eraill ddim yn adnabod y rhyddhad hwn? A ydi Duw yn dangos ffafriaeth oherwydd ei fod yn gwared rhai mewn eiliad ac eraill ond yn adnabod gwaredigaeth dros flynyddoedd?

Does na ddim ateb rhwydd i'r cwestiwn hwn, ond rwyf yn tybied fod ganddo rywbeth i'w wneud gyda stad meddyliol y person wrth iddyn nhw ddod at Iesu. Roedd y gŵr yr oeddwn yn cyfeirio ato ddoe wedi cyrraedd pwynt isel anghyffredin yn ei fywyd ac yn cydnabod fod grym ei ewyllys yn gwbl annigonol i ddelio gyda'r broblem yr oedd yn ei hwynebu. Ond fe ddaeth grym a nerth wrth iddo ildio i Grist. O brofiad, rwy'n gallu tystio i'r gwahanol raddau o ildio a welir pan ddaw pobl at Iesu. Mae rhai yn eu rhoi eu hunain iddo yn llwyr. Maent yn cyflwyno eu holl achos iddo ef mewn eiliad ac mae'r dröedigaeth yn rhyfeddol. Mae eraill yn fwy araf. Nid yw hyn yn golygu nad yw Crist wedi dod i mewn i'w bywyd, ond mae yna barwydydd eto i'w chwalu yn eu bywyd.

Ymadrodd o eiddo Martin Luther yw 'Cyfnewidfa Ddwyfol'. Yr hyn a olyga i Luther wrth ddweud hyn oedd fod Crist yn medru aros ynom i'r graddau y mae pechadur yn barod i ildio iddo. Wrth inni roi ein hunain fwyfwy iddo ef, mae ef yn rhoi mwy ohono ei hun i ni. Mae mor syml â hynny, yn syml ac eto yn anodd iawn inni ddeall o bryd i'w gilydd.

Beth am fynd ymlaen i ddarllen:
Eseia 53:1–12; 1 Cor. 1:26–30; 2 Cor. 5:17–21; Gal. 2:19–20

Meddyliwch am y cwestiynau hyn:
1. Beth oedd y Gyfnewidfa Ddwyfol?
2. Sut mae ei meddiannu?

Gweddi
O Dad, cynorthwya fi i edrych atat ti er mwyn adnabod y grym sydd yn rhoi cryfder i mi. Rhyddha fi oddi wrth y cryfder tybiedig sydd yn fy ngadael yn wan. Rwy'n hiraethu am brofi dy rym di. Cryfha fi, llywodraetha yn fy nghalon, a gwna hyn fwyfwy o ddydd i ddydd. Yn enw Iesu. Amen.

Rheolaeth cyfiawnder

"Pan oeddech yn gaeth i bechod, yr oeddech yn rhydd oddi wrth gyfiawnder."
(adn. 20)

Beth am ddarllen Rhufeiniaid 6:15–23 ac yna myfyrio

Yr ydym yn myfyrio ar y gwirionedd fod hunanddisgyblaeth yn rhywbeth y byddwn yn ei hadnabod wrth i Iesu gael rheolaeth ar ein bywyd. Wrth inni roi ein hunain fwyfwy iddo ef, yr ydym yn adnabod ei nerth ef fwyfwy, yn rheoli y rhannau hynny o'n bywyd sydd ar gyfeiliorn.

Fe fu yna amser pan y bu i minnau hefyd geisio byw y bywyd Cristnogol drwy hunanddisgyblaeth. Y gair allweddol yw y gair 'hunan', nid Crist. Yr oeddwn wedi cyrraedd fy arddegau ac wedi fy nwyn i fyny mewn teulu Cristnogol. Yr oeddwn yn sylweddoli nad oedd fy mywyd yr hyn a ddylai fod. Felly, bob dydd byddwn yn cychwyn gyda'r bwriad o gadw fy hunan rhag pechod, peidio â defnyddio iaith amhriodol, peidio dweud celwydd, peidio â dweud storïau amhriodol, ac yn y blaen, ond bob nos yr oeddwn yn gorfod cydnabod fy methiannau. Er nad oeddwn yn sylweddoli ar y pryd, y broblem oedd fy mod yn ceisio drwy hunanddisgyblaeth a hunanreolaeth ddarganfod rheolaeth Crist. Yr oeddwn wedi cael popeth o chwith. Sut mae'n bosibl i ewyllys dilywodraeth reoli hunan dilywodraeth? Ni all ewyllys afiach iachau enaid afiach. Yna, yn un ar bymtheg oed, ildiais fy mywyd i Iesu Grist a chychwyn perthynas o gariad ag ef, perthynas, a defnyddio geiriau gwraig y gŵr oedd yn dioddef o alcoholiaeth, a barodd fod pob cariad arall yn diflannu. Fe fu i mi ddarganfod, wrth i mi ganiatau i gariad Crist lenwi fy enaid, fy mod yn dymuno gwneud yr hyn yr oedd ef yn ei ddymuno ar fy nghyfer. Roedd yr hyn a fethais ei gyflawni ohonof fy hun yn cael ei gyflawni wrth i Grist ei gyflawni ynof.

Mae hunanreolaeth yn dod yn dasg haws wrth i gariad at Iesu ein nerthu. Mae'n hewyllys wedi ei chlymu wrth ein dymuniadau. Yr ydym bob amser yn gwneud y pethau hynny sydd yn ein plesio ni. Mae'r rhai hynny sydd am blesio Iesu yn darganfod grym hunanreolaeth yn edwino yn eu bywyd.

Beth am fynd ymlaen i ddarllen:
Rhuf. 6:1–14; 7:4–6; 8:1–17

Meddyliwch am y cwestiynau hyn:
1. Sut mae pechod yn ein rheoli?
2. Sut mae cyfiawnder yn rheoli?

Gweddi
O Dad, rwyf am adnabod fy ewyllys fy hun. Nid mater o rym ewyllys yw rheolaeth ar yr hunan. Mae fy nymuniadau wedi eu staenio gan fy mhechod. Caniatâ i'm dymuniadau ganolbwyntio ar Iesu, yr un dibechod. Caniatâ i mi ei garu ef er mwyn i mi adnabod yr awydd i wneud yr hyn mae ef am i mi ei wneud. Amen.

93

Arferion duwiol

"Ond wrth iddo drafod cyfiawnder a hunanddisgyblaeth a'r Farn oedd i ddod, daeth ofn ar Ffelix a dywedodd, 'Dyna ddigon am y tro; anfonaf amdanat eto pan gaf gyfle.'" (adn. 25)

Beth am ddarllen Actau 24:1–27 ac yna myfyrio

Mae'n ddiddorol, wrth i Paul sefyll o flaen Ffelix a siarad am gyfiawnder, y Farn i ddod, a hunanddisgyblaeth, fod y llywodraethwr yma wedi ei feddiannu gan ofn yn dweud: "Dyna ddigon am nawr." Mae llawer o bobl yn teimlo yn anesmwyth wrth iddyn nhw sylweddoli fod eu hymdrechion i reoli eu chwantau a'u dwyn o dan reolaeth yn gwbl aneffeithiol.

Gair nad wyf wedi cyfeirio ato hyd yn hyn yw y gair 'disgyblaeth'. Y tro diwethaf i mi fod yn yr Unol Daleithiau, dywedodd rhywun wrthyf fod nifer o bregethwyr wedi peidio â defnyddio'r gair am ei fod yn esgor ar ymateb negyddol ym meddyliau pobl. Gwell yw defnyddio'r ymadrodd 'arferion duwiol'. Mae'n rhyfedd fod disgyblion yn cael trafferth gyda'r gair 'disgyblaeth'. Nid yw y gair yn creu unrhyw anhawster i bobl ym myd chwaraeon. Dywedodd un enillydd medal aur Olympaidd mewn cyfweliad teledu yn ddiweddar: "Mae'n amhosibl cyrraedd safonau Olympaidd heb ddisgyblaeth lem." Wel, mae angen inni fod yn glir. Mae rhedeg a dyfalbarhau yn y ras ysbrydol yn gofyn am ddisgyblaeth ac ymdrech. Nid oes gennyf unrhyw wrthwynebiad i'r ymadrodd 'arferion duwiol', ond y gwirionedd yw fod angen i Gristnogion ymdrechu yn ddisgybledig i wneud yr hyn sydd yn iawn. A dweud y gwir, nid oes yna ryddid heb ddisgyblaeth.

Darllenais erthygl mewn papur newydd yn ddiweddar oedd yn sôn am griw o ferched ifainc mewn ysgol breifat yn cyflwyno deiseb i'r brifathrawes. Roedd y ddeiseb yn darllen rhywbeth fel hyn: "Mae angen mwy o ryddid arnom, llai o waith cartref, mwy o amser teledu, a chaniatâd i aros ar ein traed yn hwyrach yn y nos." Mae'n amlwg eu bod am fod yn rhydd o ryw reolau beichus, ond roedd eu dealltwriaeth o ryddid yn wallus. Dywedodd rhywun: "Nid yr hawl i wneud yr hyn a fynnoch yw rhyddid, ond y grym i wneud yr hyn a ddylech." Does dim rhyddid heb hunanreolaeth.

Beth am fynd ymlaen i ddarllen:
1 Cor. 9:24–27; 2 Tim. 4:7–8; Heb. 12:1–13

Meddyliwch am y cwestiynau hyn:
1. Sut a pham mae Duw yn ein disgyblu?
2. Sut mae disgyblu'r hunan?

Gweddi
O Dad, trwy dy Ysbryd Glân, cynorthwya fi i adnabod yn fy mywyd bob rhan lle mae angen disgyblaeth. Rwy'n gofyn i ti ddwyn y rhannau hynny o dan reolaeth. Rwy'n derbyn, heb ddisgyblaeth, ni allaf fod yn ddisgybl mewn gwirionedd. Amen.

Pwy sydd wrth y llyw?

"Am hynny, rhaid inni beidio â chysgu, fel y rhelyw, ond bod yn effro a sobr."
(adn. 6)

Beth am ddarllen 1 Thesaloniaid 5:1–11 ac yna myfyrio

Ddoe, bu inni sôn am y gwirionedd nad oes y fath beth â rhyddid i'w gael heb fesur o hunanddisgyblaeth. Mae'r bobl hynny sydd eisiau ennill rhyddid trwy annisgyblaeth yn rhydd yn yr ystyr y mae cwch yn rhydd pan fo'r helm wedi ei cholli. Mae'n rhydd i hwylio i unrhyw le, yn rhydd i hwylio ar y creigiau. Mae rheol y môr yn gymwys i fywyd hefyd. Gwyliwch am yr helm neu fe fydd raid gwylio'r creigiau.

Yn ôl un Cristion o America, Elton Trueblood: "Mae'r person sydd heb ddisgyblaeth yn medru eistedd wrth y piano, ond nid yw yn rhydd i daro'r nodau fel ag y dylai. Nid yw'n rhydd oherwydd nid yw wedi talu y pris angenrheidiol i ennill y rhyddid hwnnw." Mae llawer o unigolion wedi siarad am bwysigrwydd 'disgyblaeth'. Yn ôl y gŵr a gydnabyddir fel yr un cyntaf i oresgyn mynydd Everest, Edmund Hilary, roedd ei gariad at ddringo mynyddoedd yn deillio, yn ei eiriau ei hunan, o'r ffaith ei fod: "nid yn concro'r mynydd ond yn concro'r hunan." Mae Pedr Fawr o Rwsia yn cael ei ddyfynnu mewn un man fel un oedd yn tystio: "Rwyf wedi concro ymerodraeth ond wedi methu â choncro'r hunan." Yn ôl Hugo Grotius, gŵr o'r Iseldiroedd oedd yn enwog fel academydd: "Ni all gŵr reoli cenedl os na all reoli dinas. Ni all reoli dinas os na all reoli ei deulu. Ni all reoli ei deulu os na all reoli ei hunan, ac ni all reoli ei hunan os nad yw ei nwydau wedi eu darostwng i reswm."

Wrth edrych trwy lyfr o ddyfyniadau, mae yna enghreifftiau lu o bobl sydd wedi pwysleisio'r angen am ddisgyblaeth, ond nid oes yr un o'r dyfyniadau i'w gymharu gyda'r un sydd i'w gael yn Llyfr y Diarhebion. Fe ddywed Solomon: "Fel dinas wedi ei bylchu a heb fur, felly y mae dyn sy'n methu rheoli ei dymer." (Diarhebion 25:28). Ni fu ac ni fydd bywyd unrhyw un yn fywyd sy'n rhagori heb iddo adnabod hunanddisgyblaeth.

Beth am fynd ymlaen i ddarllen:
Diar. 24:30–34; 1 Tim. 1:18–20; Heb. 6:7–12

Meddyliwch am y cwestiynau hyn:
1. Sut mae rhai yn peri i'w ffydd fynd yn llongddrylliad?
2. Sut mae profi bendithion Duw?

Gweddi
O Dad, rwy'n hiraethu am gael gosod ffydd arwynebol o'r tu cefn i mi. Dwi ddim am fod fel dinas â'i muriau wedi'u chwalu. Yn hytrach, rwyf am fod fel dinas ar fryn yn cael ei chodi beunydd gan dy nerth a'th ras di ac yn cael ei rheoli gan hunanddisgyblaeth. Yn enw Iesu. Amen.

Yr aelod afreolus

"Ond nid oes neb sy'n gallu rheoli'r tafod. Drwg diorffwys yw, yn llawn o wenwyn marwol." (adn. 8)

Beth am ddarllen Iago 3:1–13 ac yna myfyrio

Mae'r adran sydd o'n blaen heddiw yn dangos pa mor bwysig yw hunanreolaeth mewn perthynas â'r tafod. Yn ôl yr Ysgrythur, y tafod yw'r aelod mwyaf afreolus sydd yn perthyn i'r corff. Yn ôl un, mae yna dri cham i bob cyfathrebu geiriol: siarad ar ein cyfer, siarad yn ystyriol, ac yna, siarad yn ddeallus. Yn anffodus, mae pobl yn cyfyngu eu hunain i siarad ar eu cyfer yn gwbl anneallus ac anystyriol. Mae'r person sydd yn gwneud ymdrech i ychwanegu 'hunanddisgyblaeth' i'w ffydd yn oedi rhwng siarad ar ei gyfer a siarad gan roi amser iddo neu iddi ei hun i ystyried. Mi fydd yr amser fyddwch yn ei dreulio yn yr oedi yma yn adlewyrchiad o'r mesur o hunanddisgyblaeth sydd yn perthyn i'ch ffydd chi. Os ydych chi'n oedi'n ormodol, gallwch roi'r argraff eich bod yn amhendant, ond mae angen oedi yn ddigon hir i wneud yn siŵr fod yr hyn yr ydym yn ei ddweud yn cyfateb i'r hyn yr ydym am ei ddweud.

Ychydig yn ôl, roeddwn yn siarad â gweinidog ac, wedi ychydig funudau, fe neidiodd y gweinidog o siarad ar ei gyfer i siarad yn helaeth heb ystyried o gwbl. Dechreuodd drafod rhai aelodau o'i gynulleidfa mewn ffordd oedd yn amhriodol i weinidog, ac yn y munudau hynny, cefais olwg ar ei anaeddfedrwydd emosiynol. Yn wir, roedd ei sgwrs mor amhriodol fel fy mod yn medru gweld yn fuan iawn pam ei fod yn cael anawsterau gyda'i arweinwyr eglwysig.

Meddai un wraig oedd yn aeddfedu yn gyflym iawn yn ei bywyd Cristnogol: "Y frwydr anoddaf a gefais erioed fel Cristion yw dros y gair 'ystyried'. Rwyf wedi siarad mor hir ar fy nghyfer fel fy mod yn cael anhawster mawr i dreulio amser yn ystyried fy ngeiriau." Mae mesur ein hystyriaeth yn adlewyrchu mesur ein haeddfedrwydd. Ychydig o ystyriaeth? Ychydig o aeddfedrwydd!

Beth am fynd ymlaen i ddarllen:
Diar. 13:3; 15:2; 18:13; 21:23; Preg. 5:2–3; Iago 1:19–21

Meddyliwch am y cwestiynau hyn:
1. Beth yw dysgeidiaeth y Diarhebion gyda golwg ar ystyriaeth?
2. Pam fod tafod rhydd yn adlewyrchiad o galon ysgafn?

Gweddi
O Dad, rwy'n gweld y gall fy nhafod fagu gwenwyn neu fagu nerth. Yn aml, y fi sydd yn penderfynu pa un. Cynorthwya fi i fod mewn rheolaeth o'r aelod afreolus yma. Yn enw Iesu. Amen.

Symud ymlaen i symud ymlaen

"Yr wyf fi, gan hynny, yn rhedeg fel un sydd â'r nod yn sicr o'i flaen.
Yr wyf yn cwffio, nid fel un sy'n curo'r awyr â'i ddyrnau." (adn. 26)

Beth am ddarllen 1 Corinthiaid 9:24–27 ac yna myfyrio

Yr ydym am edrych yn awr ar y rhinwedd y mae Pedr yn ei ddweud sydd angen inni ei ychwanegu at hunanddisgyblaeth sef 'dyfalbarhad'. Ychydig o obaith sydd i ddringo ysgol y rhinweddau yma y mae Pedr yn eu gosod o'n blaen os nad ydym yn ymarfer dyfalbarhad. O ddyfalbarhau, yr ydym yn cadw i fynd pan fo popeth yn ein herbyn. Gellir aralleirio geiriau Paul yn 1 Corinthiaid 9 fel hyn: "Dwi ddim yn gwybod amdanoch chi ond dwi am redeg yn galed hyd y llinell. Rwyf am roi fy holl ymdrech yn hyn. Does yna ddim diogi i fod. Dwi'n gwylio fy nghorff ac am ei ddisgyblu. Does neb yn mynd i fy nal i yn cysgu, yn dweud wrth bawb arall am redeg a finnau yn oedi." Mae Paul yn ystyried ei fod mewn marathon ysbrydol a doedd yna ddim am beri iddo wyro oddi wrth ei nod.

Ym marathon Boston yng ngwanwyn 1980, y ferch gyntaf i groesi'r llinell oedd gwraig o'r enw Rosie Ruiz. Ynghanol llu o bobl oedd yn canmol ac yn llongyfarch, fe gafodd y fedal. Wrth iddi dderbyn y fedal, fe sylwodd rhywun fod yna lawer o fraster ar ei choesau oedd yn amlygu diffyg cyhyrau yn y coesau. Cafwyd archwiliad a darganfuwyd fod y wraig wedi ymuno â'r ras yn ystod y filltir olaf.

Faint tybed o Gristnogion sydd yn debyg i Rosie Ruiz; maen nhw am fod yno ar y llinell ond yn amharod i redeg y ras gyfan. Fe fyddan nhw yn yr oedfa ar y Sul ond does yna ddim dyfalbarhad a'r awydd i ddatblygu perthynas bersonol gyda'r Arglwydd yn cael eu harddangos yn ystod dyddiau'r wythnos. Does na ddim dyfalbarhau pan fo amgylchiadau yn anodd. Does na ddim gweddïo trwy unigrwydd. Does na ddim aros yn ffyddlon trwy oriau anodd a chymhleth. Er mwyn byw bywyd Cristnogol effeithiol, rhaid cadw i fynd er mwyn cadw i fynd.

Beth am fynd ymlaen i ddarllen:
Marc 4:1–20; Rhuf. 5:1–5

Meddyliwch am y cwestiynau hyn:
1. Ysgrifennwch ddiffiniad o ddyfalbarhad.
2. Beth yw'r pethau sydd yn gwneud i bobl wrthod y ffydd?

Gweddi
O Dad, rwy'n ymwybodol dy fod am fy nefnyddio, ond rwyf hefyd yn ymwybodol na fedri fy nefnyddio os nad wyf yn ddibynnol. Cynorthwya fi i gadw i fynd yn ddyfal i'r diwedd er mwyn Iesu. Amen.

Ymateb i anawsterau

"Oherwydd y mae drws llydan wedi ei agor imi, un addawol,
er bod llawer o wrthwynebwyr." (adn. 9)

Beth am ddarllen 1 Corinthiaid 16:5–18 ac yna myfyrio

Ddoe, roeddwn yn sôn am farathon Boston 1980, marathon a enillwyd gan wraig oedd wedi ymuno â'r ras yn y filltir olaf, ac, o ganlyniad, fe gollodd y fedal. Beth am gymharu y rhedwraig honno gyda rhai oedd wedi cychwyn y farathon a gorffen yn olaf. Mae'n ddiddorol i weld fod y rhain yn aml yn cael cymaint o gymeradwyaeth os nad mwy na'r rhai sydd ar y blaen. Pam tybed? Oherwydd bod pawb yn gwerthfawrogi dyfalbarhad.

Yn ôl un aralleiriad o'r testun heddiw, gellir darllen yr adnod fel hyn: "Y mae gennyf lu o gyfleon yma ac mae yna lu o bobl sydd am ddod ar fy nhraws." Mae'n debyg y byddai llawer yn dweud: "Dwi am roi i fyny. Y mae gennyf lu o gyfleon yma ond mae yna ormod o bethau yn fy erbyn." Yn ôl un esboniwr: "Yr ydym yn cael ein galw i ddyfalbarhau yn y gwirionedd a dderbyniwyd gennym, i ddal gafael ynddo fel angor mewn storm ac i sefyll yn y gwirionedd." Mae gormod o lawer o Gristnogion yn cychwyn yn dda ond yn methu â dyfalbarhau. Does yna ddim ymdrech i ddal gafael yn angor y gwirionedd a'i ddal ynghanol pob math o stormydd, ac, o ganlyniad, mae eu bywydau yn llongddrylliad o gychwyn da. Rhaid inni wynebu'r gwirionedd, er na chydnabyddir hyn mewn cylchoedd Cristnogol yn aml, fod nifer o bobl yn ymadael â'r ffydd ac yn mynd yn ôl i'w hen ffordd. Blynyddoedd yn ôl mewn cyfrol gynnar iawn o *Pob Dydd Gyda Iesu* rhoddais nifer o resymau dros y cilio'n ôl yma. Un o'r prif resymau oedd fod credinwyr yn aml yn gwrthod y gallu sydd gan Dduw ar gyfer ei bobl i'w nerthu i ddyfalbarhau. Maent yn rhoi i fyny mewn anawsterau.

Nid yw yn rhwydd i fod yn Gristion ac, er bod yna lawenydd, mae yna anawsterau. Mae'r ffordd y byddwn yn ymateb i'r anawsterau hyn yn datguddio gradd ein dyfalbarhad. Yn ôl y pregethwr enwog, C. H. Spurgeon: "Trwy ddyfalbarhad, wedi'r cyfan, y bu i'r falwen gyrraedd yr arch."

Beth am fynd ymlaen i ddarllen:
2 Cor. 1:3–11; 4:1–18

Meddyliwch am y cwestiynau hyn:
1. Pam na fu i Paul dorri ei galon?
2. Sut y bu iddo ddyfalbarhau?

Gweddi
O Dduw fy Nhad, yr wyf wedi cymryd dy iau arnaf a bellach rwyf wedi fy rhwymo i ti. Cynorthwya fi trwy dy nerth i beidio â methu yn fy ngherddediad, i beidio â rhoi i fyny. Yn enw Iesu. Amen.

Tyfu a dysgu

"Cadw lygad arnat ti dy hun ac ar yr hyfforddiant a roddi, a dal ati yn y pethau hyn. Os gwnei di felly, yna fe fyddi'n dy achub dy hun a'r rhai sy'n gwrando arnat." (adn. 16)

Beth am ddarllen 1 Timotheus 4:1–16 ac yna myfyrio

Fel y dywedwyd ddoe, er nad ydym yn gwadu'r llawenydd sydd yn deillio o wasanaethu'r Iesu, mae yna adegau pan mae ei ddilyn yn anodd iawn. Mae amharodrwydd i wynebu'r gwirionedd yma yn wiriondeb. Mae rhai Cristnogion yn mynnu na ddylem byth â chydnabod anawsterau; dylem fod yn bositif bob amser. Dyma pam wrth ichi gwrdd â'r bobl yma a gofyn: "Su' mae?" maent yn ateb: "Ardderchog! Popeth yn dda." Wel, does dim o'i le mewn cael golwg bositif ar eich bywyd. Mae'n well na bod yn negyddol ond mae'n rhaid bod yn realistig. Nid bod yn negyddol yw wynebu'r ffaith fod bywyd yn gallu bod yn anodd o bryd i'w gilydd. Mae gwadu realiti yn wadiad o wirionedd, ac mae'n effeithio ar ein personoliaeth gan fod byw mewn byd afreal yn eich gwneud yn annigonol i wynebu anawsterau yn y dyfodol.

Gofynnais i ŵr yn ddiweddar: "Sut mae pethau yn mynd yn dy fywyd?" Oedodd am eiliad ac yna dweud: "Wyt ti am glywed yr ateb Cristnogol arferol neu wyt ti am glywed y gwir?" Dywedais wrtho: "Wel, buaswn yn gwerthfawrogi ateb gonest." A'i ateb oedd: "Wel, rwy'n tyfu ac yn dysgu." Dyna yw y bywyd Cristnogol. O bryd i'w gilydd, mae yna fwy o ddyddiau pryd byddwn yn tyfu a dysgu na dyddiau o lawenydd pur, digymysg.

Yn ôl un Cristion, o bryd i'w gilydd mae bywyd Cristnogol fel cymryd tri cham yn ôl, tri cham ymlaen, ac yna un cam yn ôl. Mae'r bywyd Cristnogol yn fater o ddyfalbarhau ar waethaf yr anawsterau. Gall Duw roi gras inni wneud hyn ond rhaid inni ddefnyddio ein holl ewyllys yn y frwydr hon. Mae angen inni ymddiried ac mae rhaid hefyd wrth ymdrech. Yr ydym am barhau i ymddiried a pharhau i ymdrechu. Rhaid inni wneud y ddau os ydym am dyfu yn ysbrydol.

Beth am fynd ymlaen i ddarllen:
2 Cor. 11:16–33; Actau 26:9–29

Meddyliwch am y cwestiynau hyn:
1. Beth oedd profiadau Paul mewn bywyd?
2. Pam y bu iddo ddyfalbarhau?

Gweddi
Rwy'n diolch i ti, o Dad, wrth imi ymddiried ynot ti, fod fy ymddiriedaeth yn troi yn ymdrech trwy dy ras. Wrth i mi ymroi i ti ac i dy Fab ac i'w deyrnas ef, yr wyf yn etifeddu ei rym a'i allu yn fy nghalon ac yn fy mywyd. Caniatâ i mi feddiannu y grym yma hyd y diwedd. Yn enw Iesu. Amen.

Bywyd – llafur

"Y mae angen dyfalbarhad arnoch i gyflawni ewyllys Duw a chymryd meddiant o'r hyn a addawyd." (adn. 36)

Beth am ddarllen Hebreaid 10:19–39 ac yna myfyrio

Yn ôl y seiciatrydd Victor Frankl a oedd yn enwog am ddyfalbarhau drwy holocost y Natsïaid, yr unig reswm pam na fu iddo gael ei lofruddio ochr yn ochr â'i gyd-Iddewon oedd fod ganddo wybodaeth feddygol oedd o fantais i nifer o'r swyddogion Natsïaidd. Er hynny, bu rhaid iddo ddioddef llawer, ond bu iddo ddyfalbarhau a byw.

Wedi ei ryddhau ar ddiwedd yr Ail Ryfel Byd, ysgrifennodd: "Y rheswm pam fod cymaint o bobl yn anhapus ac yn ceisio cymorth i ddelio â bywyd yw eu bod yn methu â deall beth yw hanfod y bywyd dynol. Nes y byddwn yn cydnabod fod bywyd, nid yn unig yn rhywbeth i'w fwynhau, ond yn llafur sydd wedi ei osod ar gyfer pob un ohonom, ni fyddwn byth yn darganfod ystyr ein bywyd ac ni fyddwn byth yn llawen mewn gwirionedd." Mae'r ffordd y bu i Victor Frankl resymu yn gwneud synnwyr i mi er nad yw yn cyd-fynd â'r hyn a ddywedwyd wrthych ers i chi ddod yn Gristion. Y mae yna rai diwrnodau, o fod yn onest, pan fo bywyd yn anodd ac yr ydym yn cyflawni camp yn byw trwy'r diwrnodau hynny. Felly, mae dyfalbarhad yn allweddol.

Yn ôl Iddew arall, yr ydym yn llawenhau hyd yn oed yn ein dioddefiadau gan ein bod yn gwybod fod dioddefaint yn esgor ar ddyfalbarhad. (Rhufeiniad 5:3). Mae dioddefaint am aros yn y byd ond, fel yr apostol Paul, gallwn lawenhau yn ein dioddefiadau oherwydd ein bod yn gwybod yr elw sydd yn medru deillio oddi wrthynt. Pan fo arweinwyr Cristnogol yn anfoesol neu yn llithro i anghrediniaeth, pan fo gwaelod yn diflannu, pan fo amgylchiadau am ein curo a'n gosod yng nghornel anghrediniaeth ac amheuaeth, rhaid inni wrth ddyfalbarhad. Heb ddyfalbarhad, yr ydym yn llithro ac yn methu. Efallai y bu ichi fethu o'r blaen, efallai y bu ichi syrthio o'r blaen, ond rhaid penderfynu heddiw trwy ras Duw eich bod am ddyfalbarhau hyd y diwedd.

Beth am fynd ymlaen i ddarllen:
Actau 13:49–52; 14:8–20; 20:22–24

Meddyliwch am y cwestiynau hyn:
1. Sut oedd Paul yn ystyried ei fywyd?
2. A wyt ti'n gweld dy fywyd fel llafur, fel prawf, neu fel trysor?

Gweddi
O Dad, y mae angen i mi atgoffa fy hunan beunydd wrth dy orsedd, os byddaf yn aros ynot ti, yna ni fydd angen i mi faglu na llithro. Arglwydd, cryfha fy mwriad i ddyfalbarhau er mwyn i mi gael fy synnu gan dy ras a'th drugaredd. Yn enw Iesu Grist. Amen.

Popeth yn cyfrannu

"Ond os tywelltir fy mywyd i yn ddiodoffrwm ac yn aberth er mwyn eich ffydd chwi, yr wyf yn llawen, ac yn cydlawenhau â chwi i gyd. Yn yr un modd byddwch chwithau'n llawen." (adn. 17–18)

Beth am ddarllen Philipiaid 2:12–30 ac yna myfyrio

Ddoe, bu inni gyffwrdd â dioddefaint gan nodi fod doethineb yn mynnu fod dioddefaint yma i aros. Wrth inni gydnabod hynny, gallwn ddechrau delio ag ef.

Yn *The Screwtape Letters* gan C. S. Lewis, fe geir cyngor gan un o'r diawliaid hŷn i un o'r rhai iau, ac fe restrir nifer o resymau pam ei bod yn anodd dyfalbarhau. Yn eu plith mae pethau fel euogrwydd, gobeithion ieuenctid yn araf ddiflannu, hen arferion, diddordebau bydol, anawsterau gyda'r gwyrthiol, amheuaeth, a gofynion Duw yn anghyfleus. Dyma'r materion y mae'r diafol hŷn yn cynghori ei brentis i'w defnyddio wrth geisio temtio pobl i bechu. Yn ôl y cyngor, dyma lle y mae gwendidau pobl, a dylid cymryd mantais o'r pethau hyn er mwyn arwain pobl ar gyfeiliorn.

Ond, yn ôl yr un cyngor, does yna ddim diben o gwbl mynd ar ôl y cwestiwn o ddioddefaint. Dyma'r geiriau y mae C. S. Lewis yn eu rhoi yng ngenau y diafol hŷn: "Y mae pobl y Gelyn wedi cael clywed yn glir ganddo fod dioddefaint yn rhan allweddol o'r hyn y mae'n ei alw yn iachawdwriaeth. Wrth gwrs, ar yr eiliad pan ddaw anhawster neu brofedigaeth neu boen corfforol, efallai y medri ddal dyn pan fo ei reswm wedi ei osod o'r neilltu am eiliad, ond hyd yn oed yn yr eiliadau hyn, os yw yn galw ar bencadlys y Gelyn, rwy'n darganfod ei fod yn cael ei amddiffyn bob amser."

Unwaith y down i delerau â'r ffaith fod dioddefaint yn rhan o'n bywyd yn y byd syrthiedig yma, yna gallwn godi uwchlaw cael ein temtio ganddo. Mae'n colli ei afael arnom. Does na'r un dioddefaint na ellir ei feddiannu a'i ddefnyddio. Mae derbyn hyn yn un o'r pethau sydd yn siŵr o'n diogelu rhag gwrthgiliad. Gall popeth gyfrannu, hyd yn oed dioddefaint.

Beth am fynd ymlaen i ddarllen:
Actau 5:29–42; 16:16–40

Meddyliwch am y cwestiynau hyn:
1. Sut oedd hi'n bosibl i'r apostol lawenhau mewn poen?
2. Beth oedd y canlyniad?

Gweddi
Arglwydd Iesu Grist, fe ddefnyddiaist ti y poen eithaf, poen y groes, i ddwyn iachawdwriaeth. Cynorthwya fi, wrth i mi ddioddef mewn ffordd lai o lawer, i ddefnyddio fy nioddefiadau er daioni i'm henaid. Er mwyn dy enw di. Amen.

Defnyddio'r gwaethaf a all ddigwydd

"Dyma'r rheswm, yn wir, fy mod yn dioddef yn awr. Ond nid oes arnaf gywilydd o'r peth, oherwydd mi a wn pwy yr wyf wedi ymddiried ynddo." (adn. 12)

Beth am ddarllen 2 Timotheus 1:8–12 ac yna myfyrio

Yn ei esboniad ar 2 Pedr, fe ddywed William Barclay fod y gair Groeg *hupomone* sydd yn cael ei gyfieithu yma fel 'dyfalbarhad' yn golygu y cydnabod dewr yna fod popeth y gall ein bywyd daflu atom yn gam tuag at aeddfedrwydd ysbrydol. Pan fyddwn ni yn medru cymryd y gwaethaf a'i ddefnyddio i ddyfnhau ein ffydd, yna y mae dyfalbarhad yn peidio â bod yn anhawster. Yr ydym yn gwybod fod yna reswm da dros gadw i fynd. Does yna ddim poen, dim dioddefaint, dim rhwystredigaeth, dim siom, na allwn ni ei ddefnyddio er lles ein henaid. Mae'r sicrwydd gennym y medrwn naill ai gael rhyddhad neu ein cyfoethogi drwyddo.

Mae Cristnogaeth yn rhagori yn hyn o beth. Yn ôl yr awdur at yr Hebreaid, fe ddywedir hyn am Iesu: "Oherwydd y gogoniant a osodwyd o'i flaen fe ddioddefodd y groes gan wawdio'r gwarth." Dyna yw *hupomone*, dyfalbarhad sydd yn cael ei gadarnhau hefo'r wybodaeth fod y diwedd am ddwyn gogoniant a llawenydd. Nid mater o edrych yn ôl ond edrych ymlaen yw hyn. Yr wyf wedi dweud droeon fod Cristnogion yn debyg i fagiau te. Nid ydym o fawr werth nes y byddwn wedi cael ein rhoi mewn dŵr poeth. Mae'r dioddefaint a'r anawsterau sydd yn dod i'n rhan yn dyfnhau ein cymeriad ac yn cael eu defnyddio gan yr Arglwydd wrth iddo dacluso ac wrth iddo docio'r pethau hynny yn ein bywyd sydd yn peri tramgwydd inni ar ein pererindod ysbrydol. Darllenais hyn mewn llythyr ychydig cyn i mi ddechrau ysgrifennu y ddalen yma ac yr oeddwn yn teimlo ei fod yn gyfraniad cymwys: "Mae'r dioddefwr yn cael ei achub trwy ddioddefaint, ond dim ond os yw yn ei ddefnyddio'n briodol."

Mae Hindŵaeth a Bwdïaeth yn ceisio esbonio popeth sydd yn digwydd ond yn gadael popeth fel ag yr oedd. Nid yw Cristnogaeth ond yn esbonio'r hyn sydd angen inni ei wybod, ond mae'n gwneud popeth yn wahanol ac yn newydd.

Beth am fynd ymlaen i ddarllen:
Gen. 37:12–36; 50:15–21; Rhuf. 8:28–39

Meddyliwch am y cwestiynau hyn:
1. Pam nad oes angen inni ofni'r gwaethaf?
2. Sut fu i Dduw ddefnyddio treialon Joseff er budd?

Gweddi
O Dad, rwyf mor ddiolchgar fod Cristnogaeth nid yn unig yn ateb geiriol, ond yn ateb grymus. Medraf wynebu beth bynnag a ddaw i'm rhan. Gallaf ddefnyddio'r cyfan er budd fy enaid. Arglwydd, cynorthwya fi i adnabod dy law mewn rhagluniaeth. Yn enw Iesu. Amen.

Ei ffyddlondeb

"Gwyn ei fyd y sawl na fydd yn cwympo o'm hachos i." (adn. 6)

Beth am ddarllen Mathew 11:1–15 ac yna myfyrio

Yr wyf wedi nodi fod cwrs bywyd yn cael ei benderfynu yn aml yn fwy ar sail ein hymateb na'n gweithredoedd. Mae bywyd yn dod heb inni ei wahodd, ac yn ein gorfodi i wynebu amgylchiadau heb ofyn inni am ganiatâd. Ar yr adegau hynny, mae ein hymateb yn cyfrif. Gallwch ymateb yn hunandosturiol, yn rhwystredig, a bydd y cyfan yn eich arwain at ddymuniad i osgoi realaeth, neu gallwch ymateb gyda hyder a dewrder. Os bydd i hyn ddigwydd, fe gyfoethogir eich profiad, fe ychwanegir at eich cymeriad.

Yn ôl Malcolm Muggeridge, un a ddaeth yn Gristion yn ddiweddar iawn mewn bywyd, fe ddaeth y camau brasaf yn ei fywyd mewn perthynas â thwf ei gymeriad nid yn ystod yr adegau o lawenydd ond yn ystod yr adegau hynny o ddioddefaint a brofodd. Wrth inni ddysgu sut i ddyfalbarhau trwy ddioddefaint, yna fe ychwanegir elfennau pwysig i'n cymeriad sydd yn harddu Efengyl Iesu Grist.

Wrth imi ddirwyn y sylwadau hyn i ben ar ddyfalbarhad, rhaid i mi gydnabod, pan oeddwn yn ifanc, fod y rhinwedd hwn yn brin iawn yn fy mywyd. Ond am dri deg ac wyth o flynyddoedd, rwyf wedi ysgrifennu y nodiadau dyddiol yma sy'n cael eu cyhoeddi bob dau fis heb doriad. Yn yr amser hwnnw, yr wyf wedi ysgrifennu tua phum miliwn o eiriau. Fe'm galwyd i ddyfalbarhau ar waethaf fy niogi naturiol. O ble y daw'r grym yma i ddyfalbarhau? Credaf, wrth i mi roi fy hunan i'r Arglwydd Iesu, felly y mae Iesu wedi rhoi ei hunan i mi a'm cynorthwyo i ddyfalbarhau. Yn ôl yr apostol Paul yn 1 Corinthiaid 1:8–9: "Bydd ef yn eich cadw'n gadarn hyd y diwedd, fel na bydd cyhuddiad yn eich erbyn yn Nydd ein Harglwydd Iesu Grist. Y mae Duw'n ffyddlon, a thrwyddo ef y'ch galwyd chwi i gymdeithas ei Fab ef, Iesu Grist ein Harglwydd ni." Ei ffyddlondeb ef yw sail ein ffyddlondeb ni. Yr wyf yn ddyledwr i'w ffyddlondeb. Fe dybiaf eich bod chwithau yr un modd.

Beth am fynd ymlaen i ddarllen:
Math. 24:1–14; Ioan 6:61–69; 1 Pedr 5:1–9

Meddyliwch am y cwestiynau hyn:
1. Pam fu Iesu yn gymaint tramgwydd i bobl?
2. Pam na fu i Pedr gefnu ar Iesu?

Gweddi
O Dad, dysga fi i bwyso ar dy ras di. Cynorthwya fi, hyd yn oed pan fyddaf yn cael fy nigalonni, i beidio atal fy ngherddediad ar dy ôl. Yr wyf am dy wasanaethu. Cryfha fy ewyllys yn dy wasanaeth â'r nerth sydd yn dod trwy dy Fab a thrwy dy Ysbryd Glân. Yn enw Iesu. Amen.

Cymryd Duw o ddifrif

"Fel y dyhea ewig am ddyfroedd rhedegog, felly y dyhea fy enaid amdanat ti, O Dduw." (adn. 1)

Beth am ddarllen Salm 42:1–11 ac yna myfyrio

Yr ydym am symud yn awr i ystyried y rhinwedd y mae Pedr yn ei ddweud sydd yn rhaid ei ychwanegu at ddyfalbarhad, sef 'duwioldeb'. Y gair Groeg *eusebeia,* a ddefnyddid mewn cylchoedd paganaidd i olygu parch, addoliad, crefydd, yw'r gair sylfaenol i'r hyn y mae Pedr yn ei nodi yn y fan yma.

Blynyddoedd lawer yn ôl, bûm yn siarad â chriw o bobl ifainc ar dduwioldeb, a chyn inni gychwyn, fe wahoddais bob un ohonynt i gyfrannu eu syniadau ar y pwnc. Dyma oedd rhai o'u hymatebion: "Duwioldeb yw byw fel meudwy…peidio byth â phriodi… gwisgo yn dlawd… mynd i'r eglwys bob tro y mae yna wasanaeth… mabwysiadu bywyd syml…ymprydio un diwrnod yr wythnos…gweddïo am o leiaf un awr y dydd…peidio â gwylio'r teledu." Tra oeddem yn parhau i edrych ar y pwnc, gofynnodd rhywun: "A all rhywun fod yn dduwiol a gyrru Porsche?" Esboniais mai agwedd yw duwioldeb, agwedd tuag at Dduw ei hun. Ni ddylid ei gymysgu â'r olwg allanol, oherwydd, yn ôl yr Ysgrythur, y mae'r Arglwydd yn edrych ar y galon (1 Samuel 16:7). Yr hyn sydd yn bwysig yw fod person yn sensitif tuag at Dduw, yn cymryd Duw o ddifrif, yn dilyn ei arweiniad ymhob peth.

Yr wyf wedi dewis y testun yma heddiw oherwydd credaf ei fod yn arwyddo gwir ystyr duwioldeb. Mae gan y person duwiol galon sydd yn dyheu am Dduw. Fe fydd, yn ôl Tommy Tenny, yn un sydd yn rhedeg ar ôl yr Arglwydd. Gall y person duwiol fod yn ifanc neu yn hen, yn gyfoethog neu yn dlawd. Gall berthyn i unrhyw genedl, liw neu ddiwylliant. Does yr un o'r pethau yr wyf wedi eu nodi yn bwysig. Yr hyn sydd yn bwysig yw dymuniad yr unigolyn i redeg ar ôl yr Arglwydd, i glosio at yr Arglwydd, ac i gymryd yr Arglwydd o ddifrif.

Beth am fynd ymlaen i ddarllen:
Salm 63:1–11; 84:1–12

Meddyliwch am y cwestiynau hyn:
1. Beth yw nodweddion y sawl sydd yn mynd ar ôl yr Arglwydd?
2. Pa nodweddion sydd yn cael eu hamlygu yn eich bywyd chi?

Gweddi
O Dad, rwy'n dyheu am galon sydd yn dyheu amdanat ti. Cyffwrdd â'm calon mewn ffordd newydd heddiw er mwyn i mi fod, fel y salmydd, yn sychedig ac yn dyheu amdanat ti. Gwna hyn yn enw Iesu. Amen.

Ei nabod ef yn well

"A'm gweddi yw, ar i Dduw ein Harglwydd Iesu Grist, Tad y gogoniant, roi i chwi, yn eich adnabyddiaeth ohono ef, yr Ysbryd sy'n rhoi doethineb a datguddiad." (adn. 17)

Beth am ddarllen Effesiaid 1:15–23 ac yna myfyrio

Ddoe, fe nodwyd fod calon y person duwiol yn cael ei nodweddu gan hiraeth a dyhead i ganlyn yr Arglwydd. Wrth ichi archwilio bywyd person duwiol, fe ddaw dau beth i'r amlwg: hiraeth am Dduw a pharodrwydd i ufuddhau ymhob peth. Mewn geiriau eraill, ystyr duwioldeb yw rhoi holl sylw ein henaid ar yr Arglwydd a rhoi iddo ein hufudd-dod llwyr.

Wrth inni feddwl am roi sylw ein henaid i gyd i'r Arglwydd, fe amlygir hyn ar ei orau yn ein bywyd gweddïol. Ar fy silff lyfrau, mae yna nifer o gofiannau sydd yn adrodd hanes y saint o'r gorffennol – pobl fel Awstin a John Wesley, gwragedd fel Teresa o Avila a Catherine Booth. Mae'r cofiannau yma i gyd yn tystio mai cyfrinach eu duwioldeb oedd yr amser a dreulient mewn gweddi. Un o'r pethau diddorol am eu gweddïau yw nad oedd fawr o sylw i'r hunan ynddynt. Wrth inni agosáu at Dduw mewn gweddi, yr ydym yn pellhau oddi wrth yr hunan.

Yn anffodus, mae gweddïau nifer o bobl yn hunanganolog. Rhai blynyddoedd yn ôl, fe ddarganfuwyd y weddi yma ymysg papurau Aelod Seneddol oedd yn byw yn y ddeunawfed ganrif: "Arglwydd, rwyt yn gwybod am fy stad yn ninas Llundain ac rwyt hefyd yn gwybod fy mod yn ddiweddar wedi prynu y stad yn Essex. Rwy'n gofyn i ti warchod dros Middlesex ac Essex rhag tân a dinistr ac, am fod gennyf forgais yn Hertfordshire, rwy'n gofyn i ti hefyd edrych yn drugarog ar y sir honno. Am weddill y siroedd, fe elli ddelio â nhw yn ôl dy ewyllys." Efallai fod gweddi yn weithgarwch duwiol ond fe ellir camddefnyddio gweddi yn arswydus.

Beth am fynd ymlaen i ddarllen:
Ex. 33:15–34:8;
Math. 6:5–15;
Iago 4:1–3

Meddyliwch am y cwestiynau hyn:
1. Beth oedd dymuniad Moses?
2. Sut ddylem ni weddïo?

Gweddi
Dad trugarog a graslon, wrth i ti fy nysgu fwy am weddi, gwared fi rhag hunanoldeb yn fy ngeiriau. Rwy'n hiraethu am gael dy adnabod di, ac wrth dy adnabod, adnabod twyll fy nghalon fy hun. Yn enw Iesu. Amen.

105

Adlewyrchu perffeithrwydd

"Ac yr ydym ni i gyd, heb orchudd ar ein hwyneb, yn edrych, fel mewn drych, ar ogoniant yr Arglwydd ac yn cael ein trawsffurfio o ogoniant i ogoniant, yn wir lun ohono ef. A gwaith yr Arglwydd, yr Ysbryd, yw hyn." (adn. 18)

Beth am ddarllen 2 Corinthiaid 3:7–18 ac yna myfyrio

Mae'r rhai hynny sydd wedi gosod eu calon ar ddyheu am Dduw yn ofalus i beidio â chamddefnyddio gweddi yn yr un modd â'r Aelod Seneddol hwnnw. Yn wir, mae deisyfiadau personol braidd yn diflannu o'n hamser gweddi, er, wrth gwrs, heb ddiflannu yn llwyr. Mae eiriolaeth dros eraill yn cadw ei lle, ond diolchgarwch, mawl ac addoliad yw prif fyrdwn gweddïau'r duwiol.

Wrth inni addoli Duw, yr ydym yn darganfod cyfrinach duwioldeb. Mae'r duwiol yn edrych tuag at Dduw ac mae yntau yn edrych arnynt hwythau. Efallai nad oes yr un adnod yn gosod hyn yn fwy eglur na'r testun sydd gennym ni heddiw lle mae'r apostol Paul yn siarad am adlewyrchu mewn drych ogoniant yr Arglwydd. Dyma sut mae meddiannu duwioldeb. Mewn rhifyn cynharach o *Pob Dydd Gyda Iesu*, dywedais fod y Cristion sydd yn edrych ar yr Arglwydd ac yn aros yn llonydd o'i flaen yn dod fel drych lle mae cyffelybrwydd Iesu i'w weld yn gliriach o ddydd i ddydd. Ond mae mwy nag adlewyrchiad i'w weld. Mae yna drawsffurfiad yn cael ei effeithio wrth i'r drych gael ei newid gan yr adlewyrchiad sydd yn syrthio arno. Dywedir am Fransis o Asisi ei fod yn adlewyrchiad o berffeithrwydd. Ar waethaf y pethau hynny sydd yn perthyn i gymeriad pob un ohonom, mae'r duwiol i adlewyrchu Duw ei hun yn ei berffeithrwydd.

Mae angen inni ddeall, wrth i ni dreulio amser gyda Duw mewn gweddi, yr ydym yn dod yn debycach iddo. Nid yw'r rhai sydd yn peidio â gweddïo yn cymryd Duw o ddifrif. Er mwyn dilyn duwioldeb, rhaid dilyn Duw, rhaid treulio amser yn ei gwmni, rhaid rhoi sylw iddo, rhaid ymhyfrydu ynddo a chael ein meddiannu gan ei berson bendigedig.

Beth am fynd ymlaen i ddarllen:
Salm 34:1–22; Luc 2:36–38; Actau 6:8–15

Meddyliwch am y cwestiynau hyn:
1. Beth sydd yn digwydd i'r rhai sydd yn edrych ar yr Arglwydd?
2. Sut fu i Anna wasanaethu Duw?

Gweddi
O Dad, rwy'n gofyn i ti faddau i mi fod cymaint o'm hamser yn mynd ar bethau sydd yn tynnu fy sylw oddi arnat ti. Caniatâ i mi edrych arnat ti, fel y byddaf innau hefyd fel drych lle gwelir cyffelybrwydd Iesu yn gliriach. Rwy'n gofyn hyn yn enw Iesu. Amen.

Myfyrdod boreol

"Pâr imi glywed yn y bore am dy gariad, oherwydd yr wyf wedi ymddiried ynot ti." (adn. 8)

Beth am ddarllen Salm 143:1–12 ac yna myfyrio

Yr ydym yn parhau i edrych ar y ffaith fod duwioldeb i feddiannu ein sylw ac i feddiannu ein hufudd-dod. Blynyddoedd lawer yn ôl, bu i mi siarad â Christion aeddfed iawn oedd yn ŵr duwiol. Ceisiais ddiffiniad o dduwioldeb oddi wrtho, gan ofyn pa bethau yn ei fywyd ei hun a ddefnyddiai i feithrin duwioldeb. Dyma ei ymateb: "Mae yna lawer o bethau yn fy mywyd sydd o gymorth, ond mae dau beth sydd yn fy nghynorthwyo yn arbennig i gadw fy llygad arno. Y peth cyntaf yw hwn: bob bore wrth i mi ddeffro, byddaf yn meddwl am yr Arglwydd. Cyn i mi siarad gyda neb arall, byddaf yn siarad gyda'r Arglwydd. Nid yw hyn yn golygu, yn aml, fwy na brawddeg neu ddwy, brawddeg fel 'Diolch, Arglwydd, am y llawenydd o gael treulio diwrnod arall gyda thi,' neu 'Y mae pob gogoniant yn perthyn i ti, O Dad, ac i dy Fab ac i'th Ysbryd Glân.' Mae fy amser o weddi yn dilyn yn ddiweddarach, ond byddaf yn darganfod wrth i mi agor fy hun i'r Arglwydd yn ystod munudau cyntaf y dydd, bod fy enaid yn cael deall mai Duw yw fy nod a fy ffocws heddiw fel ddoe."

Mae'n ddiddorol fod gan Gristnogion eraill yr un arfer. Fe ddywed John Stott ei fod yn deffro yn y bore, yn estyn ei goesau dros ymyl y gwely, ac yn dweud: "Bore da, Dad trugarog; bore da, Arglwydd Iesu; bore da, Ysbryd Glân." Mae rhywbeth am roi eich ysbryd i gyfeiriad yr Arglwydd wrth i chi gychwyn y dydd sydd yn dwyn nerth ysbrydol i'ch bywyd. Roedd fy ngweinidog yn ystod blynyddoedd fy ieuenctid, un o'r bobl fwyaf duwiol a adnabûm erioed, yn arfer dweud: "Y peth cyntaf a wnaf wrth ddeffro, cyn i mi hyd yn oed olchi fy wyneb, yw golchi fy meddyliau yng nghwmni yr Arglwydd Iesu Grist." Rwy'n cymeradwyo yr arfer hwn i chi. Beth am geisio gwneud hyn a gweld beth fydd y canlyniad?

Beth am fynd ymlaen i ddarllen:
Salm 5:1–7; 57:7–11;
Galar. 3:21–26;
Marc 1:35

Meddyliwch am y cwestiynau hyn:
1. Beth sydd yn ffres bob bore?
2. Sut fu i Iesu gychwyn ei ddiwrnod?

Gweddi
O Dad, caniatâ mai fy meddyliau cyntaf mewn diwrnod a'm meddyliau olaf yn y nos yw meddyliau amdanat ti. Caniatâ i mi gael fy meddiannu fwyfwy â dy berson di wrth i mi geisio dy wyneb. Caniatâ hyn yn enw Iesu Grist. Amen.

Gweddïo drwy'r Ysgrythur

"Yr Arglwydd yw fy mugail, ni bydd eisiau arnaf." (adn. 1)

Beth am ddarllen Salm 23:1–6 ac yna myfyrio

Buom yn siarad ddoe am arfer llawer o bobl dduwiol i sicrhau mai'r meddyliau cyntaf sydd yn dod iddynt yn y dydd yw meddyliau am yr Arglwydd. Arfer arall yr wyf wedi ei ddarganfod ymhlith y duwiol yw'r arfer o weddïo drwy yr Ysgrythur. Ystyr hyn yw i gymryd adran o'r Ysgrythur a'i defnyddio i siarad gyda'r Arglwydd mewn gweddi.

Mae Salm 23, y Salm yr ydym wedi ei darllen heddiw, yn enghraifft ardderchog. Mi fuasai'n bosibl gweddïo fel hyn: "O Dad, rwy'n diolch i ti mai ti yw fy mugail. Oherwydd hyn, ni fydd eisiau unrhyw beth da arnaf. Rwyf mor ddiolchgar i ti dy fod yn gwneud i mi orwedd mewn porfeydd gwelltog ac yn arwain fi wrth ymyl dyfroedd tawel, y ffordd yr wyt yn adfer fy enaid ar adegau pan fo anawsterau yn fy wynebu, y ffordd yr wyt yn fy arwain yn llwybrau cyfiawnder, yn dangos y gwahaniaeth i mi rhwng yr hyn sydd yn iawn a'r hyn sydd yn anghywir. Ni allaf ddiolch digon i ti. Marwolaeth oedd fy ngelyn cyn i mi dy adnabod di, ond bellach nid oes arnaf ofn y cysgodion tywyll, oherwydd yr wyf yn ymwybodol o'th warchodaeth dros fy mywyd. Rwy'n gwybod fy mod am farw, ond rwy'n gwybod hefyd fy mod am fyw eto. Mae hyn yn gysur mawr i mi. Yr wyf am dy ganmol, ac am dy fendithio, oherwydd mae dy eneiniad yn orchudd fel coron ar fy mhen gan dy fod yn ymhyfrydu ynof fi ac yn tywallt i'm bywyd dy gariad diderfyn. Mae fy nghwpan wastad yn llawn. Diolch nad hanner profiad yw fy mhrofiad i. Mae dy radlonrwydd yn peri i mi orlifo. Bendigedig fyddo dy enw di am byth.

Dim ond i ni droi ein sylw at Air Duw, mae'n sylw ni yn cael ei droi at Dduw ei hunan. Ond wrth inni weddïo fel hyn, mae yna ffocws mwy clir i'r gweddïau. Pan fu i berson duwiol fy nysgu i weddïo fel hyn drwy yr Ysgrythur, fe drawsnewidiwyd fy mywyd gweddi, a daeth Duw yn fwyfwy real i mi. Rwy'n cymeradwyo'r arfer yma i chi hefyd.

Beth am fynd ymlaen i ddarllen:
Salm 100:1–5; 121:1–8: Actau 4:23–31

Meddyliwch am y cwestiynau hyn:
1. Sut fu i'r apostolion weddïo a beth oedd y canlyniad?
2. Beth am weddïo drwy Salm 100 a Salm 121?

Gweddi
O Dduw, fe fu i ti ysbrydoli geiriau ac fe ddaeth y geiriau yn eiriau Duw. Cynorthwya fi i ganiatáu i'm meddyliau a'm geiriau gael eu meddiannu gan dy Ysbryd di. Rwyf am i'm meddwl fod arnat ti ar ddechrau'r dydd, ar hyd y dydd, ar hyd fy mywyd. Yn enw Iesu. Amen.

Ewyllysio un ewyllys

"...fel na fydd ichwi mwyach dreulio gweddill eich amser yn y cnawd yn ôl chwantau dynol, ond yn ôl ewyllys Duw." (adn. 2)

Beth am ddarllen 1 Pedr 4:1–11 ac yna myfyrio

Yr ydym yn symud yn awr at ail ran ein diffiniad o dduwioldeb, sef 'ufudd-dod llwyr'. Mae'r saint nid yn unig yn rhoi eu sylw i Dduw ond maent yn rhoi eu hufudd-dod llwyr iddo hefyd. Maent yn rhoi ufudd–dod, nid yn unig yn llwyr, ond yn syth ac yn ewyllysgar. Mae'r duwiol yn hiraethu am un ewyllys gyda Duw. Maent am gerdded gyda Duw i'r fath raddau fel nad yw eu hewyllys hunanol hwy eu hunain yn cael fawr o le bellach. Mae Iesu yn dweud wrth ei Dad: "Yr wyf wedi dod i gyflawni dy ewyllys, O Dduw." (Hebreaid 10:7) I Iesu, nid mater o ddyletswydd yn unig oedd cyflawni ewyllys Duw, ond gwir lawenydd ei enaid. Nid brwydr, ond gorfoledd oedd cyflawni ewyllys ei Dad. Yn hyn, yr ydym i ganlyn ei esiampl.

Nid yw y saint yn gofidio yn ormodol pan nad ydynt yn gwybod y rhesymau dros ewyllys Duw. Eu dymuniad yw bod yn ufudd i'w ewyllys. Mae llawer o Gristnogion yn dymuno gwybod 'Pam?' Mae'r duwiol yn dymuno gwybod 'Beth?': "Beth wyt ti'n ei gyflawni o fewn y sefyllfa yma? Paid â thrafod ond yn hytrach, gorchymyn, ac fe wnaf yr hyn yr wyt yn ei ddymuno." Oni fyddai'n braf petai ein gweddïau yn adlewyrchu y math hwn o ddymuniad. Yn aml iawn, mae Cristnogion yn cwestiynu gorchmynion Duw ac ewyllys Duw ar eu cyfer. Mae'r duwiol yn ymddiried hyd yn oed pan nad oes eglurder. Maent yn gweld ewyllys Duw yn yr un modd ag y mae Paul yn ei weld yn Rhufeiniad 12:2. Maent am ddarganfod beth sy'n dda a derbyniol a pherffaith yn ei olwg ef. Yn ôl un emynydd: "Dy ewyllys di a wneler".

Beth am fynd ymlaen i ddarllen:
Salm 40:6–8; Heb. 10:1–24

Meddyliwch am y cwestiynau hyn:
1. Pam fod Iesu yn ymhyfrydu mewn cyflawni ewyllys ei Dad?
2. Beth oedd y canlyniad?

Gweddi
O Dad, rwy'n hiraethu am gyrraedd y lle hwnnw lle y byddaf yn ufudd i'th ewyllys yn gyfan gwbl. Rwy'n hiraethu am y llawenydd sydd yn dod o gyflawni dy ewyllys. Caniatâ i'th ewyllys fod yn destun cân a llawenydd i mi heddiw a phob dydd. Amen.

Rhyngu dy fodd

"...ie, O Dad, oherwydd felly y rhyngodd dy fodd di." (adn. 26)

Beth am ddarllen Mathew 11:25–30 ac yna myfyrio

Yr ydym yn sylwi nad yw'n ofid cyson i'r saint eu bod heb ddeall holl fwriadau ewyllys Duw. Maent yn dymuno bod yn ufudd. Yn ystod y ddeunawfed ganrif yn y cyfnod yr adnabyddir fel y 'Yr Oes Oleuedig', fe feirniadwyd Cristnogion am ystyried rheswm dynol, hyd yn oed ar ei orau, fel llinyn mesur amhriodol. Mae rheswm bob amser eisiau ateb i'r cwestiwn 'Pam?' Am y duwiol, eu diddordeb hwy yw adnabod ewyllys yr Arglwydd yn hytrach na gwybod pam fod yr Arglwydd wedi caniatáu rhywbeth o fewn ei ewyllys ei hun. Mae gennyf gyfaill, ac i bob golwg mae duwioldeb yn gymaint rhan o'i gymeriad. I'r person hwn, pan ddaw anawsterau yn ei fywyd, ei ymateb naturiol bob amser yw sut mae cydweithio gyda Duw er mwyn troi'r gwaethaf i fod y gorau.

Mae'r syniad y dylem ystyried rhinwedd unrhyw orchymyn y mae Duw yn ei osod ger ein bron o ran ei fanteision cyn ufuddhau, yn wrthyn i'r syniad o fod yn ddisgybl. Efallai ein bod am ddefnyddio ein rheswm mewn anawsterau, er mwyn sicrhau ein bod yn glir ynglŷn â beth yw ewyllys Duw. Ond unwaith y byddwn wedi adnabod ei ewyllys, yr ydym yn dymuno ufuddhau i'r gorchymyn. Ond ni ddylem byth gwestiynu'r gorchymyn. Efallai y daw anhawster, ond pwy a ŵyr pa fendithion sydd yn cael eu cuddio hyd yn oed yn yr anawsterau hynny. Mae'n bywyd ni yn nwylo Duw sydd â'i ofal trugarog, sydd â'i ddeheulaw cariadlon yn cael eu hestyn atom yn wastad. Ymhob digwyddiad, fe ddywed y duwiol: "Ie, O Dad, oherwydd felly y rhyngodd dy fodd di."

Beth am fynd ymlaen i ddarllen:
Gen. 22:1–19;
Salm 146:1–10
Heb. 11:17–19

Meddyliwch am y cwestiynau hyn:
1. Pam fod Abraham yn barod i aberthu ei fab?
2. Pam na ddylem ni roi ein holl ymddiriedaeth mewn arweinwyr dynol?

Gweddi
O Dad, rwy'n sylweddoli fy mod wedi fy mwriadu ar gyfer dy ewyllys di. Ti yw fy mywyd a thi yw fy ffordd o fyw. Caniatâ i mi gerdded gyda thi bob dydd o'm bywyd. Yn enw Iesu. Amen.

Dal yn dynn

"Os erlidiasant fi, fe'ch erlidiant chwithau." (adn. 20)

Beth am ddarllen Ioan 15:18–27 ac yna myfyrio

Mae gennym nifer o emynau sydd yn ein gwahodd i ildio i ewyllys. Mae'r emyn cyfarwydd: "Dy ewyllys di a wneler" yn arwyddo bod y Cristion, nid yn unig yn oddrychol i fodloni ar ewyllys Duw, ond i wneud hynny yn weithredol hefyd yn ei fywyd. Mae caniatáu i Dduw fod yn llyw yn ein bywyd yn un o'r arwyddion hynny o aeddfedrwydd ysbrydol. Rhaid wrth aeddfedrwydd gweithredol yn yr ystyr ein bod yn gweithredu'r gorchmynion hynny y mae'r Arglwydd yn eu rhoi inni. Hyd yn oed, pan fo'r gorchmynion hynny yn medru arwain at golli eiddo, carchariad, neu hyd yn oed golli bywyd. Efallai fod hyn yn ymadrodd caled iawn. Ond fe rydd Duw ras ar gyfer pob angen. Er bod ei safonau yn uchel, mae'n caniatáu grym i bechadur i ymgyrraedd atynt.

Ychydig flynyddoedd yn ôl, ysgrifennodd Cristion oedd yn byw mewn gwlad lle mae Cristnogion yn cael eu herlid: "Rwy'n gwybod efallai y daw dydd pan fydd raid imi golli fy mywyd yn enw Crist." Ychydig yn ddiweddarach, ysgrifennodd ei rieni oedd yn ymwybodol o'r llythyr blaenorol a rhoi'r newyddion yma i mi: "Lladdwyd ein mab gan eithafwyr crefyddol. Bu iddo gael ei saethu wrth iddo ymadael â'r eglwys." Mae *Pob Dydd Gyda Iesu* yn cael ei ddarllen mewn dros 130 o wledydd yn y byd ac, felly, mae'n ddigon posibl fod pobl sydd yn darllen y nodiadau yma yn wynebu ar anawsterau difrifol oherwydd eu ffydd Gristnogol. Beth bynnag am hynny, dal yn dynn at yr Arglwydd, gyfaill. Mae gweddïau miloedd yn dy gynnal yr awr yma.

Wrth edrych yn ôl, mae'r hyn y mae Duw wedi ei gyflawni drwy ufudd-dod ei bobl yn rhyfeddol. Mae'r un peth yn wir am heddiw ac am yfory os Duw a'i myn. Efallai fod gan Dduw fwriadau mawr ar gyfer ein bywyd a'r cyfan sydd raid i ni ei gyflawni yw ceisio ei ras a'i nerth ef i fyw yn ufudd. Duwioldeb yw y Cristion ar ei liniau yn addoli ac yn rhyfeddu, a'r Cristion ar ei draed mewn ufudd-dod llwyr.

Beth am fynd ymlaen i ddarllen:
Math. 5:10–12; Ioan 16:1–4; 2 Tim. 3:12; Iago 1:12

Meddyliwch am y cwestiynau hyn:
1. Pa resymau all fod dros ein herlid?
2. Sut all hyn fod yn fendith?

Gweddi
O Dad, yr ydym yn codi o'th flaen heddiw bawb sydd yn cael eu herlid oherwydd eu ffydd. Caniatâ ras iddynt i fod yn ffyddlon ymhob peth, a chynorthwya finnau i fod yn ufudd fel disgybl, ar fy ngliniau yn gwrando, ar fy nhraed yn dilyn. Amen.

Nid angylion yw'r saint

"Byddwch wresog yn eich serch at eich gilydd fel cymdeithas.
Rhowch y blaen i'ch gilydd mewn parch." (adn. 10)

Beth am ddarllen Rhufeiniaid 12:9–21 ac yna myfyrio

Yn ôl yr apostol Pedr, mae angen ychwanegu 'cariad brawdol' at dduwioldeb. Wrth inni dyfu fel Cristion, nid yn unig mae galw arnom i ddilyn yr Arglwydd ond mae angen inni ddilyn perthynas dda gyda phawb. Mae duwioldeb sydd yn edrych yn unig tuag at yr Arglwydd ac yn methu llifo i mewn i'n perthynas ag eraill yn dduwioldeb ffug.

Os ydym yn cael bod perthynas â phobl yn boen, yna mae rhywbeth o'i le ar ein crefydd ni. Nid yw adeiladu perthynas gyda phobl bob amser yn rhwydd, oherwydd nid yw hyd yn oed y saint yn angylion, ond mae'n rhywbeth y dylem wneud pob ymdrech i'w sicrhau. Un tro, wedi i mi wneud y sylw, dywedodd gŵr wrthyf: "Mae llawer o'm cydnabod yn angylion." "Beth wyt ti yn ei olygu?" gofynnais. Esboniodd: "Maent yn hedfan i'r awyr am y peth lleiaf."

Fe ddywedir mai 'bod, yw bod mewn perthynas'. Mewn geiriau eraill, ni ddown i adnabod ein hunain yn iawn hyd nes y byddwn mewn perthynas â rhywun arall. Mae'r bobl hynny sydd wedi dioddef o berthynas ddiffygiol yn y blynyddoedd cynnar yn aml yn cael anhawster gyda'u hunaniaeth. Yn ôl Leslie B. Salter, awdur o'r Amerig: "Mae pob dyn neu wraig fel arfer yn dyheu am gyfeillgarwch, yn dyheu am edmygedd, yn dyheu am ymateb oddi wrth bobl o fewn eu cylch o ffrindiau a'u cydnabod." Caniatewch i eraill gael yr hyn y maent yn dyheu amdano. Does dim o'i le ar hynny. Cychwynnwch trwy ymestyn cariad brawdol at y rhai sydd o'ch amgylch. Peidiwch ag aros tan yfory. Cychwynnwch heddiw. Mae'r caredigrwydd yr ydych yn ei ddangos yn debyg o gael effaith mewn dwsinau o wahanol ffyrdd. Ond hyd yn oed os na chaiff effaith, mi fyddwch chi yn well person o'i gynnig.

Beth am fynd ymlaen i ddarllen:
Col. 3:12–17; 1 Thes. 4:9–10; Heb. 13:1–3; 1 Pedr 1:22

Meddyliwch am y cwestiynau hyn:
1. Ysgrifennwch ddiffiniad o gariad brawdol.
2. Sut mae cariad brawdol yn gweithredu?

Gweddi
O Dad nefol, maddau i ni am ddefnyddio brodyr a chwiorydd i ddibenion hunanol. Gwared ni rhag defnyddio eraill, ond yn hytrach, i roi ein hunain er mwyn eraill. Yn enw Iesu. Amen.

Un ffordd mae bywyd yn gweithio

"Câr dy gymydog fel ti dy hun." (adn. 31)

Beth am ddarllen Marc 12:28–34 ac yna myfyrio

Yr ydym am barhau i edrych ar bwysigrwydd perthynas dda â phobl. Os nad yw ein perthynas yn canlyn rhai rheolau pendant, mae'n sicr o chwalu. Yn ôl testun heddiw, yr ydym i garu ein cymdogion fel yr ydym yn ein caru ein hunain. Mae hon yn rheol ar gyfer bywyd. Dyma'r ffordd y mae Duw wedi ordeinio perthynas.
    Wrth gwrs, fe allwch benderfynu peidio â charu eich cymydog fel yr ydych yn eich caru eich hunain, ond, unwaith y gwnewch hynny, yr ydych yn gaeth. Yr ydych wedi eich caethiwo â chyfraith arall, cyfraith sydd yn sicr o ddwyn difodiad yn eich bywyd. Os nad ydych yn caru eich cymydog, yna mae'n anodd iawn i chi i ddod ymlaen hyd yn oed gyda'ch hun. Y gwir amdani, ni fydd eich cymydog yn diflannu os na fyddwch chi yn ei garu, y cyfan yr ydych yn ei wneud yw creu problem i chi eich hun. Nid ydym yn gwneud y cyfreithiau yma ar berthynas – eu darganfod ydym. Maent wedi eu hysgrifennu i mewn i fywyd gan ysgrifbin gwahanol i'n hysgrifbin ni. Gall pobl wneud pob math o ymdrechion i geisio cael bywyd i weithio mewn ffyrdd sydd yn wahanol i'r rhai y mae Duw wedi eu hordeinio, ond ychydig o lwyddiant ddaw.
    Dywedodd rhywun fod yna bum ffordd y mae pobl yn ceisio meithrin perthynas â'i gilydd: (1) Mae rhai yn ceisio llywodraethu eraill. (2) Mae rhai yn ceisio pellter rhyngddynt ac eraill. (3) Mae rhai yn gwbl ddi-hid o eraill. (4) Mae rhai yn gweithio ag eraill. (5) Mae rhai yn gweithio dros ac er mwyn eraill. Pa un o'r patrymau yma, dybiwch chi, mae'r Creawdwr yn fodlon arnynt?
    Beth am y cyntaf? A ydych yn berson sydd yn ceisio llywodraethu eraill? Beth sydd yn digwydd? Mae'r berthynas yn fuan iawn yn esgor ar densiynau ac yn sicr yn torri i lawr. Fe ddywedir am un gŵr ifanc oedd newydd briodi: "Yn y cartref, ceisiais fod yn 'Fi fawr' ond cefais fod fy ngwraig hefyd eisiau bod yn 'Fi'." Mae gwledydd unbenaethol yn ceisio canlyn y patrwm yma, ond buan y mae'r rheiny yn mynd i lwch hanes. Mae natur y byd fel ag y mae yn ein herbyn. Efallai fod y bobl yma yn llwyddo i fod mewn grym am ychydig, ond chwalu fydd eu hanes. Yn ôl Iesu: "Mae pawb sydd yn cymryd y cleddyf yn marw trwy'r cleddyf." (Mathew 26:52)

Beth am fynd ymlaen i ddarllen:
Ioan 13:34–35; Eff. 5:1–2; 1 Pedr 3:11–19

Meddyliwch am y cwestiynau hyn:
1. Pam ddylem garu eraill?
2. Sut ddylem garu eraill?

Gweddi
O Dad, cynorthwya fi nid i geisio llywodraethu ar eraill ond i geisio gweithio er mwyn eraill, ac yn hynny, adlewyrchu'r modd yr wyt ti yn delio gyda'm henaid. Yn enw Iesu. Amen.

Meudwy – un anwastad!

"Ynglŷn â chariad at eich gilydd, nid oes arnoch angen i neb ysgrifennu atoch; oherwydd yr ydych chwi eich hunain wedi eich dysgu gan Dduw i garu eich gilydd." (adn. 9)

Beth am ddarllen 1 Thesaloniaid 4:1–12 ac yna myfyrio

Ddoe, fe nodwyd fod yna bum ffordd yn gyffredinol y mae pobl yn eu defnyddio i feithrin perthynas â'i gilydd. Y cyntaf, fel y nodwyd, yw'r ymdrech i lywodraethu ar eraill. Yr ail yw i geisio encilio oddi wrth bobl eraill. Dyma ben arall y pendil. Os na lwyddwn i lywodraethu, yna yr ydym am bellhau ac encilio. Ond a yw'n bosibl i osgoi perthynas â phobl a chilio i'n cragen heb i hyn effeithio arnom? Dim o gwbl.

Mae'n debyg fod y rheswm gwaelodol dros swildod yn ymdrech i beidio cael eich gwrthod. Yn fynych, mae yn agwedd sydd yn cael ei gyrru gan ofn, ofn pobl eraill. Mae yna rai eraill sydd yn sefyll o'r neilltu oherwydd eu bod yn teimlo yn llai o bobl nag eraill o'u cwmpas. Mae yna eraill sydd yn encilio oherwydd eu bod yn teimlo'n well nag eraill o'u cwmpas. Fe'n crëwyd ar gyfer perthynas, perthynas â Duw, a pherthynas â'n gilydd.

Mae unrhyw ymdrech i fyw ar wahân i bobl yn dod ag anawsterau i'n personoliaeth. Yr ydych yn torri cyfraith perthynas i'r un graddau wrth geisio llywodraethu ac wrth geisio encilio. Mae'r rhai hynny sydd wedi cael mynediad i deyrnas Dduw yn cael gorchymyn i garu ei gilydd. Os nad yw encilio yn gweithio, yna, yn sicr ni fydd y drydedd agwedd yn gweithio ychwaith, bod yn ddi-hid o eraill. Mae yn amhosibl i gynnal yr arfer yma. Fe fyddwch yn profi pob math o rwystredigaeth. Mae bod yn ddi-hid yn wiriondeb, yn wir yn bechod. Fe fyddwch yn darganfod yn fuan fod pobl yn ddi-hid ohonoch chi.

Beth am fynd ymlaen i ddarllen:
Luc 16:19–31; 18:9–14

Meddyliwch am y cwestiynau hyn:
1. Ym mha ffordd y mae'r gŵr goludog yn feudwy?
2. Ym mha ffordd yr oedd y Phariseaid yn encilio oddi wrth bobl?

Gweddi
O Dad, rwy'n gweld na allaf ddianc oddi wrth gariad at ein gilydd oherwydd y mae hyn wedi ei adeiladu i mewn i reolau dy fydysawd di. Cynorthwya fi i ymdrechu, â'r grym yr wyt ti yn ei roi drwy'r Ysbryd Glân, i ddwyn pawb sydd o fewn cylch fy adnabyddiaeth o fewn cylch fy nghariad. Amen.

Rhad ras

"Bydded gofal gan bob un ohonoch, nid am eich buddiannau eich hunain yn unig, ond am feddiannau pobl eraill hefyd." (adn. 4)

Beth am ddarllen Philipiaid 2:1–11 ac yna myfyrio

Ffordd arall mae pobl yn sefydlu perthynas â'i gilydd yw i weithio ynghyd. Nawr i bob golwg mae hyn yn gam ymlaen ar y tair ffordd flaenorol, ond a yw'n ddigonol? A yw'n bosibl i weithio gyda phobl ac eto peidio â chaniatáu i'n bywyd fod yn rhywbeth ar wahân. Wrth ddweud hyn, rwyf yn meddwl yn benodol am berthynas o fewn yr eglwys.

Does ond un ffordd i feithrin perthynas sydd yn gweithio. Dylem weithio, nid yn unig gyda phobl, ond hefyd dros eraill. Mae'n angenrheidiol ein bod yn rhoi ystyriaeth lawn i fanteision eraill ynghyd â'n helw personol, yr awydd i gynorthwyo eraill yn yr un modd ag yr ydym ni yn dymuno cael ein cynorthwyo. Pe gwelid hyn yn cael ei ymarfer yn helaethach yn ein heglwysi, yna mi fyddai llawer o'n problemau yn sicr o ddiflannu.

Ni allwn ddisgwyl i bobl sydd ddim yn Gristnogion weithio gyda'i gilydd ac er mwyn ei gilydd, ond fe ddylem ddisgwyl hyn o fewn yr Eglwys ac o fewn perthynas Cristnogion. Beth fyddai'r canlyniad, tybed, petai hyn yn digwydd ym myd busnes, cyflogwyr a'r rhai sydd yn cael eu cyflogi sydd yn aml yn gweithio mewn sefyllfaoedd lle mae amheuaeth a diffyg ymddiriedaeth. Beth fyddai canlyniad gweithredu fel hyn mewn cyd-destunau felly? Beth petai cyflogwyr yn meddwl mwy am y rhai sydd yn gweithio iddyn nhw a'r rheiny yn meddwl mwy am eu cyflogwyr? Mae'n siŵr y byddai mwy yn cael ei gynhyrchu, ac ychydig iawn o densiynau.

Wrth gwrs, i ni sydd yn perthyn i'r Eglwys, mae i ni fantais fawr dros y rhai nad ydynt yn Gristnogion. Mae gennym ni allwedd drws rhad ras, y gras y mae Duw yn ei roi inni er mwyn rhwyddhau a chryfhau ein perthynas ag eraill.

Beth am fynd ymlaen i ddarllen:
Luc 9:1–6; Ioan 12:1–8; 1 Cor. 10:23–11:1; Eff. 6:5–9

Meddyliwch am y cwestiynau hyn:
1. Sut fu i Jwdas weithio gydag eraill ac eto ddal ei hunan yn ôl?
2. Disgrifiwch sut ddylai perthynas weithio.

Gweddi
O Dad, dyro yr agwedd meddwl honno i mi sydd yn gweithio, nid er sicrhau fy muddiannau fy hun ond buddiannau eraill hefyd. Mae dy ras yno i'm cynorthwyo i wneud hyn. Cynorthwya fi i adnabod y rhad ras yma yn fy mywyd. Amen.

Ar fy ffordd

"Fel y digwyddodd, yr oedd offeiriad yn mynd i lawr ar hyd y ffordd honno; pan welodd ef, aeth heibio o'r ochr arall." (adn. 31)

Beth am ddarllen Luc 10:25–37 ac yna myfyrio

Yr wyf wedi tybied erioed mai'r adnod dan sylw heddiw yw'r adnod sydd yn cynnwys yr elfen fwyaf trist yn yr Ysgrythur. Sylwch fel y mae'r offeiriad yn mynd y ffordd arall, gan edrych ar y dyn oedd wedi profi loes o dan law'r lladron, ac eto, ddim yn cael ei effeithio gan hyn.

Mae'r agwedd yma lle nad oes gennym fawr o ofal dros eraill yn agwedd sydd i'w gweld yn gynyddol yn ein cymdeithas. Wrth wylio'r teledu yn ddiweddar, clywais newyddiadurwr yn nodi: "Y mae gennym lawer o anawsterau yn ein byd heddiw ond yr anhawster pennaf yw'r anhawster a ddaw yn sgil diffyg gofal." Sut mae y Cristion i fyw ei fywyd mewn byd fel hyn? Dylem ofalu. Nid yw agwedd pobl eraill a gweithredoedd pobl eraill i fod yn rheol i'n bywyd ni?

Fe ysgrifennodd Shakespeare rai geiriau sydd mewn cytgord â'r Ysgrythur. Beth am hyn: "Nid yw cariad yn gariad os yw'n newid pan fo yna newidiadau." Ond mae gwir gariad at ein gilydd yn aros yn gyson, beth bynnag yw'r newidiadau a'r anghysondeb mewn eraill. Dywedir am Ioan Fedyddiwr ei fod: "yn llais yn galw yn y diffeithwch." (Mathew 3:3) Dywedodd rhywun mai'r gwahaniaeth rhwng llais ac adlais yw mai'r llais yw y sŵn gwreiddiol, a'r adlais yw rhywbeth sydd heb fod yn wreiddiol. Ai adlais neu lais ydym ni o fewn ein cymunedau?

Blynyddoedd yn ôl aeth meddyg o'r Unol Daleithiau i weithio yn genhadwr yn China. Wrth ddelio gydag achos o'r diciâu, fe gafodd y meddyg y clwy ei hun. Fe glywodd fod yna wraig ar farw petai rhywun ddim yn delio gyda'r anawsterau yr oedd yn eu hwynebu wrth esgor ar blentyn. Gofynnodd i'w gyd-weithwyr ei gludo i'r ystafell lawdriniaeth ac fe fu iddo roi llawdriniaeth i'r wraig wrth iddo farw ei hun. Efallai na sylweddolodd y wraig erioed beth a ddigwyddodd. Efallai nad oedd yn poeni. Ond roedd y cenhadwr yn poeni, ac, yn hynny, yr oedd wedi gwneud yr hyn oedd yn iawn.

Beth am fynd ymlaen i ddarllen:
Esec. 16:4–14; Luc 15:1–7; Gal. 6:1–3; Iago 2:8

Meddyliwch am y cwestiynau hyn:
1. Pam mae hi yn ein natur i fynd o'r tu arall heibio?
2. Pam ddylem geisio cynorthwyo eraill?

Gweddi
O Dad, caniatâ i mi ddwyn i mewn i'm perthynas ag eraill y gofal a'r consýrn yna sydd yn ysgafnhau baich eraill. Gwared fi rhag mynd o'r tu arall heibio. Yn enw Iesu. Amen.

Caredigrwydd cyson

"Byddwch yn dirion wrth eich gilydd; yn dyner eich calon, yn maddau i'ch gilydd fel y maddeuodd Duw yng Nghrist i chwi." (adn. 32)

Beth am ddarllen Effesiaid 4:17–30 ac yna myfyrio

Mae'r adnod heddiw yn un y byddaf yn ceisio ei hadrodd i mi fy hun bron bob dydd. O'i mewn, mae holl gerddoriaeth gras. Beth am edrych ar y geiriau sydd yn rhagflaenu'r adnod. Dyma wrthgyferbyniad. Maent yn galw i'n sylw bopeth sydd yn ddigalon yn ein byd, yn sôn am chwerwder, llid, digofaint, twrw, sen a drwgdeimlad. Mae fel petai'r cymylau yn rholio ar draws yr haul, yn cuddio ei wenau. Yna, yn sydyn, fe ddown ar draws y geiriau: "Byddwch yn dirion wrth eich gilydd; yn dyner eich calon, yn maddau i'ch gilydd," ac mae'n ymdebygu i wres yr haul yn torri drwy'r cymylau ac yn dwyn cysur i'r enaid.

Mae yna ddau beth am gariad at ein gilydd sydd angen eu nodi. Y peth cyntaf yw nad oes neb yn edifar am fod yn garedig. Mae yna lawer o bethau yr wyf wedi eu gwneud yn fy mywyd ac, o edrych yn ôl, yr wyf yn edifar ar eu cyfrif. Ond, nid oes dim edifeirwch am unrhyw weithred o garedigrwydd. Peth arall y mae angen ei nodi ynglŷn â charedigrwydd yw fod gweithred o garedigrwydd yn byw yng nghof pobl pan fo gweithredoedd eraill wedi eu hanghofio. Mae Luc yn ysgrifennu yn llyfr yr Actau, flynyddoedd ar ôl y llongddrylliad ym Melita, am y caredigrwydd a ddangosodd trigolion yr ynys honno iddo a'r cof sydd yn parhau am y gweithredoedd hynny. Fe fu i'r ynyswyr yma ddangos caredigrwydd anarferol. Nid caredigrwydd yw holl angen y byd, ond mae'n rhan o angen ein byd ni. Beth am geisio cyfarfod â pheth o'r angen yma trwy ein gweithredoedd o garedigrwydd heddiw?

Beth am fynd ymlaen i ddarllen:
Math. 15:29–39; 26:6–13; Actau 9:36–42

Meddyliwch am y cwestiynau hyn:
1. Sut mae esiampl Iesu a Dorcas yn esiampl i ni?
2. Pam fod caredigrwydd yn goroesi?

Gweddi
O Dad, cynorthwya fi i weithredu mewn caredigrwydd heddiw er mwyn byw yng nghof rhywun. Caniatâ i mi orchuddio pob gweithred o angharedigrwydd â gorchudd caredigrwydd, yr un gorchudd sydd wedi ei roi dros holl frychau a chreithiau fy mywyd i. Yn Iesu Grist. Amen.

Newid agwedd

"Cwpan y fendith yr ydym yn ei fendithio,
onid cyfranogiad o waed Crist ydyw?" (adn. 16)

Beth am ddarllen 1 Corinthiaid 10:14–22 ac yna myfyrio

Mae'r Arglwydd Iesu yn disgwyl ymrwymiad deublyg o blith ei bobl. Yn gyntaf, mae'n galw arnom i roi ein hunain yn gyfan gwbl iddo, ac yn ail, mae'n gofyn inni roi ein hunain yn gyfan gwbl i'n gilydd. Mae angen inni ildio i Dduw ac i eraill. Rwyf yn siarad yn awr, wrth gwrs, am ein perthynas efo'n gilydd fel brodyr a chwiorydd yng Nghrist. Mae'r rhai sydd yn perthyn i Dduw yn perthyn i bawb arall sydd yn perthyn i Dduw. Does yr un gymdeithas yn y bydysawd sydd mor real a bendigedig â'r gymdeithas y mae'r saint yn ei mwynhau ar sail eu perthynas â'r Arglwydd Iesu Grist.

Fe gyfieithir y gair Groeg *koinonia* yn 'gymdeithas' neu 'gymundeb'. Er nad gair Cristnogol oedd hwn yn wreiddiol, fe fabwysiadwyd y gair gan yr Eglwys gan roi iddo ystyr newydd. Yn y testun sydd o'n blaen heddiw, mae Paul yn defnyddio'r gair i ddisgrifio'r rhan sydd i ni yng Nghrist wrth inni dorri'r bara hefo'n gilydd yn ei enw. Y mae i *koinonia* ystyr mwy nag a feddodd erioed cyn i'r Cristnogion ei fabwysiadu. Mae'r gair ei hunan wedi ei adfer. Mae perthynas yn yr Eglwys yn gwbl wahanol i berthynas yn y byd; neu felly y dylai fod.

Dywedodd Simon Pedr, yr un yr ydym yn ceisio dilyn ei gyngor yn y rhifyn hwn, unwaith wrth Iesu: "Er iddynt gwympo bob un o'th achos di, ni chwympaf fi byth." (Mathew 26:33) Mae'r geiriau hyn yn amlygu agwedd 'fi a nhw'. Roedd Pedr yn ymdeimlo â'r syniad ei fod uwchlaw pawb arall, yn amlygu hunangyfiawnder ac yn feirniadol iawn. Ond wedi edifarhau ac wedi ei lenwi â'r Ysbryd Glân, fe sylwn ar y newid o 'fi' i 'ni'. Yn Actau 3:12 fe welwch ei fod yn holi pobl: "Pam yr ydych yn edrych arnom ni?" Neu yn Actau 4:9 fe ddywed: "Os ydym ni yn cael ein galw i gyfrif heddiw." Ac yn Actau 4:20: "Ni allwn ni beidio â siarad." Mae wedi newid ei bersbectif. Felly, dylai ein persbectif ninnau gael ei newid.

Beth am fynd ymlaen i ddarllen:
Actau 2:42–47; 4:32–37; 6:1–3

Meddyliwch am y cwestiynau hyn:
1. Sut fu i'r Eglwys Fore ymarfer y *koinonia?*
2. Sut mae dyfnhau eich perthynas â Christnogion eraill?

Gweddi
Fy Nuw, fy Nhad, caniatâ i mi ddeall y gymdeithas yr wyf nawr yn perthyn iddi ers i ti ddod yn rhan o'm bywyd i, ers i ti ddod i mewn i'm bywyd i ac ers i mi ddod yn rhan o'th Eglwys. Cynorthwya fi i ddal cymundeb gwirioneddol ag eraill. Yn enw Iesu. Amen.

Cariad tragwyddol

"Cerais di â chariad diderfyn; am hynny parheais yn ffyddlon iti." *(adn. 3)*

Beth am ddarllen Jeremeia 31:1–9 ac yna myfyrio

Yr ydym bellach yn cyrraedd at y rhinwedd olaf ar restr Pedr, 'cariad'. (2 Pedr 1:7). Does dim syndod ar ysgol rhinweddau Cristnogol mai cariad sydd ar y brig. Mae cariad at ein gilydd yn rhagorol, ond rhaid i'r bywyd Cristnogol arddangos cariad sydd mor llydan â chariad Duw ei hun. Rhaid i'r Cristion ddangos yr holl gariad y mae wedi ei adnabod yng nghariad Duw. Mae cariad Duw mor wahanol i'r cariad naturiol yr ydym yn ei ddarganfod yn ein calonnau. Mae'r cariad yr ydym ni yn ei gynnig yn amodol, y cariad sy'n dweud: "Os wyt ti am fy ngharu i, fe'th garaf di." "Gwna hyn, a medri ddibynnu ar fy nghariad." Nid yw y cariad hwn yn debyg i gariad Duw o gwbl. Nid yw Duw yn ein caru oherwydd unrhyw beth sydd ynom ni, ac yn wir ni all yr un methiant ynom ni atal ei gariad. Mae pechod yn peri gagendor rhyngom a Duw o ran perthynas, ond nid yw yn peri fod Duw yn peidio â'n caru.

Y nefoedd yw tarddle y cariad yma. Yn ôl 1 Ioan 4:19: "Yr ydym ni yn caru am ei fod ef yn gyntaf wedi'n caru ni." Dyma'r peth bendigedig am gariad neu *agape*, hwn yw y cariad sydd yn symbylu. Ni allwn byth esbonio pam fod Duw yn ein caru. Er mwyn ei esbonio, byddai angen rheswm dros ei gariad ac, fel y gwelwyd, mae'n ein caru yn ddiamod. Mae'n dewis ein caru oherwydd mai cariad yw. Nid oes dim ynom sydd wedi esgor ar y cariad yma. Nid oes dim ynom all ddiffodd y cariad yma. Mae'n gariad heb unrhyw amod. Mae'n gariad heb unrhyw ddiwedd.

Gwrandewch eto ar eiriau'r testun heddiw: "Ceraist di â chariad diderfyn." Does dim dechrau, does dim diwedd i'r cariad hwn. Wrth inni feddwl am y math yma o gariad, mae tlodi ein cariad ni yn ein goddiweddyd braidd. Mae'n gysur bendigedig i ystyried ein bod wedi ein caru yn ddiderfyn. Bu i'r apostol Paul lawenhau yn yr un gwirionedd yn 1 Rhufeiniaid 8:35 pan fu iddo lefain: "Pwy a'n gwahana ni oddi wrth gariad Crist?" Mae cariad dwyfol yn gariad heb reswm ynom ni, a heb ddiwedd.

Beth am fynd ymlaen i ddarllen:
Deut. 7:7–9; Salm 103:1–22; Ioan 3:16

Meddyliwch am y cwestiynau hyn:
1. Pam fod Duw yn ein caru ni?
2. Beth sydd yn peri inni garu Duw?

Gweddi
O Dad, rwyf yn erfyn â'm holl gariad dynol, i ti ganiatáu i mi wneud cariad yn nod fy mywyd. Cryfha fy nghariad, a, thrwy hynny, byddaf yn tyfu yn debycach i Iesu. Ni allaf lai na'th garu di. Ni allaf lai na charu Iesu. "Dyma gyfaill haedda'i garu." Iddo ef y byddo'r diolch. Amen.

119

Rhyfeddod cariad

"Ond ffrwyth yr Ysbryd yw cariad, llawenydd, tangnefedd, goddefgarwch, caredigrwydd, daioni, ffyddlondeb, addfwynder, hunanddisgyblaeth." *(adn. 22)*

Beth am ddarllen Galatiaid 5:16–26 ac yna myfyrio

Ni all neb garu fel mae Duw yn ein caru ond medrwn garu â'n holl fod. Mae'n bywyd, os ydym yn ei fyw yn iawn, yn fywyd o gariad. Mae pob un o ffrwythau'r Ysbryd mewn perthynas â chariad. Cariad yw y cyntaf a chariad yw'r rheswm dros y gweddill. Mae'r gwyrthiau mae Duw yn eu cyflawni ynom ni yn cael eu cyflawni drwy ryfeddod ei gariad. Does dim arall sydd yn gallu ein rhyddhau oddi wrth yr hunangyfiawnder a'r hunanbwysigrwydd sydd yn trigo ynom ac sydd yn wreiddyn i'n pechod, yr ymdrech yma i roi yr hunan yn lle Duw.

Gall nwyd fod yn rym cryf yn ein bywyd, a thrwyddo gallwn gyflawni llawer. Ond, mae nwyd yn gweithio ar ei orau mewn perthynas â chariad. Mae nwyd ohono ei hunan yn gallu ein dallu. Mae cariad *agape* yn gweld y gwendidau, ond yn caru er gwaethaf y gwendidau. Mae nwyd yn gallu bod yn chwantus, tra bod cariad dwyfol yn garedig, yn awyddus i rannu, ac yn ein rhyddhau ni. Gall nwyd droi ar ddim i wylltineb, gan falu y gwrthrych. Ond, nid yw cariad yn ddilywodraeth. Yn hytrach, y mae wastad yn adeiladol.

Yr unig ffordd i feddu Duw yw ffordd cariad. Dim ond y cariad y mae Duw yn medru ei eni ynom trwy gael golwg ar ei gariad ef sydd yn abl i ryddhau ein natur gaeth a'n dwyn i aeddfedrwydd. Dim ond wrth i ni garu yr ydym yn dod yn rhydd. Yn ôl Daniel Rowland, un o arweinwyr y Diwygiad Efengylaidd, ystyr iachawdwriaeth yw dysgu oddi wrth yr Arglwydd sut mae caru. Gofynnodd St Theresa o Lisieux: "Sut mae ymgyrraedd â pherffeithrwydd? Ni wyddaf ond sut mae caru, a charu yn unig." Y twf mwyaf arwyddocaol yn ein bywyd ysbrydol yw twf mewn cariad. Heb gariad, mae pob twf arall fel cancr yn difa ac yn difodi. Os yw cariad ar goll, mae popeth ar goll.

Beth am fynd ymlaen i ddarllen:
2 Sam. 13:1–29; Ioan 15:12–13

Meddyliwch am y cwestiynau hyn:
1. Sut mae cymharu nwyd a chariad?
2. Pam fod nwyd yn methu, ond fod cariad byth yn pallu?

Gweddi
O Dad, wrth i mi feddwl am ffyrdd yr wyt ti wedi fy ngharu ac wedi estyn ataf ac wedi fy newid, diolchaf. Gweddïaf am adnabod yr un math o gariad tuag at eraill, cariad sydd yn fy newid i ac yn eu newid hwythau. Caniatâ hyn yn enw Iesu. Amen.

Fe'th gerir

"A'r bywyd yr wyf yn awr yn ei fyw yn y cnawd, ei fyw trwy ffydd yr wyf, ffydd ym Mab Duw, yr hwn a'm carodd i ac a'i rhoes ei hun i farw trosof fi." (adn. 20)

Beth am ddarllen Galatiaid 2:11–21 ac yna myfyrio

Sut mae'r cariad yma – y cariad dwyfol – yn dod i'n bywyd ni? Mae nifer o Gristnogion yn camddeall hyn. Credant ei fod o fewn eu gallu i gynhyrchu'r cariad hwn drwy eu hewyllys. Dywedodd un wraig wrthyf unwaith: "Rhaid i mi geisio caru'r Arglwydd fwy." Credai fod cariad yn rhywbeth oedd yn perthyn i ymdrech ei hewyllys. Nid yw cariad dwyfol yn tarddu ohonom ni, mae yn dod i lawr oddi wrth Dduw i mewn i'n calon a'n henaid.

A minnau yn Nairobi ychydig flynyddoedd yn ôl, daeth dyn ataf a dweud: "Yr wyf wedi bod yn darllen *Pob Dydd Gyda Iesu* ers blynyddoedd ac wedi sylwi ar un neges, un pwyslais yr ydych yn dychwelyd ato dro ar ôl tro. Wedi i mi ei ddarllen am y tro cyntaf, ni wnaeth fawr o wahaniaeth, ond wrth i mi ailddarllen, a'i ddarllen eto, fe ddaeth fel corwynt i'm calon." Roeddwn yn credu fy mod yn deall yr hyn yr oedd y dyn yn ceisio ei ddweud. Felly, gofynnais: "Beth yw yr un neges ganolog?" Atebodd: "Y neges yw, ni allwch garu dim ond i'r graddau yr ydych wedi adnabod cariad." Roedd yn dweud y gwir. Rwy'n ailadrodd y neges oherwydd yr wyf yn cwrdd â chymaint o Gristnogion sydd yn credu fod caru Duw yn golygu ymdrech fawr. Mae'n golygu ymdrech i weithio allan oblygiadau ymarferol y cariad, ond mae'r cariad a ddaw atom yn dod, nid trwy ymdrech wyllt, ond trwy adnabod y cariad y mae Duw wedi ei ddangos tuag atom. Cariad, y cariad sydd yn dod oddi wrth Dduw, yw ein hymateb ni i'w gariad ef. Mae *agape* yn creu *agape* ynom ni. Nid yw'r nefoedd yn gwybod am unrhyw strategaeth well na'n dwyn at y groes a dal ein llygaid ar Iesu. Wrth inni weld maint y cariad, mae'r cen yn syrthio oddi ar ein llygaid, ac fe gyneuir ein cariad â chariad Duw. Rwy'n credu mai dyma oedd Paul yn meddwl amdano wrth iddo ysgrifennu ein testun heddiw. Dyma oedd cyfrinach bywyd defosiynol yr apostol. Gweddïaf y bydd yn allwedd eich bywyd chwithau yn yr un modd.

Beth am fynd ymlaen i ddarllen:
Salm 136:1–26; Eff. 3:14–19

Meddyliwch am y cwestiynau hyn:
1. Sut a pham mae Duw yn ailadrodd ei neges o gariad?
2. Beth yw neges ganolog gweddi Paul?

Gweddi
O Dad, rwy'n gweld mai hwn yw canolbwynt y cyfan. Rwy'n caru oherwydd fy mod wedi fy ngharu ac wedi fy ngharu â chariad anhraethol. Mae dy gariad wedi fy meddiannu. Caniatâ iddo fy meddiannu yn fwyfwy. Yn enw Iesu. Amen.

Duw pentref

"Yn y lle cyntaf, felly, yr wyf yn annog bod ymbiliau, gweddïau, deisyfiadau a diolchiadau yn cael eu hoffrymu dros bawb." (adn. 1)

Beth am ddarllen 1 Timotheus 2:1–15 ac yna myfyrio

Mae'r cariad y mae Duw yn ei genhedlu ynom ni drwy olwg ar ei gariad ef yn ymestyn i amgylchynu'r byd i gyd. Y mae'r Cristion yn darganfod fod Duw wedi ein caru yn bersonol, ond mae hefyd yn darganfod nad yw Duw wedi ein caru ni yn unig. "Canys felly y carodd Duw y byd," meddai Ioan 3:16, "fel y rhoddodd efe ei unig-anedig Fab." (B.W.M.) Mae'r cariad yma yn symud tuag at bawb y mae Duw yn ei greu, pob gŵr a gwraig o fewn y bydysawd. Maent un ac oll yn wrthrychau ei ofal, ffyddlondeb a'i gariad. Pan fo'r cariad hwn yn llifo i mewn i'n calon ni, ni allwn lai na charu fel ag y bu iddo ef ein caru. Sut y mae'n bosibl i ni beidio â gweld y byd y mae Duw wedi ei garu os yw cariad Duw ynom ni?

Mae John Stott yn adrodd unwaith iddo fynd i mewn i eglwys mewn pentref bychan tra oedd ar ei wyliau ac yn teimlo braidd yn anesmwyth wrth iddo wrando ar weddi'r person oedd yn arwain y gwasanaeth. Dim ond munud neu ddau oedd hyd y weddi, a'r weddi honno'n canolbwyntio yn gyfan gwbl ar anghenion y gynulleidfa a'r pentref. Gan nad oedd yna unrhyw weddïau dros y byd ehangach, fe ddaeth John Stott i'r casgliad fod y pentref yma hefo Duw pentrefol. Y mae cariad at Dduw i fod i ehangu ein persbectif fel bod ein consýrn, ein gofal a'n gweddi ni, nid yn unig dros ein cymunedau lleol, ond dros y byd yn gyfan.

Edrychwch eto ar yr adran o'n blaen heddiw lle nodir fod ein hymbiliau, ein gweddïau, a'n deisyfiadau i fod i gael eu hoffrymu dros bawb, dros frenhinoedd, dros rai mewn awdurdod ac yn y blaen. Wrth inni ddal sylw ar y gwirionedd fod Duw wedi ein caru, yr ydym yn darganfod hefyd ein bod ni i garu, nid â'n cariad ein hunain, ond â'r cariad sydd wedi ei roi i ni, wedi ei eni ynom ni trwy'r Ysbryd Glân, cariad sydd yn ein cymell ac i garu pawb.

Beth am fynd ymlaen i ddarllen:
Math. 28:18–20; Ioan 3:14–17; Actau 11:27–30; 17:22–34

Meddyliwch am y cwestiynau hyn:
1. Sut mae meddiannu gweledigaeth fyd-eang?
2. Beth yw ein cyfrifoldebau byd-eang?

Gweddi
O Dad, dyro'r cariad hwn i mi, cariad tuag at bawb, a chaniatâ i ni fedru amlygu y cariad hwn yn ein holl weithredoedd. Wrth i mi ildio i dy gariad, caniatâ fod y cariad hwnnw yn llifo drwof tuag at bawb o'm cwmpas. Yn enw Iesu. Amen.

Cariad di–amod

"Gyfeillion annwyl, os yw Duw wedi ein caru ni fel hyn, fe ddylem ninnau hefyd garu ein gilydd." (adn. 11)

Beth am ddarllen 1 Ioan 4:7–21 ac yna myfyrio

Ddoe, fe welwyd sut mae adnabod cariad Duw tuag atom ni yn ehangu ein gorwelion ni. Yr wyf wedi eistedd mewn sesiynau cynghori yng nghwmni gweithiwyr Cristnogol droeon ac, wrth rannu gyda nhw, yn dod i sylweddoli fod eu gwasanaeth yn aml yn cael ei staenio â chariad at yr hunan. Yn fynych iawn, mae cariad Cristnogion yn medru bod yn gariad amodol. Dywedodd un cenhadwr wrthyf unwaith: "Roeddwn yn caru er mwyn peri tröedigaethau. Dyma fy agwedd: "Rhannwch fy ffydd, fy nghredo yn Nuw, dilynwch ef, gwasanaethwch ef yn yr un modd ag yr wyf fi yn ei wasanaethu, ac yna fe fyddaf yn eich caru." Gall hyd yn oed cariad mam – y peth agosaf i gariad y nefoedd a welwch chi ar y ddaear – fod yn ddim byd mwy na gorthrwm os yw yn cyfyngu ar ryddid y plentyn i dyfu ac i aeddfedu fel person annibynnol.

Nid yw cariad Duw yn debyg i hyn. Mae'n ein caru heb unrhyw amod, heb unrhyw fargen. Mae angen i'r rhai sydd am wasanaethu Iesu Grist ddysgu i garu pobl yn gwbl ddiamod. Ni ddylem garu pobl er mwyn eu hatal rhag goryfed, eu caru er mwyn eu gweld yn mynychu ein capel, neu hyd yn oed er mwyn eu gweld hwy yn caru Duw fel taliad am ein cariad ni. Rhaid inni garu pobl fel ag y maent, yn ddiamodol a pharhau i'w caru hyd yn oed pan fyddant yn gwrthod yr Efengyl yr ydym ni'n ei phregethu, hyd yn oed pan fyddan nhw yn ein cyhuddo o wneud pethau sydd yn eu golwg hwy yn annerbyniol.

Yn ein perthynas ag eraill, rhaid inni ddilyn y patrwm o gariad y mae Duw wedi ei ddefnyddio gyda ni, sef caru yn ddiamodol. Nid yw y llwybr hwn yn un rhwydd. Fe arweiniodd y llwybr hwn ein Harglwydd at y groes, a thros y canrifoedd, arweiniwyd llawer o ferthyron i'r stanc oherwydd hyn. Ond does dim cyfaddawdu, cariad, a chariad yn unig, yw ein rheol. Cariad heb reswm sy'n achub.

Beth am fynd ymlaen i ddarllen:
Luc 23:8–46; Rhuf. 5:6–8

Meddyliwch am y cwestiynau hyn:
1. Sut fu i Iesu arddangos cariad diamod?
2. Cymherwch gariad dynion a chariad Duw.

Gweddi
O Dad, trwy dy ras a'th gymorth, yr wyf yn bwriadu caru fel ag yr wyt ti wedi fy ngharu i. Paid â chaniatáu i unrhyw beth amharu ar fy awydd. Paid â chaniatáu i bechod, i falchder i ddod ar draws fy nghyfrifoldeb a'm dymuniad i ganiatáu i'th gariad di ddod drwodd. Er mwyn Iesu. Amen.

123

Cwyno am gymorth

"Am yr union reswm yma, felly, gwnewch eich gorau glas i ychwanegu rhinwedd at eich ffydd a gwybodaeth at rinwedd." (adn. 5)

Beth am ddarllen 2 Pedr 1:1–11 ac yna myfyrio

Wrth inni ddirwyn yr astudiaethau hyn i ben, yr ydym am ddychwelyd i'r man lle y dechreuwyd ac edrych eto ar y thema 'Gwarant Fendigedig Duw'. Wrth ddechrau, fe gawsom olwg ar yr ysgol honno sydd â saith gris iddi ac fe'n hanogwyd i gerdded i fyny'r grisiau yma, fesul un, gan fod pob gris yn ychwanegu at gyfoeth ac aeddfedrwydd ein profiad Cristnogol. Yr wyf am eich gwahodd i ganiatáu i mi nodi eto yr hyn y mae Pedr yn ei ddweud gyda golwg ar "Gwnewch eich gorau glas i ddringo yr ysgol yma." Ond does dim disgwyl inni ddringo'r ysgol yn ein nerth ein hunain. Rhaid rhoi ein troed ar bob gris heb adael yr un allan. Mae pob un ohonom yn hiraethu am adeg yn ein bywyd Cristnogol pan fydd pethau yn haws, rhai ohonom yn dymuno adeg lle na fydd angen cymaint o hunanddisgyblaeth. Ond does dim ffordd o osgoi y frwydr. Cystal i ni dderbyn hynny a mynd ymlaen â'n bywyd ysbrydol.

Y mae Parc Bridger Wilderness yn Wyoming, yn yr Unol Daleithiau, yn debyg iawn i lawer o lefydd eraill, yn gwahodd ymwelwyr i roi eu sylwadau mewn bocs. Mae yna nifer o awgrymiadau yn cael eu gwneud. Ceisiwch osgoi y llwybrau sydd yn mynd i fyny. Mae angen lifft mewn ambell le er mwyn inni gael gweld y golygfeydd heb orfod gwneud fawr o ymdrech. Mi fyddai grisiau symudol o gymorth mewn rhai mannau. Mi fyddai Macdonalds yn fuddiol mewn rhai mannau. Mae'r olygfa yn ymestyn allan o'ch blaen ymhob cyfeiriad, ond mae pobl yn colli'r olygfa oherwydd eu bod yn cwyno am lifft, neu am risiau symudol, neu'n hiraethu am Macdonalds ac yn y blaen. Peidiwch â methu y golygfeydd ysbrydol sydd gan Dduw i ddangos i chi eto yn eich bywyd. Yn hytrach, gwnewch bob ymdrech, gwnewch eich gorau glas i feddiannu'r rhinweddau er mwyn agor eich llygaid i'r golygfeydd hyn.

Mae'r bywyd Cristnogol yn fywyd sydd yn eich gorfodi i gymryd un cam ar ôl y llall. Cadwch i fynd a chaniatewch i Dduw eich arwain yn uwch ac yn uwch ac yn agosach at Iesu ei hunan. Ychwanegwch at eich ffydd y rhinweddau yr ydym wedi myfyrio arnynt ac, fel y dywedais ar y cychwyn, ni fyddwch yn methu yn eich gorymdaith. Mae Duw yn gwarantu hyn.

Beth am fynd ymlaen i ddarllen:
Diar. 4:1–27; Luc 9:23–26; Phil. 3:1–21

Meddyliwch am y cwestiynau hyn:
1. Sut mae'n bosibl i osgoi baglu?
2. Beth yw'r rhesymau dros faglu yn y bywyd Cristnogol?

Gweddi Fy Nuw, fy Nhad, rwy'n diolch i ti am y daith ysbrydol yr wyf wedi cael ei cherdded yn ystod y deufis diwethaf. Bellach, yr wyf yn deall y theori. Caniatâ i mi ymarfer yr hyn yr wyf wedi ei ddysgu. Yn enw Iesu. Amen.

Llywio Poen

"Canys y mae'r loes a dderbynnir mewn ffordd dduwiol yn creu edifeirwch sydd yn arwain i iachawdwriaeth... ond y mae'r loes a dderbynnir mewn ffordd fydol yn peri marwolaeth." (adn.10)

Beth am ddarllen 2 Corinthiaid 7:1–16 ac yna myfyrio

Yn ystod y dyddiau nesaf, rydym am edrych ar y ffordd y mae Duw yn medru ein cynorthwyo i wynebu'r boen sy'n cael ei achosi gan amgylchiadau amrywiol ein bywyd a'u troi i fod o fudd duwiol i'n henaid. Mae hwn yn rhywbeth y mae rhaid i bob un ohonom feddwl amdano oherwydd, yn hwyr neu hwyrach, bydd pob un ohonom yn gorfod delio gyda phoen mewn rhyw ffordd neu'i gilydd.

O'r adnodau a ddarllenwyd heddiw, yr ydym yn deall fod ymddygiad an-ysbrydol y bobl hyn yn Corinth oedd wedi dod yn Gristnogion yn peri cryn boen a gofid i'r Apostol, ac felly, mewn galar braidd y mae'n ysgrifennu atynt gan bwysleisio'r angen iddynt newid. Mae ei eiriau ef yn siŵr o ddwyn poen i'w calonnau hwy ond o dan law Duw yr oedd wedi ei ddefnyddio i'w harwain i edifeirwch. Mae'r Apostol yn mynd ymlaen i esbonio mai un o'r gwahaniaethau rhwng paganiaid a Christnogion yw bod pobl sy'n credu yn medru troi at Dduw ynghanol eu poen gan ganiatáu iddo ef eu cyfarwyddo i ddiben adeiladol. Bydd y rhai hynny sy'n ceisio delio â'u poen ar lefel gynnal yn unig yn darganfod fod hyn yn siŵr o arwain at farwolaeth – nid ydynt yn cyrraedd unman. Mae'r rhai hynny sy'n gwahodd Duw i mewn i ganol eu poen yn darganfod fod hyn yn arwain at fywyd – i gyfoeth ysbrydol. Yn ôl un cyfieithydd o'r adnod, fe ddarllenwn: "Y mae'r boen y mae Duw yn cael yr hawl i'w llywio yn arwain at edifeirwch achubol ... lle mae'r boen y mae'r byd yn ei harwain bob amser yn dwyn marwolaeth." Wrth inni agor ein hunain i ganiatáu i Dduw ddod i mewn i'n hamgylchiadau ni allwn droi'r hyn na fyddai ond dioddefaint disynnwyr i fod yn ddisgyblaeth ysbrydol. Yn wir, fe fyddwn yn adnabod ei gysur, ei nerth a'i fuddugoliaeth ef.

Efallai bod y boen yr ydym yn ei brofi yn dod o ffynhonnell ddrwg ond y cwestiwn i'r Cristion yw nid o ble ddaeth y boen ond i ble mae'r boen yma'n mynd â fi? Mae'r lle hwnnw'n cael ei reoli gan ein penderfyniad ni. A ydym am ganiatáu i loes arwain at fywyd neu at farwolaeth? Dyna'n dewis.

Beth am fynd ymlaen i ddarllen:
Deut. 30:11–20; Phil. 1:12–18a

Meddyliwch am y cwestiynau hyn:
1. Beth oedd y dewisiadau gafodd pobl Dduw gan Moses?
2. Sut mae Paul yn medru llawenhau hyd yn oed yn y carchar?

Gweddi
Arglwydd Iesu Grist, cynorthwya fi i osod pob loes, pob poen, a phob anhawster yn dy law di. Bu i ti droi'r groes yn goron. Cynorthwya fi i droi'r croesau sydd yn dod i'm rhan yn fuddugoliaethau ysbrydol a hynny yn dy enw bendigedig. Amen.

Pigiad yr ysgorpion

"Yr wyf fi mewn gofid a phoen; trwy dy waredigaeth, O Dduw, cod fi i fyny."
(adn. 29)

Beth am ddarllen Salm 69:29–36 ac yna myfyrio

Bu inni orffen ddoe trwy ddweud, er efallai bod poen yn dod o ffynhonnell ddrwg, mai'r cwestiwn pwysig yw nid o ble y daeth ond i ble mae'r boen yma'n mynd. Nid gwneud yn ysgafn o boen yw hyn, nac ychwaith ceisio osgoi'r cwestiwn pam fod Duw sy'n hollalluog ac yn caru ei bobl wedi creu bydysawd lle mae poen yn realiti. Mi fyddai mynd i mewn i'r rhesymau pam fod Duw yn caniatáu i boen ddod yn rhan o fywyd y ddaear y tu hwnt i gwmpawd yr astudiaethau hyn; fy nghonsyrn yma yw eich cynorthwyo i ganiatáu i Dduw ddod i ganol eich poen gan ganiatáu iddo ar yr un pryd i droi'r boen yr ydych yn ei wynebu, neu'r hyn a fydd yn dod i'ch rhan, i ryw ddibenion daionus. Ffocws fy astudiaethau fydd y poenau meddyliol ac emosiynol sydd yn codi o'm mewn, ond mi fyddaf yn cyfeirio hefyd at boen corfforol.

Rhai o'r poenau anoddaf mae unigolion yn gorfod eu cario yw poenau emosiynol – y gofid sy'n llosgi fel tân, yr unigrwydd sydd yn ein meddiannu fel cwmwl tywyll, y boen yna sydd yn effeithio ar ein holl olwg ar fywyd, poen tebyg i bigiad yr ysgorpion sydd yn medru gadael person yn gwbl ddisymud. O ddydd i ddydd, bydd dynion a merched yn byw eu bywydau mewn ffordd ddigon cyffredin (ac yn aml yn gwneud hynny gyda gwên fawr) tra o dan yr wyneb tawel hwnnw mae yna galon glwyfedig. Mae pawb yn gwybod ei bod hi'n haws dweud "Mae dannodd arnaf" yn hytrach na "Mae fy nghalon wedi torri". Yn absenoldeb dim byd gweladwy, nid yw pobl fel rheol yn barod i estyn fawr iawn o gydymdeimlad gyda chalon felly.

Fe all pob un ohonom ymateb i boen gyda mawl a diolchgarwch fel ag y gwelwn y Salmydd yn ei wneud yn y testun heddiw. Tebyg nad ei ymateb duwiol ef yw ein hymateb ni ond gobeithio yn ystod y diwrnodau hyn y byddwn yn dysgu rhai pethau fydd yn ein cynorthwyo i ymateb yn debycach iddo.

Beth am fynd ymlaen i ddarllen:
Salm 34:1–10; 1 Pedr 4:12–19

Meddyliwch am y cwestiynau hyn:
1. Pam fod Dafydd yn ymffrostio yn yr Arglwydd?
2. Yn ôl Pedr, sut mae'n bosibl i'r Cristion godi uwchben ei boen?

Gweddi
Fy Nuw, fy Nhad, cynorthwya fi i weddïo yn wastad am gael adnabod y gyfrinach yna o sut mae codi uwchlaw fy ngofidiau mewn mawl ac addoliad – gofidiau meddyliol, emosiynol a hyd yn oed anhwylderau corfforol. Arglwydd, cynorthwya fi yn enw Iesu. Amen.

Bywyd yn annheg

"Yn y byd fe gewch orthrymder, ond codwch eich calon, yr wyf fi wedi gorchfygu'r byd." (adn. 33)

Beth am ddarllen Ioan 16:17–33 ac yna myfyrio

Fel y dywedwyd eisoes, er efallai bod ein poen yn dod o gyfeiriad digon drwg y tu allan i'n hewyllys ein hunain, ni ddylem ofidio yn gymaint o ble y daw'r boen ond yn hytrach i ble mae'r boen yma'n fy arwain? Yn anffodus, mae llawer o bobl yn cael anhawster mawr i ddod i delerau â'u poen oherwydd y maent yn dadlau fel hyn gyda'u hunain, "Mae hyn yn anghyfiawn. Ni wneuthum unrhyw beth i ddwyn y boen yma arnaf fy hun, felly pam fod yn rhaid i mi ei hwynebu?" Yn sicr, mewn amryw o achosion fe fydd y boen yn anghyfiawn ond nid yw'r Ysgrythur yn ein dysgu y dylem ddisgwyl cyfiawnder yn ein bywyd. Nid yw Cristnogaeth yn dysgu hynny. Yn wir, ynghanol yr Efengyl mae yna groes – ar y groes mae anghyfiawnder y byd yn cael ei arddangos fwyaf. Yr ydym yn byw mewn byd sydd ag ôl y cwymp yn amlwg arno ac fe ddylem weddïo, nid yn gymaint am gyfiawnder mewn bywyd ond yn hytrach am fedru troi anghyfiawnder yn ddaioni. O weddïo felly fe fyddwn yn profi rhywbeth mwy na chyfiawnder – fe fyddwn yn profi bendith Duw.

Nid oedd bywyd yn gyfiawn i'r Apostol Paul. Fe fu iddo ddarganfod fod bywyd yn dod â phob math o anawsterau – carchar, fflangellu, pobl yn ei adael, gofid, ac yn y blaen. Nid oedd yn gyfiawn. Ond bu iddo ddarganfod rhywbeth mwy na chyfiawnder. Yn Rhufeiniad 8:28 fe ddywed: "...ymhob peth, mae Duw yn gweithio er daioni i'r rhai sydd yn ei garu." Nid oedd y pethau a ddigwyddodd iddo yn dda; roedd rhai o'r pethau yn arfau o du y diafol ei hunan. Ond, bu i Dduw yn ei drugaredd beri fod y cyfan i gyd yn gweithio gyda'i gilydd i ddwyn patrwm o ddaioni oedd yn dwyn gogoniant iddo ef ac yn gymorth i daith ysbrydol yr Apostol.

Yn fynych iawn, mae olwynion rhagluniaeth yn troi o'n plaid ac yn ein herbyn. Onid yw'n wir efallai, o bryd i'w gilydd, fod Duw yn defnyddio'r pethau hynny sy'n boenus er mwyn delio â phoen hyd yn oed? Nid ein gweddi ni yw "Arglwydd, dwi am fyw mewn bywyd ac mewn byd lle mae popeth yn iawn", ond yn hytrach, "Arglwydd, cynorthwya fi mewn byd lle nad yw popeth yn iawn i droi popeth yn berl o wers ysbrydol i'm symud tuag atat ti."

Beth am fynd ymlaen i ddarllen:
Gen. 45:3–13; 1 Pedr. 2:18–25

Meddyliwch am y cwestiynau hyn:
1. Sut y bu i amgylchiadau anodd Joseff droi yn ddaioni?
2. Sut y bu i Iesu wynebu dioddefaint anghyfiawn?

Gweddi
Arglwydd Iesu Grist, daethost i mewn i'n byd syrthiedig ni gan ddangos inni sut mae troi pob anhawster yn gyfle. Cynorthwya fi yn hytrach na chwyno am gyfiawnder i lefain am ras i ddilyn dy esiampl di. Amen.

Poen fel cyfaill

"Ti, a wnaeth imi weld cyfyngderau mawr a chwerw, fydd yn fy adfywio drachefn." (adn. 20)

Beth am ddarllen Salm 71:1–24 ac yna myfyrio

Er ein bod wedi dweud eisoes nad ein bwriad yn y myfyrdodau hyn yw mynd i fanylder ynglŷn â pham fod Duw yn caniatáu i boen ddod i mewn i'w fydysawd, nid wyf yn amau petai dim poen corfforol, mi fyddai'r hil ddynol wedi ei difa flynyddoedd lawer yn ôl. Pe na bai afiechyd yn achosi poen, ni fyddem yn meddwl dim amdano gan adael iddo i fwrw ei rawd ac yna fe fyddai'n rhy hwyr i wneud dim ynglŷn ag ef. Mae pwrpas i boen, hyd yn oed pan mae hynny'n brifo. Er bod poen corfforol yn medru bod yn ddiflas iawn, gall droi i fod yn wyliwr cyfeillgar gan ein rhybuddio o beryglon bywyd. Disgrifiodd un boen fel "y gras hwn y mae Duw wedi ei adeiladu i mewn i'n gwead ni er mwyn ein rhybuddio o'r perygl o'n blaen."

Er y gall fod yn wir am boen corfforol, beth am boen meddyliol ac emosiynol – a all hwn fod yn rhybudd? Mewn rhai achosion, credaf ei fod. Mae'r boen sy'n dod o rai mathau o afiechyd emosiynol yn medru bod yn rhybudd i ni nad yw ein bywyd yn cael ei fyw yn y ffordd y mae Duw wedi ei fwriadu. Ychydig yn ôl, fe fûm yn siarad â dyn oedd yn tystio mai'r peth gorau a ddigwyddodd iddo oedd gorfod wynebu iselder. Nid iselder clinigol oedd ei glefyd sy'n deillio o anwastadrwydd cemegol ond y math o iselder sy'n dod wrth inni ddal meddyliau amhriodol o'n bywyd ac o fywyd y byd o'm hamgylch. Roedd yr iselder, yn ôl y cyfaill, yn arwydd fod rhaid i mi ail-lunio fy ffordd o fyw, ail-feddwl fy rhagdybiaethau. Wrth i mi wneud hyn, fe ddiflannodd yr iselder. Bu i iselder y gur esgor ar her a newid. Yn achos y gur yma, roedd yr iselder yn fendith mewn ffordd ryfeddol.

Nid oes angen inni ystyried poen fel ein gelyn bob amser – fe all fod yn gyfaill wrth inni drwyddo adnabod bywyd gwell a llawnach.

Beth am fynd ymlaen i ddarllen:
Salm 116:1–6; Rhuf. 8:35–39

Meddyliwch am y cwestiynau hyn:
1. Sut mae'r Salmydd yn ymateb i ofid a galar?
2. Beth yw argyhoeddiad Paul?

Gweddi
O Dad trugarog, cynorthwya fi i weld yn dy fydysawd nad wyt ond yn caniatáu'r hyn y medri ei ddefnyddio. Hyd yn oed yn fy mhoen ac yn fy nioddefaint, mae gennyt air i lefaru wrthyf. Cynorthwya fi i glywed. Yn enw Iesu. Amen.

Mae popeth yn dibynnu ar ein hagwedd

"Y mae'r Arglwydd yn agos at y drylliedig o galon ac yn gwaredu'r briwedig o ysbryd." (adn. 18)

Beth am ddarllen Salm 34:1–22 ac yna myfyrio

Mae'r da a'r drwg yn dioddef poen a dioddefaint – yn gorfforol ac yn emosiynol. Ond tra bod yr un profiadau yn dod i gyfarfod â phob dyn, nid ydynt yn cael yr un effaith ar bawb. Gall yr un peth ddigwydd i ddau berson gwahanol a gall yr effaith fod yn gyfan gwbl wahanol. Mae'r cyfan yn dibynnu ar ein hagwedd. Yn ôl un, "Yr hyn y mae bywyd yn ei wneud yn y tymor hir yw'r hyn y mae bywyd yn ei ddarganfod ynom ni."

Mewn eglwys lle roeddwn yn weinidog yr oedd dau ddyn, y ddau'n Gristnogion, a'r ddau'n bartneriaid mewn cwmni a aeth, a hynny ar waethaf y ddau, yn fethdalwr. Ymateb y naill oedd tristwch a bu'n rhaid iddo wynebu tymor helaeth o gynghori am flwyddyn gyfan i fedru delio gyda'i anawsterau emosiynol. Roedd y llall, er yn drist yn gresynu am y methdaliad, a hynny heb fod ar sail unrhyw beth iddyn nhw ei wneud, yn ei weld fel rhywbeth a allai ddysgu gwersi pwysig a fyddai'n ei alluogi i fod yn fwy gofalus yn y dyfodol. Fe aeth allan i edrych am swydd arall. Bu'n llwyddiannus yn y swydd honno ac mewn amser, medrai ddefnyddio rhywfaint o'r arian a enillai i dalu'r credydwyr. Yr un digwyddiad ond gydag effaith cwbl wahanol. Yn aml iawn mewn bywyd, nid gweithredoedd pobl eraill sy'n ein torri ond ein hymateb ni i weithredoedd pobl eraill. Mae angen cofio hynny.

Gall poen emosiynol wneud rhai yn chwerw ac yn achos eraill eu puro a dwyn hyd yn oed elfen o felyster. Yr hyn sydd yn cyfrif yw ein hagwedd a'n parodrwydd i ganiatáu i Dduw ddod i mewn i ganol ein poen a'i droi i ddiben daionus. Mewn bywyd, nid yr hyn sy'n digwydd inni sydd yn bwysig ond sut ydym yn ymateb wedi i hyn ddigwydd. Mae un peth yn sicr, mae Duw yn sefyll o'n plaid yn ein poen, yn disgwyl cynorthwyo i newid chwerwder profiadau anodd i mewn i aur bywyd buddugoliaethus.

Beth am fynd ymlaen i ddarllen:
Rhuf. 12:1–3; Eff. 4:20–28

Meddyliwch am y cwestiynau hyn:
1. Beth yw'r trawsnewidiad y cyfeiria Paul ato?
2. O ble y daw agwedd meddwl newydd?

Gweddi
O Dad, maddau i mi am fod mor barod i geisio delio gyda phoen yn fy mywyd yn fy nerth fy hun tra wyt ti'n disgwyl, yn sefyll yn ymyl ac am drawsffurfio fy mhoen i i ddiben bendithiol. Amen.

129

Goleuni mewn tywyllwch

"'Myfi yw goleuni'r byd," meddai. 'Ni fydd neb sy'n fy nghanlyn i byth yn rhodio yn y tywyllwch, ond bydd ganddo oleuni'r bywyd.'" (adn. 12)

Beth am ddarllen Ioan 8:12–20 ac yna myfyrio

Yr un peth allweddol sydd angen ei feddiannu yn ystod y myfyrdodau hyn yw'r parodrwydd i ganiatau i Dduw i'n harwain ar lwybr drwy ein poen ac yn hynny ei droi yn ddaionus ac yn dduwiol yn ei law ef ei hun. Yn ein dwylo ni, mae poen yn broblem; yn ei ddwylo ef, mae poen yn bosibilrwydd. Ar y diwrnod cyntaf, fe sylwyd fod poen sydd heb ei gyfeirio gan Dduw yn medru arwain at farwolaeth, ond pan mae Duw yn cyfeirio, gall arwain at fywyd. Mae pob digwyddiad yn ein dwyn i un o ddau gyfeiriad – tuag at farwolaeth neu tuag at fywyd. Yn ôl un, "Mae pethau cyffredin bywyd yn gallu ein gwneud ni yn gyffredin – neu yn Gristnogion."

Un tro, gofynnodd gwraig gŵr busnes cyfoethog iawn yn yr Unol Daleithiau iddo edrych allan drwy'r ffenestr i weld gogoniant y machlud. Am eiliadau edrychodd ar y cochni yn yr awyr ac yna trodd at ei wraig gan ddweud, "O ie, hyfryd iawn. Mae'n fy atgoffa i ofyn i ti ddweud wrth y gogyddes fod angen i fy macwn gynnwys mwy o saim." Mae'n debyg y gallwn wneud yr hyn sy'n ogoneddus yn gyffredin, neu'r hyn sy'n gyffredin yn ogoneddus. Mae'r cyfan yn dibynnu ar prun ai a ydym yn barod i'w ddwyn at Dduw, a dwyn Duw ei hunan i mewn i bopeth sy'n digwydd yn ein bywydau ac yn arbennig i mewn i'n poen. Yn achos y wraig a'r gŵr oedd yn edrych ar y machlud, roedd y machlud i'r wraig yn rhyfeddol, tra i'r gŵr 'doedd ond ffordd i'w atgoffa ef o bwysigrwydd pethau cwbl ymylol.

Yn y testun heddiw mae Iesu yn cyhoeddi mai ef yw goleuni'r byd. Ef oedd ac ef yw'r goleuni. Wrth inni wrando mwy a mwy ar theorïau gwahanol gyda golwg ar boen, rwyf yn dod i sylweddoli fwyfwy mai Iesu yw'r unig un sy'n taflu goleuni ar boen, ar gymylau ein profiadau ni. Mae'r gallu i ddefnyddio poen yn rhywbeth sy'n trawsnewid. Mae'r un sy'n abl i'n trawsnewid ni hefyd yn oleuni'r byd.

Beth am fynd ymlaen i ddarllen:
Salm 4:1–8; Eff. 5:8–15

Meddyliwch am y cwestiynau hyn:
1. Sut mae'r Salmydd yn gweddïo mewn cyfyngder?
2. Sut mae goleuni Crist yn llewyrchu arnom?

Gweddi
Arglwydd Iesu, ti oedd yr un a lefarodd geiriau goleuni pan oedd bywyd yn dywyll ac yn ddirgel. Caniatâ i mi fyw yn dy oleuni di a byw yn y goleuni pan mae'r cymylau yn hel o'm cwmpas. Amen.

Dim dihangfa i'r saint

"Wele, yr wyt yn dymuno gwirionedd oddi mewn; felly dysg imi ddoethineb yn y galon." (adn. 6)

Beth am ddarllen Salm 51:1–19 ac yna myfyrio

Wrth inni edrych ar fywyd Cristnogion dros y degawdau diwethaf, yr wyf yn rhyfeddu at y ffyrdd gwahanol y mae unigolion yn delio â gofidiau meddylion emosiynol sydd yn dod i'w rhan. Mae rhai, er enghraifft, yn defnyddio arf gwadu. Maent am esgus fod yr hyn y maent yn ei deimlo yn sicr ddim yn boen. Mae llawer o Gristnogion yr wyf yn gyfarwydd â hwy wedi troedio'r llwybr hwnnw ond y gwir amdani, dydi'r llwybr hwnnw'n arwain i unman a'r canlyniad yn fynych iawn yw gofidiau a'r dioddefaint emosiynol sydd yn deillio o'r math yma o wasgu ar realiti.

Mae rhai credinwyr yn mynnu honni fod y Cristion hwnnw sydd yn cerdded gyda Duw o ddydd i ddydd, mewn perthynas agos ag ef, y Cristion sydd â bywyd gweddi cyfoethog yn un sydd y tu hwnt i boenau emosiynol. Nonsens llwyr yw hyn wrth gwrs. Tra ei bod yn wir i ddweud fod y Cristnogion hynny sydd yn cerdded gyda Duw wedi eu heithrio o'r math o boenau a gofidiau y mae'r annuwiol yn eu dioddef, wrth iddynt wneud camgymeriadau moesol, nid yw eu perthynas â Duw yn eu cadw rhag dioddef y math o boen sydd yn dod wrth i bobl ein gwrthod, wrth i angau ddod heibio, wrth i gamddealltwriaeth eu llethu, ac yn y blaen. Nid yw chwaith yn ein heithrio rhag y boen yna sydd yn dod gan ein bod ni yn wahanol. Mae ein cwmpawd moesol yn wahanol i bobl o'n hamgylch.

Wrth inni siarad gyda Christnogion fel hyn a dweud wrthynt ei fod yn beth cwbl normal i ddioddef poen wrth inni gael ein gwawdio a'n herio, maent yn ymateb drwy ddweud fod yr Ysgrythur yn eu dysgu ein bod i lawenhau wrth inni gael ein herlid. Mae hynny'n wir, ond nid oes angen inni esgus nad ydym yn profi poen er mwyn llawenhau. Mae pobl sydd yn esgus yn byw mewn gwadiad ac yn methu â sylweddoli fod integriti yn mynnu fod popeth sydd yn wir yn rhywbeth yr ydym yn barod i'w wynebu.

Beth am fynd ymlaen i ddarllen:
Marc 3:1–6; 7:31–35; 8:11–12; 2 Cor. 1:3–11

Meddyliwch am y cwestiynau hyn:
1. Beth oedd yr anawsterau a wynebodd yr Arglwydd Iesu?
2. Beth oedd yr anawsterau y bu raid i Paul eu hwynebu?

Gweddi
O Dduw, gwared fi rhag ceisio gwadu gwir deimlad fy nghalon ond yn hytrach i ddod â fy mhoen, fy ngofid, fy anawsterau atat ti er mwyn i mi adnabod dy nerth a'th ras di. Caniatâ i mi fod yn berson o integriti hyd yn oed yn fy ngolwg fy hun ac yn arbennig yn fy ngeiriau o dy flaen di, a hynny yn enw Iesu. Amen.

Darllen ei ewyllys

"Yr wyf yn gadael i chwi dangnefedd;
yr wyf yn rhoi i chwi fy nhangnefedd i fy hun." (adn. 27)

Beth am ddarllen Ioan 14:15–31 ac yna myfyrio

Thema'r rhifyn yma ydy 'Etifeddiaeth Crist', hynny yw, y pethau gwerthfawr hynny adawodd Crist i ni cyn ymadael â'r byd yma 2,000 o flynyddoedd yn ôl. Fel arfer, mae ewyllys olaf unrhyw un yn golygu gadael eu holl gyfoeth a'u heiddo i'w dosbarthu yn ôl eu dymuniad. Ond adawodd Iesu ddim eiddo materol, na chyfrif banc, na thŷ neu dir. Roedd ei etifeddiaeth o fath cwbl wahanol. Yn ystod y deufis nesaf yma, wrth i ni ddarllen ei ewyllys, fel petai, gobeithio y byddwn ni, gyda'n gilydd, yn gwerthfawrogi'n llawnach ein hetifeddiaeth yng Nghrist.

Prif rodd Crist oedd ei dangnefedd. *Shalom* (yr enw Hebraeg am 'dangnefedd') oedd y gair ddefnyddiai'r Iddewon fel arfer i gyfarch neu ffarwelio â rhywun, ac mae'n siŵr mai mater o ffurf yn unig ydoedd bellach. Ond mae Iesu'n rhoi ystyr newydd iddo. Mae tangnefedd Crist yn wahanol i unrhyw beth y gall y byd ei gynnig, o ran math ac yn y ffordd mae'n cael ei roi. Dydy e ddim yn dibynnu ar amgylchiadau allanol neu ddiffyg gwrthdaro. Yn wir, mae'n ffynnu ynghanol helbulon. Fel y dywedodd Dr W.E. Sangster: "Galilea a Chalfaria mewn tywyllwch oedd y sbardun". Roedd tawelwch Crist yn deillio o'i hyder yn naioni ei Dad, o'i ymddiriedaeth ym mhenarglwyddiaeth ei Dad, ac o'i ymostyngiad i ewyllys ei Dad. Dydy Iesu ddim yn rhoi rhyw fath o gyffur i dwyllo'r galon i fod yn ddibryder. Dyma dangnefedd y Meseia, *shalom* teyrnas Dduw, sy'n cael ei sefydlu yng nghanol anghydfod. Dyma'r tangnefedd adawodd Iesu fel rhodd i'w ddisgyblion anghenus wrth iddo ymadael â'r byd, er mwyn chwalu eu hofnau.

Does neb wedi dangos tangnefedd tebyg i Iesu yng nghanol helbulon. Doedd tangnefedd Iesu ddim yn mynd i'r gwellt. A gall yr un tangnefedd hwnnw fod yn eiddo i chi, ond dim ond os byddwch yn agored i'w dderbyn.

Beth am fynd ymlaen i ddarllen:
Num. 6:22–27; Salm 85:1–13; 2 Thes. 3:16

Meddyliwch am y cwestiynau hyn:
1. Beth oedd addewid Duw yn y fendith offeiriadol?
2. Am beth mae Paul yn gweddïo?

Gweddi
Dad nefol, mi wn fod tangnefedd ar gael. Helpa fi i f'agor fy hun i'w lif. Dw i'n dyheu i ddyfnderoedd f'enaid gael eu cynnal â thangnefedd. Hwyrach y bydd yr wyneb yn aflonydd ond y dyfnderoedd sy'n bwysig. Helpa fi i fod yn sicr yno, annwyl Dad. Amen.

Meithrin penderfyniad

"Yn awr y mae fy enaid mewn cynnwrf. ... O Dad, gogonedda dy enw."
(adn. 27–28)

Beth am ddarllen Ioan 12:20–36 ac yna myfyrio

Doedd y tangnefedd a adawodd Iesu i'w ddisgyblion, fel y gwelsom ni ddoe, ddim yn deillio o fyw mewn lle paradwysaidd, ymhell oddi wrth densiwn bywyd bob dydd. I'r gwrthwyneb, roedd amgylchiadau bywyd Iesu yn llawn cynnwrf. Roedd pobl yn tarfu'n gyson ar ei lonyddwch, roedd galwadau ei weinidogaeth yn sugno ei egni, ac fe wyddai, mewn ffordd na allai neb arall wybod, am ddigalondid pechod a baich yr anghenion o'i amgylch. Cafodd ei gamddeall a'i feirniadu'n hallt, ac awgrymwyd pethau angharedig amdano. Roedd yntau ar dro yn teimlo'n ddryslyd ynglŷn ag ymddygiad ei ddilynwyr, a chafodd ei fradychu ganddynt.

Ond sylwch, ddihangodd Iesu ddim yn llwyr o rywfaint o gynnwrf mewnol. "Yn awr y mae fy enaid mewn cynnwrf", cyffesodd. Mae'r gair a ddewiswyd gan Ioan i ddisgrifio hyn yn cael ei ddefnyddio ar gyfer tonnau brochus mewn môr tymhestlog! Roedd Iesu 'yn corddi' y tu mewn. Er ei fod yn un â'i Dad, roedd yn anghytûn â byd gwrthryfelgar, ac fe deimlai'r anghysondeb yn ei galon ei hun.

Eto, fel mae darlleniad heddiw yn ei ddangos, cafodd ateb i'w ddiffyg tangnefedd ar unwaith yng nghariad Duw ac ym mwriad y Tad ar gyfer ei fywyd. Does dim un amgylchiad helbulus neu drallodus yn bodoli nad yw'n amhosibl dod o hyd i'r tangnefedd o glodfori Duw ynddo. Peidiwch byth ag anghofio hynny. Pan fydd eich calon yn corddi oherwydd y teimlad eich bod yn anghytûn ag ysbryd y byd – yr ysbryd a groeshoeliodd eich Arglwydd – mae'n bosibl teimlo tangnefedd mewnol sy'n dod o wybod y bydd bwriadau Duw yn cael eu gwireddu er gwaethaf y negyddion sy'n gweiddi arnoch o bob cyfeiriad. Dyma'r tangnefedd sy'n rhan o etifeddiaeth yr Arglwydd i ni. Rhyfeddol. Rhyfeddol yn wir.

Beth am fynd ymlaen i ddarllen:
Num. 25: 10–13; Diar. 14: 30; Math. 3: 13–17; 26: 36–56

Meddyliwch am y cwestiynau hyn:
1. Pryd gafodd Iesu sicrwydd o gariad y Tad?
2. Beth oedd yn gyfrifol am hyder Iesu, hyd yn oed yn Gethsemane?

Gweddi
O Dad, mae'n rhyfeddol fy mod, oherwydd bod dy dangnefedd yn fy nghalon, yn gallu edrych ar fywyd a dweud: 'Gwna dy orau neu dy waethaf. Mae gennyf dangnefedd, tangnefedd digonol, o'm mewn.' Dw i mor ddiolchgar. Bendigedig fyddo d'enw am byth! Amen.

133

Dod o hyd i dangnefedd â Duw

"Gogoniant yn y goruchaf i Dduw, ac ar y ddaear tangnefedd ymhlith y rhai sydd wrth ei fodd." (adn. 14)

Beth am ddarllen Luc 2: 1–14 ac yna myfyrio

Roedd y tangnefedd a welwyd yn Iesu ac a roddwyd ganddo yn dangnefedd "nid fel y mae'r byd yn rhoi" (Ioan 14:27). Mae'r tangnefedd ddaw gyda Christ, fel ef ei hun, yn dod i lawr o'r nefoedd i'r ddaear. Does dim yn y byd sydd ohoni, wedi'i ddifrodi gan bechod, hunanoldeb a rhyfel, a all roi tangnefedd parhaol. Ffug-heddwch ydy'r gorau y gall y byd ei gynnig. Mae'r Beibl yn dweud: "Nid oes llwyddiant i'r annuwiol" (Eseia 48:22). A pham? Oherwydd mae angen tangnefedd nefol ar ddaear rwygedig. A dyma beth sydd ar gael yng Nghrist. Mae'r ddaear wedi mynd oddi ar ei hechel – sef ewyllys gariadus ei Chrëwr. Mae popeth allan o drefn. Mae angen aildrefnu, cymodi ac adfer popeth.

Hanfodol yn hyn o beth ydy ailsefydlu gogoniant Duw fel y brif flaenoriaeth yn ei fyd. Pan fydd gogoniant Duw wedi'i adfer fel canolbwynt yr holl greadigaeth, yna bydd tangnefedd ar y ddaear fel ag yn y nefoedd. Roedd genedigaeth Iesu yn cyhoeddi'r iachawdwriaeth sy'n dod â thangnefedd i ni. Tangnefedd rhwng Duw a phechaduriaid, tangnefedd rhyngom a'n gilydd, tangnefedd o'n mewn – daeth pob dimensiwn o'r tangnefedd gogoneddus, achubol hwn i ni fel rhodd o ras Duw yn nyfodiad ei Fab, Iesu. Does dim syndod bod y corau o angylion wedi gwneud eu gorau glas i glodfori'r fath ennyd a'r fath ffafr.

Cofiwch, fodd bynnag, na ellwch chi gael y tangnefedd sydd *o* Dduw heb fod gennych dangnefedd *â* Duw. Os nad ydych chi erioed wedi derbyn Iesu Grist i'ch bywyd fel eich Gwaredwr a'ch Arglwydd, yna gwnewch hynny'n awr. O ddod o hyd i dangnefedd *â* Duw, bydd eich enaid o hynny allan yn gorlifo â'r tangnefedd sydd *o* Dduw.

Beth am fynd ymlaen i ddarllen:
Jer. 6:13–15; 8: 8–11; Salm 86:8–12; Luc 1: 76–79; 1Thes. 5:1–5

Meddyliwch am y cwestiynau hyn:
1. Am ba 'ffug-heddwch' roedd Jeremeia'n sôn?
2. Ym mha ffordd roedd Ioan Fedyddiwr yn rhagfynegi Iesu?

Gweddi
O Dad nefol, helpa fi i fod yn sicr bod f'enaid mewn tangnefedd â thi fel y gallaf hawlio'r tangnefedd sy'n dod oddi wrthyt ti. Gwnaf hynny'n awr. Achub fi, maddau mhechodau, tyrd i nghalon, a gwna fi'n blentyn i ti. Yn enw Iesu y gweddïaf. Amen.

Calon dangnefeddus

"Ac meddai ef wrth y wraig, 'Y mae dy ffydd wedi dy achub di; dos mewn tangnefedd'". (adn. 50)

Beth am ddarllen Luc 7:36–50 ac yna myfyrio

Fe orffennom ni ddoe gyda'r syniad y gallwn brofi'r tangnefedd sydd *o* Dduw unwaith y bydd gennym dangnefedd *â* Duw. Dyma beth ddigwyddodd i'r wraig yn y stori yn Luc. Daeth o hyd i dangnefedd i'w henaid gofidus – enaid wedi'i rwygo'n ddarnau gan euogrwydd a chywilydd. Mae'n anodd dweud a oedd y wraig wedi dod o hyd i iachawdwriaeth cyn golchi traed Iesu neu wrth gyflawni'r weithred; mae'n fwy na thebyg mai cyn hynny. "Dos mewn tangnefedd," oedd gair olaf Iesu wrth y wraig hon "oedd yn bechadures". (adn. 37)

Wedi'i denu at Iesu, mae'r wraig hon, oedd yn arfer bod yn butain, yn dod i dywallt ei mawl arno am y gras trawsnewidiol mae hi wedi'i flasu. Mae Simon y Pharisead yn fwy crintachlyd yn ei werthfawrogiad o Iesu. Ond, oherwydd bod Iesu wedi maddau llawer iddi, mae hi'n caru llawer. Mae'n sicr bod yr ennaint drud yn cael ei ddefnyddio fel un o 'gyfrinachau' ei chrefft. Efallai mai hwn oedd yr unig beth oedd ar ôl o'i bywyd pechadurus. Pa un bynnag a oedd hynny'n wir ai peidio, mae hi'n ei wastraffu mewn teyrnged fentrus i ras Iesu.

Roedd y tangnefedd y daeth hi o hyd iddo yn dawelwch pechadur wedi'i achub a'i dderbyn gan ras tyner Crist. Ei thangnefedd oedd y gorfoledd o wybod ei bod yn cael ei derbyn gan Dduw cariad a thrugaredd diamod. Ac Iesu gymerodd y cam cyntaf a hanfodol i'w hadfer i'w llawn statws yng nghymuned Israel. Fyddai hi byth eto yn gwerthu ei chorff i unrhyw ddyn; roedd hi wedi gwerthu ei henaid unwaith ac am byth i Fab Duw. Gallai gerdded â'i phen yn uchel o hyn ymlaen.

Mae hi'n gadael y tŷ yn dawel ei meddwl, yn rhydd o afael dilornus ei chyngwsmeriaid, yn rhydd o ddirmyg deifiol pobl hunangyfiawn fel Simon, yn rhydd i gymryd ei lle fel aelod go iawn o deulu Duw unwaith eto. Does dim tangnefedd fel tangnefedd pechodau wedi'u maddau.

Beth am fynd ymlaen i ddarllen:
Salm 32:1–7; 103:1–5; Col. 3:12–17

Meddyliwch am y cwestiynau hyn:
1. Beth ydy profiad y salmydd o faddeuant?
2. Sut mae Paul yn cysylltu tangnefedd â maddeuant?

Gweddi
O Dad, dw i mor ddiolchgar am dangnefedd pechodau wedi'u maddau. Mae nghalon a oedd unwaith yn corddi â theimladau o euogrwydd a chywilydd bellach yn dangnefeddus. Derbyniais faddeuant. Pob anrhydedd a gogoniant i'th enw gwerthfawr di. Amen.

Tywysog Tangnefedd

*" Pe bait tithau, y dydd hwn, wedi adnabod ffordd tangnefedd –
ond na, fe'i cuddiwyd rhag dy lygaid." (adn. 42)*

Beth am ddarllen Luc 19:28–48 ac yna myfyrio

Mae pawb yn dyheu am heddwch, ond mwya'r trueni, dydy pawb ddim yn dymuno'r
pethau hynny sy'n arwain at heddwch. Roedd Jerwsalem yn amser ein Harglwydd
yn dyheu am heddwch. Roedd hi mewn cynghrair anesmwyth â'r Rhufeiniaid
paganaidd, ac yn meddwl y gallai brynu heddwch drwy gydymffurfio â'r diwylliant
dieithr. Roedd nifer o Iddewon, fodd bynnag, yn credu'n gryf y gallen nhw greu
heddwch drwy wrthryfel arfog. Roedd eraill yn credu y gallen nhw gael heddwch
drwy droi eu cefnau ar y dryswch moesol a'r amwysedd ysbrydol ac encilio i'r
anialwch i ffurfio cymunedau mynachaidd oedd yn sanctaidd ac ar wahân. Mae llawer
o bobl heddiw yn byw bywydau anfoesol ac yna'n methu â deall pam na allan nhw
gynnal heddwch parhaol o fewn perthynas. Maen nhw'n wfftio gorchmynion Duw
ac yna'n rhyfeddu bod cymdeithas mewn trafferthion. Maen nhw'n dymuno heddwch,
ond ar eu telerau eu hunain ac yn eu ffordd eu hunain. Ond mae tangnefedd go iawn
yn mynd heibio iddynt.

Roedd dilynwyr ein Harglwydd i'w gweld yn ymhyfrydu mewn addewid o
dangnefedd nefol yn cael ei gynnig i'r ddinas drwy gyfrwng y brenin heddychol yn
marchogaeth yn symbolaidd i mewn i'w brifddinas, nid ar farch rhyfel ond ar asyn.
Ond mae ei wrthwynebwyr yn protestio: "Ni fynnwn hwn yn frenin arnom" (cymharer
adnod 14). Roedden nhw'n dymuno cael heddwch, ond nid Tywysog Tangnefedd.
Felly, tra oedd cyfeillion yn llawenhau a beirniaid yn gweld bai, roedd Iesu'n wylo
bod cymaint yn mynd i golli'r tangnefedd roedd ef yn ei gynnig.

Gallwn ddychmygu bod yr Arglwydd yn parhau i wylo o hyd wrth weld
unigolion, teuluoedd a chenhedloedd cyfain yn ymdrechu i ddod o hyd i heddwch,
ond heb roi ystyriaeth o gwbl i Dywysog Tangnefedd. Os nad Duw ydy ffynhonnell
ein tangnefedd, yna gall amgylchiadau neu drychineb ei fwrw i lawr yn hawdd iawn.

Beth am fynd ymlaen i ddarllen:
Salm 122: 1–9; Eseia 9: 6–7; Rhuf. 1: 1–7; I Ioan 5: 1–5

Meddyliwch am y cwestiynau hyn:
1. Pa addewidion mae Eseia'n eu gwneud yn ei broffwydoliaeth?
2. Sut mae Paul yn cyfarch y saint yn Rhufain?

Gweddi
Arglwydd Iesu Grist, meistr amser a thymor a chynnwrf, cynorthwya'r byd i weld
nad oes gwir heddwch i'w gael yn y bydysawd yma heb blygu glin i Dywysog
Tangnefedd. Er mwyn d'enw annwyl dy hun. Amen.

Ei dangnefedd ef, fy nhangnefedd i

"Yr wyf wedi dweud hyn wrthych er mwyn i chwi, ynof fi, gael tangnefedd. Yn y byd fe gewch orthrymder, ond codwch eich calon, yr wyf fi wedi gorchfygu'r byd." (adn. 33)

Beth am ddarllen Ioan 16:17–33 ac yna myfyrio

Dyna'r fath gysur mae'r geiriau yma o eiddo Iesu yn ei roi. Mynegodd Martin Luther y teimlad yma i'w gyfaill a'i gyd-ddiwygiwr, Philip Melancthon: "Mae dywediad fel hwn yn haeddu'i gario o Rufain i Jerwsalem ar ein gliniau!" Mae'n rhyfeddol bod tangnefedd Iesu yn gallu cyd-fyw â phwysau a hyd yn oed erledigaeth. Mae Ei dangnefedd yn deillio o'i fuddugoliaeth dros bechod a drwg – mae Iesu eisoes wedi gorchfygu'r byd!

Unwaith eto, sylweddolwn nad ydy Iesu'n sôn am ryw deimlad da sydd i'w fwynhau dim ond pan na fydd unrhyw ofid. Mae'r tangnefedd yma i'w brofi yng nghanol y frwydr. Gallwn brofi tawelwch yng nghanol treialon bywyd, llonyddwch yng nghanol argyfyngau. Mae'r fath dangnefedd yn ffrwyth 'gwroldeb' (adn. 33, yn cael ei gyfieithu fel 'codwch eich calon' yn Y Beibl Cymraeg Newydd), yr union beth yr anogodd Iesu ei ddisgyblion i'w ddangos yng nghanol storm Galilea (gweler Marc 4:35–41). Dydy Iesu ddim yn addo gwely esmwyth i'w ddilynwyr. Yn wir, mae'n rhag-weld helbulon o'n blaenau; mae gwrthdaro yn anochel os dilynwn ni ef. Ond oherwydd ei fod ef wedi concro'r byd, gallwn ninnau ymwroli. Gan ei fod ef yn fuddugol, gallwn ninnau fod yn fuddugol hefyd. Yng Nghrist mae gennym ei dangnefedd yn llifo i mewn i'n calonnau.

Sylwodd teithiwr yn Arizona ar nyth aderyn wedi'i gafnu o goeden gactws bigog. Roedd y nyth wedi'i amgylchynu â drain ond ymysg y drain roedd aderyn wedi cafnu lle diogel a thawel. Wrth edrych ar y nyth, dywedodd wrtho'i hun: "Yng nghanol amgylchedd pigog, gallaf ddod o hyd i'r un graddau o dangnefedd ag a welwyd yn Iesu yng nghanol ei fyd pigog. Ei dangnefedd ef ydy fy nhangnefedd i". Pa mor anodd neu bigog bynnag y gall amgylchiadau fod, mae presenoldeb a nerth Iesu yn ein galluogi ni i gadw'n ddigynnwrf.

Beth am fynd ymlaen i ddarllen:
Lef. 26: 6–13; Effes. 6: 10–18; I Ioan 2: 12–14

Meddyliwch am y cwestiynau hyn:
1. Beth ydy swyddogaeth 'efengyl tangnefedd' yn arfogaeth Duw?
2. At bwy oedd Ioan yn ysgrifennu a pham?

Gweddi
O Dad, dw i mor ddiolchgar bod y tangnefedd oedd yn llifo yng nghalon dy Fab yn gallu bod yn eiddo i mi hefyd. Oherwydd mod i ynddo ef ac yntau ynof innau, gallaf fod yn gwbl rydd o gynnwrf. Dw i'n hynod o ddiolchgar. Amen.

137

Anadla arnaf...

"A dyma Iesu'n dod ac yn sefyll yn eu canol, ac yn dweud wrthynt, 'Tangnefedd i chwi!'" (adn. 19)

Beth am ddarllen Ioan 20:19–31 ac yna myfyrio

Deirgwaith yn y darlleniad yma mae Iesu'n cyfarch y disgyblion â'r geiriau: "Tangnefedd i chwi!" Cyn mynd i'r groes, addawodd Iesu i'w ddisgyblion y byddai'n gadael ei dangnefedd iddynt, ac yn awr, yr ochr arall i Galfaria, mae'n cadarnhau hynny. Efallai y byddai rhai'n ystyried mai'r cyfarchiad confensiynol yn unig oedd y geiriau "Tangnefedd i chwi!" Efallai. Ond byddai ailadrodd y cyfarchiad deirgwaith yn sicr o fod wedi atgoffa'r disgyblion am ei addewid gynharach i roi ei dangnefedd neilltuol ef ei hun iddynt.

Yn ogystal â bod yn air a ddefnyddir yn gyffredin wrth sgwrsio, roedd *shalom* hefyd yn derm a oedd yn crynhoi'r holl gysur fyddai'n cofleidio pobl Dduw yn nheyrnas y Meseia. Fel dywedodd George Beasley–Murray, ysgolhaig nodedig ar y Testament Newydd a phrifathro Coleg Spurgeon ar un adeg, yn ei esboniad ar Efengyl Ioan: "Mae *shalom* ar noswyl y Pasg yn gydradd â 'Gorffennwyd' ar y groes, gan fod tangnefedd cymod a'r bywyd sydd o Dduw bellach wedi'u rhoi."

Os ydych chi, fel y disgyblion, yn teimlo eich bod wedi'ch caethiwo gan ofn ar y funud, gadewch i eiriau Iesu lefaru tangnefedd i'ch calon ofidus. Syllwch, fel y disgyblion, ar ei ddwylo a'i ystlys creithiog, ac ailgyneuwch eich llawenydd wrth weld eich Gwaredwr. Y tu draw i farwolaeth, mae'r Un atgyfodedig yn rhoi etifeddiaeth o dangnefedd a bywyd. Gwrandewch eto ar y datganiad buddugoliaethus y buon ni'n ei ystyried ddoe: " … yr wyf fi wedi gorchfygu'r byd." (Ioan 16:33). O fewn y byd hwnnw mae Crist wedi'i orchfygu mae pob un anhawster y bydd angen i chi ei wynebu yn eich bywyd. Anadlodd Crist dangnefedd ar ei ddisgyblion dryslyd. Os ydy'ch calon chi'n ofidus, mae e'n disgwyl i wneud yr un peth ar eich cyfer chithau'n awr.

Beth am fynd ymlaen i ddarllen:
Salm 29:1–11; 1 Thes. 5:12–24; Heb. 13:20–21

Meddyliwch am y cwestiynau hyn:
1. Beth ydy cyfarwyddiadau terfynol Paul i'r Thesaloniaid?
2. Gweddïwch fendith yr Hebreaid ar eich cyfer chi eich hun a'ch câr.

Gweddi
Arglwydd Iesu Grist, anadla'r rhodd mae fy nghalon yn dyheu amdani – rhodd tangnefedd. Caniatâ i mi deimlo, o'r funud hon hyd y byddaf farw, dangnefedd a digonolrwydd a nerth – tangnefedd dy bresenoldeb yn ddwfn y tu mewn. Amen.

Tir gwastad

"Oherwydd ef yw ein heddwch ni. Gwnaeth y ddau, yr Iddewon a'r Cenhedloedd, yn un, wedi chwalu trwy ei gnawd ei hun y canolfur o elyniaeth oedd yn eu gwahanu." (adn. 14)

Beth am ddarllen Effesiaid 2:11–22 ac yna myfyrio

Awn ni'n awr y tu allan i'r efengylau i fyfyrio ar Paul yn dathlu'r hyn gyflawnodd Crist a'r tangnefedd ddaw drwy'r gwaed a dywalltwyd ar y groes. Llwyddodd y Rhufeiniaid i sicrhau heddwch yn yr hen fyd – y *pax Romana* – drwy rym arfau a chreulondeb. Roedden nhw'n trechu gwrthryfeloedd drwy dywallt gwaed a defnyddio trais. Roedd heddwch yr Ymerodraeth Rufeinig wedi'i sefydlu ar y croesau a godai. Ond mae'r tangnefedd a adawodd Iesu Grist ar ei ôl yn dangnefedd sy'n dod o groes. Er ei bod wedi'i chodi gan y Rhufeiniaid, croes Iesu oedd y fan lle cafodd y tangnefedd mwyaf yn y byd ei drosglwyddo – tangnefedd Duw.

Roedd marwolaeth ein Harglwydd yn weithred ddrud o gymodi. Cawsom ni, yn wrthryfelwyr, wedi ymbellhau oddi wrth Dduw, ein cymodi â Duw sanctaidd drwy farwolaeth ei Fab. Rydyn ni, y cenhedloedd, oedd wedi'n cau allan o'r breintiau ysbrydol a roddwyd i Israel, ac 'yn estroniaid i'r cyfamodau a'u haddewid' (adn. 12), wedi ein dwyn yn agos gan groes Crist, medd Paul.

Mewn byd o gasineb hiliol, rhaniadau ethnig, a rhyfel dosbarth, Crist ei hun ydy ein tangnefedd. Mae'r tir yn wastad wrth droed y groes. Yn Iesu mae pob wal annuwiol yn cael ei dinistrio, pob rhwystr balch yn cael ei falurio. Ble bynnag mae ei angau yn cael ei bregethu, ei dderbyn a'i gofleidio, yno mae tangnefedd yn torri allan. Wedi'u cymodi â Duw ac â'i gilydd, mae'r rhai sy'n derbyn ei dangnefedd yn rhannu mynediad cyfartal at Dduw eu Tad ac yn ymuno i'w foli o'r galon. Does dim malais na chasineb y naill at y llall, dim ymgecru chwerw na hen elyniaeth, na ellir, yn y diwedd, eu meddiannu a'u niwtraleiddio drwy gariad croes Iesu. Os nad ydy hynny'n werth bloedd o Haleliwia, yna does dim.

Beth am fynd ymlaen i ddarllen:
Eseia 57:14–21; Rhuf. 14:17–23; 2 Cor.13:11–14

Meddyliwch am y cwestiynau hyn:
1. I bwy mae Duw yn rhoi tangnefedd, yn ôl Eseia?
2. Sut mae Paul yn disgrifio teyrnas Dduw?

Gweddi
Fy Nhad a'm Duw, sut alla i ddiolch digon i ti am ddioddef y fath boen ar y groes er mwyn i mi gael tangnefedd tragwyddol? Boed i bawb sy'n dod i gysylltiad â mi heddiw brofi'r tangnefedd sydd yn fy nghalon. Yn enw Iesu. Amen.

Perffaith ffydd – perffaith hedd

"Yr wyt yn cadw mewn heddwch perffaith y sawl sydd â'i feddylfryd arnat, am ei fod yn ymddiried ynot." (adn. 3)

Beth am ddarllen Eseia 26:1–6 ac yna myfyrio

Mae'r adnod rymus yma o'r Hen Destament yn dangos yr angen am ganoli ein meddyliau'n fwriadol ar Dduw. Nid lle i gyfeirio ato'n achlysurol ydy Duw; mae'n rhaid iddo fod yn ganolbwynt ein serch a'n teyrngarwch. Does dim amheuaeth mai dyma sut oedd Iesu'n byw. Mae'n rhaid i ni edrych arno wrth iddo gerdded drwy dudalennau'r efengylau i weld bod ei feddwl bob amser wedi'i hoelio ar Dduw. Ond yn ogystal â bod â'n meddyliau wedi'u hoelio ar Dduw, mae arnom angen ffydd hefyd, fel y dywed y testun. Roedd ymddiriedaeth Iesu yng nghariad ei Dad a'i fwriadau yn berffaith, ac felly roedd yn mwynhau perffaith hedd.

Canlyniadau diffyg ffydd yn Nuw ydy fod pethau'n disgyn yn ddarnau, gan nad ydy'r canol yn gallu dal. Mae hyn bob amser yn digwydd pan nad Duw ei hun sydd yn y canol.

Mae llawer iawn o bobl yn credu bod crynhoi pethau materol o gymorth i gadw pryder draw, ond yn aml yn gweld bod hynny'n ei waethygu. I filiynau, mae hyn yn arwain at ddiffyg cwsg. Mae'n drist iawn bod cymaint heb fod yn barod ar gyfer y dydd o'u blaenau oherwydd eu bod heb gael cwsg i'w hadfer. Mae'n ymddangos nad oedd Iesu'n cael unrhyw drafferth cysgu – ar un achlysur, cysgodd drwy storm (Math. 8:24)! Gadewch iddo anadlu ei dangnefedd yn ddwfn i'ch calon a byddwch chithau'n gallu cysgu drwy bob 'storm'.

Beth am fynd ymlaen i ddarllen:
Salm 37:1–11; Rhuf. 15:5–13

Meddyliwch am y cwestiynau hyn:
1. Pwy sy'n mwynhau 'heddwch llawn' yn ôl y salmydd?
2. Beth ydy gweddi Paul ar gyfer y Cristnogion yn Rhufain?

Gweddi
O Dad, mi wela i'n fwy eglur nag erioed dy fod yn dymuno rhoi tangnefedd mewnol dwfn. Cynorthwya fi i f'agor fy hun i'th dangnefedd iachusol di. Boed i'm meddwl fod wedi'i hoelio arnat ti ac nid ar fy helbulon i. Yn enw Iesu. Amen.

Sut i dderbyn tangnefedd

"A bydd tangnefedd Duw, sydd goruwch pob deall, yn gwarchod dros eich calonnau a'ch meddyliau yng Nghrist Iesu." (adn. 7)

Beth am ddarllen Philipiaid 4:1–9 ac yna myfyrio

Gan fod ein Harglwydd Iesu Grist wedi rhoi ei dangnefedd i ni, mae'n rhaid i ni ofyn y cwestiwn yma i ni ein hunain: Sut mae derbyn y tangnefedd yma? Mae un esboniwr yn awgrymu hyn: "Sefwch yn y ffordd i ganiatáu i dangnefedd lifo i mewn i chi. Mae tangnefedd yn cnocio ar y drws. Codwch y glicied a gadewch iddo ddod i mewn." Wel, haws dweud na gwneud, meddech chi. Dyma dystiolaeth un dyn ynglŷn â sut y dysgodd ei agor ei hun i'r tangnefedd mae Crist yn addo ei roi:

"Roedd arna i ofn byw ac roedd arna i ofn marw. Roedd arna i ofn pobl. Roedd arna i ofn popeth. Roedd arna i ofn codi yn y bore ac roedd arna i ofn mynd i'r gwely yn y nos. Un noson, mi ddarllenais i eiriau Iesu yn Ioan 20 pan ymddangosodd i'w ddisgyblion ac anadlu arnynt a dweud: "Tangnefedd i chwi!" Yn hollol annisgwyl, sylweddolais mai'r cyfan roedd yn rhaid i mi ei wneud oedd rhyddhau f'ofnau i Grist a chaniatáu iddo anadlu ei dangnefedd i'm calon. Y camgymeriad roeddwn wedi bod yn ei wneud oedd dyheu am i dangnefedd Duw ddod i mewn i mi cyn i mi ryddhau f'ofnau. Dangosodd i mi mai tangnefedd fyddai canlyniad rhyddhau f'ofnau – eu hildio iddo ef. Ni allai tangnefedd ddod i mewn wrth i mi ddal gafael ar f'ofnau. Roedd eu hildio yn rhoi lle i dangnefedd reoli fy nghalon. Ac fe wnaeth. Do yn wir!"

Ar un achlysur, dywedodd John Calvin, y Diwygiwr: *"God reduced my mind to a teachable frame"*. Pan fydd eich meddyliau'n barod i ddysgu, byddwch yn agored ac yn fodlon ildio eich holl ofnau i ddwylo Crist. A phan fyddwch wedi rhoi popeth yn ei ddwylo ac yn fodlon agor eich calon yn llawn iddo, yna tangnefedd fydd y canlyniad anochel. Mae Iesu'n ewyllysio ei dangnefedd i chi.

Beth am fynd ymlaen i ddarllen:
Salm 46:1–3; Luc 12:22–32; 1 Tim. 2:1–6; 1 Pedr 5:7–11

Meddyliwch am y cwestiynau hyn:
1. Beth mae Iesu yn ei ddysgu am boeni?
2. Sut mae Paul yn cysylltu gweddi â 'bywydau heddychlon'?

Gweddi
Arglwydd Iesu Grist, dw i'n rhoi fy holl ofnau yn dy ddwylo di rŵan. Wna i ddim dal gafael ynddyn nhw, eu coleddu nhw, na'u mwytho mwyach. Maen nhw'n perthyn i ti. Rho dy dangnefedd i mi rŵan. Anadla dy dangnefedd i mewn i mi fel y gwnest ti i'th ddisgyblion. Amen.

Golchi'r traed

"Os gwyddoch y pethau hyn, gwyn eich byd os gweithredwch arnynt." (adn. 17)

Beth am ddarllen Ioan 13:1–17 ac yna myfyrio

Awn ni ymlaen rŵan i ystyried un o roddion gwerthfawr eraill Crist: ei esiampl. Mae yna nifer o ffyrdd ardderchog lle mae Iesu wedi gosod ei esiampl i ni, ond yn ystod y dyddiau nesaf bydd yn rhaid i ni fodloni ar ganolbwyntio ar rai yn unig. Gadewch i ni edrych yn gyntaf ar yr esiampl a roddodd i ni yn ei wyleidd-dra.

Heb unrhyw amheuaeth, mae'r digwyddiad a gofnodir yn narlleniad heddiw – sef Iesu'n golchi traed ei ddisgyblion – yn rhoi i ni un o'r enghreifftiau gorau o wyleidd-dra'r Arglwydd. Mae llawer yn credu bod Iesu, pan ddywedodd wrth ei ddisgyblion, " ...fe ddylech chwithau hefyd olchi traed eich gilydd" (adn. 14), yn golygu y dylai pob un o'i ddilynwyr drwy'r oesoedd ymarfer y ddefod hon. Mae'n amheus a oedd hyn yn wir, er bod myrddiynau o Gristnogion mewn sawl rhan o'r byd yn parhau i wneud hyn. Ac mae rhai o'r gwasanaethau lle gwneir hyn yn gynhyrfus ac ystyrlon iawn. Fodd bynnag, mae dilyn esiampl Iesu yn golygu ymarfer gwyleidd-dra, fel ein bod yn debyg i Grist yn y ffordd rydyn ni'n siarad, yn ymddwyn ac yn ymateb.

Ond efallai y byddai rhai'n gwrthwynebu ac yn dweud: "Mae Iesu yn Dduw, ac mae popeth yn hawdd i Dduw. Ond rydyn ni'n wan ac yn ddynol, ac felly mae pethau'n wahanol iawn i ni." Mae'r diwinydd Douglas Webster yn cyfleu'r peth yn dda pan ddywed: "Mae'n eironi ofnadwy pan fydd Cristnogion yn esgusodi eu methiant i fod yn fwy tebyg i Iesu drwy ddweud bod ei dduwdod yn ei wneud yn eithriadol." Gall yr ysbryd oedd yn amlwg yn Iesu fod ynom ninnau os caniatawn iddo lywyddu a chartrefu oddi mewn i ni. Yn wir, oherwydd ei fod, yn hollol unigryw, wedi ei ddarostwng ei hun i farwolaeth i'n hachub, mae popeth am ei ysbryd yn berthnasol i'n bywyd ninnau. Dylai ei hanes ef fod yn hanes i ni yn yr ystyr bod ein gweithredoedd i fod yn rhai gwylaidd – fel ei weithredoedd ef.

Beth am fynd ymlaen i ddarllen:
Lef. 19:1–10; Math.11:28–30; 1 Pedr 5:1–6

Meddyliwch am y cwestiynau hyn:
1. Sut mae Iesu'n cysylltu Ei addewid â phwy ydyw?
2. Beth ydy prif ffocws siars Pedr?

Gweddi
O Dad, caniatâ i ysbryd dy Fab dreiddio i mewn i mi fel bod f'agwedd at eraill yr un ag agwedd dy Fab ataf i. Dw i wrth draed y dyn sy'n golchi traed. Gwna fi'n was parod. Yn enw Iesu. Amen.

Cyfrinach gwyleidd–dra

"Yna tywalltodd ddŵr i'r badell, a dechreuodd olchi traed y disgyblion, a'u sychu â'r tywel oedd am ei ganol." (adn. 5)

Beth am ddarllen Ioan 13:1–17 ac yna myfyrio

Mae'r darlleniad yma mor bwysig fel bod yn rhaid i ni dreulio diwrnod arall yn ei ystyried. Roedd cyfrinach gwyleidd-dra anhygoel Iesu yn seiliedig ar ei sicrwydd llwyr ynglŷn â phwy ydoedd a beth ydoedd. Gan ei fod yn sicr ynglŷn â'i dras (ei fod wedi dod oddi wrth Dduw), ei dynged (ei fod yn dychwelyd at Dduw) a'i awdurdod gan Dduw (roedd y Tad wedi rhoi popeth dan ei allu), gallai, heb gywilydd, blygu i olchi traed ei ddisgyblion. Yn rhydd oddi wrth ofynion parhaus i'w brofi ei hun, yn rhydd oddi wrth y pwysau i gadw wyneb, roedd yn rhydd i'w ddarostwng ei hun er gogoniant ei Dad ac er mwyn anghenion ei gyfeillion. Roedd Iesu'n gwybod pwy ydoedd oherwydd ei fod yn gwybod i bwy roedd yn perthyn, ac, felly, yn hyderus o'i le yn Nuw, gallai gymryd tywel a golchi traed y disgyblion.

Nid bychanu'r hunan mo hyn (ac mae llawer o'r hyn a alwn yn wyleidd-dra yn hyn) ond ymwybyddiaeth o fawredd. All y rhai bychain ddim meiddio â bod yn ostyngedig; byddai'n ormod o fygythiad iddynt. Ond roedd mawredd Iesu wedi'i wreiddio yn Nuw, ac roedd bod yn Nuw yn ei wneud yn fawr – ac yn wylaidd. Dywedodd Dr. E. Stanley Jones fod Iesu'n fawr oherwydd ei wyleidd-dra ac yn wylaidd oherwydd ei fawredd. Dim ond 'ynddo ef' y gellir ein rhyddhau o'r ansicrwydd distrywiol sy'n peri ein bod un ai yn orymwthgar gyda'n cymydog, neu'n ein hymostwng ein hunain mewn hunan-atgasedd.

Mae gwyleidd-dra yn bosibl i'r rhai mae eu bywydau wedi'u hailwreiddio yng nghariad Duw yng Nghrist. Os ydy'ch gorffennol a'ch dyfodol a'ch presennol yn nwylo Duw, yna byddwch yn profi gwir fawredd. Ni fyddwch yn dibrisio'ch hunan wrth gymryd tywel a golchi traed. Fel y Meistr, felly'r gwas.

Beth am fynd ymlaen i ddarllen:
Salm 23:1–6; 31:1–8, 14–16; Marc 10:42–45; Eff. 3:14–19

Meddyliwch am y cwestiynau hyn:
1. Ym mhwy mae hyder y salmydd?
2. Beth ydy gweddi Paul ar gyfer y rhai 'sydd â chariad yn wreiddyn a sylfaen' eu bywyd?

Gweddi
O Dad, dw i'n derbyn mai ffynhonnell gwyleidd-dra ydy ymwybyddiaeth o fawredd. Helpa fi i weld mai yn Nuw mae fy mawredd, nid ynof i fy hun, ac felly, o'r safbwynt hwnnw, helpa fi i weinidogaethu mewn gwir ostyngeiddrwydd i eraill. Yn enw Iesu. Amen.

Canlyn

"Os myn neb ddod ar fy ôl i, rhaid iddo ymwadu ag ef ei hun a chodi ei groes a'm canlyn i." (adn. 34)

Beth am ddarllen Marc 8:31–38 ac yna myfyrio

Rydyn ni am barhau i fyfyrio ar y ffaith mai un o roddion mwyaf gwerthfawr Iesu i ni yw ei esiampl. "Canlyn fi" oedd ei eiriau i sawl un tra bu ar y ddaear. Mae'r geiriau yma mor gyfarwydd i Gristnogion fel ein bod yn tueddu i beidio â sylwi ar yr honiad rhyfeddol sydd y tu cefn iddynt. Pwy ydy'r person yma sy'n ei osod ei hun fel canolwr ffawd dyn? Pwy ydy hwn sy'n gosod yr esiampl sy'n uchelgais i bob gŵr a gwraig? Neb llai na Mab Duw, Creawdwr pob dim (Col. 1:16).

Dywedodd y bardd Charles Lamb unwaith: "Pe bai Shakespeare yn cerdded i mewn i'r ystafell, mi fydden ni'n codi ar ein traed i'w gyfarch, ond pe bai'r Person Arall yna'n dod i'r ystafell, mi fydden ni i gyd yn syrthio i lawr ac yn cusanu godre'i wisg." Dyna esiampl wych ydy Iesu. Ymostyngodd pobl o bob math i'w atyniad. Pysgotwyr gwydn, merched y strydoedd, milwyr Rhufeinig, arweinwyr crefyddol, gweision sifil – roedden nhw i gyd wedi'u cyfareddu.

Mae dwy ffordd ar agor o'n blaenau: ffordd yn cael ei harwain gan yr hunan, a'r ffordd a osodir gan Grist. Mae'n ein galw i ymwadu â ni ein hunain, a gwnawn hynny, nid yn gymaint drwy ein casáu ein hunain ond drwy fod â'r dewrder i ildio ein rheolaeth ar ein dyfodol ein hunain a'i ymddiried iddo ef fel Arglwydd. Dydy codi'r groes ddim yn golygu goddef mân drafferthion fel perthnasau blin neu dywydd gwael, ond yn hytrach dewis rhoi'r gorau, yn ddyddiol, i hunan-les er mwyn dilyn ei arweiniad ef mewn bywyd. Fyddwn ni ddim yn colli'r gwir hunan fel hyn; yn baradocsaidd, dim ond wrth ddod i berthynas â Iesu y cawn ni wybod pwy ydyn ni mewn gwirionedd.

Beth am fynd ymlaen i ddarllen:
Salm 36:1–12; Luc 14:25–35; Rhuf. 10:9–13

Meddyliwch am y cwestiynau hyn:
1. Sut mae'r salmydd yn cyferbynnu'r rhai drygionus â'r rhai uniawn?
2. Beth ydy cost ei ganlyn, yn ôl Iesu?

Gweddi
Arglwydd Iesu Grist, mi wela i mai wrth d'adnabod di yn well y dof i f'adnabod fy hun yn well. Yn d'oleuni di y gwela i oleuni. Mae nghalon felly'n erfyn: 'Arwain ymlaen, annwyl Waredwr. Fe'th ddilynaf ble bynnag yr ei.' Amen.

Canlyn – nid dewis hawdd

"Nid yw disgybl yn well na'i athro na gwas yn well na'i feistr." (adn. 24)

Beth am ddarllen Mathew 10:24–42 ac yna myfyrio

Un o amcanion Mathew wrth ysgrifennu ei efengyl oedd calonogi dilynwyr Crist oedd yn wynebu caledi a gwrthwynebiad wrth dystiolaethu i Iesu. Ond mae gwrthwynebiad i'w ddisgwyl, medd Mathew, gan fod Iesu ei hun wedi dod wyneb yn wyneb â gelyniaeth drwy gydol ei weinidogaeth.

Wrth gwrs, mae'n beth brawychus bod yr alwad i ddilyn Iesu bob amser yn golygu dioddef ar ryw ffurf neu'i gilydd, ond mae'n rhaid wynebu'r ffaith honno. Cafodd Iesu ei gamddeall a'i sarhau sawl tro – a dyma fydd ein hanes ninnau. Cafodd ei gyhuddo un tro hyd yn oed o fod yn ddieflig, yn cael ei ysbrydoli gan 'Beelsebwl' (Math. 12: 24)! Hyd yn oed mewn gwledydd 'goddefgar', mae Cristnogion sy'n gadarn eu cred yn y Beibl yn cael eu dirmygu'n nawddoglyd gan y deallusion elitaidd; mae eu tystiolaeth yn cael ei gwawdio a'i galw'n hen ffasiwn, a'u llawenydd yn cael ei wfftio'n ddirmygus fel rhywbeth arwynebol. Ond dydy disgybl ddim yn well na'i athro. Dydy llwyddiant amlwg a chymeradwyaeth allanol ddim yn feini prawf o ffyddlondeb, fel mae esiampl Iesu'n ei ddangos. Yn wir, ein braint fwyaf mewn gwirionedd ydy cael ein trin fel y cafodd ef ei drin. Yr hyn sy'n bwysig i'r gwas ffyddlon ydy bod fel ei Feistr a chael ei gydnabod ganddo ym mhresenoldeb y Tad (adn. 32).

Yn anad dim, gallwn fod yn ddiolchgar am realaeth Iesu. "Dydy Iesu ddim yn llawn hwyliau wrth sôn am genhadu yn ei enw," medd Dale Bruner. "Mae'n gwybod mai mudiad lleiafrifol di-lol ydy ei genhadaeth, sy'n achosi rhwyg, sy'n galed, ac mae'n well ganddo roi hynny ar ddeall yn hytrach na chamarwain." Nid dewis hawdd mo dilyn Iesu – mae'n alwedigaeth anodd. Eto, sut allwn ni beidio â'i ganlyn?

Beth am fynd ymlaen i ddarllen:
Neh. 4:1–23; Gal. 4:12–14; Phil. 1:12–18; Heb. 10:32–39

Meddyliwch am y cwestiynau hyn:
1. Ym mha ffyrdd y goresgynnodd Nehemeia wrthwynebiad?
2. Ym mha ffyrdd y goresgynnodd Paul ei garcharu?

Gweddi
Fy Nhad a'm Duw, dw i mor llawen bod fy nhraed ar y llwybr y troediodd dy Fab, y llwybr sy'n arwain yn y pen draw i ogoniant. Gan wybod yr hyn a wn, ni allaf ond canlyn. Diolch i ti Nhad. Amen.

O boptu'r Pasg

"... oherwydd dioddefodd Crist yntau er eich mwyn chwi, gan adael ichwi esiampl, ichwi ganlyn yn ôl ei draed ef."(adn. 21)

Beth am ddarllen 1 Pedr 2:13–25 ac yna myfyrio

Mae gwahanol awduron Cristnogol wedi nodi bod llawer o Gristnogion yn anesmwyth ynglŷn â'r efengylau. Maen nhw'n tueddu i ganolbwyntio mwy ar lythyron yr apostolion nag ar y pedair efengyl am eu bod – a hynny'n ddigon cywir – am fyw mewn profiad wedi'r Pasg. Ond mae perygl mewn bychanu'r digwyddiadau a arweiniodd at y croeshoeliad a'u hystyried yn amherthnasol i ni. Gall hyn ein harwain i feddwl mai Crist oedd yr un i ddioddef a marw, ac mai byw a gorfoleddu ydy ein rhan ni.

Os darllenwn ni'r efengylau'n ofalus, fodd bynnag, byddwn yn gweld bod yr apostolion yn byw o boptu'r Pasg ac nad ydy bod yn ddisgybl unochrog yn tycio dim. Mae Pedr, fel Paul, yn gorfoleddu yn yr iachawdwriaeth a'r fuddugoliaeth sydd wedi'u hennill i ni drwy farwolaeth unigryw Oen Duw. Ond eto, mae'r ddau ddisgybl yma yn gwybod hefyd nad ydy'r atgyfodiad wedi dileu'r groes, ond ei fod yn hytrach yn ei chadarnhau fel y ffordd o fyw er anrhydedd i Dduw. Felly, bydd canlyn Crist yn golygu dioddef caledi ac anghyfiawnder a hyd yn oed erledigaeth. Ac er mwyn dilyn ei esiampl, mae'n rhaid i ni hefyd ddysgu ei gyfrinach ynglŷn â sut i ymateb fel yr ymatebodd ef, heb adweithio i sbeit â chasineb, heb ymateb i sarhad drwy ddial. Yn hytrach, dylen ni ymddiried, fel Iesu, yn y Duw sy'n barnu'n gyfiawn.

Yn wreiddiol, roedd geiriau Pedr yn cyfarch Cristnogion oedd yn gaethweision, ac roedden nhw'n gallu disgleirio fel Crist hyd yn oed wrth gael eu trin yn anghyfiawn gan eu meistri gormesol. Mae nifer o Gristnogion heddiw yn cael eu trin yn anghyfiawn oherwydd eu ffydd. Ond os gall Cristnogion y ganrif gyntaf amlygu Iesu, yna yn sicr fe ddylen ni!

Beth am fynd ymlaen i ddarllen:
Marc 10:35–40; Actau 5:17–32; 5:41–42; 6:8–15; 7:51–60.

Meddyliwch am y cwestiynau hyn:
1. Beth oedd ymateb Pedr i galedi?
2. Beth oedd ymateb Steffan i erledigaeth?

Gweddi
O Dad, maddau i mi os ydw i wedi bod yn ddisgybl unochrog, yn llawenhau ym muddugoliaeth atgyfodiad dy Fab, ond gan anghofio bod gennyf groes i'w chodi hefyd. Dw i am fyw o boptu'r Pasg. Helpa di fi, O Dad. Amen.

Efelychu Crist

"Byddwch yn efelychwyr ohonof fi, fel yr wyf finnau o Grist." (adn. 11:1)

Beth am ddarllen 1 Corinthiaid 10:23 – 11: 1 ac yna myfyrio

Nid bod yn ymffrostgar oedd Paul wrth ein hannog i ddilyn ei esiampl fel y dilynodd ef esiampl Crist. I'r gwrthwyneb. Yn wir, mae'n gwrthwynebu'r ffordd roedd pobl Corinth wedi gwirioni ar arweinwyr hunanbwysig oedd yn trio ennill dilynwyr, waeth beth oedd safon eu gonestrwydd. Mae Paul yn ei gynnig ei hun fel esiampl *dim ond cyn belled â'i fod yn efelychu Crist.*

Un rheswm pam roedd Paul yn ymladd mor ffyrnig dros ei enw da fel apostol oedd ei fod yn credu bod yn rhaid i'r Efengyl a bregethai fod yn amlwg ym mywyd ei chenhadon. Mae'r ffordd roedd Paul yn efelychu Crist yn amlwg o'r cyd-destun yma. Roedd Paul yn byw *er gogoniant i Dduw ac er lles eraill.* Mae Paul yn cadarnhau y *dylen ni* ymhyfrydu yn ein rhyddid yng Nghrist. Roedd Iesu'n rhydd yn ei hanfod, yn tramgwyddo'r arweinwyr crefyddol drwy gyd-fwyta â phechaduriaid oedd ag enw drwg, a thrwy beidio â galw unrhyw fwyd yn aflan. Ond nid hunanfaldod mo'i ryddid. Fel roedd popeth a wnâi Iesu yn dwyn clod i'w Dad ac er achubiaeth eraill, felly hefyd mae Paul yn ystyried lles eraill o flaen ei les ei hun (adn. 24, 33) ac yn annog y dylai popeth gael ei wneud er gogoniant i Dduw (adn. 31). Ac fel y bu i Iesu fyw a marw i achub eraill, felly hefyd y dylen ninnau ystyried achubiaeth eraill ym mhopeth a wnawn (adn. 33).

Ond beth am ein perthynas â'r rhai sydd eisoes wedi'u hachub – ein brodyr a'n chwiorydd yng Nghrist? Pan fydd Cristnogion yn anghytuno ar faterion (ac mae nifer o'r materion hynny), yna bydd y rhai sy'n efelychu Crist am roi esiampl y groes ar waith a cheisio anghytuno'n ddymunol. Pe byddai lles eraill yn cael y lle blaenllaw yn ein meddyliau pan fyddwn yn trafod ein hanghytundebau, gymaint gwahanol fyddai Eglwys Iesu Grist.

Beth am fynd ymlaen i ddarllen:
Luc 19:1–10; Actau 11:1–18; Rhuf. 14:1–15

Meddyliwch am y cwestiynau hyn:
1. Sut mae Pedr yn datrys yr anghytundeb yn Jerwsalem?
2. Beth ydy sail ein bywyd gyda'n gilydd fel credinwyr, yn ôl Paul?

Gweddi
Fy Nhad a'm Duw, helpa fi i efelychu dy Fab a'r apostol Paul ac i wneud popeth yn ôl esiampl y groes. Boed i mi geisio dy glod di ym mhopeth, hyd yn oed wrth anghytuno'n go iawn ag eraill yn dy gorff. Yn enw Iesu. Amen.

Ein parodrwydd ni, ei nerth ef

"Amlygwch yn eich plith eich hunain yr agwedd meddwl honno sydd, yn wir, yn eiddo i chwi yng Nghrist Iesu." (adn. 5)

Beth am ddarllen Philipiaid 2:5–11 ac yna myfyrio

Mae'r darlun yma o Grist mor rhyfeddol fel ei bod yn anhygoel bod Paul yn ei godi o flaen ein llygaid fel model o ymddygiad Crist-debyg y dylen ni ei efelychu. Mae'r emyn godidog yma i'r Crist gostyngedig a dyrchafedig yn gymaint o ddathliad o iachawdwriaeth fel y gallem ni golli pwrpas Paul yn ei ddyfynnu. Mae Paul yn trio mynd i'r afael â'r ymraniad yn yr eglwys yn Philipi sy'n cael ei achosi gan falchder. I ddelio â'r ymraniad, mae'n annog ei gyfeillion, y Philipiaid, i amlygu "yr agwedd meddwl honno sydd … yn eiddo i chwi yng Nghrist Iesu" (adn. 5). Mewn geiriau eraill, mae'r 'emyn' yn ddathliad athrawiaethol ac yn apêl foesegol. Ymhyfrydu yng Nghrist, ac yna mynd ati i wneud fel y gwnaeth ef ydy neges Paul yma.

Ond nid apêl i efelychu Crist ar ein pen ein hunain ac o'n hadnoddau ein hunain mo hon. Yn hytrach, drwy egni ei ras achubol yn gweithio oddi mewn i ni ac yng nghymuned y ffydd, a thrwy gariad y naill at y llall, gallwn ddysgu bod yn debyg iddo. Mae un sylwebydd, Gerald Hawthorne, yn dweud bod awgrym o ffynhonnell y nerth sy'n ein galluogi i gyrraedd at y nod uchel hon yn yr ymadrodd "yng Nghrist Iesu" (adn. 5). "Mae'r alwad i efelychu Crist Iesu", meddai "yn bosibl drwy nerth y Crist byw, dyrchafedig sy'n bresennol ac ar waith ym mywydau credinwyr drwy waith ei Ysbryd Glân."

Dydy esiampl Crist ddim yn ddelfryd amhosibl, gan ei bod yn dod law yn llaw â'i allu! Hynny yw, mae Iesu nid yn unig yn codi'r her i uchder bron â bod yn anhygoel, ond mae hefyd yn rhoi'r nerth i ni gyrraedd yr uchder hwnnw. Ein parodrwydd yn unig sydd arno ei angen. Ein parodrwydd ni; ei nerth ef. Felly, peidiwch byth â dweud bod her Duw y tu hwnt i chi; mae'r her y tu hwnt i chi, dim ond os byddwch chi'n amharod i elwa ar ei nerth.

Beth am fynd ymlaen i ddarllen:
Luc 4:14–22, 31–37; Gal. 5:13–26; Col. 3:1–11

Meddyliwch am y cwestiynau hyn:
1. Drwy ba nerth ac awdurdod yr oedd Iesu'n gweinidogaethu?
2. Sut mae Paul yn disgrifio bywyd yn yr Ysbryd i'r Galatiaid?

Gweddi
O Dad, helpa fi i fwrw f'angor i ddyfnderoedd y datguddiad cysurlon a chalonogol yma. Dwyt ti ddim yn disgwyl i mi ddibynnu ar fy nerth fy hun yn unig er mwyn byw yn ôl dy safonau di, ond i elwa ar dy nerth di. Diolch i ti, fy Nhad. Amen.

Hollol ddynol, hollol fyw

"Oherwydd, cyn eu bod hwy, fe'u hadnabu, a'u rhagordeinio i fod yn unffurf ac unwedd â'i Fab." (adn. 29)

Beth am ddarllen Rhufeiniaid 8:28–39 ac yna myfyrio

Yn y darlleniad cofiadwy yma mae geiriau Paul yn gosod y syniad o esiampl Crist ar y raddfa fwyaf posibl. Mae'n dweud mai Iesu Grist yw'r templed mae Duw'n gweithio iddo wrth drawsnewid ein bywydau. Dywedodd John Stott: "Pe byddai raid i ni grynhoi mewn un frawddeg fer beth ydy ystyr bywyd, pam y daeth Iesu Grist i'r byd yma i fyw a marw ac atgyfodi, a beth mae Duw yn ei wneud yn y broses hanesyddol hirfaith … byddai'n anodd dod o hyd i eglurhad mwy cryno na hyn: *'Mae Duw yn gwneud bodau dynol yn fwy dynol drwy eu gwneud yn fwy tebyg i Grist.'* Nod y cyfan mae Duw wedi'i wneud ac yn ei wneud er mwyn ein hachub a'n dwyn i ogoniant ydy ein gwneud yn fwy tebyg i Iesu. Cydymffurfio â Iesu ydy'r daioni terfynol mae'r Ysbryd yn gweithio tuag ato wrth weu bwriad pennaf Duw i amgylchiadau amrywiol ein bywydau.

Wrth gwrs, dydy hyn ddim yn golygu y bydd pob dyn yn Iddew tair ar ddeg ar hugain mlwydd oed yn y pen draw! Fydd dim o'n hunigoliaeth yn cael ei golli wrth ddod yn fwy tebyg i Iesu. Mae'r cwestiwn: "I beth mae'r bywyd dynol go iawn yn debyg?" yn cael ei ofyn yn aml, a'r ateb ydy: "Iesu". Wrth edrych ar Iesu, gallwn ddweud: dyna'r bywyd dynol go iawn! Ef yw dyn perffaith Duw.

Mae datganiad John Stott bod Duw yn gwneud bodau dynol yn fwy dynol trwy eu gwneud yn fwy tebyg i Grist yn werth ei ystyried. Po debycaf y byddwch i Iesu, yna mwyaf dynol fyddwch chi – ac yn fwy 'cwbl fyw'.

Beth am fynd ymlaen i ddarllen:
Ioan 1:1–14; 1 Cor. 15:45–57; Phil. 3:21; 1 Ioan 3:1–3

Meddyliwch am y cwestiynau hyn:
1. Pam ddaeth y Gair yn gnawd?
2. Delw pwy fydd arnon ni, yn ôl Paul ac Ioan?

Gweddi
Rasol Dad, helpa fi o ddydd i ddydd i ddod yn fwy tebyg i Iesu, oherwydd dw i'n gweld fy mod yn fwy byw po debycaf ydw i iddo ef. Dw i'n dymuno bod 'yn fyw', nid ar fy nghyfer fy hun yn unig, ond er mwyn gallu ei rannu ag eraill. Yn enw Iesu. Amen.

Ein holl sylw

"...gan gadw ein golwg ar Iesu, awdur a pherffeithydd ffydd." (adn. 2)

Beth am ddarllen Hebreaid 12:1–11 ac yna myfyrio

Yn y darlleniad heddiw, mae'r awdur, wrth ymdrechu i gymell ei ddarllenwyr i ddal ati o dan bwysau, yn cyflwyno Iesu fel yr esiampl o un sy'n dyfalbarhau drwy ffydd. Mae'r ffordd y dioddefodd Iesu elyniaeth o du'r rhai oedd yn gwrthwynebu cynllun achubol Duw yn rhoi model ar gyfer y Cristnogion gofidus yr ysgrifennwyd y llythyr yma atynt.

Mae'r enghreifftiau o arwyr ffydd yr Hen Destament (gweler Hebreaid 11) yn ein hysgogi yn ein ffydd, ond mae golwg ffres ar Iesu, prif ddehonglwr y ffydd, yn ein hysgogi fwyfwy. Ef ydy arloeswr y ffydd sy'n ein harwain ymlaen i ddangos y ffordd inni. Ef ydy ein hamddiffynnydd yn y ffydd sy'n mynd o'n blaenau i wynebu'r drwg sydd ar ein llwybr. Mae e'n goddef fel y gallwn ni oddef. Dirmygodd gywilydd y groes fel y gallwn ninnau ddiystyru'r dirmyg o fod yn ddilynwyr iddo. Rydyn ni'n cael ein galw, law yn llaw â darllenwyr gwangalon, y Llythyr at yr Hebreaid, i hoelio ein sylw arno ef yn llwyr. Boed inni ei efelychu ef wrth iddo ganolbwyntio ar lawenydd y dyfodol yng nghroeso a chymeradwyaeth Duw. Ystyriwch ei draed gwaedlyd yn troedio llwybr buddugoliaeth, a chodwch eich calonnau.

Dyma bennill o emyn Ieuan Gwynedd sy'n ein hannog i roi ein bryd ar Iesu:

> Er maint yw chwerw boen y byd
> mi rof fy mryd ar Iesu,
> ac er pob cystudd trwm a loes
> mi dreulia' f'oes i'w garu.

Beth am fynd ymlaen i ddarllen:
Salm 25:1–15; *Heb. 2:5–18*

Meddyliwch am y cwestiynau hyn:
1. Sut ddylem weddïo gweddi'r salmydd fel crediniwr yng Nghrist?
2. Ym mha ffyrdd mae Iesu yn 'dywysog ein hiachawdwriaeth'?

Gweddi
O Dad, helpa fi i wroli, nid yn unig wrth ddarllen llyfrau neu hyd yn oed y darlleniadau dyddiol yma, ond wrth hoelio fy llygaid ar Iesu. Mi dafla i gipolwg ar y pethau eraill sy'n rhoi anogaeth i mi, ond dw i am i'm sylw ganolbwyntio'n llwyr ar Iesu. Amen.

Gwneud daioni

" ... carwch eich gelynion, gwnewch ddaioni i'r rhai sy'n eich casáu." (adn. 27)

Beth am ddarllen Luc 6:27–36 ac yna myfyrio

Esiampl arall a roddodd ein Harglwydd i ni oedd yr esiampl o wneud daioni. Yn y darlleniad heddiw mae Crist yn pwysleisio'r ffaith bod gwir blant Duw yn ymhyfrydu mewn gwneud daioni – hyd yn oed i'r rhai sy'n elynion iddynt. Nid rhywbeth roedd Iesu'n ei bregethu'n unig oedd hyn; roedd yn ei roi ar waith hefyd. Flynyddoedd wedyn, wedi i Grist atgyfodi a dychwelyd i'r nefoedd, dywedodd yr apostol Pedr amdano: "Aeth ef oddi amgylch gan wneud daioni ac iachau pawb oedd dan ormes y diafol, am fod Duw gydag ef." (Actau 10:38).

Bellach, wrth gwrs, mae bod yn rhywun sy'n gwneud daioni yn tueddu i ennyn sarhad. I lawer, mae'r term yn golygu person hunangyfiawn, Phariseaidd a nawddoglyd sy'n cywilyddio'r gweddill ohonom. Ond mae Iesu'n eithriad gogoneddus i hyn. Mae ei ddull o weithredu yn ei glustnodi fel yr Iachawdwr a anfonwyd o'r nef sydd, yn unigryw ac yn wylaidd ac yn hunanaberthol yn mynd "oddi amgylch gan wneud daioni ... am fod Duw gydag e."

Dywedir bod gweithredoedd dyn yn byw ar ei ôl. Roedd hyn yn sicr yn wir iawn am Iesu. Roedd gan awduron yr efengylau ddigonedd o ddewis wrth gofnodi'r dystiolaeth am ei wyrthiau a'i weithredoedd mawr. Ni fyddai'r byd, meddai Ioan, yn ddigon mawr i ddal y llyfrau fyddai'n cael eu hysgrifennu (Ioan 21:25). Felly, dim ond detholiad o'r holl bethau rhyfeddol a wnaeth Iesu mae Mathew, Marc, Luc ac Ioan yn ei roi inni. Mi garen ni wybod mwy. Ond mae pwrpas i'w cynildeb. Dim ein syfrdanu ag effeithiau goruwchnaturiol arbennig ydy eu hamcan, ond ein hysgogi i fod â ffydd. Maen nhw am i ni gredu, nid bod wedi'n synnu. Ac nid yn unig credu, ond dilyn yr esiampl mae Iesu wedi'i rhoi i ni. Ydych chi wedi gwneud rhywbeth da i rywun yn ddiweddar?

Beth am fynd ymlaen i ddarllen:
Diar. 3:27–30; 14: 22; Micha 6:6–8; Math. 25:31–46; Titus 3:1–8; 3:12–14

Meddyliwch am y cwestiynau hyn:
1. Beth a gais yr Arglwydd gennym, yn ôl Micha?
2. Beth sy'n gwahaniaethu'r defaid oddi wrth y geifr yn nameg Iesu?

Gweddi
O Dad, maddau i mi os ydw i'n ymwneud mwy â theori'r bywyd Cristnogol yn hytrach na'i fyw. Helpa fi i wneud rhywbeth da i rywun heddiw. Ac nid heddiw'n unig, ond pob dydd. Dw i'n gweddïo'n enw Iesu. Amen.

Darganfod beth mae Duw yn ei wneud

"Beth bynnag y mae'r Tad yn ei wneud, hyn y mae'r Mab yntau
yn ei wneud yr un modd." (adn. 19)

Beth am ddarllen Ioan 5:1–17 ac yna myfyrio

Ni all hyd yn oed y rhai sy'n darllen yr efengylau yn ysbeidiol beidio â sylwi ar y nifer o weithredoedd da wnaeth Iesu pan oedd ar y ddaear. Cyffyrddodd â'r gwahangleifion a'u hiachau, rhoddodd eu golwg i'r deillion, galluogodd y cloffion i gerdded eto, trodd ddŵr yn win, a pharodd i becyn bwyd bachgen bach fwydo miloedd. Mi allem ni fynd ymlaen.

Ond arhoswch ennyd i feddwl sut oedd awduron yr efengylau yn disgrifio'r dystiolaeth yma. Mae gweithredoedd Iesu yn cael eu galw'n wyrthiau (e.e. Math.11:20, 21, 23) – tywalltiad o allu dwyfol, yn tystiolaethu i nerth Duw ar waith yn Iesu. Maen nhw'n cael eu disgrifio fel gweithredoedd trugarog (e.e. Math.14:14) – tywalltiad o dosturi Duw a'i ddyhead angerddol i unioni byd toredig. Yn fwy na dim, mae'r gweithredoedd i'w gweld fel arwyddion (e.e. Ioan 20:30) – yn cyfeirio at realiti gogoneddus teyrnas Dduw a ddaeth i fod yn a thrwy Iesu.

Mae cyfrinach gweinidogaeth ein Harglwydd o wneud daioni i'w gweld yn narlleniad heddiw. Dim ei ddyrchafu ei hun oedd diddordeb Iesu, ond yn hytrach 'gorffen' yr hyn roedd ei Dad wedi'i ddechrau! Roedd Iesu'n gweithio dim ond lle'r oedd yn gweld ei Dad yn gweithio, ac yna dim ond er mwyn cau pen y mwdwl ar yr hyn roedd ei Dad wedi'i ddechrau. Dyma ffaith drawiadol i'w hwynebu. Cyn mynd allan i wneud gwaith Duw, mi fyddai'n ddoeth i ni weddïo er mwyn canfod beth mae Duw yn ei wneud ac yn lle mae ef ar waith, ac yna mynd ati i wneud y gwaith law yn llaw ag ef. Faint o weithiau fuom ni'n cnocio ar ddrysau nad oedd Duw yn eu hagor, ac yna'n cael ein synnu pan ddigwyddom ni ddod ar draws un roedd yn ei agor? Roedd yna lawer o bobl sâl wrth bwll Bethesda y diwrnod hwnnw, ond dim ond yn un dyn roedd Duw, yn ei sofraniaeth ryfeddol, ar waith.

Beth am fynd ymlaen i ddarllen:
Salm 119:121–136; Eff. 2:1–10; Phil. 2:12–18; 1 Tim. 6:17–19

Meddyliwch am y cwestiynau hyn:
1. Beth ydy gweddi'r salmydd?
2. Ar gyfer beth y crëwyd yr Effesiaid, yn ôl Paul?

Gweddi
O Dad nefol, cariadus, rho i mi'r ddoethineb a'r mewnwelediad i gnocio ar y drysau rwyt ti am eu hagor. Helpa fi i ddilyn dy arweiniad di ym mhob dim ac i fod yn sensitif i'th ewyllys berffaith di. Yn enw Iesu. Amen.

Gwneud cyn dysgu

"Ysgrifennais y llyfr cyntaf, Theoffilus, am yr holl bethau y dechreuodd Iesu eu gwneud a'u dysgu." (adn. 1)

Beth am ddarllen Actau 1:1–11 ac yna myfyrio

Mae'n ddiddorol bod Luc yn dechrau'r hyn a alwn yn 'Actau'r Apostolion' drwy gyfeirio at y ffaith bod yr efengyl roedd wedi'i hysgrifennu yn sôn "am yr holl bethau y dechreuodd Iesu eu gwneud a'u dysgu." Sylwch sut y cafodd y rhan hon o'r frawddeg ei ffurfio: "yr holl bethau y dechreuodd Iesu eu gwneud a'u dysgu". Nid dim ond dysgu oedd gweinidogaeth Iesu'n ei chynnwys ond yn hytrach gwneud a dysgu. Datblygiad ar y gwneud oedd y dysgu, rhywbeth oedd ar waith oddi mewn iddo. Doedd e'n dysgu dim heb ei roi ar waith.

Roedd hyn yn rhoi nerth mawr i'w eiriau. Yn ei Efengyl, mae Luc yn dweud amdano: "Aeth pawb yn syn a dechreusant siarad â'i gilydd, gan ddweud, 'Pa air yw hwn? Y mae ef yn gorchymyn yr ysbrydion aflan ag awdurdod ac â nerth, ac y maent yn mynd allan.'" (Luc 4:36). Roedd pobl eraill yn dyfynnu awdurdodau, ond pan oedd Iesu'n siarad roedd e'n siarad ag awdurdod Ei fywyd ei hun yn gefn i bopeth a ddywedai. Roedd yr hyn a ddysgai Iesu yn nerthol, nid yn unig oherwydd y pethau roedd yn eu dweud, ond oherwydd yr awdurdod ychwanegol a roddai i bopeth a ddywedai – awdurdod oedd yn dod o'i gywirdeb mewnol a harddwch ei ffordd o fyw. Roedd pobl nid yn unig yn clywed y Gair – roedden nhw'n ei weld ar waith. Roedd y neges yn llafar ond hefyd yn fyw ym mhob rhan o'i enaid. Roedd ei weithredoedd a'i eiriau wedi'u cyfuno â'i gilydd fel geiriau a cherddoriaeth cân. Dywedodd Dr E. Stanley Jones amdano: "Nid rhywbeth yn cael ei orfodi ar fywyd oedd dysgeidiaeth Iesu ond rhywbeth oedd yn cael ei amlygu ohono. Dyna pam nad arwyddbost yn dangos y ffordd ydy Iesu – ef yw'r ffordd. Ac wrth ei ddilyn ef byddwn ninnau yn canfod ein bod ar y ffordd."

Beth am fynd ymlaen i ddarllen:
Salm 118:19–21; Ioan 10:1–10; Actau 24:14; Heb. 10:19–25

Meddyliwch am y cwestiynau hyn:
1. Ym mha dermau mae Iesu'n ei ddisgrifio'i hun?
2. Beth ydy'r anogaethau (h.y. 'Gadewch inni') mae'r awdur yn eu rhoi i'r Hebreaid?

Gweddi
O Dduw, mae hi mor hawdd canolbwyntio mwy ar y ddysgeidiaeth nag ar y gwneud. Dw i'n teimlo'r her yn hyn i gyd. Helpa fi i gadw'r pethau hyn mewn cydbwysedd, fel y gellid dweud amdanaf innau fod fy nysgeidiaeth yn deillio o'm gweithredoedd. Yn enw Iesu. Amen.

Iesu – perffaith ymhob dim

"Os wyf yn dweud y gwir, pam nad ydych chwi yn fy nghredu?" *(adn. 46)*

Beth am ddarllen Ioan 8:42–47 ac yna myfyrio

Ddoe mi welom ni fod Luc wedi dechrau'r hyn a alwn yn 'Actau'r Apostolion' (er, a bod yn fwy cywir, 'Actau Iesu drwy'r Apostolion' ddylai o fod) drwy gyfeirio at y ffaith ei fod yn ei efengyl wedi ysgrifennu "am yr holl bethau y dechreuodd Iesu eu gwneud a'u dysgu." (Actau 1:1). Mae'r drefn, fel dywedom ni, yn bwysig – gwneud yn gyntaf, yna dysgu. Roedd y gwneud a'r ddysgeidiaeth yn un yn ein Harglwydd; torrwch blisgyn ei weithredoedd allanol ac fe welwch gnewyllyn ystyron tragwyddol.

Soniodd un cenhadwr a aeth i India am y ffresgos a welodd ar waliau un deml – delweddau o dduwiau yn gwneud pob math o bethau ffôl – ac yna mae'n gofyn i geidwad y deml: "Ydi'r ffresgos yma yn eich helpu chi i addoli eich duwiau?" Atebodd y ceidwad: "Mae'n rhaid i chi fod yn gryf iawn pan fyddwch yn dod i'r deml yma neu mi fyddwch chi'n mynd oddi yma ac yn gwneud y pethau mae'r duwiau yn eu gwneud." Dyna ddadlennol, onid e?

Pan fyddwn yn edrych ar Iesu Grist, fyddwn ni byth yn teimlo bod rhinweddau dwyfol yn cael eu gorfodi arno; yn hytrach maen nhw'n cael eu hamlygu ohono. Maen nhw'n deillio oddi mewn. Gallwn weld ar unwaith yr hyn sy'n cael ei orfodi arno gan ganrifoedd diweddarach a'r hyn sy'n cael ei amlygu ohono ef. Mae'r naill yn ffug, a'r llall yn eirwir. Er enghraifft, nifer o flynyddoedd yn ôl, darganfuwyd llawysgrif yn Ethiopia – yr Efengyl yn ôl Thomas, yn ôl yr honiad. Ceir y frawddeg ganlynol ynddi: "Dywedodd Pedr wrth Iesu, 'Anfon Mair ymaith. Nid yw'n addas bod merch yn etifeddu bywyd tragwyddol fel dynion.'" "Na", meddai Iesu, "does dim rhaid iddi fynd ymaith. Fe'i gwnaf yn ddyn ac felly gall hi etifeddu bywyd tragwyddol." Dyna sy'n digwydd pan fydd dyn yn gorfodi rhinweddau dwyfol ar Iesu – mae'n cynhyrchu anghenfil. Mi ddylen ni fod yn ddiolchgar iawn am ryfeddod a geirwiredd y Testament Newydd.

Beth am fynd ymlaen i ddarllen:
Ex.15:1–3; 11–13, 17–18; Ioan 4:4–14, 6: 41–51

Meddyliwch am y cwestiynau hyn:
1. Sut mae Moses yn ymhyfrydu yn Nuw?
2. Beth ydy addewid Iesu i'r wraig o Samaria?

Gweddi
Arglwydd Iesu Grist, po fwyaf rwyf yn dy gymharu ag eraill, mwya rhyfeddol wyt yn fy ngolwg. Eto, dydy dy berffeithrwydd ddim yn fy mharlysu; mae'n fy neffro, yn f'ysbrydoli, yn fy ngalw i fynd ymlaen. Helpa fi i fod yn fwy tebyg i ti. Er mwyn d'enw annwyl Di. Amen.

Cymhellion bob tro

" ...gadewch inni wneud da i bawb, ac yn enwedig i'r rhai
sydd o deulu'r ffydd." (adn. 10)

Beth am ddarllen Galatiaid 6:1–10 ac yna myfyrio

Rydyn ni am barhau i fyfyrio ar esiampl ein Harglwydd, yr un aeth "oddi amgylch gan wneud daioni ac iachau pawb oedd dan ormes y diafol, am fod Duw gydag ef" (Actau 10:38). Yn ein darlleniad heddiw mae'r apostol Paul yn ein hatgoffa ein bod i "wneud da i bawb, ac yn enwedig i'r rhai sydd o deulu'r ffydd." Wrth inni ddilyn esiampl ein Harglwydd a gwneud daioni i eraill, mae'n rhaid inni fod yn ofalus ein bod yn gwneud hynny yn ysbryd Iesu. Cymhellion ydy popeth. Nid gwneud argraff ar bobl gyda'i garedigrwydd oedd cymhelliad ein Harglwydd, ond yn hytrach oherwydd mai hyn oedd y peth cywir i'w wneud. Dyma eiriau treiddgar: "Ac felly, pechod yw i rywun beidio â gwneud y daioni y mae'n gwybod y dylai ei wneud". (Iago 4: 17) Fel y dywedwyd un tro: "Mae gwneud y peth cywir bob amser yn gywir i'w wneud."

Rai dyddiau'n ôl, mi soniwyd bod mynd o amgylch yn gwneud daioni yn gallu ennyn sarhad, gan y gall y sawl sy'n gwneud daioni gael ei ystyried yn hunangyfiawn. Eto, dydy gwneud daioni ddim o reidrwydd yn golygu ein bod yn bobl sy'n gwneud daioni er mwyn ateb rhyw angen ynom ni ein hunain. Mae Tony Campolo, y pregethwr o America, yn credu y dylen ni, gymaint ag sy'n bosibl, fod yn anhysbys wrth wneud daioni. Er enghraifft, mae'n dweud bod y rhai sy'n mynd i gartrefi anghenus i ganu carolau ac i roi rhodd o becyn bwyd yn mynd ati o chwith. Dylen nhw fod yn gadael y pecyn wrth y drws gyda nodyn yn dweud: "Mae Duw'n eich caru ac yn anfon hwn." Mae ganddo bwynt.

Roedd gweithredoedd da ein Harglwydd yn llifo o galon oedd yn gorlifo â chydymdeimlad a dyhead i unioni byd claf a thoredig. Dyna esiampl i ni. Dyna etifeddiaeth.

Beth am fynd ymlaen i ddarllen:
Math. 6:1–18; 1 Cor. 13:1–3; Titus 2:11–14; Iago 2:12–26

Meddyliwch am y cwestiynau hyn:
1. Beth ddylai fod yn gyffredin am roi, gweddïo ac ymprydio yn ôl Iesu?
2. Sut mae Iago yn cysylltu ffydd â gweithredoedd?

Gweddi
O Dad, dangos i mi sut i wneud daioni heb fod yn hunangyfiawn. Boed i'm cymhelliad wrth wneud daioni fod er clod a gogoniant i'th enw. Pan fydda i'n baglu yn hyn o beth, helpa fi i faglu i lawr ar fy ngliniau, oherwydd mi wela i fod gennyf lawer i'w ddysgu. Yn enw Iesu. Amen.

Cysondeb Crist

"Oherwydd nid oes dim wedi ei guddio na ddatguddir,
na dim yn guddiedig na cheir ei wybod." *(adn. 26)*

Beth am ddarllen Mathew 10:24–33 ac yna myfyrio

Heddiw, mae'n rhaid inni feddwl am ail ran y cymal o dan sylw: "yr holl bethau y dechreuodd Iesu eu gwneud a'u dysgu" (Actau 1:1). Soniodd Luc am weithredu yn gyntaf ac yna dysgu. Buom ni'n dweud nad mater o siawns ydy'r drefn hon; mae'n treiddio i galon y ffydd Gristnogol. Daeth y Gair yn gnawd cyn y daeth y cnawd yn eiriau. Roedd Iesu'n mynegi'r hyn roedd yn ei fyw ac yn byw yr hyn roedd yn ei fynegi.

Y gwrthwyneb sy'n wir am bob athro arall. "Dilynwch y gwir dw i'n ei roi i chi, nid y fi" ydy eu neges. Mae Iesu'n dweud: "Canlynwch fi a byddwch yn adnabod y gwirionedd." Roedd y gwirionedd a rannai i'w weld ar waith yn ei fywyd ei hun. Dyna pam roedd cymaint o awdurdod i'w wirionedd. Mae yna gysondeb yng Nghrist – mae ei eiriau a'i weithredoedd yn cydio yn ei gilydd gan eu bod yn ddwy ochr yr un realiti. Mae'n rhaid i ni Gristnogion ddilyn esiampl ein Harglwydd – mae'n rhaid i'n gwneud a'n dysgu fod yn un. Os nad oes unrhyw weithredu, yna gwagedd ydy ein geiriau.

Wrth i Sîc yrru cenhadwr o amgylch yn India, gofynnodd: "Sahib, gad i mi bregethu i'r bobl yma un noson." "Am beth fyddet ti'n ei bregethu?" gofynnodd y cenhadwr. "Mi fyddwn i'n pregethu yn erbyn gwirodydd a thybaco," meddai'r Sîc. "Ond," meddai'r cenhadwr, "rwyt ti'n defnyddio'r ddau." "Ydw, mi wn," meddai'r Sîc, "ond dyw'r bobl yma ddim yn gwybod hynny." Ymhen hir a hwyr, mi fydden nhw wedi darganfod, fel y dywed ein testun, nad "oes dim wedi ei guddio na ddatguddir." Mae pobl yn cael ymdeimlad o realiti wrth ymdeimlo â harddwch a chytgord. Pan siaradai Iesu, roedd realiti'n siarad. Dywedodd un pregethwr amdano: "Pan oedd Iesu'n siarad roedd pobl yn gwybod nad dehongli testun ydoedd ond amlygu saernïaeth ei enaid." Mae'n rhaid i'n gweithredoedd a'n dysgu fod yn un, neu ni allwn ni ddysgu.

Beth am fynd ymlaen i ddarllen:
Salm 15:1–5; 1 Ioan 3:17–24; Dat. 15:1–4

Meddyliwch am y cwestiynau hyn:
1. Sut ddylen ni garu, yn ôl yr apostol Ioan?
2. Sut y rhoddir clod i Dduw drwy gân Moses a'r Oen?

Gweddi
O Dduw, rho ddyhead ynof i fod cystal ar y tu mewn ag yr wyf yn ymddangos ar y tu allan. Boed i ngeiriau a ngweithredoedd roi'r un neges – dy neges di. Yn enw Iesu. Amen.

Rhowch ddiolch

"Meddai wrthynt, 'Mor daer y bûm yn dyheu am gael bwyta gwledd y Pasg hwn gyda chwi cyn imi ddioddef!'" (adn. 15)

Beth am ddarllen Luc 22:7–19 ac yna myfyrio

Heddiw, mi fyddwn ni'n ystyried un o roddion eraill ein Harglwydd – Swper yr Arglwydd. Yn yr Alban yn yr ail ganrif ar bymtheg, roedd gwraig ifanc oedd yn aelod o'r Cyfamodwyr (grŵp oedd yn cael ei atal rhag addoli'n agored) ar ei ffordd i gyfarfod dirgel pan gafodd ei rhwystro gan filwr a ofynnodd i ble roedd hi'n mynd. Atebodd hithau, "Dw i'n mynd i dŷ fy Nhad i wrando ar ewyllys ei Fab sydd wedi marw." Ychydig cyn i'n Gwaredwr farw, esboniodd mai rhan o'i ewyllys oedd pryd o fwyd syml. Wrth fyfyrio ar y rhodd yma yn ystod yr ychydig ddyddiau nesaf, fyddwn ni ddim yn delio â'r dadleuon mawr sydd wedi codi ynglŷn â'r pryd bwyd yma nac yn ceisio datrys y manylion. Yn lle hynny, rydyn ni'n eich gwahodd i fyfyrio'n ddefosiynol ac yn syml ar yr agwedd werthfawr hon o etifeddiaeth Crist.

Y nodyn cyntaf i'w seinio ydy diolchgarwch. Nid 'gras' yn unig oedd y 'diolch' a ddywedodd Iesu am y bwyd, ond roedd hefyd yn symbol ohono ef ei hun yn rhoi ei holl fywyd fel offrwm diolchgarwch i Dduw. Gan fod ei aberth ei hun yn fawlgan, rydyn ni'n ymateb drwy 'roi diolch'. Y gair Groeg am 'roi diolch' yw *eucharisteo*, a dyna pam mae rhai eglwysi'n galw gwasanaeth y cymun yn Ewcarist. Ond ni ddylai'r pwyslais fod ar yr hyn a wnawn ni, ond yn hytrach ar yr hyn mae Crist wedi'i wneud er ein mwyn ni. Rydyn ni'n dathlu ei aberth ef, nid ein haberth ni. Ein hunig aberth ni yw aberth o fawl, am ei aberth ef!

Mae bob amser yn llonni'r galon gweld y Cymun Bendigaid yn cael ei ddathlu mewn cynulleidfaoedd rhyngwladol, lle mae pobl sy'n rhanedig oherwydd eu hiaith yn cael eu tynnu at ei gilydd drwy gyfrwng pryd bwyd cyffredin. Maen nhw'n gyd–addolwyr yr un Gwaredwr – Iesu Grist, Arglwydd y cenhedloedd.

Beth am fynd ymlaen i ddarllen:
Ex. 12:1–11; 14, 17, 24–27; 1 Cor. 10:14–17; Heb. 12:22–29; 13:11–16

Meddyliwch am y cwestiynau hyn:
1. Pam roedd Israel yn cael ei galw i ddathlu Gŵyl y Bara Croyw?
2. Ymateb i beth ydy diolchgarwch, yn ôl y Llythyr at yr Hebreaid?

Gweddi
O Dad, alla i ddim rhoi fy niolch mewn geiriau am y rhodd o'th Fab yn Waredwr i mi. Pan fydda i'n dathlu'r Cymun Bendigaid, boed i mi roi fy holl sylw ar yr hyn rwyt ti wedi'i wneud er fy mwyn i, ac nid ar yr hyn dw i'n ei wneud i ti. Amen.

"Er cof amdanaf"

"Cymerodd fara, ac wedi diolch fe'i torrodd a'i roi iddynt gan ddweud, 'Hwn yw fy nghorff, sy'n cael ei roi er eich mwyn chwi; gwnewch hyn er cof amdanaf.'"
(adn. 19)

Beth am ddarllen Luc 22:17–23 ac yna myfyrio

Mae cyfarwyddiadau Iesu i'w ddisgyblion ar gyfer parhad yr hyn a alwn yn Swper yr Arglwydd yn eglur ac yn syml. "Gwnewch hyn er cof amdanaf." Y tu ôl i'r gorchymyn yma mae hanes iachawdwriaeth Israel, sy'n cael ei goffáu yng Ngwledd y Pasg. Wrth gadw'r wledd goffa hon, roedd Israel yn coffáu gweithred achubol Duw yn dod â hi allan o'r Aifft. P'un ai a oedd Iesu a'i ddisgyblion yn bwyta ar yr Ŵyl neu ar ei noswyl, mae naws Gŵyl y Pasg yno'n amlwg. Roedd Iesu'n gwneud rhywbeth radicalaidd iawn: roedd yn ailysgrifennu Gwledd y Pasg, gan newid y canolbwynt o'r exodus cyntaf o'r Aifft i exodus newydd oddi wrth bechod a marwolaeth yr oedd ar fin ei gyflawni.

Yn y cyd-destun yma, nid rhyw hiraeth ydy'r 'cofio' – does dim disgwyl i ni geisio ein dychmygu ein hunain yn yr oruwchystafell. Pan fyddwn yn dathlu'r Cymun Bendigaid mi ddylen ni, gyda chymorth yr Ysbryd Glân, ganolbwyntio ar Iesu fel yr Un a fu farw drosom ac a atgyfododd yn Arglwydd a fydd gyda ni bob amser. Does dim disgwyl i ni geisio dychmygu lle'r oedd y disgyblion wedi'u gosod o amgylch y bwrdd na lle'r oedd Iesu'n eistedd. Gall peintiadau a lluniau fod o gymorth i'n dychymyg, ond nid ar hynny ddylen ni fod yn canolbwyntio wrth ddathlu'r cymun. Rydyn ni i'w gofio ef – yr Un a gyflawnodd exodus llawer iawn mwy ar ein cyfer ni nag exodus plant Israel allan o'r Aifft.

Wrth gymryd, torri, rhannu, bwyta ac yfed, mae Iesu'n cael ei gofio oherwydd pwy yw ac am beth wnaeth. Mae'r pryd syml hwn yn ein hatgoffa bod yr Un a fu farw bellach yn odidog o fyw ac yn bresennol bob amser.

Beth am fynd ymlaen i ddarllen:
Deut. 16:1–12; 1 Cor. 5:6–8; 11:23–26; 2 Tim. 2:8; Dat. 1:4–8, 17–18

Meddyliwch am y cwestiynau hyn:
1. Am beth roedd Israel i gofio wrth ddathlu ei gwleddoedd?
2. Sut mae'r apostol Ioan yn cysylltu marwolaeth Iesu â'i atgyfodiad?

Gweddi
Arglwydd Iesu, helpa fi i ddeall hyn yn iawn. Dylwn dy gofio di, nid fel y buost ti'n eistedd wrth fwrdd yn yr oruwchystafell, ond fel yr Un a gyflawnodd exodus rwyf fi'n cyfrannu ohono'n ddiolchgar. Diolch i ti am f'achubiaeth. Bendigedig fyddo d'enw byth bythoedd. Amen.

Cadw mewn cysylltiad

"... cymerodd Iesu fara, ac wedi bendithio fe'i torrodd a'i roi i'r disgyblion, a dywedodd, 'Cymerwch, bwytewch; hwn yw fy nghorff.'" (adn. 26)

Beth am ddarllen Mathew 26:17–30 ac yna myfyrio

Rydyn ni am barhau i fyfyrio ar rym y pryd syml a roddodd Iesu i ni, sydd bellach yn cael ei alw'n Gymun Bendigaid. Mae rhai Cristnogion yn tueddu i wfftio'r corfforol o blaid yr ysbrydol, ond oherwydd yr ymgnawdoliad, gallwn gadw'r materol a'r ysbrydol ynghyd. Roedd cyffyrddiad Iesu – croen ar groen, cnawd ar gnawd – bob amser yn fendith i wahanglwyfion a phlant. Daeth Iesu â Duw i deyrnas y materol a'r cyffyrddadwy yn y corff dynol iawn roedd ar fin ei offrymu ar y groes.

Yn union fel y bu corff dynol Iesu yn gyfrwng i ddatguddio bywyd trosgynnol tragwyddol Duw, felly hefyd y gall elfen faterol fel bara fod yn ffordd i agor ein dychymyg i dderbyn bywyd Duw ar ein cyfer. Mae'r cymal "hwn yw fy nghorff" yn ddelwedd bwerus sy'n dangos mai ei offrymu ei hun fel Oen y Pasg oedd gan Iesu dan sylw. Pan ddywedodd wrth ei ddisgyblion, "Cymerwch, bwytewch; hwn yw fy nghorff", roedd yn cynnig iddynt gyfran yn ei fywyd ei hun a oedd ar fin cael ei dorri ar y groes ar eu cyfer.

Fel pobl Crist, mae ein hatgoffa ein hunain o bwy ydy Iesu a'r hyn a ddywedodd, bob tro y byddwn yn torri bara, yn golygu ein bod yn adnewyddu ein cymundeb ag ef. Dywedodd y diwinydd Dale Bruner nad oedd Iesu am adael ei eiriau yn unig i'r Eglwys, ond yn hytrach ei eiriau a'i gyffyrddiad, ac felly – er mwyn cadw mewn cysylltiad – sefydlodd y swper. Ac fel y dywedodd Eglwyswr o gyfnod cynharach, H.P. Liddon: "Y sacramentau ydy'r mannau cyswllt di-ffael â'r Gwaredwr anweledig." Yn bendant!

Beth am fynd ymlaen i ddarllen:
Salm 40:5–8, 16; Ioan 6:48–58; Heb. 7:23–28; 10:5–10; 1 Pedr 1:1–9, 18–21

Meddyliwch am y cwestiynau hyn:
1. Sut mae Iesu yn cydio bywyd crediniwr â'i fywyd ef?
2. Sut mae Pedr yn disgrifio'r berthynas sydd gan gredinwyr â'r Iesu?

Gweddi
O Dad, dw i'n hynod ddiolchgar am ddoethineb dy Fab yn rhoi i ni'r rhodd o bryd bwyd sydd â chymaint o gysylltiadau hyfryd a chyfoethog. Helpa fi i dderbyn ohono bopeth y rhoddodd ef ynddo. Yn enw Iesu. Amen.

Dydd Gwener y Groglith

"... hwn yw fy ngwaed i, gwaed y cyfamod, a dywelltir dros lawer er maddeuant pechodau." (adn. 28)

Beth am ddarllen Mathew 26:27–28 ac yna myfyrio

Roedd dydd Gwener y Groglith yn ddiwrnod ingol i Iesu wrth iddo hongian ar y groes, ond yn ddiwrnod a ddaeth â newyddion da i ni. Ac wrth ystyried yr hyn a ddigwyddodd ar y diwrnod hwnnw, pa destun fyddai'n well na geiriau'r Iesu pan ddywedodd: "... hwn yw fy ngwaed i, gwaed y cyfamod, a dywelltir dros lawer er maddeuant pechodau?"

Yn y Beibl, mae gwaed yn drosiad byw am farwolaeth arteithiol, aberthol. Mae'n grynhoad dramatig o aberth Iesu ar y groes dros bechodau'r byd. I'r rhai sydd â ffydd ynddo, mae ei waed yn werthfawr, yn glanhau ac yn adfywio. Yn deillio o system aberthu'r Hen Destament, mae delwedd o'r fath yn ein hatgoffa am gost ein hiachawdwriaeth, a'n bod wedi ein prynu am bris. Heb dywallt gwaed aberthol, does dim maddeuant pechodau. Mae gwaed Iesu yn cael ei 'dywallt' yn ddelwedd bwerus o hunanaberth ac yn dwyn i gof ddarlun Eseia o was Duw (Eseia 53:12). Mae i ni wir faddeuant yn ei waed. Fel y dywedodd Ralph Turnbull: "Mae'r ewyllys da a gyhoeddwyd yn efengyl y Nadolig wedi'i drosglwyddo drwy'r etifeddiaeth 'yng Nghrist' a bellach wedi'i gadarnhau yn yr ewyllys olaf a geir yn Swper yr Arglwydd."

Boed i ni oll, wedi derbyn maddeuant ac wedi'n hadnewyddu, yn ostyngedig ac yn ddiolchgar, ganu gyda William Williams:

> *O dweded pawb am rin y gwaed,*
> *maddeuant llawn, maddeuant rhad;*
> *dim achwyn mwy,*
> *ond canu am glwy' Calfaria fryn.*

Beth am fynd ymlaen i ddarllen:
Eseia 53:7–12; Eff. 1:3–10; Heb. 9:11–22

Meddyliwch am y cwestiynau hyn:
1. Sut fyddech yn diolch am y bendithion a gawn yn a thrwy Grist?
2. Sut fyddech yn cymharu effeithiau gwaed yn yr hen gyfamod ac yn y cyfamod newydd?

Gweddi
O Dad, diolch i ti am anfon dy Fab i farw drosof ar y groes. Arglwydd Iesu, diolch i ti am roi dy fywyd drosof ar y groes. Ysbryd Glân, diolch i ti am wneud y cyfan mor fyw. Drindod Sanctaidd, pob anrhydedd a gogoniant a fo i ti am byth. Amen.

Dydd Sadwrn y Pasg

"Y cwpan hwn yw'r cyfamod newydd yn fy ngwaed i, sy'n cael ei dywallt er eich mwyn chwi." (adn. 20)

Beth am ddarllen Luc 22:20–30 ac yna myfyrio

Roedd Iesu wedi marw ac wedi'i gladdu erbyn dydd Sadwrn y Pasg, a'r freuddwyd fel petai wedi'i chwalu. Ac roedd llawer o dywyllwch ar led, o'r tywyllwch moesol ac ysbrydol yng nghalon Jwdas y bradychwr, i'r tywyllwch ffisegol a ddiffoddodd yr haul a thaflu cysgod marwolaeth dros y tir (Math. 27:45).

Ond yn erbyn y cefndir du hwn o bechod a hunanoldeb, roedd y golau'n disgleirio fwyfwy. Pan gafodd Iesu ei wrthod mewn ffordd mor fileinig, roedd fel petai hen stori hyll pechod dynol yn cyrraedd ei hanterth, ond, mewn gwirionedd, roedd Iesu'n ysgrifennu sgript newydd yn hanes ymrwymiad Duw yn ei gyfamodau. Cofiwch mai gwaed y cyfamod newydd ydy gwaed Iesu. Yn y cyfamod yma, gall y calonnau tu hwnt o bechadurus a gynllwyniodd ei farwolaeth gael eu trawsnewid mewn ffordd ryfeddol, gan felly hyrwyddo, ac nid tanseilio, bwriadau Duw. Yn y cyfamod newydd yma, a gafodd ei gyhoeddi am ganrifoedd lawer gan y proffwydi, mae pechodau'n cael eu maddau a'u hanghofio, ac mae gras yn meddalu calonnau caled i adnabod yr Arglwydd ac i fod yn fodlon gwneud ei ewyllys. Bydd Ysbryd Duw yn llifo i mewn i'n calonnau i'n grymuso i fyw mewn cariad, sancteiddrwydd a geirwiredd. Lle mae dynion drwg yn gwneud eu gwaethaf, mae Duw yn gwneud ei orau. Ac fel y seliwyd yr hen gyfamod â gwaed aberthol, felly hefyd y cyfamod newydd yma – ond y tro hwn â gwaed y Meseia, Mab Duw, Iesu Grist.

Felly, wrth i chi gyfranogi o'r bara a'r gwin yn y Cymun Bendigaid, ceisiwch adnewyddu eich ffydd yn ymrwymiad cyfamodol rhyfeddol Duw i ni ac i weithio o'n mewn. Yn enw Duw boed i ni roi'r gorau i'r ffraeo pitw sy'n aflunio corff Crist, yr Eglwys, a boed i ni ein darostwng ein hunain i wasanaethu fel y gallwn ryw ddydd lywodraethu yn nheyrnas y dyfodol.

Beth am fynd ymlaen i ddarllen:
Jer. 31:31–34; 1 Cor. 15:9–10; 1 Tim. 1:12–17; 1 Pedr 2:4–12

Meddyliwch am y cwestiynau hyn:
1. Pa mor ddiolchgar oedd Paul am ras drawsnewidiol Duw yn ei fywyd?
2. Yn ôl Pedr, beth ydy tasgau pobl etholedig Duw?

Gweddi
O Dad, helpa fi i roi'r gorau i bopeth sydd heb fod ohonot ti ac i ddod i brofiad dyfnach nag erioed o'r blaen o adnewyddiad personol. Gofynnaf hyn yn enw Iesu. Amen.

Cymundeb – nid coffâd

"Rwy'n dweud wrthych nad yfaf o hyn allan o hwn, ffrwyth y winwydden, hyd y dydd hwnnw pan yfaf ef yn newydd gyda chwi yn nheyrnas fy Nhad." (adn. 29)

Beth am ddarllen Mathew 26:17–30 ac yna myfyrio

Mae'r atgyfodiad yn achos dathlu mawr – mae'r Iesu oedd unwaith yn farw yn odidog o fyw. Yr atgyfodiad hefyd a newidiodd y Swper Olaf i fod yn Swper yr *Arglwydd*. Oni bai am yr atgyfodiad, y Swper Olaf fyddai'n llythrennol wedi bod yn swper olaf ein Harglwydd. Hyd yn oed yn yr oruwchystafell, roedd llygaid Iesu yn edrych i'r dyfodol pan fyddai'n yfed o ffrwyth y winwydden o'r newydd gyda'i ddisgyblion yn nheyrnas ei Dad. Oherwydd ei fod wedi marw ac atgyfodi, mae popeth wedi'i wneud o'r newydd: mae gennym gyfamod newydd, bywyd newydd, ac rydyn ni'n greadigaeth newydd (gweler 2 Cor. 5:17). Rydyn ni'n llawenhau'n awr yn y bywyd y mae ef yn ei roi, ac yn ymhyfrydu yn ein gobaith o rannu yn swper priodas terfynol yr Oen (gweler Dat. 19:7–9).

Yn y cyfamser, nid gwylnos angladd mo Swper yr Arglwydd byth, ond gwledd o lawenydd bob amser. Drwy waith yr Ysbryd Glân, nid absenoldeb Crist sy'n peri i'n calonnau hiraethu am ei ailddyfodiad gymaint, ond ei bresenoldeb go iawn. Dim eneiniad olaf achos colledig ydy'r bara a'r gwin ond sacramentau cyntaf Eglwys fyw. Byddai disgyblion Iesu wedi cofio am yr oruwchystafell ar y noson dywyll honno, ond mi fydden nhw hefyd wedi cofio am sawl brecwast a swper a gawson nhw gyda Christ wedi iddo atgyfodi. Mi ddysgon nhw, fel y gwnawn ninnau, nad gweithred o gydymdeimlo ydy torri'r bara gydag ef, ond o gymundeb â'r Arglwydd croeshoeliedig sydd wedi atgyfodi ac a fydd yn dychwelyd. Fel y dywedodd P.T. Forsyth: "Sut y gallwn ni gael coffâd i Un sydd yn dal yn fyw, sy'n fywyd i ni o hyd, ac sy'n dal i fod gyda ni ac yn gweithredu o'n mewn?"

Beth am fynd ymlaen i ddarllen:
Luc 15:1–2, 11–32; 24:13–35; Ioan 21:12–14; Dat. 19:5–10

Meddyliwch am y cwestiynau hyn:
1. Sut bu 'Emaus' yn brofiad llawen ac nid yn brofiad trist i'r disgyblion?
2. Sut mae'r 'caneuon' mae Ioan wedi'u cofnodi yn ei Ddatguddiad yn moli Duw?

Gweddi
O Dad, diolch i ti am f'atgoffa nad cyfranogi mewn coffâd ydw i yn y Cymun Bendigaid, ond mewn gweinidogaeth – gweinidogaeth yr Un a fu farw ond sy'n fyw eto. Amen.

Yn gartrefol yn ei gariad

"Os cadwch fy ngorchmynion fe arhoswch yn fy nghariad, yn union fel yr wyf fi wedi cadw gorchmynion fy Nhad, ac yr wyf yn aros yn ei gariad ef." (adn. 10)

Beth am ddarllen Ioan 15:1–11 ac yna myfyrio

Un o roddion eraill ein Harglwydd ydy ei orchmynion. Fel y gwelwn yn eglur yn y darlleniad heddiw, roedd Iesu ei hun yn ufuddhau i orchmynion ei Dad. Er bod Iesu'n sicr o gariad a chymeradwyaeth ddiamod ei Dad, doedd e ddim yn ymhyfrydu yn y cariad hwnnw mewn ffordd hunanfoddhaus, gan anwybyddu'r cyfrifoldebau mae cariad yn eu hargymell. Drwy gadw gorchmynion ei Dad, roedd Iesu'n aros yn ei gariad – ac roedd e mor gysurus a chartrefol yn y Cariad hwnnw.

Mae'r awydd cariadus yma i wneud ewyllys ei Dad yn batrwm i bob crediniwr. Dysgodd Mab Duw wir gost y fath ufudd-dod drwy'r hyn y bu'n rhaid iddo ei ddioddef. Ond roedd cariad y naill at y llall yn cynnal teimlad o fwriad Iesu. Wedi'r cwbl, onid ydy cariad yn cael ei *brofi* gan ufudd-dod? Dydy hyn ddim yn golygu bod ein hufudd-dod yn ennyn cariad Duw, fel petai, yng ngeiriau Don Carson, 'ei gariad mor sarrug a chrintachlyd bod angen ei rwygo oddi arno drwy ryw fath o lwgrwobrwyaeth foesol'. Na, mae cariad at Grist yn gorlifo yn yr awydd i wneud ei ewyllys. Ac nid rhyw ffyddlondeb llym, crintachlyd, parchus mo hyn. Mae'n amlwg o'r darlleniad bod Iesu yn cael llawenydd mawr yn y berthynas yma o ufuddhau i'w Dad. Ac yn yr un modd, gallwn ninnau ymhyfrydu wrth wneud ewyllys Crist a chadw'i orchmynion.

Dydy'r ffurf ddyfnaf ar lawenydd ddim yn dibynnu ar hwyliau neu ddigwyddiadau amserol – yn hytrach, mae'n tarddu o ymroddiad diwyro i Iesu Grist. Gallwch fod yn sicr o hyn: does dim Cristion mwy truenus yn bod na'r un sy'n grintachlyd â Duw yn ei ufudd-dod. Pan fyddwch yn drachtio'n hael ar ei gariad ac yn ufuddhau i'w orchmynion, yna, fel mae nos yn dilyn dydd, byddwch yn yfed yn ddwfn o ffynnon ei lawenydd parhaol.

Beth am fynd ymlaen i ddarllen:
Ex. 19:3–6; Math. 11:25–27; Ioan 8:27–41; 17:1–8; 1 Ioan 2:3–6

Meddyliwch am y cwestiynau hyn:
1. Beth oedd galwad wreiddiol Israel?
2. Sut mae Iesu'n disgrifio ei berthynas â'i Dad?

Gweddi
Fy Nhad a'm Duw, fel yr amlygwyd dy gariad yn y Gair a wnaethpwyd yn gnawd, felly hefyd boed i eiriau cariad fod yn gnawd ynof fi, gan fod yn amlwg i bob un y byddaf yn ei gyfarfod heddiw. Yn enw Iesu. Amen.

Cariad – gorchymyn?

"Dyma fy ngorchymyn i: carwch eich gilydd fel y cerais i chwi." (adn. 12)

Beth am ddarllen Ioan 15:12–17 ac yna myfyrio

O'r holl orchmynion adawodd Iesu yn etifeddiaeth i ni, does yr un yn fwy heriol na hwn: "carwch eich gilydd fel y cerais i chwi." Cariad Iesu yw'r safon a ffynhonnell ein cariad at ein gilydd. Ond sut yn y byd y gellir gorchymyn rhywun i garu? Byddai seicolegwyr yn dweud ei bod yn amhosibl drwy weithred o ewyllys i gynhyrchu cariad. Pan ddown yn Gristnogion mae cariad Crist yn llenwi ein calonnau gymaint fel mai mater o ewyllys ydy penderfynu caniatáu i'r cariad hwnnw lifo allan tuag at eraill. Dydyn ni ddim yn ei gynhyrchu, dim ond yn penderfynu gadael iddo lifo allan i'r un graddau ag mae'n llifo i mewn.

Yn drychinebus, mae sawl rhan o'r Eglwys Gristnogol yng nghanol rhyfel cartref. Mae rhai credinwyr yn rhoi mwy o egni i ymladd â'i gilydd nag yn erbyn grymoedd ysbrydol drwg. Does dim sy'n dwyn anfri mor gyflym ar yr Efengyl. Unwaith eto, rydyn ni'n eich annog i ystyried pa mor wahanol fyddai'r Eglwys pe byddai pob crediniwr sy'n ei ganfod ei hun yn anghytuno â Christion arall yn dilyn gorchymyn yr Arglwydd i garu fel y mae ef yn caru. Ni all crediniwr ei esgusodi ei hun drwy ddweud nad yw'n teimlo cariad yn ei galon. Mae cariad Iesu yno, a'r cyfan sydd ei angen yw rhyddhau'r cariad hwnnw. Mae gan bob Cristion gronfa o gariad wedi'i rhoi o'i fewn gan y Gwaredwr.

Yn ôl Paul, oedd yn ddiamau yn un o'r Cristnogion mwyaf: "… y mae cariad Crist yn ein gorfodi ni" (2 Cor. 5:14). Mewn geiriau eraill, roedd yn cael ei reoli gan gariad Crist. Mae bod o dan reolaeth cariad Crist yn golygu ein bod yn gallu drachtio ar ei gariad a gwneud yr hyn sy'n gariadus – rydyn ni'n caru ar air ac ar weithred. A pheidiwch â meiddio dweud bod hyn yn amhosibl. Os dywedwch hynny, yna rydych yn dweud yn syml nad ydy cariad Crist yn eich rheoli er ei fod yn eich calon.

Beth am fynd ymlaen i ddarllen:
1 Sam. 18:1–4; 20:16–17, 42; Ioan 17:9–12; Eff. 4:32–5:2

Meddyliwch am y cwestiynau hyn:
1. Beth oedd yn uno Dafydd a Jonathan mewn cariad cyfamodol?
2. Am beth y gweddïodd Iesu?

Gweddi
O Dad, rwyt ti wedi gorchymyn fy mod i garu. Os gweli di'n dda, helpa fi i ufuddhau rŵan. Ces fy newis i ddwyn ffrwyth, yn arbennig y ffrwyth o garu eraill. Does gennyf ddim esgusion. O heddiw ymlaen, rwyf am garu fel yr wyf yn cael fy ngharu. Yn enw Iesu. Amen.

Y gorchymyn newydd

"Yr wyf yn rhoi i chwi orchymyn newydd: carwch eich gilydd. Fel y cerais i chwi, felly yr ydych chwithau i garu'ch gilydd." (adn. 34)

Beth am ddarllen Ioan 13:31–38 ac yna myfyrio

Doedd y gorchymyn i garu ddim yn newydd am nad oedd wedi cael ei gyhoeddi o'r blaen ond oherwydd nad oedd wedi cael ei weld o'r blaen. Roedd yn newydd oherwydd ei fod yn cael ei fesur â chariad heb ei gynsail – cariad Crist at ei ddisgyblion. Ni fu dim yn y disgyblion yn gyfrifol am ei ennyn ac ni allai dim ynddynt ei ddiffodd.

Mae rhai ysgolheigion yn awgrymu bod yr ymgomiau ffarwelio yn Efengyl Ioan yn y Testament Newydd yn gyfwerth â llyfr Deuteronomium yn yr Hen Destament lle mae Moses yn ffarwelio â'r genhedlaeth oedd ar fin mynd i mewn i Wlad yr Addewid. Yn sicr, mae'r un themâu yn codi, sef adnabod Duw a charu Duw a chadw'i orchmynion. Os y rhain yw'r cefndir i'r ymgomiau gwych hyn, yna rydyn ni'n dysgu rhywbeth arwyddocaol iawn am Iesu. Roedd nid yn unig yn ei roi ei hun yn lle Moses fel cyfryngwr bendithion a chyfrifoldebau cyfamod Duw, ond roedd hefyd yn ei roi ei hun yn lle Duw drwy gyhoeddi mwy o orchmynion a gorchmynion newydd i bobl Dduw. Gellid galw'r gorchymyn mae'n ei gyhoeddi yma fel 'yr unfed gorchymyn ar ddeg'. O'i gymharu â thywyllwch bradychiad Jwdas, mae cariad Iesu yn disgleirio hyd yn oed fwyfwy. Yn drychinebus, camddarllenodd Jwdas galon Iesu. Dydy Duw ddim yn cael clod yn yr hunangariad sy'n ceisio cadw ei fywyd ei hun, ond yn hytrach yn y cariad sy'n aberthu ei fywyd er mwyn rhoi clod i Dduw. Nid cariad at nerth, ond nerth cariad fydd yn hynodi pobl newydd Duw.

Does dim dwywaith na fyddai pobl y byd ddim yn amau o gwbl ein bod yn wir ddisgyblion i Grist pe bydden ni'n cofleidio'r etifeddiaeth hon o gariad ac yn ufuddhau i orchymyn Crist i garu ein gilydd.

Beth am fynd ymlaen i ddarllen:
Deut. 30:11–16; Ioan 17:20–26; 1 Thes. 4:9–12; 1 Ioan 2:1–2, 7–11; 3:11–16

Meddyliwch am y cwestiynau hyn:
1. Beth ydy dyhead calon Iesu?
2. Beth mae Ioan yn ein dysgu am gariad?

Gweddi
O Dduw, dw i'n dyheu i'm cariad fod fel dy gariad di – cariad sy'n caru am na all beidio. Bydd ar waith ynof i ryddhau'r cariad rwyt ti wedi'i osod yno, fel y bydd fy nghariad mor eithafol a diwahân â'th gariad di – yn fy ffordd fechan i. Amen.

"Mi fyddwn i'n dal i'ch caru"

"Ond rwyf fi'n dweud wrthych: peidiwch â gwrthsefyll y sawl sy'n gwneud drwg i chwi." (adn. 39)

Beth am ddarllen Mathew 5:38–48 ac yna myfyrio

Mae gorchymyn Iesu "carwch eich gelynion" (adn. 44) nid yn unig yn heriol ond hefyd yn chwyldroadol. Y gelyn amlwg i Gristnogion y ganrif gyntaf oedd y Rhufeiniaid gyda'u gofynion diraddiol. Eto, mae'r Iesu'n dweud: "… os bydd rhywun yn dy orfodi i'w ddanfon am un cilomedr, dos gydag ef ddau." (ad. 41)

Cariad Cristnogol, fel y dywedodd Martin Luther King, ydy'r rhinwedd mwyaf parhaol yn y byd. Yn anterth argyfwng yr Hawliau Sifil, ysgrifennodd yn herfeiddiol o garchar yn Georgia: "Gwnewch yr hyn a fynnwch i ni ac mi fyddwn ni'n dal i'ch caru … Anfonwch eich troseddwyr treisgar dan gwfl i'n cymuned ganol nos a churwch ni a'n gadael yn hanner marw, ac mi fyddwn ni'n dal i'ch caru … Un dydd, mi enillwn ni ein rhyddid, ond nid yn unig ar ein cyfer ni ein hunain. Mi fyddwn ni hefyd yn apelio at eich calonnau a'ch cydwybod chithau, er mwyn i ni eich ennill chithau yn y broses, a bydd ein buddugoliaeth yn fuddugoliaeth ddwbl."

Wrth gwrs, efallai na fydd raid i ni wynebu gwrthwynebiad mor eithriadol â Martin Luther King. Efallai mai 'gelynion' mwy cyffredin fydd gennym: rhywun sy'n ein sarhau heb reswm, rhywun sy'n ein taro ar ein boch dde (adn. 39), rhywun sy'n rhoi'r gyfraith arnom ar gam (adn. 40), neu rywun sy'n benthyg gennym yn anghyfrifol (adn. 42). Yn ein hymateb i'r holl bobl hyn, rydyn ni'n dangos nad cyfrwng cyfnewid ydy cariad – dydyn ni ddim yn disgwyl cael rhywbeth yn ôl am yr hyn a roddwyd. Yn hytrach, rydyn ni'n mentro arwydd neu weithred gariadus, gan ymddiried yn Nuw yn unig am ein gwobr (adn. 46). Yn y diwedd, efallai mai'r her fwyaf i ni fydd caru 'gelyn' drwy eu cyfarch ar y stryd (adn. 47)!

Mae dwy ffordd o gael gwared ar lwmp o rew: un ai ei falurio â morthwyl neu ei doddi. Os na fyddwch yn gallu ennill eraill mewn unrhyw ffordd arall, toddwch nhw â chariad.

Beth am fynd ymlaen i ddarllen:
Diar.16:7–8; 24:17–18; 25:21–22; Rhuf. 5:6–11; 12:14–21

Meddyliwch am y cwestiynau hyn:
1. Beth ydy'r cyngor yn Diarhebion ynglŷn â gelynion?
2. Beth ydy cyngor Paul ynglŷn â thalu'n ôl?

Gweddi
Iesu, dysga fi i fod yn berson mwy cariadus. Helpa fi i doddi pob sefyllfa â chariad – dy gariad di. A helpa fi i ddeall na allaf fethu os wyf yn caru, hyd yn oed os na fydd fy nghariad yn llwyddo yn ei amcan, gan mai wrth garu mwy y byddaf yn dod yn fwy cariadus. Amen.

"O'r corun i'r sawdl"

"Felly byddwch chwi'n berffaith fel y mae eich Tad nefol yn berffaith." (adn. 48)

Beth am ddarllen Mathew 5:43–48 ac yna myfyrio

Gall gorchymyn heddiw unwaith eto, wedi'i roi yng nghyd-destun darlleniad heddiw, ymddangos fel delfryd amhosibl. Mae o gymorth nodi bod y gair 'perffaith' (*teleios* yn y Groeg) yn cael ei gyfieithu orau fel 'cyflawn' neu 'aeddfed' – sy'n cyfeirio at haelioni cariad Duw yn fwy nag at ei berffeithrwydd moesol. Os ydy haul Duw yn tywynnu a'i law yn disgyn yn gyfartal ar y cyfiawn a'r anghyfiawn mewn daioni diwahân, yna bydd dyfalbarhau i garu'r bobl sy'n ein cam-drin yn ein haeddfedu ninnau. Mae gorchymyn Iesu yn her i ni beidio â bodloni ar ddim llai na'r hyn mae'r Tad am ei roi i ni ac am ei wneud yn ein bywydau.

Pan brynwyd Waverley Abbey House yn Surrey gan Crusade for World Revival roedd wedi mynd â'i ben iddo. Nid tacluso ambell gornel yma ac acw neu ychwanegu estyniad fan hyn a fan draw oedd y nod ond adnewyddu'r adeilad cyfan, gan ei drawsnewid i'r adeilad hardd, er heb ei orffen eto, sydd yno heddiw. Yn ddigon tebyg, y Tad ydy'r 'Ailddatblygwr Mawr' ar gyfer ein bywydau ni. Dydy e ddim yn fodlon ychwanegu dim ond ychydig o grefydd i gornel o'n bywydau. Mae wedi ymroi i'n hadnewyddu'n llwyr. Yng Nghrist rydyn ni'n ymgymryd â rhaglen ailadeiladu hyd oes. Mae bod yn berffaith fel mae Duw yn berffaith yn golygu bod yn fodlon byw fel mae Duw am i ni fod. Diolch byth, mae ein Tad nefol, yn ei ras a'i amynedd, yn dal i weithio ynom i gwblhau'r dasg nes y byddwn wrth ei fodd.

A pheidiwch ag anghofio hyn: "Nid yw cariad yn darfod byth." (1 Cor. 13:8). Mae cariad bob amser yn dod o hyd i ffyrdd i'w fynegi ei hun, ac wrth wneud hynny mae'n gwneud y person sy'n caru yn fwy cariadus.

Beth am fynd ymlaen i ddarllen:
1 Cor. 13:4–7; 2 Cor. 5:16–18; Phil. 1:1–11; 2 Pedr 1:2–8; 3:18

Meddyliwch am y cwestiynau hyn:
1. Am beth mae Paul yn sicr wrth ysgrifennu at y Philipiaid?
2. Beth sy'n ein cadw rhag bod 'nad diog a diffrwyth' yn ôl Pedr?

Gweddi
O Dad, diolch i ti am f'atgoffa o'r ffaith na allaf fethu os byddaf yn caru, hyd yn oed os bydd fy ngharu yn methu â chyflawni ei fwriad, oherwydd wrth fynegi cariad byddaf yn tyfu'n fwy cariadus. Dw i'n tyfu mewn cariad – dyna wych! Amen.

Sancteiddrwydd – grym sy'n newid

"Byddwch yn drugarog fel y mae eich Tad yn drugarog." (adn. 36)

Beth am ddarllen Luc 6:27–36 ac yna myfyrio.

Heddiw byddwn yn parhau i fyfyrio ar y gorchymyn rhyfeddol a gyhoeddodd Iesu yn ei Bregeth ar y Mynydd: "Felly byddwch chwi'n berffaith fel y mae eich Tad nefol yn berffaith" (Math. 5:48). Yn fersiwn Luc, ceir yr un syniad, ond mae'r amrywiaeth yn y geirio yn arwyddocaol ac yn cadarnhau y dehongliad a gymerwyd gennym ddoe: "Byddwch drugarog fel y mae eich Tad yn drugarog."

Pan ddywedodd Iesu'r geiriau hyn gyntaf, mae'n siŵr eu bod yn ymddangos yn bryfoclyd iawn. Siarter cenedlaethol Israel, sy'n cael ei hailadrodd yn aml yn llyfr Lefiticus, oedd "Byddwch sanctaidd, oherwydd yr wyf fi, yr Arglwydd eich Duw, yn sanctaidd." (Lef. 19:2). Roedd Israel i fod yn bobl arbennig, yn arddangos cymeriad Duw i'r byd. Ond yn amser Iesu, roedd rhai grwpiau crefyddol caeth, fel y Phariseaid ac athrawon y gyfraith, yn dehongli'r alwad hon mewn modd mewnol a dethol. Roedden nhw'n codi ffiniau tynnach o hyd, gan gau allan mwy a mwy o bobl oedd yn 'bechaduriaid' yn eu barn nhw ac felly y tu allan i gylch cariad cyfamod Duw. Dydy Iesu ddim yn gwadu'r alwad i fod yn sanctaidd. Yn hytrach, mae'n dangos nad safon sy'n condemnio pechaduriaid ydy sancteiddrwydd Duw ond grym allanol sy'n newid pechaduriaid. Dydy bod yn sanctaidd ddim yn golygu encilio'n hunangyfiawn oddi wrth haint pechaduriaid, ond yn hytrach ymestyn allan a'u cofleidio. Cawn ein hachub â sancteiddrwydd sy'n condemnio ein pechod ond sydd hefyd yn dyheu am ac yn trefnu ein hiachawdwriaeth.

Ystyriwch hyn heddiw: mae'r gorchymyn i fod yn sanctaidd fel mae Duw yn sanctaidd yn cael ei gyflawni orau wrth i chi fod yn drugarog fel mae eich Tad nefol yn drugarog.

Beth am fynd ymlaen i ddarllen:
Deut. 26:16–19; Math. 9:1–13; 12:1–8; Marc 12:28–34; 1 Ioan 1:5–10

Meddyliwch am y cwestiynau hyn:
1. O dan ba amodau mae Duw yn ailadrodd ei alwad i Israel?
2. Am beth y cymeradwyodd Iesu'r ysgrifennydd?

Gweddi
O Dad, gwna fi'n debycach i ti. Diolch am ddangos i mi nad encilio oddi wrth bechaduriaid rhag ofn iddynt lygru f'enaid ydy ystyr bod yn sanctaidd, ond yn hytrach mynd i'w canol i'w ceisio ac i'w hachub. Amen.

Meddyginiaeth syml

"Ond ceisiwch yn gyntaf deyrnas Dduw a'i gyfiawnder ef, a rhoir y pethau hyn i gyd yn ychwaneg i chwi." (adn. 33)

Beth am ddarllen Mathew 6:25–34 ac yna myfyrio

Mae'n ddealladwy ein bod weithiau'n teimlo'n ddryslyd iawn wrth geisio atebion i'r pryderon dyddiol sy'n taflu cysgod dros ein bywydau, ac i'r penderfyniadau mae'n rhaid i ni eu gwneud. Gall nifer y dewisiadau sydd ar gael ar ein cyfer ein parlysu. Mewn ymgais ddidwyll i blesio Duw, gallwn ein clymu ein hunain wrth geisio dod o hyd i'w arweiniad. Mae gorchymyn Iesu yn y darlleniad heddiw yn torri fel cyllell finiog drwy nifer o'r clymau sy'n cael eu creu gan ein penbleth ynglŷn ag arweiniad, ac yn chwalu llawer o'r dryswch sy'n bodoli ynglŷn â'r pwnc yma.

Wedi i'r diwinydd Gerald Sittser golli ei wraig, ei fam a'i ferch pedair oed mewn damwain gyrru ac yfed, ysgrifennodd un o'r llyfrau mwyaf gwefreiddiol a defnyddiol ar brofedigaeth a ysgrifennwyd erioed. Teitl ei gyfrol oedd *A Grace Disguised*. Yn fwy diweddar, mae wedi ysgrifennu *The Will of God as a Way of Life* lle mae'n myfyrio ar y profiad ac yn ceisio dygymod ag ef. Ynddo mae'n nodi ein bod eisoes yn gwybod beth ydy ewyllys Duw: mae'n cael ei gynnwys yn y gorchymyn dan sylw heddiw. Ynghanol cynifer o ddewisiadau, mae'n ysgrifennu: "Efallai ein bod yn dymuno i Dduw ddweud wrthym yn union beth i'w wneud, lle i fynd, a sut i ddewis. Eto, dydy Iesu ddim ond yn gofyn i ni wneud yn siŵr bod ein calon yn dda, ein cymhellion yn bur, a'n cyfeiriad sylfaenol yn gywir, yn anelu at deyrnas Dduw." Mae Gerald Sittser yn mynd yn ei flaen, yn hollol gywir, i ddweud: "Gallwn, â chydwybod lân, ddewis o blith nifer o ddewisiadau rhesymol, a pharhau i wneud ewyllys Duw. Yn y pen draw, yr hyn sy'n bwysig ydy ceisio teyrnas a chyfiawnder Duw."

Gall swnio'n rhy syml i ddweud hyn, ond mae'n wir er hynny: rhowch Dduw a'i ogoniant gyntaf ym mhob dim, ac ychydig iawn o anawsterau fydd gennych ynglŷn ag arweiniad dwyfol.

Beth am fynd ymlaen i ddarllen:
Salm 37:18–40; Math. 19:16–30

Meddyliwch am y cwestiynau hyn:
1. Ynglŷn â beth mae'r salmydd yn hyderus?
2. Beth mae Iesu'n ei addo i'w ddisgyblion ffyddlon?

Gweddi
O Dad, dw i mor ddiolchgar fod gennyt feddyginiaeth syml ar gyfer popeth – syml ond nid yn rhy syml. Helpa fi i gydio ynddi. Yn enw Iesu. Amen.

Pam y cawn ein gorchymyn i fynd?

"Ewch, gan hynny, a gwnewch ddisgyblion o'r holl genhedloedd, gan eu bedyddio hwy yn enw'r Tad a'r Mab a'r Ysbryd Glân." (adn. 19)

Beth am ddarllen Mathew 28:16–20 ac yna myfyrio

Ar yr olwg gyntaf, mae'r gorchymyn yma'n ymddangos yn ofnadwy o frawychus gan ei fod yn gosod tasg arswydus o'n blaenau. Ond, mewn gwirionedd, mae'n dweud mwy wrthym am Iesu a'i fawredd nag amdanom ni ein hunain a'n hanalluedd. Dylen ni gadw hynny mewn golwg wrth ganolbwyntio ar y cyfarwyddiadau rhyfeddol yma.

Dydy'r gorchymyn yma o eiddo Iesu ddim yn dweud dim am ein gallu i reoli'r byd, ond mae'n dweud popeth am ei awdurdod ef dros y byd. Dydy'r pwyslais ddim yn gymaint ar y mynd ond ar y gwneud: "ewch … a gwnewch ddisgyblion." Mae'r un gorchymyn yma ("gwnewch ddisgyblion o'r holl genhedloedd") yn cael ei gefnogi gan dri gorchymyn arall sy'n egluro sut mae mynd o'i chwmpas hi (ewch … bedyddio … dysgu). Wrth gwrs, mae 'mynd' yn angenrheidiol. Ond pan fyddwn yn cychwyn cenhadu, mae'n rhaid i ni gofio ein bod yn mynd, nid i wneud Iesu'n Arglwydd, ond oherwydd mai ef ydy ein Harglwydd eisoes. Ac nid annog pobl i wneud penderfyniadau ydy nod cenhadu ond yn hytrach i ddod yn ddisgyblion – mewn geiriau eraill, trawsnewid pobl a fydd wedyn yn rhoi o'u bywydau i ddilyn Crist. Mae disgyblion yn cael eu gwneud drwy eu trochi drwy fedydd i fywyd a chariad cyflawn Duw y Drindod. Ac mae'r gwaith o'u gwneud yn ddisgyblion yn parhau drwy gyfarwyddyd ynglŷn â phopeth a ddywedodd ac a ddysgodd Iesu.

Dyma 'reolau sefydlog' yr Eglwys. Yr hyn sy'n bwysig i bobl Crist, sy'n addoli ond sy'n parhau i fod ag amheuon, ydy mawredd eu Meistr, nid maint y dasg. Mae'r 'bob' a'r 'holl' a geir yn yr adnodau hyn yn dweud cyfrolau: bob awdurdod, holl genhedloedd, holl orchmynion, bob amser.

Beth am fynd ymlaen i ddarllen:
Gen. 12:1–3; Actau 2:42–47; 3:25–26; 18:7–8

Meddyliwch am y cwestiynau hyn:
1. Beth oedd addewid yr Arglwydd i Abraham?
2. I beth yr ymroddodd yr Eglwys Fore ei hun?

Gweddi
O Dad, helpa ni fel dy ddisgyblion i wneud mwy o ddisgyblion, a boed i'n bywydau ni ddangos ein bod yn ddisgyblion go iawn, gan na allwn dywys pobl ymlaen ymhellach nag yr ydyn ni wedi mynd ein hunain. Yn enw Iesu. Amen.

Fy llawenydd i – eich llawenydd chi

"Yr wyf wedi dweud hyn wrthych er mwyn i'm llawenydd i fod ynoch, ac i'ch llawenydd chwi fod yn gyflawn." (adn. 11)

Beth am ddarllen Ioan 15:1–17 ac yna myfyrio

Y rhodd y byddwn yn ei hystyried heddiw ydy llawenydd – a dyma i chi rodd werthfawr. Nid ar hap mae ein Harglwydd yn sôn am lawenydd yng nghyd-destun cariad, oherwydd mae llawenydd yn dod yn sgìl cariad. Dywedodd Thomas Aquinas: "Nid oes neb yn wirioneddol lawen oni bai eu bod yn byw mewn cariad." Os awn ati i geisio llawenydd yn gyntaf, ni fyddwn yn llwyddo, ond pan fyddwn yn caniatáu i gariad Duw lenwi ein calonnau, yna fydd dim angen i ni chwilio am lawenydd; fe ddaw i'n ceisio ni. Mae'n siŵr o fod yn wir nad oes yna unrhyw fod dynol ar y blaned hon erioed wedi profi llawenydd yn yr un ffordd ag Iesu. Roedd ei galon ef, heb ei halogi â phechod, yn gallu blasu'r llawenydd o fod mewn cymundeb perffaith â Duw ei Dad, a dyna'r llawenydd roedd am ei roi i'w ddisgyblion.

Mae yna rywbeth digon diddorol yn y testun heddiw. Mae Iesu'n sôn am 'fy llawenydd i' ac 'eich llawenydd chi', ac yn dweud y bydd ein llawenydd ni yn gyflawn pan fydd ei lawenydd ef ynom. Gellir aralleirio hyn fel yma: "Dw i wedi dweud hyn wrthych yn fwriadol: er mwyn i'm llawenydd i fod yn llawenydd i chi, ac i'ch llawenydd chi fod yn gwbl aeddfed." All ein llawenydd ni fyth gyrraedd pinacl ei botensial nes bod llawenydd Crist yn dod i drigo ynom. Allwn ni ddim cymryd ei lawenydd ef heb sylweddoli bod ein llawenydd ninnau'n gyflawn. Dyna pam y gallwn ddweud, heb ofni unrhyw wrthwynebiad llwyddiannus, na all y rhai sydd heb ddod i adnabod Crist brofi llawenydd yn y ffordd y bwriadwyd iddynt wneud hynny.

Na foed i neb amau hyn: mi gawsom ni ein llunio yn y cychwyn cyntaf un ar gyfer llawenydd sydd y tu hwnt i ddychymyg. Ond mae pechod wedi difrodi'n heneidiau, a dydi'r llawenydd a brofwn yn y byd o'n cwmpas yn ddim o'i gymharu â'r llawenydd a brofwn yn ein heneidiau pan fydd llawenydd Crist yn dod i drigo ynom.

Beth am fynd ymlaen i ddarllen:
Neh. 8: 9–12; Seff. 3: 14–17; Gal. 5: 22–26; Philem. 3–7

Meddyliwch am y cwestiynau hyn:
1. Sut mae Nehemeia yn annog y bobl?
2. Am beth y diolchodd Paul i Philemon?

Gweddi
O Dad, helpa fi i dderbyn fy ngenedigaeth-fraint o lawenydd ac i fyw y bywyd y bwriadwyd fi ar ei gyfer. Mi wnest ti fy llunio i ar gyfer rhywbeth mwy llawen na'r hyn y gall y byd o'm cwmpas ei roi. Dw i am i lawenydd drigo ynof, a minnau mewn llawenydd. Yn enw Iesu. Amen.

Neidio o lawenydd

"Yr awr honno gorfoleddodd yn yr Ysbryd Glân, ac meddai: 'Yr wyf yn dy
foliannu di, O Dad.' (adn. 21)

Beth am ddarllen Luc 10:1–24 ac yna myfyrio

Mae rhai Cristnogion yn dweud eu bod yn ei chael hi'n anodd cysylltu Iesu â
llawenydd. Maen nhw'n dadlau fel hyn: ym mhobman yn yr Efengyl, rydyn ni'n
gweld Iesu'n symud yn ei flaen at ddioddefaint y groes. Roedd Iesu'n ddyn dwys a
sobr, ac er bod ganddo hedd fel afon yn llifo drwy ei enaid, oddi mewn roedd bob
amser yn brwydro oherwydd y groes a'i gwarth oedd o'i flaen. Yn ôl y bobl hyn,
mae'n sicr mai sobrwydd oedd yn nodweddu Iesu yn hytrach na llawenydd.

Dylai'r rhai sydd o'r farn hon edrych yn fwy manwl ar ddarlleniad heddiw.
Pan ddychwelodd ei ddisgyblion ar ôl bod yn cenhadu gyda hanesion o fuddugoliaeth
dros y diafol, mae Iesu'n diolch i'r Tad ac, meddai Luc, "gorfoleddodd yn yr Ysbryd
Glân". Yn ôl Paul Thigpen, mae'r geiriau Groeg sy'n cael eu cyfieithu yma fel
'gorfoleddodd' yn golygu'n llythrennol 'neidio o lawenydd'. Gall fod yn anodd i
rai ddychmygu hyn, ond os ydy hyn yn wir, yna byddai Iesu wedi bod yn neidio o
lawenydd oherwydd bod pobl wedi cael eu hachub o law'r diafol.

Dyna i chi olygfa i'r disgyblion ei gweld: y Mab, yn yr Ysbryd, yn moli'r
Tad ac yn ffrwydro o lawenydd. Oedd e'n dawnsio, yn neidio o gwmpas? Mae'n
bosib. "Am funud", meddai Paul Thigpen, "cafodd llen y nefoedd ei dynnu i'r ochr
a chafodd llond llaw o eneidiau gostyngedig weld cip ar yr hyfrydwch dwyfol sy'n
llifo bob amser o fewn y Drindod sanctaidd." Byddai gweledigaeth o'r fath yn ddigon
i beri i unrhyw un neidio o lawenydd.

Beth am fynd ymlaen i ddarllen:
Math. 2:1–12; Luc 15:3–10; Dat. 12:7–12

Meddyliwch am y cwestiynau hyn:
1. Beth oedd ymateb y sêr-ddewiniaid i'r seren?
2. Beth oedd ymateb y bugail a'r wraig yn y damhegion?

Gweddi
Arglwydd Iesu Grist, dydw i erioed wedi dy ddychmygu yn neidio o lawenydd. Ond
dw i'n gweld sut y byddai gweledigaeth debyg i'r un a welaist ti yn llenwi dy enaid
â llawenydd. Dw i'n agor fy nghalon er mwyn i'r weledigaeth honno lonni f'enaid
innau. Boed i minnau hefyd fod ag achos i neidio o lawenydd. Amen.

"Dewch i'r parti"

"Y mae teyrnas nefoedd," meddai, "yn debyg i frenin a drefnodd wledd briodas i'w fab." (adn. 2)

Beth am ddarllen Mathew 22:1–14 ac yna myfyrio

Gwelsom ni ddoe sut y llanwyd Iesu â llawenydd pan ddychwelodd ei ddisgyblion o'u gwaith cenhadu. Dydy Iesu ddim yn fodlon dim ond mwynhau cymdeithas â'i Dad a bod yn rhan o lawenydd dwyfol y Drindod; mae e'n dyheu am i ninnau hefyd gael ein llenwi â'i lawenydd.

Yn y ddameg heddiw mae Iesu'n dweud bod teyrnas nefoedd fel gwledd briodas. Mae'r gwahoddiad wedi'i anfon: "Dewch i'r parti. Llawenhewch gyda'r Brenin am fod ei Fab wedi dod o hyd i briodferch annwyl." Mae'r ddameg yn llawn eironi, wrth gwrs. Gwrthod y gwahoddiad wnaeth y rhai cyntaf. Roedd rhai yn mynnu eu bod yn rhy brysur i lawenhau; roedd eraill fel petaent yn dirmygu'r rhai oedd yn ddigon ffôl (yn eu barn nhw) i ddathlu. Pwy sy'n meiddio dathlu pan fo bywyd mor llawn o anawsterau? Dim ond y rhai sy'n gweld â llygad ffydd. Y rhain yn unig sy'n gallu gweld y tu hwnt i'r tywyllwch presennol i weld, fel y dywedodd un pregethwr: "Yn y dechreuad yr oedd Llawenydd, ac roedd y Llawenydd yn Nuw, ac roedd y Llawenydd yn llifo oddi wrth Dduw." O na baen ni'n gallu profi'r llawenydd sydd yng nghalon y Drindod, yna efallai y byddai ein hagwedd tuag at y bywyd Cristnogol yn hollol newydd.

Mae delwedd syfrdanol yn Seffaneia. Mae'r proffwyd yn darlunio Duw fel rhyfelwr grymus sy'n gorfoleddu yn ei fuddugoliaeth dros bechod ac yn y pechaduriaid mae wedi'u hennill. Dyma y bydd Duw'n ei wneud, medd Seffaneia: "… fe orfoledda'n llawen ynot … llawenycha ynot â chân." (Seff. 3:17) Mae'r sawl sydd wedi gweld Iesu wedi gweld y Tad, ac felly ni ddylen ni synnu wrth weld y darlun gorfoleddus yma o Dduw yn y cnawd ym mywyd ein Harglwydd.

Beth am fynd ymlaen i ddarllen:
Salm 150:1–6; Can. Sol. 1:1–4; Eseia 61:10–11; Actau 16:22–34

Meddyliwch am y cwestiynau hyn:
1. Am beth a chyda beth mae'r salmydd yn moli Duw?
2. Beth oedd ymateb ceidwad y carchar i Air Duw?

Gweddi
Fy Nhad a'm Duw, sut galla i fyth ddiolch digon i ti fod y llawenydd sy'n nodweddu'r Drindod wedi ei roi, drwy'r hyn a wnaeth dy Fab drosof ar Galfarî, yn fy nghalon innau hefyd? Bendigedig fo d'enw am byth. Amen.

173

Miwsig i'n clustiau

"...a gwaredigion yr Arglwydd fydd yn dychwelyd. Dônt i Seion dan ganu, bob un gyda llawenydd tragwyddol; hebryngir hwy gan lawenydd a gorfoledd." (adn. 10)

Beth am ddarllen Eseia 35:1–10 ac yna myfyrio

"Dydy Iesu Grist," meddai Oswald Chambers, "ddim yn dod at ddyn ac yn dweud 'Cod dy galon'. Mae'n plannu gwyrth llawenydd natur Duw ei hun o'i fewn." Dyna i chi rodd. Ymysg y nifer o bethau sy'n achosi camddealltwriaeth ynglŷn â'r ffydd Gristnogol mae'r syniad trist bod derbyn Iesu Grist i'n bywyd yn golygu y byddwn yn ddigalon. Dydy'r ffaith bod yna groes yng nghalon y ffydd, a bod dilyn Crist yn golygu hunanymwâd llym, ddim yn newid y gwirionedd canolog yma: mae adnabod Iesu yn golygu adnabod llawenydd.

Dywedodd Dr W.E. Sangster: "Y gair Groeg a ddefnyddir ar gyfer llawenydd yn y Testament Newydd fel arfer yw *chara* – gair cryf a phwerus sy'n golygu chwerthin." Mae'n mynd yn ei flaen i ddweud: "Nid ymostyngiad yn glaswenu ydy llawenydd. Mae'n afieithus, ac, ar achlysuron, yn llawn miri." Mae pobl sy'n rhy gaeth i wedduster yn meddwl, yn eu ffordd swil eu hunain ac mewn ffordd ddigon cwrtais, bod yna arlliw o'r di-chwaeth mewn llawenydd Cristnogol. Dyna drist. Dyna ofnadwy o drist. Mae sylfaenydd Cristnogaeth wedi gadael rhodd i ni o'r ffydd fwyaf llawen, y lleiaf gormesol a'r lleiaf gwaharddedig o'r holl grefyddau ar y ddaear yma.

Mae Dr L.P. Jacks, yn dweud: "Does dim un ffydd arall sy'n taflu baich bywyd ymaith mor llwyr, sy'n dianc mor gyflym oddi wrth ein hwyliau, sy'n rhoi cymaint o rwydd hynt i asbri'r enaid, â'r ffydd roddodd Iesu Grist i ni. Dydy Cristnogaeth ddim yn hel meddyliau ynghylch gofidiau dynolryw. Mae'n eu cydnabod ond nid yn pendroni drostynt. Miwsig sydd i'w glywed bob amser, ac weithiau ddawnsio hefyd." Os nad ydyn ni'n clywed, mae'n rhaid nad ydyn ni'n gwrando.

Beth am fynd ymlaen i ddarllen:
2 Sam: 6:12–22; 1 Cron. 16:23–33; Luc 15:21–32; Eff. 5:19

Meddyliwch am y cwestiynau hyn:
1. Am beth y barnodd Michal Ddafydd?
2. Pam oedd y brawd hynaf yn flin yn y ddameg ddywedodd Iesu?

Gweddi
O Dad grasol a chariadus, boed i nghlustiau fod ar agor bob amser i'r miwsig sydd ar gael yn d'Efengyl i mi. Tiwnia fy holl enaid i donfedd y Drindod. Yn enw Iesu. Amen.

174

Pleser yn erbyn llawenydd

"A bydded i Dduw, ffynhonnell gobaith, eich llenwi â phob llawenydd a thangnefedd wrth ichwi arfer eich ffydd." (adn. 13)

Beth am ddarllen Rhufeiniaid 15:1–13 ac yna myfyrio

Mae llawer o bobl yn camgymryd pleser am lawenydd, felly, heddiw rydyn ni am edrych ar y gwahaniaeth rhyngddynt. Mae gan y rhai nad ydyn nhw'n Gristnogion eu pleserau. Yn wir, pe bydden ni'n gwrando arnynt, hawdd fyddai credu mai dim ond y nhw sy'n gwybod beth ydy pleser.

Mae pleser yn dibynnu ar amgylchiadau. Mae'n mynnu bod amodau bywyd yn iach, neu o leiaf yn garedig, a gall gael ei ddwyn yn ddigon hawdd gan rywbeth mor syml â chur pen. Mae llawenydd Cristnogol, y llawenydd mae Iesu'n ei roi, yn annibynnol ar iechyd neu amgylchiadau. Mae i'w weld bob amser mewn Cristnogion hyd yn oed pan fydd cryfder ac iechyd a ffrindiau wedi mynd – pan fydd amgylchiadau nid yn unig yn angharedig ond hefyd yn anobeithiol. Unwaith eto, mae pleserau'n porthi ond nid yn bodloni. Mae'n hawdd cael gormod o bleser, a phan fyddwn wedi cael ein gwala a'n gweddill, bydd atgasedd yn ei amlygu ei hun. Dydy'r galon ddim yn crefu mwyach am yr hyn y bu'n crefu amdano. Ond dydy llawenydd, ar y llaw arall, byth yn achos syrffed. Dywed y Cristion: "Mae gennyf ddigon ond nid gormod i ddyheu am fwy."

Ac yn olaf, mae pleser bob amser yn arwynebol. Mae'n bodoli drwy anwybyddu anawsterau a phroblemau diateb bywyd. Mae fel rhialtwch y Nadolig mewn cartref lle nad oes ffydd yng Nghrist – parti dibwrpas. Gall hwyl a miri fod yno ond, o dan yr wyneb mae yna galon wag, ddolurus.

Mae llawenydd, llawenydd goruwchnaturiol, yn wahanol iawn. Mae'n byrlymu o fodlonrwydd mewnol, dwfn. Gall fod yn orfoleddus, gall ffrwydro'n chwerthin, gall hyd yn oed ei fynegi ei hun mewn dawns neu suddo i dangnefedd, ond ym mha ffurf bynnag y bydd yn ei amlygu ei hun, mae'n meddiannu'r bersonoliaeth gyfan. Mae llawenydd yn wynfyd, gwynfyd pur. A dim ond oddi wrth Iesu mae'n tarddu.

Beth am fynd ymlaen i ddarllen:
Salm 119:9–16; 33–40; Preg. 2:1–11; Math. 13:44–46; Iago 1:2–3; 12

Meddyliwch am y cwestiynau hyn:
1. Ym mha beth oedd y salmydd yn ymhyfrydu ac yn llawenhau?
2. Beth oedd yn ddiystyr yng ngolwg awdur Llyfr y Pregethwr?

Gweddi
O Dad, dw i mor ddiolchgar bod llawenydd dy Fab yn eiddo i minnau'n awr – llawenydd sy'n gallu sefyll yn wyneb unrhyw beth. Dw i'n falch hefyd ei fod yn llawenydd sydd, nid yn unig yn para, ond sy'n mynd yn fwy cyfoethog ac yn llawnach drwy'r amser. Amen.

Lladron llawenydd

"Felly chwithau, yr ydych yn awr mewn tristwch. Ond fe'ch gwelaf chwi eto, ac
fe lawenha eich calon, ac ni chaiff neb ddwyn eich llawenydd oddi arnoch."
(adn. 22)

Beth am ddarllen Ioan 16:17–33 ac yna myfyrio

Dyna i chi anogaeth ragorol i'n heneidiau ydy'r adnod hon: all neb ddwyn ein
llawenydd. Mae'r llawenydd mae Iesu'n ei roi yn ein meddiant am byth. Wrth gwrs,
mae yna lawer o bethau sy'n trio dwyn ein llawenydd, fel gofid ac ofn, cymharu a
chwenychu, prysurdeb a gormod o ymrwymiadau.

Mae un diwinydd, fodd bynnag, yn dadlau nad tristwch ydy'r gwrthwyneb i
lawenydd ond anghrediniaeth. Efallai ei fod yn gywir. Er ein bod yn ystyried tristwch
fel y gwrthwyneb i lawenydd, efallai mai'r hyn sy'n ein hamddifadu o lawenydd
ydy anghrediniaeth. Hyd yn oed pan fydd amgylchiadau allanol yn ein tristáu, gall
ein llawenydd gael ei gynnal gan ein cred yn Nuw. Mae'r apostol Paul yn dweud yn
2 Corinthiaid ei fod "dan dristwch, ond bob amser yn llawenhau" (2 Cor. 6:10).
Profodd Paul lawer iawn o dristwch, felly, os tristwch sy'n mynd â llawenydd oddi
arnom, yna Paul fyddai'r person mwyaf digalon yn y Testament Newydd. Ac eto,
ysgrifennodd: "Y mae fy nghwpan yn llawn o ddiddanwch, ac yn gorlifo â llawenydd
yng nghanol ein holl orthrymder" (2 Cor. 7:4). Pan beidiwn â chredu celwyddau'r
diafol a rhoi ein ffydd yn yr hyn mae Crist yn ei ddweud, yna byddwn yn cymryd y
cam mwyaf arwyddocaol tuag at gynnal ein llawenydd ysbrydol. Mae ymddiriedaeth
a ffydd yn dinistrio'r celwyddau mae'r diafol yn eu rhoi yn ein meddyliau ac yn
caniatáu i lawenydd anadlu'n rhwydd. Ysgrifennodd y salmydd hyn am yr Arglwydd:
"Y mae ein calon yn llawenychu ynddo am inni ymddiried yn ei enw sanctaidd."
(Salm 33:21)

Dyma ddywedodd un dyn ifanc am ei dad oedd newydd farw: "Pan aeth fy
nhad i gysgu ar ysgwydd fy mam am y tro olaf ar y ddaear yma, roedd ei wyneb yn
disgleirio o lawenydd. Dyma fi'n dweud wrth fy mam, gan ailadrodd y geiriau yn
Ioan 16:22: '… ni chaiff neb ddwyn eich llawenydd oddi arnoch. Mae hyn yn wir
am bawb sy'n marw yng Nghrist; mae ei lawenydd ef yn aros gyda nhw tan y diwedd.

Beth am fynd ymlaen i ddarllen:
Marc 4:13–20; 1 Thes. 3:6–13; 1 Pedr 1:3–9

Meddyliwch am y cwestiynau hyn:
1. Am beth oedd Paul yn diolch?
2. Beth oedd rheswm darllenwyr Pedr dros lawenhau?

Gweddi Dad, dw i mor ddiolchgar dy fod wedi addo y bydd dy lawenydd yn aros
gyda mi o dan bob amgylchiad. All neb ei ddwyn. Bendigedig fyddo d'enw byth
bythoedd. Amen.

"Yn y canol"

"Oherwydd lle y mae dau neu dri wedi dod ynghyd yn fy enw i, yr wyf yno yn eu canol." (adn. 20)

Beth am ddarllen Mathew 18:15–20 ac yna myfyrio

Rhodd nesaf ein Harglwydd i'w hystyried ydy ei addewidion. Yn yr addewid yr ydyn ni'n ei hystyried heddiw, mae'r Arglwydd yn ein sicrhau ei fod ef gyda ni pryd bynnag y byddwn yn cyfarfod yn ei enw. Mae'n bwysig sylwi nad ydy e'n dweud *"byddaf* yno yn eu canol" ond yn hytrach "… *yr wyf* yno yn eu canol." Lle bynnag mae dau neu dri crediniwr yn cyfarfod yn ei enw, yna mae Iesu yno – yn awtomatig. Does dim angen iddo gael gwahoddiad – ond mae angen ei groesawu.

Roedd hyn yn chwyldroadol mewn cyfnod pan oedd y Phariseaid yn chwilio am rywle gwahanol i'r Deml fel lle i gyfarfod â Duw. Yn ddiweddarach, maen nhw'n dweud: "Lle mae dau neu dri yn dod ynghyd o amgylch Tora Duw, yno mae gogoniant shekinah Duw." Yn drawiadol, mae Iesu'n rhoi ei enw yn lle cyfraith Duw. Os ydyn ni'n cyfarfod ar sail y datguddiad awdurdodedig o Dduw a ddaeth yn Iesu, yna gallwn fod yn sicr o'i bresenoldeb fel yr Arglwydd atgyfodedig!

Ac mae yna fwy. Mae "yr wyf yno" yn ddigon gwych. Mae "yr wyf yno yn eu canol" yn awgrymu'n gywir mai ef yw canolbwynt bywyd ei ddisgyblion. Dywedodd Graham Scroggie, yr esboniwr enwog ar y Beibl: "Gall rhosyn fod yng nghanol gardd, ond mae ei bersawr ymhlith popeth; gall lamp fod yng nghanol ystafell ond mae ei goleuni ym mhobman yn yr ystafell!" Felly hefyd mae presenoldeb Crist yn amgáu dau ffrind neu gwpl tra byddan nhw'n siarad, neu'n cerdded, neu'n gweddïo gyda'i gilydd yn ei enw. Yng ngeiriau Ian Macpherson: "Mae Crist ym mhobman yn ein plith, yn trwytho'r awyrgylch fel persawr hyfryd … nid yn y canol (yn unig) – ond yn ein mysg."

Beth am fynd ymlaen i ddarllen:
Deut. 31:1–8; 1 Bren. 8:54–61; Hag. 1:12–15; Actau 18:9–11

Meddyliwch am y cwestiynau hyn:
1. Beth oedd Solomon yn ei fendithio, a sut oedd yn gweddïo?
2. Beth oedd yr addewid a dderbyniodd Paul?

Gweddi
Arglwydd Iesu Grist, diolch i ti am yr addewid wych a boddhaol hon. Helpa fi, nid yn unig i'w chofio ond hefyd i'w dathlu bob tro y byddaf yn cyfarfod â'm brodyr a'm chwiorydd, boed yn ddau neu'n ddwy, neu'n gant neu ddau. Amen.

Mae un peth yn sicr

"Ac os af a pharatoi lle i chwi, fe ddof yn ôl, a'ch cymryd chwi ataf fy hun, er mwyn i chwithau fod lle'r wyf fi." (adn. 3)

Beth am ddarllen Ioan 14:1–14 ac yna myfyrio

Yng nghysgod y groes, gallen ni fod wedi disgwyl i'r disgyblion roi cefnogaeth emosiynol ac ysbrydol i Iesu; yn lle hynny, mae e'n ei gynnig *iddyn nhw* ar ffurf yr addewid ogoneddus a ddarllenwn yn ein testun heddiw. Mae'n debyg bod y geiriau "fe ddof yn ôl" yn cyfeirio at ei atgyfodiad, fel maen nhw mewn mannau eraill yn y sgyrsiau ffarwél (e.e. 14:18, 28). Yn sicr, mae ei 'fynd' yn golygu mynd i'r groes. Ond mae hefyd yn golygu mynd at y Tad i 'baratoi lle' i'w bobl, ac felly y peth gorau yma ydy derbyn ei addewid fel addewid gadarn am ei ailddyfodiad.

Beth bynnag fydd ffurf teyrnas y dyfodol, mae'n cael ei pharatoi'n ofalus ac yn gariadus, ac mae lle ynddi i holl bobl ffyddlon Duw. Yn fwy na dim, mi fyddwn ni gyda Christ, a bydd hynny'n sicr yn wynfyd i ni i gyd – gwynfyd lle na fydd unrhyw gysgod yn disgyn. Ei ymddangosiad wedi ei farwolaeth, yn atgyfodedig ac yn fyw, ydy'r unig ernes sydd ei hangen arnom o'r gobaith yma.

Mae yna hyd yn oed gysur mawr yn y ffaith bod Iesu wedi dweud: "pe na byddai felly, a fyddwn i wedi dweud wrthych fy mod yn mynd i baratoi lle i chwi?" Fyddai gonestrwydd ein Harglwydd ddim wedi caniatáu iddo guddio unrhyw beth oddi wrthym – roedd yn rhaid iddo ddweud y gwir yn syml ynglŷn â beth fyddai'n digwydd yn y dyfodol. Mae'n gwybod am ein dyhead am sicrwydd ynglŷn â'r dyfodol cuddiedig. Efallai fod gennym ddisgwyliadau amrywiol ynglŷn â gogoniant y byd newydd sydd i ddod – rhai'n fwy eglur nag eraill. Ond gallwn i gyd roi gorffwys i'n calonnau gofidus a hoelio'n sylw ar y sicrwydd cadarn yma: mae Iesu wedi addo dychwelyd!

Beth am fynd ymlaen i ddarllen:
1 Cor. 1:1–9; 1 Thes. 4:15–5: 11; Heb. 9:24–28

Meddyliwch am y cwestiynau hyn:
1. Yn ôl Paul, sut ddylai Cristnogion aros am ail ddyfodiad yr Arglwydd?
2. Yn ôl Hebreaid, beth ydy'r gwahaniaeth rhwng ail ddyfodiad Iesu a'i ddyfodiad cyntaf?

Gweddi
Feistr grasol, alla i ddim dibynnu ar air rhai, ond dydy hyn ddim yn wir amdanat ti. Dw i'n sicr dy fod yn dweud y gwir ym mhob amgylchiad. Mi ddywedaist dy fod yn dod yn ôl. Dw i'n credu hynny. Dw i'n derbyn hynny. A dw i'n aros yn ddisgwylgar. Amen.

"Oherwydd ei fod yn fyw"

"Ymhen ychydig amser, ni bydd y byd yn fy ngweld i ddim mwy, ond byddwch chwi'n fy ngweld." (adn. 19)

Beth am ddarllen Ioan 14:15–31 ac yna myfyrio

Os ydy addewid Iesu ddoe – "fe ddof yn ôl" – yn cyfeirio at ei ailddyfodiad, yna mae addewid heddiw – "fe ddof atoch chwi" – bron yn sicr yn sôn amdano'n dychwelyd at ei ddisgyblion ar ôl ei atgyfodiad. Mae'r cyd-destun yn bendant yn cefnogi hyn. Er bod Iesu ar fin ymadael (drwy farw), bydd y disgyblion yn ei weld unwaith eto (adn. 19). Yn sicr, roedd hon yn addewid drawiadol iddynt, ond mae'n amheus a lwyddon nhw i'w deall yn iawn. Roedden nhw'n sicr yn ei deall ar ôl yr atgyfodiad.

Gallwn ninnau godi'n calonnau yn wyneb yr addewid yma. Roedd y Gwaredwr yn gwybod y byddai'n mynd trwy farwolaeth ac yn dod allan yn fuddugoliaethus yr ochr arall. Nid rhyw gorff wedi'i adfywio fyddai ganddo chwaith, yn dychwelyd i'w hen ffurf ar fyw. Byddai'n dechrau ar gyfnod newydd o fodolaeth, yn cael ei nodweddu â bywyd atgyfodedig, ac, yn realiti'r bywyd hwnnw o greadigaeth newydd, yn eu cyfarfod eto!

Dydy llawer o bobl, sydd wedi blino ar sinigiaeth ein byd modern, ddim yn gofyn bellach, "Oes na fywyd ar ôl marwolaeth?" ond yn hytrach, "Oes na fywyd *cyn* marwolaeth?" Mae Iesu'n camu allan o'r ochr arall i farwolaeth i gyfarfod â'r ddau gyflwr. Ef yn unig sy'n gallu rhoi gobaith a sylwedd i'r hyn sydd y tu draw i farwolaeth yn nheyrnas Duw yn y dyfodol. Ac ef yn unig sy'n gallu rhoi llawenydd ac ystyr i'r bywyd sydd i'w fyw cyn marwolaeth, yn nheyrnas bresennol Duw. Pa un ai yn awr neu bryd hynny, yn y presennol cymhleth neu yn y dyfodol ansicr, fydd Iesu ddim yn ein gadael yn amddifad. Bydd yn dod atom ar y naill ochr a'r llall i farwolaeth, ac oherwydd ei fod ef yn fyw, byddwn ninnau'n fyw hefyd.

Beth am fynd ymlaen i ddarllen:
Job 19:25–27; Salm 139:7–12, 17–18; Marc 9:9–13; Ioan 11:23–27; Heb. 7:15–28

Meddyliwch am y cwestiynau hyn:
1. Beth oedd y gobaith a fynegodd Job?
2. Pa fath o archoffeiriad sydd gennym yn Iesu?

Gweddi
Arglwydd Iesu Grist, yr Un sydd wedi mynd trwy farwolaeth ac wedi dod allan yr ochr arall wedyn, dw i mor ddiolchgar fy mod i ynot ti. Oherwydd hyn, fydda i byth yn marw. Dw i'n cau fy llygaid ar y ddaear i'w hagor yn y nefoedd. Dyna obaith! Diolch i ti Iesu. Dw i'n eiddo i ti am byth. Amen.

179

Y Duwdod yn gefn

"Ac yn awr, yr wyf fi gyda chwi yn wastad hyd ddiwedd amser." (adn. 20)

Beth am ddarllen Mathew 28: 16–20 ac yna myfyrio

Heddiw, rydyn ni'n dychwelyd at eiriau olaf Iesu, y tro yma er mwyn myfyrio ar ei addewid i fod gyda ni *yn wastad*, hyd ddiwedd amser. Un broblem allai godi gyda'r addewid hon yw bod y llawenydd a'r wefr o'i bresenoldeb di-ffael hyd ddiwedd amser yn mynd â'n bryd gymaint fel ein bod yn anghofio'r weledigaeth eithriadol o Iesu sydd i'w chael yma.

Rydyn ni wedi nodi'r tebygrwydd rhwng sgyrsiau ffarwel Iesu a rhai Moses o'r blaen. Mae cymharu fel hyn yn gwneud y cyferbyniadau yn fwy nodedig fyth. Mewn gwirionedd, mae Moses, yn ei neges olaf i'r Israeliaid wrth iddynt fynd i mewn i wlad Canaan, yn dweud: "Ewch i Wlad yr Addewid, gan addysgu a sylwi ar y cyfan mae Duw wedi ei orchymyn yn ei gyfraith, a bydd presenoldeb Duw gyda chi bob amser." Mewn cyferbyniad, mae Iesu'n dweud: "Ewch i *fyd* yr addewid," ac yn hytrach na gorchymyn iddynt addysgu'r hyn mae Duw wedi ei orchymyn, mae'n dweud wrthynt am wneud disgyblion "a dysgu iddynt gadw'r holl orchmynion a roddais i chwi" (adn. 20). Sylwch ar y cymal: "a roddais i chwi". Pwy ydy'r person yma sy'n gwneud y fath honiadau a'r fath addewidion? Pwy ond Duw Israel sydd â'r hawl i siarad a gweithredu fel mae Ef yn ei wneud? Pwy yn wir! Ond yna does dim ond un casgliad i hyn oll: sef bod awdurdod, gwirionedd a phresenoldeb personol Duw'r Creawdwr ynghlwm mewn ffordd unigryw ac annatod yn y person Iesu yma.

Unwaith y byddwn wedi dod i'r casgliad yma, yna prin y byddwn yn synnu ein bod wedyn yn gallu mynd ati i genhadu i'r byd, nid yn unig gyda'r cof am Iesu i'n sbarduno ymlaen, ond â phresenoldeb byw Iesu fel "Duw gyda ni" (Math. 1:23) yn cydgerdded â ni. Iesu yw Duw, ac mae ei bresenoldeb ef yn golygu bod y Duwdod yn gefn i ni.

Beth am fynd ymlaen i ddarllen:
Eseia 7:13–14; Math. 1:18–25; Ioan 10:22–38

Meddyliwch am y cwestiynau hyn:
1. Beth yw arwyddocâd y teitl 'Immanuel' a'r enw 'Iesu'?
2. Beth mae Iesu'n ei ddweud am y Tad?

Gweddi
O Dduw fy Nhad, mae'n gysur mawr gwybod fy mod mewn cysylltiad â'r Duwdod cyfan pan fyddaf yn rhoi fy llaw yn llaw Iesu. Os oes unrhyw ddiffyg, yna nid diffyg adnoddau mo hynny, ond diffyg ymddiriedaeth. Dw i'n credu, helpa fi i oresgyn f'anghrediniaeth. Yn enw Iesu. Amen.

Campwaith dwyfol

" ... ar y graig hon yr adeiladaf fy eglwys, ac ni chaiff holl bwerau Hades y trechaf arni." (adn. 18)

Beth am ddarllen Mathew 16:13–20 ac yna myfyrio

Ystyrir yr addewid y byddwn yn myfyrio arni heddiw fel un o addewidion mwyaf ein Harglwydd. Ac mae rheswm da dros hynny.

Mae pobl yn gofyn: All yr Eglwys oroesi yn ystod yr unfed ganrif ar hugain? Wel, all neb fod yn sicr ynglŷn â dyfodol unrhyw adeilad eglwysig, ond o ran y corff, sef y rhai a achubwyd o'r holl genhedloedd ar y ddaear, yna mae'r ateb yn ddigon eglur: mae'n anorchfygol ac yn anninistriol. Mae ein Harglwydd wedi addo hynny. Does dim lle i amau mwyach: mae'r Eglwys yn aros lle mae, mewn amser ac yna yn nhragwyddoldeb.

Yn ôl un awdur, gall y term 'Eglwys' (*ekklesia* yn y Groeg) yn y Testament Newydd olygu unrhyw beth o 'dyrfa gosmig i gwpl cynulleidfaol'. Gall olygu y corff cyfan o gredinwyr – rhai ar y ddaear a rhai yn y nefoedd – a gall hefyd olygu grŵp lleol o Gristnogion, a all gynnwys dau berson yn unig (gweler Math. 18:20). Nid adeilad Gothig, tal gyda ffenestri gwydr lliw a chlerigwyr mewn gwynwisgoedd ydy gwir Eglwys Iesu Grist. Dyna'r tŷ lle mae'r Eglwys yn addoli ynddo. Mae'r Eglwys yn cynnwys dynion a merched y mae eu calonnau wedi'u golchi yng ngwaed Crist.

Disgrifiodd y pregethwr Tom Rees yr Eglwys fel y "Campwaith Dwyfol". Dywedodd Paul yn Effesiaid 5:27 y byddai Crist ryw ddydd yn cyflwyno'r Eglwys iddo'i hun "yn ei llawn ogoniant, heb fod arni frycheuyn na chrychni na dim byd o'r fath". Yna bydd ein Harglwydd yn syllu ar ei gampwaith â llawenydd a hyfrydwch am byth.

Beth am fynd ymlaen i ddarllen:
Actau 20:28; Gal. 1:11–24; Eff. 1:22–23; 3:1–13; Col. 1:15–20

Meddyliwch am y cwestiynau hyn:
1. Sut mae Paul yn cyferbynnu ei fywyd blaenorol â'i fywyd presennol?
2. Beth ydy natur a phwrpas yr Eglwys?

Gweddi
O Dad, dyna gysur ydy pwyso ar yr addewid yma y bydd dy Eglwys, waeth sut fydd hi'n cael ei herlid a'i gormesu, yn bodoli am byth. Rwyt ti wedi addo hynny. Dw i'n pwyso ar yr addewid yma yn llawen ac yn ddisgwylgar. Amen.

Gweddïo drwy'r nos

"Un o'r dyddiau hynny aeth allan i'r mynydd i weddïo, a bu ar hyd y nos yn gweddïo ar Dduw." (adn. 12)

Beth am ddarllen Luc 6:12–16 ac yna myfyrio

Heddiw rydyn ni am ganolbwyntio ar un o roddion eraill ein Harglwydd – y dynion a ddewiswyd ganddo i sefydlu ei Eglwys. Mae Luc yn dweud wrthym ei fod wedi treulio noson gyfan mewn gweddi cyn dewis ei ddisgyblion. Roedd Iesu'n gweddïo am sawl rheswm, ond roedd y noson hon o weddi yn hynod bwysig, nid yn unig oherwydd yr hyn oedd i ddod, ond oherwydd bod dewis deuddeg disgybl yn arwyddocaol ac yn symbolaidd ar lefel genedlaethol. Roedd yn trosglwyddo ei arweiniad ar ddeuddeg llwyth Israel yn symbolaidd i ddynion o'i ddewis. A chrefftwyr a physgotwyr a dynion ar gyrion cymdeithas oedd ei arweinwyr newydd.

Roedd hyn yn weithred herfeiddiol yng ngolwg y gymdeithas, yn dangos bod ganddo'r nod a'r awdurdod i ailadeiladu bywyd pobl Dduw o dan ei arglwyddiaeth. Ar lefel bersonol, mae'n sicr bod y Deuddeg wedi'u syfrdanu (pa un ai bryd hynny neu'n ddiweddarach) wrth sylweddoli'r addewidion am eu statws dyrchafedig yn adferiad Israel yn y dyfodol (gweler Math. 19:28). Allwn ni ddim bod yn siŵr bod y disgyblion yn gwybod ar adeg eu dewis bod noson o weddi wedi bod yn sail i hynny (mae'n amlwg eu bod yn gwybod hynny'n ddiweddarach, neu ni fyddai wedi cael ei gofnodi). Ond os oeddent wedi deall hynny ar y pryd, mae'n siŵr bod gwybod hynny wedi eu porthi ar lefel ddofn.

Ni ddylai ein teimlad ninnau o fraint fod yn ddim llai. 'Yng Nghrist' rydyn ni hefyd wedi cael ein dewis cyn seilio'r byd (gweler Effes. 1:4); gwrthrych cymundeb cariadus y Tad a'r Mab tragwyddol. Mae ein cenhadaeth ninnau, fel hwythau, yn llifo allan o'i gariad ef; mae bradychu fel yn hanes Jwdas yn digwydd pan fyddwn yn colli cysylltiad â'r fath gariad.

Beth am fynd ymlaen i ddarllen:
Ioan 15:18–20; 2 Pedr 1:12–18; 3:1–2; 1 Ioan 1:1–4; 4:14–16; Dat. 21:9–14

Meddyliwch am y cwestiynau hyn:
1. Pa agwedd ar weinidogaeth Iesu mae Pedr yn ei dwyn i gof?
2. Beth ydy tystiolaeth yr apostol Ioan yn ei lythyr cyntaf?

Gweddi
O Dduw fy Nhad nefol, unwaith eto mae nghalon yn llawenhau o wybod nad cael fy newis yn ôl mympwy wnes i ond gan dy ewyllys di mewn tragwyddoldeb. Mi wnest ti fy ngheisio, fy mhrynu, ac rŵan dw i'n perthyn i ti am byth. Dyna wych! Amen.

Cymysgedd ryfedd

" ...aethant i fyny i'r oruwchystafell ... Pedr ac Ioan ac Iago ac Andreas, Philip a Thomas, Bartholomeus a Mathew, Iago fab Alffeus a Simon y Selot a Jwdas fab Iago." (adn. 13)

Beth am ddarllen Actau 1:12–26 ac yna myfyrio

Rydyn ni am barhau i fyfyrio ar y dynion a benododd Crist i sefydlu ei Eglwys ac i barhau â'r gwaith a gychwynnodd. O feddwl am y peth, roedd ein Harglwydd yn ei mentro hi wrth roi'r dyfodol yng ngofal y dynion yma. Dyna i chi griw brith oedden nhw. Ystyriwch bedwar ohonynt. Roedd Pedr yn benboeth, yn fyrbwyll, yn wyllt, ac yn dipyn o froliwr. Dyna gymysgedd rhyfedd oedd e – yn gallu cerdded ar y dŵr at Iesu (Math. 14:28–29), ond yna darllenwn ei fod wedi "canlyn o hirbell" ar y tir (Luc 22:54). A dyna i chi Ioan. Yn seicolegol, roedd e'n hollol wahanol i Pedr, gan ei fod yn ddyn cyfriniol, dwfn ei feddyliau, wedi ymgolli mewn myfyrdod bob amser. Wedyn dyna Andreas, dyn oedd wrth ei fodd yn gweithio'n dawel yn y cefndir, gan wneud cymaint ag y gallai ar gyfer yr achos heb hysbysebu ei weithredoedd yn amlwg. Bob tro y gwelwn Andreas yn yr efengylau, mae'n dod â rhywun at Iesu. Ac yn olaf, Thomas, Thomas yr amheuwr fel y galwn ef. Ef oedd rhesymolwr y criw, dyn craff, hirben, oedd â'i ffydd ar flaenau'i fysedd fel petai. Yn y pedwar dyn yma rydyn ni wedi cynrychioli pedwar pwynt y cwmpawd seicolegol, ac eto cawson nhw eu dewis gan Grist a'u mowldio yn ddynion nad oedd mo'u gorchfygu.

Dywedodd Brennan Manning: "Ymateb Crist i'w diffygion a'u hanghysondebau oedd cariad diddiwedd." Roedd y criw cymysg yma, na fydden nhw byth wedi dewis ei gilydd, gyda'i gilydd oherwydd bod Iesu wedi eu dewis ac yn parhau i'w caru er gwaethaf eu ffaeleddau. Ac yn awr, wrth esgyn i'r nefoedd, roedd e'n mentro'r cyfan drwy ymddiried y genhadaeth iddynt, a hynny am fod ganddo hyder llwyr yn y gwaith a wnaeth ynddynt, ac, wrth gwrs, yn awdurdod yr Ysbryd Glân yr oedden nhw ar fin ei dderbyn.

Beth am fynd ymlaen i ddarllen:
Salm 33:11–12; Marc 2:13–17; Luc 10:22–24; Ioan 1:35–51; 1 Cor. 1:26–31

Meddyliwch am y cwestiynau hyn:
1. Pwy oedd Iesu ym marn y disgyblion?
2. Sut bu i ddewis Iesu o ddisgyblion achosi gwrthdaro?

Gweddi
O Dad, dw i'n gweld nad cymdeithas gyffredin mo'r un sy'n gallu croesawu pobl fel Pedr, Andreas, Ioan, a Thomas, a'u defnyddio fel un tîm. Mae hi'n gymdeithas â Meistr sy'n gallu newid pethau. Dw i mor falch mod i'n rhan o'r gymdeithas honno. Amen.

Ein Heiriolwr nefol

"Ac fe ofynnaf finnau i'm Tad, ac fe rydd ef i chwi Eiriolwr arall i fod gyda chwi am byth." (adn. 16)

Beth am ddarllen Ioan 14:15–24 ac yna myfyrio

A'r rhodd olaf, ond nid y lleiaf, i Iesu ei gadael i ni yw ei rodd o'r Ysbryd Glân. *'Parakletos'* ydy'r gair Groeg mae Iesu'n ei ddefnyddio i ddisgrifio'r Ysbryd Glân, sydd, fel y gwyddoch mae'n siŵr, yn golygu 'yr un a alwyd i ddod ochr yn ochr i helpu'. Sut y gellir cyfieithu hyn orau?

Mae 'Diddanydd' yn gamarweiniol efallai. Mae 'Cynghorydd' yn well, ond yn tueddu i fynd gyda'r ffasiwn o ddarostwng popeth i dermau seicolegol. Mewn gwirionedd, mae'r gair *'parakletos'* bron yn sicr yn cadw ei ystyr cyfreithiol, ac felly byddai'n well ei gyfieithu fel 'eiriolwr' yn yr ystyr gyfreithiol. Mae'r ystyr yma yn gweddu'n dda i'r darlun cyfan mae Ioan yn ei beintio yn ei efengyl am Grist – a'r disgyblion – sydd ar brawf dros y gwirionedd gerbron byd gelyniaethus. 'Eiriolwr' arall fel Iesu ydy'r Ysbryd Glân. Bydd yn gefn i'r disgyblion yn union fel yr oedd Iesu. Bydd yn gweinidogaethu iddynt mewn cariad hunanaberthol, yn union fel y gwnaeth Iesu. Bydd yn eu herio pan fydd angen hynny arnynt, yn union fel gwnaeth Iesu.

Mae llawer yn credu mai ein cysuro'n unig yw rôl yr Ysbryd Glân. Ond mae'n gwneud llawer mwy na hynny. Mae'n rhaid i ni gofio bod yr Ysbryd Glân gyda ni i'n hamddiffyn ac i'n hannog a'n cefnogi. Bydd hyn o gysur mawr i'r rhai sydd ynghanol treialon dybryd oherwydd eu hymroddiad i Grist. Mae byd wedi'i sylfaenu ar gelwyddau, twyll ac afrealiti yn ddieithr i Ysbryd y Gwirionedd. Ond mae'r Ysbryd yn sefyll wrth ein hochr i'n galluogi i siarad a byw'r gwirionedd, gan ein helpu i ddilyn Iesu'r Gwirionedd.

Beth am fynd ymlaen i ddarllen:
Marc 13:9–11; Ioan 7:37–39; 1 Thes. 1:2–10

Meddyliwch am y cwestiynau hyn:
1. Sut fydd yr Ysbryd Glân yn cryfhau disgyblion Iesu?
2. Am beth mae Paul yn cymeradwyo'r Thesaloniaid?

Gweddi
O Dad, mae'n gysur mawr gwybod bod yr Ysbryd Glân yn Eiriolwr i mi. Dw i'n ymestyn fy nwylo i dderbyn yr holl nerth dw i ei angen ganddo i wynebu'r dydd. Ond helpa fi, nid yn unig i gymryd, ond i roi hefyd. Yn enw Iesu. Amen.

Yno bob amser

"Ond bydd yr Eiriolwr, yr Ysbryd Glân, a anfona'r Tad yn fy enw i, yn dysgu popeth ichwi, ac yn dwyn ar gof ichwi y cwbl a ddywedais i wrthych." (adn. 26)

Beth am ddarllen Ioan 14 25–26 ac yna myfyrio

Rydyn ni am barhau i fyfyrio ar rodd hyfryd a phennaf Iesu i ni – yr Ysbryd Glân. Gallwn yn hawdd ddychmygu mai cais cyntaf Iesu ar ôl dychwelyd i ogoniant y nefoedd oedd: "O Dad, mae'r sianel rhwng nef a daear ar agor rŵan – anfon yr Ysbryd Glân arnynt."

Fel y dywedom ni ddoe, Eiriolwr arall fel Iesu ydy'r Ysbryd Glân. Fel mae Iesu yn Eiriolwr ar ein rhan yn y nefoedd gerbron gorsedd y Tad, felly mae'r Ysbryd Glân yn Eiriolwr ar y ddaear yn ystafell llys y byd. Dim ond yn enw neu ar awdurdod Iesu y bydd yr Ysbryd Glân yn gweithredu. Ei genhadaeth yw dadlau dros y gwirionedd fel ag y mae yn Iesu, a bydd yn gwneud hyn ynom a thrwom. Bydd yn egluro popeth roedd Iesu wedi'i ddweud ac a gafodd ei gamddeall gan y disgyblion yn y lle cyntaf. Dydy'r Ysbryd Glân ddim yn datguddio pethau ysgytwol na chlywyd mo'u tebyg o'r blaen – fel y mae rhai yn meddwl heddiw – ond yn hytrach mae'n dadlennu'r hyn a ddatguddiodd Iesu. Byddai llawer llai o gyfeiliorni yn yr Eglwys Gristnogol pe byddai athrawon a phregethwyr yn cofio ei fod yn gweithredu fel ein Heiriolwr o flaen byd amheugar, nid yn unig drwy roi teimladau tangnefeddus i ni, ond drwy ein dysgu yn y gwirionedd. Ef ydy ein Hathro hefyd. Ni fydd y treiddgarwch newydd mae'n ei roi, na'r pwerau newydd mae'n eu cyflwyno, na'r mentrau newydd mae'n eu rhoi ar waith, fyth yn cael eu gwahanu oddi wrth ewyllys gariadus y Tad nac yn dwyn anfri ar enw Iesu. Mae'r Drindod Sanctaidd yn gweithredu ar y cyd ar ein rhan.

Felly, wrth i chi geisio bod yn ddisgybl amlwg i Iesu, yn y cartref neu yn y gwaith, mewn gwendid neu o dan bwysau, gallwch fod yn sicr o holl gefnogaeth yr Ysbryd Glân. Fydd o byth yn eich gadael. Gallwch droi clust fyddar iddo ond mi fydd yn dal wrth eich ochr o hyd.

Beth am fynd ymlaen i ddarllen:
Deut. 34:9; Josua 1:16–18; Actau 2:29–39

Meddyliwch am y cwestiynau hyn:
1. Beth oedd yn nodweddu Josua fel olynydd i Moses?
2. Pwy dywalltodd yr Ysbryd, ac i bwy mae ef wedi ei addo?

Gweddi
O Dad, wrth i mi fyfyrio ar lle fyddwn i heddiw oni bai am yr Ysbryd Glân, f'Eiriolwr gwych, mae nghalon yn ymchwyddo mewn diolchgarwch a mawl am ei eiriolaeth gyson yn fy mywyd. Diolch i ti, annwyl Dad. Amen.

185

Yr uwch bartner

"Pan ddaw'r Eiriolwr a anfonaf fi atoch oddi wrth y Tad, sef Ysbryd y Gwirionedd, sy'n dod oddi wrth y Tad, bydd ef yn tystiolaethu amdanaf fi."
(adn. 26)

Beth am ddarllen Ioan 15:18–27 ac yna myfyrio

Un tro, drwy'r proffwyd Eseia, heriodd Duw Israel i sefyll dros ei hegwyddorion ac i fod yn dystion iddo yn nhreial y cenhedloedd oedd yn gwatwar hawliau Duw fel yr unig Greawdwr ac Arglwydd. Dim ond Israel fyddai'n gallu gwirio hyn drwy roi ei thystiolaeth (gweler Eseia 43:9–13). Wrth i fywyd Iesu ar y ddaear ddirwyn i ben, gwelwn y sefyllfa'n cael ei gwrthdroi'n druenus: Israel, pobl Dduw ei Hun, sy'n amau pwy ydy'r Un mae Duw wedi ei anfon a'r hyn mae'n ei hawlio, ac mae Iesu, i bob diben, yn cael ei roi i sefyll ei brawf. Mae'n disgwyl i'w ddisgyblion dystiolaethu o'i blaid, gan eu bod wedi bod gydag ef "o'r dechrau" (adn. 27) a byddan nhw'n gallu adrodd yr holl hanes.

Doedden ni ddim yno yn y dechrau, ond fe'n galwyd ninnau i fod yn dystion iddo – i ychwanegu ein lleisiau a safon ein bywydau at y dystiolaeth barhaus i ryfeddod Iesu. Mae'n amlwg o'r darlleniad heddiw mai'r Ysbryd Glân sy'n cael ei ystyried fel prif dyst Iesu. Pan fyddwn yn tystio i Grist, byddwn yn ychwanegu ein lleisiau at lais yr Ysbryd Glân. Mae cysur ac eiriolaeth awdurdodol yr Ysbryd Glân yn cael ei addo i'n cynnal i ddwyn tystiolaeth i bwy ydy Iesu mewn gwirionedd, sef Mab Duw yn y cnawd, un Gwaredwr ac un Arglwydd pawb.

Dydy disgyblion byth yn tystiolaethu ar eu pen eu hunain, na heb help neb. Gymaint mwy effeithiol fydden ni pe baen ni'n cofio bod llais arall heblaw ein llais ni yn siarad drwy bob tystiolaeth a rown am Iesu. Felly, mae'n rhaid edrych ar dystiolaethu fel partneriaeth – yn ein tystiolaeth rydyn ni'n dweud yr hyn mae'r Ysbryd Glân yn dyheu'n angerddol am ei ddatgelu.

Beth am fynd ymlaen i ddarllen:
1 Cor. 2:6–16; 2 Cor. 1:18–22; Heb. 1:1–4; 2:1–4

Meddyliwch am y cwestiynau hyn:
1. Sut mae Paul yn disgrifio gwaith yr Ysbryd Glân?
2. Yn ôl Hebreaid, ym mha ffyrdd roedd iachawdwriaeth yn cael ei chyhoeddi?

Gweddi
O Dad, dyna gysur ydy gwybod nad ydy'r Ysbryd Glân byth yn oddefol pan ydw i'n tystiolaethu i Iesu, ond mae'n gweithredu'n ogoneddus ac yn wych. Na foed i mi fyth golli cyfle i siarad am f'Arglwydd. Amen.

Cwnsler dros yr erlyniaeth

"A phan ddaw, fe argyhoedda ef y byd ynglŷn â phechod, a chyfiawnder, a barn."
(adn. 8)

Beth am ddarllen Ioan 16:1–11 ac yna myfyrio

Yn y darlleniad ddoe, dywedodd Iesu wrth y disgyblion y byddai'r Ysbryd Glân yn gweithredu fel 'cwnsler dros yr amddiffyniaeth' wrth iddynt dystiolaethu iddo. Yma, mae'n dweud wrthynt y bydd yr Ysbryd yn gweithredu fel 'cwnsler dros yr erlyniaeth' yn yr achos yn erbyn y byd. Gan weithredu drwy'r disgyblion, bydd yr Ysbryd yn argyhoeddi'r byd ac yn troi ei farn am Dduw ac Iesu â'i ben i lawr. Oherwydd ei fod yn gwrthod credu yn Iesu bydd pechod mawr y byd yn cael ei ddadlennu'n llwyr. Bydd ei ddedfryd anghyfiawn ar Iesu'n cael ei wrthdroi, a bydd esgyniad Iesu at y Tad yn ei gyfiawnhau'n llwyr. Bydd yr Ysbryd hefyd yn dangos mai'r byd a'i lywodraethwr, nid Iesu, ei wir Arglwydd, sydd wedi'u barnu yn nigwyddiadau'r Pasg.

Dyna dro rhyfeddol ar bethau! Does dim rhyfedd i Iesu ddweud: "y mae'n fuddiol i chwi fy mod i'n mynd ymaith" (adn. 7). Oherwydd ei fod ef wedi dychwelyd at y Tad, daeth yr Ysbryd, ac mae popeth yn edrych yn wahanol i lygaid sy'n llawn o'r Ysbryd. Dyna ryddhad mawr ydy gwybod nad y ni yw'r barnwr: gall materion y farn olaf gael eu gadael yn ddiogel yn ei ddwylo ef yn unig. Byddwn yn falch o glywed hefyd na fydd disgwyl i ni fod yn gwnsleriaid ar ran yr erlyniad, fel pe bai raid i ni argyhoeddi'r byd o uniondeb achos Iesu. Mae rhai Cristnogion, wrth dystiolaethu, yn anelu at argyhoeddi anghredinwyr y dylen nhw dderbyn Crist. Ein nod ydy rhannu'r hyn a wyddon ni am Iesu; gwaith yr Ysbryd Glân ydy argyhoeddi. Does dim disgwyl i ni chwaith wybod yr atebion i'r holl gwestiynau a deflir atom, dim ond gwneud yr hyn mae tyst yn ei wneud orau, sef adrodd am yr hyn a glywodd ac a welodd.

Beth am fynd ymlaen i ddarllen:
Ioan 3:6; 3:18–21; 3:31–36; 12:31–33; 12:44–50; 1 Thes. 4:1–8; Jwdas 14–23

Meddyliwch am y cwestiynau hyn:
1. Beth mae Iesu ac Ioan yn ei addysgu am farn?
2. Beth mae Paul yn ei ddweud am gosb a'r Ysbryd Glân?

Gweddi
Fy Nhad a'm Duw, helpa fi i ddeall hyn yn iawn: fy nhasg i yw rhannu'r hyn a wn i am Iesu – gwaith yr Ysbryd Glân ydy argyhoeddi. Na foed i mi fyth anghofio mai tyst ydw i, nid cwnsler ar ran yr erlyniad. Yn enw Iesu. Amen.

Tynnu sylw

"Ond pan ddaw ef, Ysbryd y Gwirionedd, fe'ch arwain chwi yn yr holl wirionedd." (adn. 13)

Beth am ddarllen Ioan 16:12–15 ac yna myfyrio

Bydd yr Ysbryd Glân nid yn unig yn ailadrodd yr hyn mae Iesu wedi'i ddweud, gan ein hysgogi drwy ein hatgoffa, ond bydd hefyd yn ein harwain "yn yr holl wirionedd". Dydy hyn ddim yn golygu, fel mae rhai'n ei gredu, y bydd yr Ysbryd Glân yn dysgu popeth am unrhyw beth i ni – ynni niwclear, er enghraifft. Mae'n golygu y bydd yr Ysbryd Glân yn ein harwain yn yr holl wirionedd y mae angen i ni ei wybod am Dduw ac Iesu a'n perthynas ag ef. Mewn geiriau eraill, mae'n addewid o arweiniad parhaus ym mhob peth sy'n ymwneud â bod yn ddisgybl i Iesu Grist.

Dywedwyd wrth y disgyblion y byddai Iesu'n parhau i siarad a gweithredu drwy'r Ysbryd ar ôl yr esgyniad. Gan fod Iesu a'r Ysbryd yn un, gallwn fod yn sicr na fydd unrhyw beth mae'r Ysbryd yn ei ddatgelu rŵan yn gwrth-ddweud y dystiolaeth hanesyddol i Iesu yn yr efengylau. Rhan o waith yr Ysbryd ydy datgelu'r 'hyn sy'n dod' (adn. 13), ond bydd yn ddatblygiad pellach ar arwyddocâd yr hyn sydd eisoes wedi dod atom mewn urddas yn Iesu a fu fyw ac a fu farw ac a atgyfododd. Mae'r Tad, y Mab a'r Ysbryd Glân yn rhannu bywyd cyffredin ac yn gweithredu mewn cytgord perffaith.

Un ffordd o fesur yr hyn sy'n honni bod yn waith yr Ysbryd Glân ydy sylwi'n ofalus beth mae'n ei ddangos am Iesu. Dydy'r Ysbryd Glân ddim yn tynnu sylw ato ei hun gyda rhyw gimics diangen, ond yn hytrach mae'n gwneud pethau rhyfeddol sy'n clodfori Iesu. Mae'n gweithredu ac yn ymddwyn mewn ffyrdd sy'n ein harwain i'r casgliad mai dyna mae Iesu'n ei wneud a dyna'r ffordd mae'n ei wneud. Mae'r Ysbryd Glân yn amlygu'r gwyleidd-dra dwyfol drwy dynnu'r sylw oddi arno ei hun a'i roi ar Iesu. Mae hyn yn rhoi canllaw go dda i ni i bwyso a mesur y pethau sy'n digwydd mewn rhai rhannau o'r Eglwys heddiw y dywedir eu bod yn waith yr Ysbryd Glân.

Beth am fynd ymlaen i ddarllen:
2 Thes. 2:13–17; 1 Tim. 3:14–4: 10; 2 Pedr 1:19–21; 1 Ioan 3:21–4: 6

Meddyliwch am y cwestiynau hyn:
1. Sut mae Paul yn adnabod gwaith yr Ysbryd yn Thesalonica?
2. Sut mae Ioan yn dweud y gallwn adnabod Ysbryd Duw?

Gweddi
O Dad, helpa fi i allu gwahaniaethu rhwng gormodedd y cnawd a gwir waith yr Ysbryd Glân. Dw i'n dyheu am ddiwygiad go iawn – un sy'n gwneud Iesu'n fwy real i'r byd. Dw i'n gweddïo yn ei enw ac er gogoniant iddo. Amen.

Y Crist carismatig

"...arhoswch yn y ddinas nes eich gwisgo chwi oddi uchod â nerth." (adn. 49)

Beth am ddarllen Luc 24:36–53 ac yna myfyrio

Yma, mae Iesu'n disgrifio'r Ysbryd y bydd yn ei roi yn nhermau "eich gwisgo chwi oddi uchod â nerth" – delweddu a ddefnyddir yn yr Hen Destament am Gideon (Barnwyr 6: 34) a Samson (Barnwyr 14:6) pan fo Duw yn eu nerthu â'r Ysbryd. Pan ddaeth Eliseus i gymryd lle Elias, roedd yn gwisgo mantell ei feistr (2 Bren. 2:13). Nid rhyw guddwisg neu iwnifform oedd y fantell hon, ond roedd yn wirioneddol yn trosglwyddo'r gallu ysbrydol o feistr i'w was.

Yn rhyfeddol, yr olwg olaf a gafodd y disgyblion o Iesu wrth iddo esgyn oedd un ohono a'i freichiau ar led i'w bendithio! Mae bendith bob amser yn cael ei chysylltu ag eneiniad yr Ysbryd Glân. Yn union fel offeiriad yr Hen Destament yn bendithio'r addolwyr (Aaron), fel penteulu'n bendithio ei deulu (Jacob), fel arweinydd yn bendithio cenedl (Moses), felly hefyd mae Iesu'n bendithio ei ddilynwyr. Mae'r dwylo oedd wedi eu hymestyn at wahangleifion ac wedi eu lledaenu ar y groes, yn cael eu codi'n awr mewn bendith. Wedi hyn, mae'r disgyblion yn dychwelyd yn llawen i glodfori Duw yn y Deml, gan wybod y byddan nhw'n mynd i bobman i dystiolaethu i Grist o dan fendith eu Harglwydd dyrchafedig.

Fel y disgyblion cyntaf, boed i ni lawenhau ac ymhyfrydu yn y rhodd gyfoethog a pharhaus mae Iesu wedi ei rhoi i'w Eglwys. Mae ei ddwylo ar led uwch eich pen rŵan. Derbyniwch y fendith mae ef am ei rhoi i chi – nerth ei Ysbryd Glân.

Beth am fynd ymlaen i ddarllen:
2 Sam. 23:1–5; Luc 3:15–18; Actau 4:23–33; 1 Cor. 2:1–10; 2 Cor. 3:17–18

Meddyliwch am y cwestiynau hyn:
1. Sut cafodd Dafydd brofiad o Ysbryd yr Arglwydd?
2. Sut cafodd Paul brofiad o nerth yr Ysbryd?

Gweddi
O Dad, mae nghalon yn agored i ti. Beth bynnag sydd gennyt ar fy nghyfer, dw i'n ymestyn atat i'w dderbyn. Llanwa fi a nertha fi â'th Ysbryd Glân. Yn enw Iesu. Amen.

Pam na fu Iesu'n awdur llyfr

"Yna plygodd eto ac ysgrifennu ar y llawr." (adn. 8)

Beth am ddarllen Ioan 8:1–11 ac yna myfyrio

Wrth ddirwyn ein myfyrdodau ar 'Etifeddiaeth Crist' i ben, mae'n rhaid i ni roi ar ddeall nad ydyn ni wedi dihysbyddu'r pwnc o gwbl. Gallen ni fod wedi cynnwys esiampl ein Harglwydd yn ei fywyd o weddi, ei berthynas ag eraill, ei gariad at blant, sut yr oedd yn tystiolaethu i'w Dad, a'i ddulliau o ddysgu.

Mae pobl wedi holi drwy'r oesoedd pam na fyddai Iesu Grist wedi ysgrifennu llyfr, gan fod ganddo gymaint i'w gynnig i ddynoliaeth. Gymaint fydden ni wedi gwerthfawrogi hunangofiant. Yn wir, yr unig gyfeiriad at Iesu'n ysgrifennu ydy'r un yn y darlleniad heddiw. Ysgrifennodd yn y tywod, ond mae'r hyn ysgrifennodd wedi'i chwythu i ffwrdd gan y gwynt. Dywedodd Dr W.E. Sangster unwaith y gallai llyfr wedi ei ysgrifennu gan Iesu fod wedi ei droi'n rhyw eicon a'i ddatblygu i fod yn wrthrych eilunaddoliaeth. Eto, er nad ysgrifennodd Iesu lyfr erioed, ysbrydolodd ddynion i ysgrifennu'r pedair efengyl a'r epistolau fel y gallwn drwyddynt ddeall ei ewyllys olaf. Addawodd Iesu y byddai'r Ysbryd Glân yn eu harwain yn yr holl wirionedd, yn dangos yr hyn oedd i ddod, ac yn ei ogoneddu ef.

Efallai y dylid ystyried y Testament Newydd ei hun fel canlyniad cyntaf yr addewid honno. Disgrifiodd y pregethwr P.T. Forsyth lythyrau'r Testament Newydd fel "epistolau ôl-argraffedig yr Iesu dyrchafedig". Yn yr ystyr ddofn hon, y Testament Newydd ydy'r llyfr nad ysgrifennodd Iesu. Mae wedi gadael ei dystiolaeth i ni ym mhob tudalen o'r Testament Newydd. Hwn ydy hunangofiant Iesu yn y bôn.

Beth am fynd ymlaen i ddarllen:
Ioan 20:30–31; 21:24–25; 1 Cor. 2:11–16; 1 Ioan 5:6–15; Dat. 1:1–20

Meddyliwch am y cwestiynau hyn:
1. Sut oedd Paul yn ystyried yr hyn a ddysgai?
2. Pam ysgrifennodd Ioan ei efengyl a'i Ddatguddiad?

Gweddi
O Dad, dw i'n gwerthfawrogi'r modd mae gwaith y dynion a gafodd eu hysbrydoli gennyt yn rhoi dealltwriaeth i mi ac yn fy rhoi ar ben y ffordd. Rwyt ti wedi treiddio i'w geiriau ac yn cael dy ddatgelu ganddynt. Dw i mor ddiolchgar. Amen.

Y stad gyfan

"...y mae pob peth yn eiddo i chwi." (adn. 21)

Beth am ddarllen 1 Corinthiaid 3:18–23 ac yna myfyrio

Dyma destun addas i ddwyn ein myfyrdodau i ben. Os oes unrhyw adnod yn y Beibl sy'n swnio'n debyg i ewyllys olaf, dyma honno! Mae Iesu wedi etifeddu stad ei Dad i gyd. Ond dydi o ddim yn cadw dim iddo'i Hun. Mae bob amser yn ei rannu â ni!

Yn ôl yr esboniwr, Matthew Henry, "Pan adawodd Iesu ein byd, gwnaeth ei ewyllys olaf. Gadawodd ei enaid i'w Dad, Ei gorff i Joseff o Arimathea, disgynnodd ei ddillad i'r milwyr, a rhoddodd ei fam yng ngofal Ioan, y disgybl annwyl." O ran eiddo materol, roedd ei etifeddiaeth yn ddibwys, ond, fel mae Ian Macpherson yn ein hatgoffa: "Gadawodd y bydysawd cyfan i'r rhai sy'n eiddo iddo." Mae pob gweinidogaeth sy'n cyhoeddi Crist yn ffyddlon yn eiddo i ni. Mae pob profiad dynol yn eiddo i ni – ni piau'r profiadau, nid y nhw piau ni! Yng Nghrist, ni piau marwolaeth hyd yn oed; nid marwolaeth piau ni! Mae'r dyfodol yn eiddo i ni hefyd, er na wyddon beth sydd o'n blaenau. Ac mae'r presennol yn eiddo i ni hefyd. Mae'r rhodd o fywyd heddiw sy'n eich galluogi i ddarllen y nodiadau hyn yn rhywbeth i ryfeddu ato ac i'w anwylo, a chyn belled ag mae hynny'n bosibl, i'w fwynhau. Does dim ond un peth nad ydy o'n eiddo i ni – ni ein hunain. Unwaith y byddwn wedi ein rhoi ein hunain i Iesu Grist, yna rydyn ni'n perthyn iddo – am byth. Dydyn ni bellach ddim yn eiddo i ni ein hunain; ei eiddo ef ydyn ni. Yn ein tröedigaeth, rydyn ni'n rhoi'r gorau i'r ychydig sy'n eiddo i ni – ni ein hunain – ac, wele, mae popeth gennym!

Boed i'r gair olaf fod gan y merthyr o Gristion cyfoes, Jim Elliot: "Nid ffŵl mo'r sawl sy'n rhoi'r gorau i'r hyn na all ei gadw er mwyn ennill yr hyn na all ei golli." Wrth fod yn eiddo ar ddim, rydyn ni'n eiddo ar bopeth; heb yr un geiniog, rydyn ni'n berchen ar y byd. Haleliwia!

Beth am fynd ymlaen i ddarllen:
Salm 37:11; Math. 5:1–16; Rhuf. 4:13–18; 1 Cor. 15:20–28; Gal. 3:26–29

Meddyliwch am y cwestiynau hyn:
1. Pam mae'r addfwyn yn cael eu bendithio?
2. I beth roedd Abraham, tad pob un sy'n credu, yn etifedd?

Gweddi
Fy Nhad a'm Duw, wedi f'amgylchynu â'r holl gyfoeth rwyt ti wedi ei adael i mi, wna i byth gwyno eto fy mod yn brin o unrhyw beth. Mae popeth gennyf ynot ti. Popeth! Pob anrhydedd a gogoniant i'th enw di–ail di am byth. Amen.

Meddylfryd Philistaidd

*"Ac ailgloddiodd Isaac y pydewau dŵr a gloddiwyd yn nyddiau ei dad Abraham,
ac a gaewyd gan y Philistiaid ar ôl marw Abraham." (adn. 18)*

Beth am ddarllen Genesis 26:1–18 ac yna myfyrio

Un o'r pethau sy'n peri cryn bryder yng nghymdeithas Gristnogol ein dydd yw bod nifer o ffynhonnau, a fu'n ffynhonnell i ddyfroedd clir a bywiol yr Ysbryd yn y gorffennol, bellach mewn perygl o gael eu cau gan yr hyn gellir ei ddisgrifio fel meddylfryd Philistaidd. Mae'r adran i'w darllen heddiw o gymorth i esbonio hynny.

Roedd Isaac, mab Abraham, yn mynd trwy gyfnod yn ei fywyd lle'r oedd yn derbyn bendith Duw yn helaeth, ac, oherwydd hynny, roedd ei gymdogion yn eiddigeddus iawn ohono. Gorfodwyd ef a'i deulu i symud o ddinas Gerar i ymsefydlu yn nyffryn Gerar. Wedi cyrraedd, ei bryder cyntaf oedd darganfod dŵr, ac wrth edrych o'i gwmpas, fe gofiodd i'w dad, Abraham, yn y blynyddoedd a fu, fyw yn y dyffryn hwn, ac iddo gloddio nifer o bydewau a ddefnyddiwyd i ddarparu dŵr ffres. Gorchmynnodd i'w weision edrych am y ffynhonnau hyn. Wedi dod o hyd iddynt, cawsant fod y Philistiaid – pobl oedd yn ymosodol iawn eu hagwedd – wedi eu llenwi gyda baw a rwbel. Roedd y dŵr yn dal i darddu yno, ond doedd dim posib ei gyrraedd. Dyma pryd y dechreuwyd ar y gwaith o ailagor y ffynhonnau.

Yn anffodus, mae'r rhwystr yma yn dal yn ein plith. Mae llawer o'r ffynhonnau y bu i'n tadau yfed ohonynt yn cael eu llenwi hefo pob math o sbwriel, a hwnnw yn enw Cristnogaeth, sbwriel syniadau dynion, y sbwriel hwnnw sy'n cael ei alw yn wirionedd, ond nid gwirionedd Duw mohono. Oherwydd hynny, nid yw'r ffynhonnau yn cyflawni eu diben. Efallai mai'r her fwyaf i Eglwys yr Arglwydd Iesu Grist yn ein dydd yw ailddarganfod y ffynhonnau hyn a symud y sbwriel, fel bod pobl Dduw, unwaith yn rhagor, yn cael mynedfa i ddyfroedd bywiol y gwirionedd.

Beth am fynd ymlaen i ddarllen:
1 Sam. 13:5–14; 14:6–13

Meddyliwch am y cwestiynau hyn:
1. Pa effaith gafodd y Philistiaid ar Saul a'i ddynion?
2. Pam fod Jonathan yn credu y gallai drechu'r Philistiaid?

Gweddi
O Dduw, cynorthwya fi, wrth imi gychwyn y myfyrdodau hyn, i weddïo am gael adnabod angen mawr dy Eglwys ar yr amser hwn. Caniatâ i mi ddod i argyhoeddiad fod dy wirionedd di yn wirionedd safadwy. Yn enw Iesu. Amen.

Amddiffyn y llinell

"Safwch ar y ffyrdd; edrychwch, ac ymofyn am yr hen lwybrau. Ple bynnag y cewch ffordd dda, rhodiwch ynddi, ac fe gewch le i orffwys." (adn. 16)

Beth am ddarllen Jeremeia 6:16–21 ac yna myfyrio

Un o'r temtasiynau y mae llawer o Gristnogion yn syrthio iddo yn ein dydd ni yw'r awch yna am 'rywbeth newydd' neu'r 'datguddiad newydd' y maent yn credu sydd am gael ei arddangos iddynt, gan wneud eu bywydau yn fwy defnyddiol, a Christnogaeth yn fwy deniadol i'r rhai sydd yn aros y tu allan i gorlan yr Efengyl. Eto, dro ar ôl tro, galwad yr Ysgrythur yw inni ddychwelyd i'r gwirioneddau hynny oedd yn gysur, yn llawenydd ac yn ddymunol i'r rhai a aeth o'n blaen ni.

Yng ngeiriau'r testun heddiw, defnyddir darlun gwahanol i'r hyn a ystyriwyd ddoe (ailagor ffynhonnau). Ond mae'n gwneud yr un sylw – cyn y medrwn symud ymlaen, mae'n rhaid i ni fynd yn ôl, yn ôl i'r gwirioneddau hynny sydd yn sylfaenol i'n cerddediad â Duw. I'r rhai ohonom ni sy'n cael ein temtio i feddwl am ffyrdd newydd yn ein dydd a'n hoes ni, rwyf am ddweud mai her yr Ysbryd Glân yw dwyn ein calonnau i sefyll gyda'r hen flaenoriaethau a gwirioneddau. Fe dynnir y llinell yma yn glir inni yn yr Ysgrythur.

Cychwynnodd Luc y meddyg ei efengyl gyda'r geiriau pwysig hyn: "Yn gymaint â bod llawer wedi ymgymryd ag ysgrifennu hanes y pethau a gyflawnwyd yn ein plith..." (Luc 1:1). Dyma ymadrodd cryf. Pethau a gyflawnwyd neu'r pethau a gredwyd yn ein plith. Dyma'r her sy'n cael ei chyflwyno i'r Eglwys Gristnogol heddiw – i aros gyda'r gwirioneddau hynny sydd wedi eu credu gan y saint sydd wedi mynd o'n blaenau. Ond pan mae gwirionedd Duw, fel y mae wedi ei gynnwys yn y Beibl, yn cael ei anwybyddu, yn cael ei guddio, yn cael ei gamddehongli, neu yn cael ei esbonio mewn ffordd sydd yn dal ei wirionedd yn ôl oddi wrth y saint, mae'r Eglwys yn dioddef. Nid yw Cristnogion yn un oherwydd yr hyn nad ydym yn ei gredu; yr ydym yn un oherwydd yr hyn yr ydym yn ei gredu.

Beth am fynd ymlaen i ddarllen:
Deut. 10:12–13; Jer. 7:21–29

Meddyliwch am y cwestiynau hyn:
1. Beth a fyn Duw oddi wrthym?
2. Beth ddigwyddodd i'r Israeliaid pan fu iddynt wrthod yr hen ffyrdd?

Gweddi
O Dad trugarog a graslon, mae fy nghalon yn agored i bopeth yr wyt am ei ddysgu i mi. Paid â chaniatáu i mi gyfnewid y gwirionedd am Dduw, nac ychwaith symud oddi wrth y pethau hynny yr ydym wedi eu credu. Yn enw Crist rwy'n gofyn y cyfan. Amen.

Cofio eu henwau

"...gan dystiolaethu i Iddewon a Groegiaid am edifeirwch tuag at Dduw a ffydd yn ein Harglwydd Iesu." (adn. 21)

Beth am ddarllen Actau 20:17–38 ac yna myfyrio

Pan ddaeth Isaac i ddyffryn Gerar, fe ddywedir yn yr Ysgrythur ei fod wedi cofio enwau'r ffynhonnau y bu i'w dad eu hagor, ac fe roddodd iddynt yr un enwau ag a roddodd Abraham iddynt (Gen. 26:18). Bu degawdau ers i Isaac fod yn y dyffryn hwnnw gyda'i dad, ond yr oedd yn dal i gofio enwau'r ffynhonnau. Fe fyddai'n ddefnyddiol iawn yn ystod y myfyrdodau hyn ini hefyd gofio enwau rhai o'r ffynhonnau yr oedd ein tadau yn y ffydd wedi eu hagor, ffynhonnau y mae'r rhai sydd o feddylfryd Philistaidd wedi taflu eu hysbwriel iddynt.

Y ffynnon gyntaf yr wyf am ddal sylw arni yw'r un lle ceir y gwirionedd bendigedig fod y cyfiawn yn byw trwy ffydd. Wedi sefydlu'r Eglwys Gristnogol ar ôl y Pentecost, dechreuodd yr apostolion bregethu, gan ddysgu'r bobl fod rhaid cael ein derbyn gan Dduw, nid ar sail ein gweithredoedd da, ond yn hytrach trwy ffydd yn nioddefiadau'r Arglwydd Iesu Grist ar y groes. Yn y darn o'r Ysgrythur yr ydym yn edrych arno heddiw, fe welwn yr apostol Paul, oedd yn amlwg yn cyhoeddi'r gwirionedd hwn yn glir, yn tystiolaethu i henuriaid yr eglwys yn Effesus ei fod wedi cyhoeddi i Iddewon a Groegiaid eu bod i droi tuag at Dduw mewn edifeirwch ac i fod â ffydd yn Iesu. Ychydig a wyddai y byddai'r ffynnon y tynnwyd y gwirionedd ohoni, mewn canrifoedd i ddod, yn cael ei llenwi â phob math o ysbwriel fyddai'n gwahardd nifer di-ri rhag yfed y dŵr bywiol a ddeuai trwyddi, gan beri i bobl ymddiried yn eu daioni eu hunain yn hytrach nag yn nhrugaredd Iesu Grist.

Fe ddaeth y dydd pan ailagorwyd y ffynnon honno, a hynny mewn ffordd ddramatig, ond yn ystod y canrifoedd lle caewyd hi, gellir cyfeirio at y rhain fel y cyfnodau mwyaf tywyll yn hanes yr Eglwys Gristnogol.

Beth am fynd ymlaen i ddarllen:
Gal. 2:3–5; 2:11–16; Heb. 6:1–3

Meddyliwch am y cwestiynau hyn:
1. Beth yw dysgeidiaeth sylfaenol Cristnogaeth?
2. Sut y bu i bobl geisio llygru ffynnon cyfiawnhad trwy ffydd?

Gweddi
O Dduw, caniatâ inni dy ras a'th nerth i wrthwynebu unrhyw ymdrech Philistaidd sy'n ceisio gwadu neu osgoi'r gwirionedd fod iachawdwriaeth yn dod trwy ffydd ac nid trwy weithredoedd. Yn enw Iesu. Amen.

Ailagor ffynnon

"Am hynny, oherwydd ein bod wedi ein cyfiawnhau trwy ffydd, y mae gennym heddwch â Duw trwy ein Harglwydd Iesu Grist." (adn .1)

Beth am ddarllen Rhufeiniaid 5:1–11 ac yna myfyrio

Bu inni sôn ddoe am y canrifoedd hynny pryd y cuddiwyd y gwirionedd o gyfiawnhad trwy ffydd oddi wrth yr Eglwys ac mai dyma gyfnod tywyllaf yr Eglwys Gristnogol. Am ganrif ar ôl canrif, fe ddysgodd yr Eglwys fod iachawdwriaeth i'w ganfod, nid trwy ymddiried yn Iesu Grist yn unig, ond trwy ddal sylw ar wahanol seremonïau a defodau crefyddol. Roedd rhai offeiriaid yn mynd mor bell ag annog pobl i achub aelodau o'u teuluoedd o le a elwid y 'purdan' – syniad sydd heb unrhyw fath o warant iddo yn yr Ysgrythur. Dywedwyd wrth y bobl, wedi iddynt gyfrannu hyn a hyn o arian, y byddai'r rhai oedd yn y purdan yn cael eu rhyddhau o'r cyflwr hwnnw ac yn meddiannu'r nefoedd. Yn Saesneg, mae yna gwpled cyfarwydd:

> *When the coin in the coffer rings,*
> *The soul from purgatory springs.*

Beth bynnag, ar gychwyn yr unfed ganrif ar bymtheg, bu i offeiriad ifanc ac athro mewn diwinyddiaeth o'r enw Martin Luther ddadlau fod llawer o'r hyn roedd yr Eglwys wedi bod yn ei ddysgu ac yn ei gyhoeddi yn anghywir, gan fynnu bod gwŷr a gwragedd yn cael eu cyfiawnhau yng ngolwg Duw, nid trwy weithredoedd, ond trwy ffydd yng ngwaith iawnol Iesu Grist ar y groes. Roedd goleuo'r gwirionedd hwn gerbron y bobl, gwirionedd sy'n cael ei osod i lawr yn glir yn yr Ysgrythur, yn un o'r ffactorau a arweiniodd nid yn unig at agor y ffynnon, ond at fudiad yr ydym ni nawr yn ei alw y Diwygiad Protestannaidd. Bron ar unwaith, bu i ddyfroedd pur y gwirionedd darddu o'r newydd, a chychwynnodd y bobl yfed yn hael o'r dyfroedd hynny. Mae gennym le i ganmol Duw am y foment fendigedig honno.

Beth am fynd ymlaen i ddarllen:
Hab. 2:1–4; Rhuf. 1:14–17

Meddyliwch am y cwestiynau hyn:
1. Beth sy'n gwneud y cyfiawn yn gyfiawn?
2. Beth mae'r Efengyl yn ei ddatguddio?

Gweddi
O Dad, gyda'm holl galon yr wyf yn rhoi gogoniant i ti am y diwrnod bendigedig yma pan fu i'r gwirionedd am gyfiawnhad trwy ffydd gael ei ddatguddio unwaith yn rhagor. Boed pob gogoniant ac anrhydedd i'th enw bendigedig. Amen.

Mor fendigedig

"...er clod i'w ras gogoneddus, ei rad rodd i ni yn yr Anwylyd." (adn. 6)

Beth am ddarllen Effesiaid 1:1–14 ac yna myfyrio

Meddyliwch am hyn: Petai Martin Luther heb ddarganfod y gwirionedd bendigedig o gyfiawnhad trwy ffydd a heb gychwyn pregethu fod iachawdwriaeth i'w ddarganfod yn Iesu Grist ac yn Iesu Grist yn unig, efallai y byddech chi a fi heddiw yn dal i ymdrechu i feddiannu iachawdwriaeth trwy seremonïau ac arferion crefyddol. Er mwyn medru gwrthwynebu'r duedd Philistaidd sydd yn parhau i fod yn amlwg mewn rhannau o'r Eglwys, mae angen i ni fod yn glir ynglŷn â gwir ystyr cyfiawnhad trwy ffydd. Dyma ddiffiniad syml: *Mae cyfiawnhad yn rhodd gras Duw, ac mewn termau cyfreithiol, mae Duw trwy'r rhodd yma yn cyhoeddi pechadur yn gyfiawn.* Pan fo pechaduriaid yn troi oddi wrth bechod ac yn eu cyflwyno eu hunain mewn ymddiriedaeth lwyr i'r Arglwydd Iesu Grist, gan gredu ei fod ef wedi marw dros eu pechodau ar y groes, y canlyniad yw eu bod yn cael eu derbyn yn yr Anwylyd. Mae ein pechod wedi ei faddau ac rydym yn cael ein cyhoeddi'n gyfiawn. Mor fendigedig yw gwirionedd yr Efengyl!

Ydych chi'n sylweddoli fod gwybod y gwirionedd yma yn gwbl unigryw i Gristnogaeth? Nid oes yr un grefydd arall yn cynnig maddeuant a bywyd newydd i'r rhai sydd yn gwbl anhaeddiannol. Mae pob crefydd arall yn dysgu rhyw ffurf ar hunan-iachawdwriaeth, a hynny trwy weithredoedd da neu fath o gariad brawdol at eraill. Mae gwir iachawdwriaeth yn dod trwy ras a thrwy ffydd. Mae Duw yng Nghrist wedi dioddef ein condemniad ni ar y groes, a does dim oll yn weddill i ni ei gyfrannu. Pan mae Duw yn cyfiawnhau pechaduriaid, mae'n eu cyhoeddi yn rhydd o unrhyw gondemniad er eu bod wedi torri'r gyfraith, oherwydd bod aberth Iesu ar y groes wedi talu'r ddyled yn eu lle. Mae'r gwirionedd yma yn clwyfo balchder rhai, oherwydd maent yn teimlo y gallant gyfrannu at eu hiachawdwriaeth. Ni allant gyfrannu dim; mae'r cyfan yn llifo o ras Duw ei hun. Pob peth.

Beth am fynd ymlaen i ddarllen:
Eseia 45:15–25; Jer. 23:5–6; 1 Cor. 1:30

Meddyliwch am y cwestiynau hyn:
1. Beth oedd yn unigryw am Dduw Israel?
2. Beth ddylid galw'r Brenin?

Gweddi
O Dad trugarog, diolch i ti am ddangos inni fod iachawdwriaeth yn gyfan gwbl yn dod trwy ras. Does dim y medrwn ni ei gyflawni i'w haeddu. Yr wyt wedi ei rhoi inni am ddim. Yr wyf am ddiolch i dragwyddoldeb. Amen.

Realiti bendigedig

"Trwy ras yr ydych wedi eich achub, trwy ffydd." (adn. 8)

Beth am ddarllen Effesiaid 2:6–13 ac yna myfyrio

Heddiw, yr ydym am ofyn cwestiwn: Sut mae adnabod y meddylfryd Philistaidd yn yr Eglwys wrth inni ystyried y gwirionedd bendigedig o gyfiawnhad trwy ffydd? Mae'n bresennol pan mae yna anfodlonrwydd i gydnabod y gwirionedd fod person yn medru dweud heb unrhyw amheuaeth ei fod ef neu hi yn *gadwedig*. O'i osod mewn ffordd arall, mae'r rhai sy'n meddu ar feddylfryd Philistaidd yn mynnu na all yr un dyn na dynes honni fod ganddynt sicrwydd o iachawdwriaeth bersonol.

Ychydig flynyddoedd yn ôl, fe fu i mi ddarllen y dyfyniad yma o gyfansoddiad Eglwys: "Nid yw'n bosibl i berson wybod, gyda sicrwydd ffydd nad yw'n agored i gamddehongliad, ei fod wedi derbyn gras Duw." Os dyna yw barn eich Eglwys chi, yna yr ydych yn dyst i rywbeth sydd yn llygru Cristnogaeth, oherwydd yn ôl y testun heddiw, "Trwy ras yr ydych wedi eich achub." Sylwch ar y geiriau *"yr ydych wedi eich achub"* fel geiriau yn y gorffennol. Mae'r Ysgrythur yn cyfeirio yma at y ffaith ein bod, wrth dderbyn Iesu Grist i'n bywydau, yn cael ein hachub o'r farn ar ein pechod, a bod Duw yn rhoi inni sicrwydd ein bod wedi ein cymodi â Duw.

Nid hwn yw'r unig waith y mae Duw yn ei wneud ym mywyd y crediniwr. Unwaith y mae un yn cael ei gyfiawnhau, yna mae angen am sancteiddhad, y broses sydd yn ein newid yn debycach i Iesu Grist. Pan mae Duw yn ein cyfiawnhau, mae'n *cyhoeddi* ein bod yn gyfiawn trwy farwolaeth Iesu Grist drosom ar y groes. Pan mae'n ein sancteiddio, mae'n ein *gwneud* yn gyfiawn trwy ei rym a'i bresenoldeb o'n mewn. Er ein bod *yn cael ein hachub* yn barhaus o rym pechod, fe allwn dystio gydag argyhoeddiad ein bod *wedi ein hachub* o gosb pechod. Ai camddealltwriaeth yw hyn? Nage – realiti bendigedig.

Beth am fynd ymlaen i ddarllen:
Ioan 10:9; 10:27–29; 2 Cor. 1:10; Titus 3:3–7

Meddyliwch am y cwestiynau hyn:
1. Sut gawsom ein hachub?
2. Sut cawn ein hachub?

Gweddi
O Dad, rwy'n diolch i ti nad oes raid i mi ofyn a ydw i'n gadwedig ai peidio, oherwydd mae dy Ysbryd di yn tystiolaethu wrth fy ysbryd fod popeth yn dda yn fy enaid. Er gogoniant i'th enw bendigedig. Amen.

Sicrwydd bendigedig

"Ond pan ddaeth cyflawniad yr amser, anfonodd Duw ei Fab...i brynu rhyddid i'r rhai oedd dan y Gyfraith, er mwyn i ni gael braint mabwysiad." (adn. 4–5)

Beth am ddarllen Galatiaid 4:1–7 ac yna myfyrio

Heddiw, yr ydym am barhau i edrych ar wirionedd bendigedig cyfiawnhad trwy ffydd – y gwirionedd sydd, er y Diwygiad Protestannaidd, yn cael ei esgeuluso neu yn cael ei guddio mewn rhai rhannau o'r Eglwys. Gwrandewch ar eiriau John Stott wrth iddo ddisgrifio cyfiawnhad trwy ffydd: "Yr unig ffordd i gael ein cyfiawnhau o'n pechod yw trwy fod cyflog pechod yn cael ei dalu, naill ai gan y pechadur neu gan yr un mae Duw wedi ei ddewis yn ei le. Sut all dyn fod yn gyfiawn os yw wedi ei ddyfarnu'n euog o drosedd ac wedi ei ddedfrydu i gyfnod o garchar am ei drosedd? Unwaith y mae wedi cyflawni'r tymor, gall adael y carchar yn gyfiawn. Nid oes raid iddo mwyach ofni rhag yr heddlu na'r ynadon, oherwydd y mae gofynion y gyfraith wedi eu cyflawni. Mae wedi ei gyfiawnhau oddi wrth ei bechod."

Y peth bendigedig am gyfiawnhad trwy ffydd yw nad oes raid i ni dreulio unrhyw fath o amser yn dioddef cosb mewn carchar dwyfol, oherwydd y mae Iesu Grist wedi dioddef ein cosb yn ei gorff ar y groes, a'r foment yr ydym yn dewis derbyn Iesu i mewn i'n bywydau, gan ofyn iddo am faddeuant, fe'n cyhoeddir yn gyfiawn. A oes unrhyw beth ar y ddaear neu yn y nefoedd yn fwy bendigedig na hyn? Os oes, mi fuaswn i wrth fy modd yn clywed beth yw'r gwirionedd. Nid honiad nac arwydd o falchder ysbrydol yw hawlio sicrwydd. Yn ôl ein testun heddiw, wrth i ni dderbyn Iesu Grist yn Arglwydd ac yn Waredwr, mae gennym yr hawl i'n disgrifio ein hunain fel ei blant ef a'i etifeddion.

Roedd ffrind i mi, sydd bellach wedi mynd i gwmni ei Arglwydd, yn arfer rhoi'r llythrennau M.A. ar ôl ei enw. Nid oedd ganddo radd estynedig ac nid ei fwriad ychwaith oedd camarwain pobl. Ond, yn hytrach, fe fyddai'n rhoi mewn cromfachau: *"Mightily Assured"*. Roedd ganddo sicrwydd cryf a rhyfeddol. Fe fedra innau dystio i'r un sicrwydd â hyder llawn. Fedrwch chi?

Beth am fynd ymlaen i ddarllen:
Heb. 10:11–23; 1 Ioan 5:11–13

Meddyliwch am y cwestiynau hyn:
1. Pam y gallwn feddu'r fath sicrwydd?
2. Pam nad oes yna unrhyw gosb am bechod mwyach?

Gweddi
O Dad, does dim digon o eiriau ar gael i fynegi diolchgarwch fy nghalon, y diolchgarwch dy fod ti trwy dy Ysbryd yn byw yn fy nghalon, a thrwy hynny yn rhoi sicrwydd cryf i'm henaid. Amen.

Angen maddeuant yn ddyddiol

"Yna tywalltodd ddŵr i'r badell, a dechreuodd olchi traed y disgyblion, a'u sychu â'r tywel oedd am ei ganol." (adn. 5)

Beth am ddarllen Ioan 13:1–11 ac yna myfyrio

Y rheswm dros aros ymhellach gyda'r gwirionedd am gyfiawnhad trwy ffydd yw, yn syml, fod myfyrio arno yn rhoi testunau newydd i ni o hyd i'w mwynhau. Mae cyfiawnhad yn rhywbeth sydd yn digwydd unwaith ac am byth ac yn digwydd mewn amser yn ein bywyd. Cawn ein cyfiawnhau unwaith, ond rhaid i ni gael maddeuant bron bob dydd, a dyma'r hyn a ddywedodd Iesu wrth ei ddisgyblion pan ddysgodd hwy i weddïo, "A dyro inni heddiw ein bara beunyddiol; a maddau i ni ein dyledion, fel y maddeuwn ninnau i'n dyledwyr." (Math. 6:12) Mae'r darlleniad heddiw yn ein cynorthwyo i ddeall y gwirionedd.

Pan oedd Iesu'n cael pryd o fwyd gyda'i ddisgyblion ar ddiwedd ei weinidogaeth ddaearol, a chyn y pryd, yn cynnig golchi eu traed, yr oedd Pedr ar y cychwyn yn gwrthod caniatáu iddo wneud hynny. "Ni chei di olchi fy nhraed i byth." (adn.8) Pam y fath wrthwynebiad? Mae'n debyg mai'r gwirionedd yw bod Pedr yn teimlo'n annheilwng iawn o gael ei draed wedi eu golchi gan ei Arglwydd. Rwy'n amau ambell waith nad oedd yn anesmwyth hefyd oherwydd nad oedd ganddo reolaeth ar y sefyllfa. Mae pobl sydd â rheolaeth yn ei chael yn haws i weinidogaethu i eraill, yn hytrach na chael pobl eraill yn gweinidogaethu iddyn nhw. Dywedodd Iesu wrth Pedr, "Os na chaf dy olchi di, nid oes lle iti gyda mi."(adn. 8) Gofynnodd Pedr i Iesu olchi ei ddwylo a'i draed. Cyfeiriodd Iesu at y ffaith ei bod yn arferol i olchi traed un o'r gwesteion a oedd wedi ymolchi cyn gadael cartref wrth iddo gyrraedd y tŷ, oherwydd dim ond ei draed oedd wedi eu baeddu gan lwch y ffyrdd.

Wrth inni ddod at Iesu Grist a chael ein cyfiawnhau, rydym fel petaem yn derbyn bath ysbrydol i'n glanhau, ond wrth inni gerdded trwy strydoedd llychlyd y byd, rhaid i ni gael ein traed wedi eu golchi yn gyson ganddo ef. Mae angen maddeuant arnom ym mhopeth bron a wnawn.

Beth am fynd ymlaen i ddarllen:
2 Cor. 5:17–21; Col. 1:9–14; 1 Ioan 2:1–2

Meddyliwch am y cwestiynau hyn:
1. Sut allwn honni fod yn gyfiawn?
2. Beth mae prynedigaeth yn ei olygu i ni?

Gweddi
O Dad trugarog a graslon, rwy'n synnu fwyfwy at ryfeddod dy iachawdwriaeth. Rwyt yn darparu, nid yn unig ar gyfer pechodau fy ngorffennol, ond hefyd at fethiannau fy mhresennol. Caniatâ i'm henaid fynegi ei fawl ddydd ar ôl dydd. Amen.

Cynhesrwydd rhyfeddol

"Yn wir, yn wir, rwy'n dweud wrthych fod y sawl sy'n gwrando ar fy ngair i, ac yn credu'r hwn a'm hanfonodd i, yn meddu ar fywyd tragwyddol. Nid yw'n dod dan gondemniad." (adn. 24)

Beth am ddarllen Ioan 5:16–30 ac yna myfyrio

Bu i ni ddechrau'r adran hon trwy gyfeirio at y foment fendigedig yna pryd y daeth Martin Luther i weld fod cyfiawnhad trwy ffydd ac nid trwy weithredoedd, a dechreuodd ar y broses o ailagor y ffynnon oedd wedi ei llenwi gan sbwriel meddylfryd Philistaidd am ganrifoedd. Mae'n ddiddorol fod John Wesley tua 200 mlynedd yn ddiweddarach, er ei fod eisoes yn offeiriad, wedi adnabod profiad ysbrydol rhagorol wrth iddo wrando ar ddarlleniad o ragarweiniad Luther i esboniad ar yr epistol at y Rhufeiniaid.

Wrth iddo wrando ar ddisgrifiad y diwygiwr o'r modd y mae Duw yn newid y galon trwy ffydd, fe dystia Wesley ei fod yn profi ei galon ei hun yn cael ei chynhesu yn anghyffredin. "Teimlais fy mod yn ymddiried yng Nghrist, yng Nghrist yn unig, am iachawdwriaeth," meddai, "a rhoddwyd sicrwydd i mi ei fod wedi symud fy mhechodau, hyd yn oed fy mhechodau i ac wedi fy achub o gyfraith pechod a marwolaeth." Hyd at y foment honno, yr oedd wedi bod yn ansicr o'i iachawdwriaeth, ond fe newidiwyd ei fywyd gan y sicrwydd a dderbyniodd, a thrwyddo ef, fywydau miloedd o rai eraill a ddaeth i adnabod Crist trwy ei bregethu.

Ychydig yn ôl, wrth i mi arwyddo llyfrau ar ddiwedd seminar, sibrydodd gwraig i'm clust, "Yn fy eglwys i, mae pobl yn dweud ei bod yn amhriodol i rai honni eu bod wedi eu hachub." "Wyt ti wedi dy achub?" gofynnais iddi. "Dwi'n meddwl," oedd ei hateb, "ond efallai y byddai'n arwydd o falchder i fod yn sicr." "Wel, dwi'n credu ei fod yn arwydd o falchder cnawdol i rai sydd yn proffesu eu bod yn credu yn Iesu ddweud unrhyw beth yn wahanol, oherwydd y mae Iesu ei hunan yn cyhoeddi "fod y sawl sydd yn credu ynof i yn meddu ar fywyd tragwyddol". Oedodd am ychydig ac yna sibrydodd, "Diolch," ac yna mynd ar ei ffordd. Mae sicrwydd o iachawdwriaeth yn awr yn bosibl – mae gwadu hynny yn arwydd o feddylfryd Philistaidd.

Beth am fynd ymlaen i ddarllen:
Ioan 3:14–18; 20:31; Rhuf. 10:4–13

Meddyliwch am y cwestiynau hyn:
1. Pam ysgrifennodd Ioan yr efengyl?
2. Beth sy'n rhaid i ni ei wneud i fod yn gadwedig?

Gweddi
O Dad, mae'n fendigedig i wybod ac i wybod i sicrwydd, o goroni dy Fab yn Frenin ar fy mywyd, fy mod yn awr yn blentyn y Duw byw. Rwyf mor ddiolchgar, yn dragwyddol ddiolchgar. Amen.

Iaith sicrwydd

"Oherwydd nid ysbryd caethiwed sydd unwaith eto'n peri ofn yr ydych wedi ei dderbyn, ond Ysbryd mabwysiad, yr ydym trwyddo yn llefain, 'Abba! Dad!'"
(adn. 15)

Beth am ddarllen Rhufeiniaid 8:1–17 ac yna myfyrio

Yr ydym am fyfyrio ar y gwirionedd bendigedig yma o gyfiawnhad trwy ffydd am un diwrnod yn ychwanegol, a'r holl gwestiwn o sicrwydd personol. Yn y darlleniad, yr ydym wedi adnabod iaith *sicrwydd*. Oherwydd ein bod yn 'blant', fe'n gorchmynnir i lefain "*Abba*, Dad!" Mae rhywun wedi dweud, 'Dim ond mab all adnabod *y* Mab.' Dyma un o'r gwirioneddau efengylaidd mwyaf bendigedig. Mae'n cadarnhau nawr yn y bywyd yma y gall gŵr neu wraig adnabod y tu hwnt i bob amheuaeth eu bod yn blentyn Duw.

Yn adnod 16, mae Paul yn dweud fod yr Ysbryd ei hun yn tystiolaethu gyda'n hysbryd ni ein bod yn blant Duw. All unrhyw beth fod yn fwy clir? Caniatewch i hyn fod yn ganlyniad y mater: mae sicrwydd personol o iachawdwriaeth bersonol yn bosibl. Nid honiad balchder, ond, yn hytrach, yn ddoethineb i'w geisio er y ffug ostyngeiddrwydd sydd yn perthyn i'r Philistiaid yn ein plith, y bobl sydd am wadu fod sicrwydd yn bosibl. I mi, mae'n anghredadwy fod unrhyw un sydd wedi darllen y Beibl yn medru dadlau yn erbyn hyn.

Mae'n angenrheidiol, felly, fod y rhai hynny, sydd wedi eu perswadio ynglŷn â chyfiawnhad trwy ffydd, yn onest ac yn agored os ydynt mewn eglwys lle mae ffynnon y gwirionedd yma wedi ei chau. Rhaid i ni ddilyn esiampl Isaac, gan symud y sbwriel y mae'r Philistiaid yma wedi ei adael, trwy weddi a thrafodaeth, fel bod pobl unwaith eto yn cael mynedfa i'r ffynnon ddŵr sydd ar waelod y ffynnon Feiblaidd hon. Does dim i sefyll rhwng pobl a bendith Duw. Rwyf am eich gwahodd i ymrwymo i wneud hynny.

Beth am fynd ymlaen i ddarllen:
2 Cor. 1:18–22; Gal. 4:4–7; 1 Ioan 4:13–16

Meddyliwch am y cwestiynau hyn:
1. Beth yw gwarant ein hiachawdwriaeth?
2. Sut y gallwn alw Duw yn Dad?

Gweddi
O Dad, cynorthwya fi i weddïo, i sefyll yn gryf ac yn gadarn ar y gwirionedd bendigedig hwn, a dwyn grym gweddi ar y sefyllfaoedd hynny lle mae'r gwirionedd yn cael ei danseilio. Rwy'n gofyn hyn yn enw Iesu. Amen.

Llyfr pwy yw'r Beibl?

"Y mae pob Ysgrythur wedi ei hysbrydoli gan Dduw ac yn fuddiol i hyfforddi, a cheryddu, a chywiro, a disgyblu mewn cyfiawnder." (adn. 16)

Beth am ddarllen 2 Timotheus 3:2–17 ac yna myfyrio

Yr ydym am edrych yn awr ar ffynnon arall, ffynnon y mae Philistiaid wedi bod yn arllwys eu sbwriel i mewn iddi – sef gwirionedd y Beibl. Mae'r meddylfryd Philistaidd yn derbyn y Beibl fel llyfr ysbrydoledig ond yn gwadu mai hwn yw unig reol awdurdod ffydd.

Blynyddoedd lawer yn ôl, dywedodd Mahatma Gandhi wrth nifer o genhadon, "Yr ydych fel Cristnogion yn edrych ar ôl dogfen sydd yn cynnwys digon o rym i chwythu gwareiddiad yn ddarnau, i droi'r byd ben i waered, ac i ddwyn heddwch i blaned sydd wedi ei rhwygo gan ryfeloedd. Ond yr ydych yn ei thrin fel petai yn ddim mwy na darn o lenyddiaeth." Mae'n drist i glywed am lawer pregethwr cyfoes ac athro sydd yn gwneud hynny ac yn trin y Beibl fel dim mwy na darn o lenyddiaeth ysbrydoledig, gan ei osod ochr yn ochr â gweithiau awduron enwog y gorffennol. Mae rhai'n honni nad yw'n ddim mwy ysbrydoledig nag unrhyw waith cain arall, gan ei roi ochr yn ochr â *Dwyfol Gân* gan Dante, *Coll Gwynfa* Milton, neu *Taith y Pererin* Bunyan.

Ond ystyriwch hyn: y peth pwysicaf am unrhyw lyfr yw ei awdur – y meddwl ddaeth â'r llyfr i fod – nid ei deitl, na'i destun, nid ei glawr sgleiniog, na'r ffordd y mae wedi ei gynllunio. Mae cartŵn yn dangos golygfa o gownter mewn llyfrgell ynghanol yr unfed ganrif ar hugain. Mae aelod o'r cyhoedd newydd ofyn am Feibl. "Beibl," meddai'r llyfrgellydd, "erioed wedi clywed amdano. Wyt ti'n gwybod pwy yw'r awdur?" Wrth siarad am y Beibl, dyma'r cwestiwn allweddol: Llyfr pwy yw hwn? Pwy yw ei awdur? Mae'r testun heddiw yn rhoi'r ateb inni. Llyfr Duw yw hwn, a dyma'r unig awdurdod ar bob mater sydd yn ymwneud â'r ffydd Gristnogol ac athrawiaeth. Nid ydym am symud o'r gwirionedd gwaelodol hwnnw.

Beth am fynd ymlaen i ddarllen:
2 Sam. 23:1–4;Heb. 3:7–8; 2 Pedr 1:16–21

Meddyliwch am y cwestiynau hyn:
1. Sut mae'r Ysbryd Glân yn cyfathrebu?
2. Pam ydym yn credu mai Duw yw awdur y Beibl?

Gweddi
O Dduw, yr wyt wedi anadlu i mewn i eiriau dynion ac maent wedi dod yn Air. Wrth imi ddarllen y Beibl, yr wyf yn meddwl dy feddyliau di. Cynorthwya fi i ddal yn dynn yn y gwirionedd hwnnw. Yn enw Iesu. Amen.

Unig gyhoeddiad Duw

"Yr ydym ni'n diolch i Dduw yn ddi–baid ar gyfrif hyn hefyd: eich bod chwi, wrth dderbyn gair Duw fel y clywsoch ef gennym ni, wedi ei groesawu, nid fel gair dynol ond fel yr hyn ydyw mewn gwirionedd, sef gair Duw, sydd hefyd ar waith ynoch chwi sy'n gredinwyr." (adn. 13)

Beth am ddarllen 1 Thesaloniaid 2:1–16 ac yna myfyrio

Mae i bob crefydd ei llyfr sanctaidd – i'r Hindŵiaid, y *Vedas*; mae gan y Mormoniaid *Lyfr Mormon*, a'r Mwslemiaid y *Qur'an*. Mae hyn yn wir hefyd am y ffydd Gristnogol. Y mae'r Beibl yn eiddo i ni, a dyma'r "unig waith y mae Duw wedi ei gyhoeddi" yn ôl ei awdur. Mae strwythur a chredo'r Beibl wedi eu seilio ar y ffaith fod Duw ei hun wedi datguddio ei hun yn ei dudalennau. Gwaith y Philistiaid yw gwadu gwirionedd datguddiad dwyfol unigryw Duw. Yn ôl y rhain, maent am fynnu fod llyfrau eraill y dylid eu gosod ochr yn ochr â'r Beibl, gan na all un llyfr byth honni awdurdod datguddiad cyflawn.

Wrth i mi deithio, yr wyf wedi dod ar draws eglwys Gristnogol lle, yn ychwanegol at y Beibl, darllenir geiriau o'r *Qur'an*. Fe geir sawl syniad diddorol a delfrydol yn y *Qur'an,* ond nid hwn yw datguddiad awdurdodedig Duw i ddynoliaeth. Nid fy nymuniad yma yw cwestiynu llyfrau sanctaidd crefyddau eraill. Yn wir, rwyf yn ddiolchgar am y safonau moesol a synnwyr cyffredin sydd yn llawer ohonynt. Ond pan ddaw hi yn gwestiwn o awdurdod terfynol ffydd, a'r modd y mae'n bosibl i bechadur feddiannu bywyd tragwyddol, does yna ond un llyfr yn darlunio hynny – y Beibl.

Yn yr adran a ddarllenwyd heddiw, fe glywir sôn am y modd y bu i'r credinwyr yn Thesalonica dderbyn dehongliad Paul o'r dogfennau yn yr Hen Destament oedd yn rhag-weld ymgnawdoliad Crist a'r cyfan a gyflawnodd fel geiriau oedd yn dod yn uniongyrchol iddynt oddi wrth Dduw. Mi fyddai'n beth bendigedig petai pob cynulleidfa eglwysig yn y byd yn meddu'r un agwedd ac yn gwrando ar ddarlleniad y Gair gyda'r un brwdfrydedd, gan eu bod yn disgwyl clywed llais Duw yn y geiriau. Yn anffodus, nid dyna yw'r sefyllfa.

Beth am fynd ymlaen i ddarllen:
Ex.19:3–8; Jer. 23:16–32

Meddyliwch am y cwestiynau hyn:
1. Ym mha ffordd y gwrandawodd y bobl ar eiriau Moses?
2. Beth yw nodweddion y gau broffwydi?

Gweddi
O Dduw, tyrd â'r Eglwys unwaith eto i'r sylweddoliad fod y Gair, y Beibl, nid yn unig yn ysbrydoledig, ond yn awdurdodedig. Caniatâ i ni fyw o dan ei awdurdod. Yn enw Iesu. Amen.

Yr un y mae Duw yn ei ystyried

"Ond fe edrychaf ar y truan, yr un o ysbryd gostyngedig, ac sy'n parchu fy ngair." (adn. 2)

Beth am ddarllen Eseia 66:1–12 ac yna myfyrio

Mae'r bobl hynny sydd yn taflu amheuaeth ac ysbwriel i mewn i'r ffynnon o'r hon mae gwirionedd sanctaidd yr Ysgrythur yn cael ei dynnu, gan wadu ei awdurdod, yn cael eu hwynebu â phroblem: sut mae cyrraedd y gwirionedd? Gwnânt hynny trwy ymchwilio trwy'r Ysgrythur gan ddefnyddio rheswm yn unig. Mae'n rhyfedd fod y bobl hynny sydd yn chwilio am Dduw yn esgeuluso'r unig lyfr sydd yn datguddio Duw ac yn dangos y camau hynny sy'n rhaid i ni eu cymryd i'w ddarganfod. Holl bwrpas y Beibl yw caniatáu i ni wybod yn ein hymchwil am Dduw ei fod ef wedi cymryd y cam cyntaf – ei fod ef wedi dod i mewn i'r byd ym mherson ei Fab i edrych amdanom ni.

Un o'r ffeithiau mwyaf trist yw bod mesur helaeth o'r sbwriel yn y ffynnon yma wedi ei roi yno gan weinidogion a phregethwyr sydd yn eistedd mewn barn ar y Beibl, yn hytrach nag eistedd o dan ei awdurdod yn ostyngedig. Mae'r testun heddiw yn dweud wrthym fod Duw yn cofio'r rhai hynny sy'n parchu ei Air. Mae'r rhai sydd yn amau ac yn gwadu natur awdurdodedig y Beibl yn gwrthod parchu'r Gair; yn hytrach maent yn dymuno ei newid.

Blynyddoedd lawer yn ôl, yr oeddwn yn adnabod gŵr ifanc oedd yn adnabyddus oherwydd ei gariad at yr Ysgrythurau. Fe aeth y gŵr yma i goleg diwinyddol, ac yno fe'i perswadiwyd mai dim ond rhan o'r Beibl sy'n wirionedd, bod yna esboniad naturiol i'r gwyrthiau i gyd, ac na chafodd Iesu ei eni o wyryf. Gadawodd y coleg hwnnw â'i hyder yn y Beibl wedi ei chwalu, ac, yn wir, fe drodd ei gefn ar y ffydd Gristnogol yn gyfan gwbl. Oes na unrhyw beth yn fwy digalon na gweld dynion a merched ifainc sydd wedi mynd i goleg gyda golwg uchel ar y Gair, yn gadael y coleg hwnnw gyda golwg isel iawn ar y Beibl? Ni wn i am unrhyw beth sy'n fwy trist.

Beth am fynd ymlaen i ddarllen:
Esra 9:1–4; Salm 119:159–168

Meddyliwch am y cwestiynau hyn:
1. Pam ddylem barchu Gair Duw?
2. Beth yw'r addewid i'r rhai sy'n caru cyfraith Duw?

Gweddi
O Dad trugarog, rwy'n hiraethu am gael fy mharchu yn dy olwg di. Cynorthwya fi i barchu dy Air, i beidio ymhél â fy amheuon naturiol, ond yn hytrach i ymostwng i'w awdurdod. Yn enw Iesu. Amen.

Cleddyf yr Ysbryd

"Derbyniwch helm iachawdwriaeth a chleddyf yr Ysbryd, sef gair Duw." (adn. 17)

Beth am ddarllen Effesiaid 6:10–20 ac yna myfyrio

Ddoe, bu i ni gyffwrdd â'r gwirionedd fod sawl bachgen a merch ifanc wedi mynd i goleg diwinyddol â golwg uchel ar y Beibl, ond wedi gadael yn ei amau. Clywais stori am fachgen ifanc a hyfforddwyd yn un o'r colegau hyn flynyddoedd yn ôl, ac yn ddiweddarach, cafodd ei apwyntio i fod yn weinidog yn un o gymoedd y de. Wrth iddo gychwyn pregethu, fe berswadiodd ei gynulleidfa nad oedd y Beibl mor berffaith ag yr oeddent hwy wedi ei gredu. Un Sul, dywedodd wrthynt fod y wyrth a gofnodir yn yr efengylau, lle mae Iesu yn troi y dŵr yn win yng Nghana, yn rhywbeth darluniadol yn hytrach na gwirionedd. Ei ddadl oedd bod presenoldeb Iesu yn gwneud i'r bobl gredu fod y dŵr yn win. O Sul i Sul wrth i'r gweinidog gwestiynu gwahanol rannau o Air Duw, fe benderfynodd hen wraig yn y gynulleidfa ymgrymu i'w wybodaeth gan dynnu allan y tudalennau hynny yr oedd yn eu dysgu eu bod yn anghredadwy. Yn y diwedd, doedd ganddi ond Beibl hanner maint yr un cyffredin. Fe gymerwyd y wraig yma yn sâl, ac fe aeth y gweinidog i edrych amdani. Gan weld y Beibl wrth ei gwely, fe ofynnodd iddi a fuasai'n dymuno iddo ddarllen iddi. Wrth iddi nodio ei phen mewn cydsyniad, fe estynnodd at y Beibl, gan synnu fod llawer o'r tudalennau wedi eu tynnu allan. "Nid yw hwn yn Feibl cyflawn," meddai gyda syndod. "Yn anffodus, dyna'r cyfan yr ydych wedi ei adael i mi," meddai'r wraig. Cafodd y gweinidog y fath fraw o wrando ar y wraig fel ei fod ar unwaith wedi syrthio ar ei liniau ac wedi cyffesu ei amheuon a'i wadiadau, gan newid ei agwedd yn gyfan gwbl at y Beibl.

Mae un peth yn gwbl glir: ni allwch ddefnyddio cleddyf yr Ysbryd os ydych wedi torri allan ddarnau helaeth ohono ar allor uwchfeirniadaeth. Petai gan Iesu unrhyw amheuaeth ynglŷn â'r Ysgrythurau yr oedd yn eu defnyddio yn erbyn y diafol pan gafodd ei demtio yn yr anialwch, ni fyddem yn mwynhau'r iachawdwriaeth yr ydym yn ei mwynhau heddiw.

Beth am fynd ymlaen i ddarllen:
Deut. 4:1–2; Heb. 4:12–13; Dat. 22:18–21

Meddyliwch am y cwestiynau hyn:
1. Pam fod Gair Duw fel cleddyf?
2. Pam fod angen i ni fod yn ofalus i beidio ychwanegu at na thynnu dim oddi wrth y Beibl?

Gweddi
O Dad, caniatâ hyder llwyr i mi yn y ffaith y gallaf glywed dy lais di yn llefaru wrth i mi agor fy Meibl. Cynorthwya fi hefyd i ddeall dy fod, nid yn unig wedi siarad yn y Beibl, ond dy fod ti yn dal i siarad trwy'r Beibl. Yn enw Iesu. Amen.

205

Gwirioneddau tragwyddol

"...yn ôl y datguddiad o'r dirgelwch a fu'n guddiedig ers oesoedd maith, ond sydd yn awr wedi ei amlygu trwy'r ysgrythurau proffwydol, ac wedi ei hysbysu ar orchymyn y Duw tragwyddol i'r holl Genhedloedd." (ad .25–26)

Beth am ddarllen Rhufeiniaid 16:17–27 ac yna myfyrio

Yn ei lyfr *Your God is too Safe*, mae Mark Buchanan yn adrodd stori sydd, yn fy nhyb i, yn cyd-fynd yn hyfryd gyda'r hyn a ddywedwn am le y Beibl yn y gymdeithas Gristnogol.

Ar 22 Tachwedd 1963, roedd grŵp o actorion yn perfformio drama gan David Lodge mewn tref fechan yn yr Unol Daleithiau. Ynghanol y ddrama, yr oedd golygfa a oedd yn gofyn i un o'r actorion droi radio ymlaen a thiwnio i mewn i'r orsaf radio leol. Ar y noson hon, wrth i'r ddrama gael ei chyflwyno ac wrth i'r foment ddod i'r actor droi'r radio ymlaen, fe dorrodd llais ar draws y tawelwch: "Heddiw yn Dallas, Texas, saethwyd a lladdwyd yr Arlywydd John F. Kennedy." Fe drodd yr actor y radio i ffwrdd, ond yr oedd yn rhy hwyr. Roedd y bobl yn y theatr wedi clywed y neges ac roedd yr ychydig eiriau yna am farwolaeth yr arlywydd wedi golygu fod y ddrama wedi dod i ben. Llifodd y bobl allan o'r theatr er mwyn ceisio rhagor o wybodaeth. Daeth realiti'r byd real i mewn i fyd afreal drama, ac roedd y newyddion fod yr arlywydd wedi ei ladd yn newid y sefyllfa yn gyfan gwbl.

Fe ddywed Mark Buchanan nad oes ond yr un realiti sy'n ddigon mawr i dorri i mewn i ganol y dramâu yr ydym ni yn eu perfformio ac yn eu hysgrifennu, gyda diddordeb llwyr yn ein bywyd o ddydd i ddydd. Does ond un peth all dorri i mewn gan ein rhyddhau ni o'n dramâu personol – gair Duw ei hun. Mae realiti tragwyddoldeb yn mynd yn ddim yn ein bywyd pan nad yw gair Duw yn cael ei ddarllen a'i dderbyn. Gallaf sicrhau pob un ohonoch o hyn: mae'r eglwysi hynny lle na chyhoeddir Gair Duw yn ei gyfoeth ac yn ei gyflawnder, yn ddiogel o fod yn llefydd â mwy o ddiddordeb ym mhethau amser nag ym mhethau tragwyddoldeb.

Beth am fynd ymlaen i ddarllen:
Luc 2:8–20; Actau 17:1–8

Meddyliwch am y cwestiynau hyn:
1. Beth newidiodd fywyd y bugeiliaid?
2. Beth ddigwyddodd wrth i Paul esbonio'r Ysgrythurau?

Gweddi
O Dduw ein Tad, cynorthwya fi i drwytho fy meddwl â'th feddwl di, fel bod fy meddwl i yn cael ei feddiannu fwyfwy â realiti tragwyddol. Yn enw Iesu. Amen.

Clywed y Gair

"Dywedodd yr archoffeiriad Hilceia wrth Saffan yr ysgrifennydd, 'Cefais lyfr y gyfraith yn nhŷ'r Arglwydd.'" (adn. 8)

Beth am ddarllen 2 Brenhinoedd 22:1–10 ac yna myfyrio

Mae'r darlleniad heddiw yn cynnwys un o'r storïau rhyfeddol yna yn yr Hen Destament sydd mor syml, ond eto yn cynnig gwirionedd sydd yn abl i drawsnewid. Yn dilyn gorchymyn gan y Brenin Joseia, mae'r deml yn Jerwsalem yn cael ei hadnewyddu. Mae seiri a seiri meini yn brysur wrth eu gwaith, ac, yn sydyn, fe wneir darganfyddiad rhyfeddol. Mae Hilceia, yr archoffeiriad, yn darganfod yr Ysgrythurau. Ni ddylai fod unrhyw beth yn rhyfedd am hynny; yn wir, ymhle y byddech chi wedi disgwyl eu darganfod? Ond yn yr achos hwn, nid oedd yr Ysgrythurau wedi eu darllen yn gyhoeddus ers amser maith. Roedd y sgroliau wedi bod yn hel llwch a heb eu hagor. Cafodd y Brenin Joseia ei hysbysu o'r darganfyddiad, a phan ofynnodd i'r gair a roddwyd i'w cyndadau gael ei ddarllen ar goedd, mae ei enaid yn cael ei dorri wrth wrando. Fel arwydd o edifeirwch, mae'n rhwygo'i ddillad.

Wedi gwneud hyn, mae'n casglu ei bobl ynghyd ac yn darllen iddynt Lyfr y Cyfamod – Beibl ei ddydd (gw. pennod 23). Wrth iddynt wrando ar Air yr Arglwydd, maent hwythau, fel Joseia, yn cael eu trawsnewid gan ymrwymo'u hunain i fyw wrth y Gair i'r dyfodol. Wedi hynny, mae'r glanhau go iawn yn digwydd yn y deml ac yn y tir. Roedd hyd yn oed y deml wedi ei llenwi ag eilunod a gwrthrychau oedd yn cael eu cysylltu ag addoli duwiau paganaidd. Fe rwygodd Joseia hwy allan o'r deml a'u llosgi.

Mae llawer o eglwysi bellach wedi anghofio hyd yn oed darllen yr Ysgrythurau. Yr unig amser y mae'r Beibl yn cael ei agor yw pan mae'r pregethwr yn cyhoeddi ei destun. Mewn rhai eglwysi, nid yw'r testun hyd yn oed yn dod o'r Beibl, ond efallai o waith rhywun fel Shakespeare. Os oes un peth y buasai rhywun yn ei ddymuno ar gyfer yr Eglwys ar draws y byd, fy nymuniad fyddai gweld rhan o bob gwasanaeth yn cael ei rhoi i ddarllen y Beibl heb unrhyw sylwadau. Mae yna werth ysbrydol anghyffredin yn y darllen cyhoeddus o'r Ysgrythurau.

Beth am fynd ymlaen i ddarllen:
Deut. 31:12–13; Neh. 8:1–12

Meddyliwch am y cwestiynau hyn:
1. Pam y mae darllen yr Ysgrythurau yn gyhoeddus yn bwysig?
2. Beth all hyn ei gyflawni?

Gweddi
O Dad, maddau i ni ei bod yn well gennym wrando ar grŵp yn canu na rhywun yn darllen y Gair. Maddau i ni, Arglwydd ein Duw, ac adnewydda eto yn dy Eglwys yr awydd i wneud y Beibl yn ganolog i bob peth yr ydym yn ei wneud. Yn enw Iesu. Amen.

Y gwirionedd sy'n wirionedd

"Cysegra hwy yn y gwirionedd. Dy air di yw'r gwirionedd." (adn. 17)

Beth am ddarllen Ioan 17:1–26 ac yna myfyrio

Dyma'r weddi hiraf a gofnodir o eiddo'r Arglwydd. Yn y weddi, fel y dywed ein testun heddiw, mae Iesu am ddweud mai Gair Duw yw'r gwirionedd. Mae'r pum gair yma yn rhoi sail i ni gyda golwg ar ein cred yn natur ddibynadwy y Beibl. Mae Gair Duw yn wir. Fe ddywed y Gwaredwr hynny ei hunan. Nid cyngor gan ddynion sydd yn y Beibl ond cyngor dwyfol. Mae'n onest, yn ddibynnol, ac fe berthyn iddo gywirdeb arbennig.

Yn anffodus heddiw, nid yw'r byd yn credu mewn gwirionedd. Pan mae pobl yn siarad am wirionedd, nid ydynt yn siarad yn nhermau'r Beibl nac ychwaith mewn termau traddodiadol. Yr hyn a olygant yw'r hyn sy'n wir yn awr. Efallai nad oedd yn wir ddoe ac efallai na fydd yn wir yfory. Tebyg fod rhywbeth sy'n wir i un person heb fod yn wir i un arall. Mewn geiriau eraill, mae gwirionedd i ddynion a merched ein cenhedlaeth ni yn rhywbeth cymharol. Dyna pam y bu i Francis Shaeffer fathu'r term 'y gwirionedd sy'n wirionedd' oherwydd mai'r gwirionedd sydd yng Ngair Duw – y gwirionedd sy'n ddibynadwy, yn wrthrychol ac yn awdurdodedig.

Cefais fy ngeni yn 1928 a bellach yr wyf wedi byw bron i bedwar ugain o flynyddoedd – yn ddigon hir i sylweddoli fod angen gwirionedd yn fy mywyd. Yr wyf wedi bod yn agored i glyfrwch dynion ar bob math o bynciau, gan gynnwys peirianwaith, diwinyddiaeth a seicoleg. Rwyf wedi yfed o lif ffrwd doethineb dynol gymaint ag unrhyw un arall, a does dim angen mwy o hyn yn fy mywyd. Yr hyn sydd ei angen yw gwirionedd Duw – ei 'ie' ef a'i 'nage' ef, ei arweiniad a'i ddoethineb. Dyna pam yr wyf yn gwerthfawrogi'r Beibl. Mae'n wirionedd gwirioneddol. Gallwch ddibynnu ar hwn i beidio newid. Mae'r hyn a ddywed yn wir heddiw, ac fe fydd yn wir yfory, fel ag yr oedd ddoe. Mae popeth sydd o unrhyw werth tragwyddol yn y bywyd hwn wedi ei amgyffred oherwydd y llyfr arbennig yma. Dyma fy nhystiolaeth. Gobeithio mai dyma eich tystiolaeth chwithau.

Beth am fynd ymlaen i ddarllen:
2 Sam.7:28; Salm 119:137–144; 119:151–152

Meddyliwch am y cwestiynau hyn:
1. Pam fod Gair Duw bob amser yn berthnasol?
2. Pam fod y salmydd yn gorfoleddu hyd yn oed mewn trafferthion enbyd?

Gweddi
O Dad, rwy'n diolch i ti, mewn oes pan mae pobl yn gweld gwirionedd fel rhywbeth cymharol gyfnewidiol, fod gen i gorff o wirionedd sy'n ddibynadwy ac yn anghyfnewidiol. Rwy'n gollwng fy angor i mewn i'w ddyfnderoedd sicr. Amen.

208

Wedi ei fwriadu ar gyfer y tân

"Y mae'r glaswellt yn crino, a'r blodeuyn yn syrthio, ond y mae gair yr Arglwydd yn aros am byth." (adn. 24–25)

Beth am ddarllen 1 Pedr 1:13–25 ac yna myfyrio

Mae un peth arall sydd angen ei ystyried gyda golwg ar awdurdod a natur ddibynadwy y Beibl cyn i ni symud ymlaen i edrych ar ffynhonnau eraill sydd mewn perygl o gael eu cau gan y meddylfryd Philistaidd sy'n perthyn i'n cyfnod. Yr un peth hwnnw, fel y dywed ein testun heddiw, yw fod Gair ein Duw ni yn sefyll am byth.

Fe ddywedir wrthym yn yr adran a ddarllenwyd fod pethau amser yn bethau sydd â gwerth dros amser. Ym mhennod 3 o'i ail lythyr, mae Pedr yn ein rhybuddio fod y nefoedd a'r ddaear ar fin cael eu difa gan dân, ac yna fe ddaw nefoedd newydd a daear newydd. Rwy'n cofio clywed am ddyn yn adrodd sut y bu iddo gerdded i mewn i'w dŷ wedi storm a darganfod fod popeth ar y llawr gwaelod wedi ei falurio yn llwyr, a hynny gan effaith y dŵr. Fe aeth i fyny'r grisiau ac estyn am ei Feibl oedd yn gorwedd wrth ymyl ei wely gan ei agor yn y bennod yr wyf newydd gyfeirio ati, 2 Pedr 3, ac yno fe ddarllenodd am bopeth oedd yn cael ei losgi gan dân. Y meddwl a ddaeth iddo, meddai, oedd hyn: paid â phoeni am y pethau hyn a gollwyd; roeddent ar fin cael eu llosgi, beth bynnag. Credaf ei bod yn werth sylwi fod y cyfan a roddwn ar ein silffoedd – ein tariannau, a'n pethau gwerthfawr – pethau yr ydym yn eu dangos i eraill ac yn ymfalchïo gymaint ynddynt wedi eu bwriadu ar gyfer y tân. Ond nid felly llyfr Duw. Mae'r gwirionedd sydd ynddo am bara trwy'r cyfan ac am fod yn sail i'n dyfodol. Gallwch fod yn sicr o hynny.

Mae'r eglwysi hynny sydd yn gwadu gwirionedd ac awdurdod y Beibl, gan fynnu fod ganddynt hawl i benderfynu beth sydd yn gywir ynddo a beth sy'n anghywir, yn gwneud rheswm dynol yn awdurdod, gan fynnu eu bod yn gwybod yn well na Duw. Daw rheswm wedyn yn safon, ac nid datguddiad Duw. O fewn yr eglwysi hynny, rwy'n gofidio fod y ffynnon yma wedi ei chau yn llwyr.

Beth am fynd ymlaen i ddarllen:
Luc 21:33; 1 Cor. 3:5–15; 2 Pedr 3:10–11

Meddyliwch am y cwestiynau hyn:
1. Beth sydd i'w ddifa gan dân?
2. Beth fydd yn aros?

Gweddi
O Dduw, rwy'n diolch i ti am y bobl hynny sydd wedi fy nysgu i fod yn hyderus yn yr Ysgrythurau. Trwy'r un Ysbryd a ddaeth â'r Gair i fod yn y cychwyn, rwy'n gofyn i ti anadlu eto ar y rhai sydd heb feddu'r hyder hwn. Amen.

Beth yn y byd ddigwyddodd i bechod?

"A dyma air i'w gredu, sy'n teilyngu derbyniad llwyr: 'Daeth Crist Iesu i'r byd i achub pechaduriaid.'" (adn. 15)

Beth am ddarllen 1 Timotheus 1:12–20 ac yna myfyrio

Yr ydym am barhau i fyfyrio ar y ffaith fod nifer o'r ffynhonnau ysbrydol y bu i'n tadau eu cloddio bellach yn cael eu cau gan y rhai hynny o fewn yr Eglwys sy'n meddu'r hyn a alwn yn ysbryd a meddwl Philistaidd. Un o'r gwirioneddau y maent am godi amheuon ynglŷn ag ef yw gwirionedd pechod.

Yn y testun heddiw, mae Paul am ddweud ei fod am roi i ni ymadrodd y gallwn ymddiried ynddo sydd yn haeddu derbyniad llwyr, ac yn dilyn hyn, mae'n dweud fod Duw wrth y gwaith o achub pechaduriaid. *Pechaduriaid* – sylwch. Ond mae'r syniad fod gwŷr a gwragedd yn bechaduriaid yn newid mewn rhai rhannau o'r Eglwys. Fe ddefnyddir termau gwahanol, termau megis dioddefwyr, pobl sydd â meddwl isel ohonynt eu hunain, pobl sy'n ddibynnol ar eraill. Ychydig flynyddoedd yn ôl, ysgrifennodd un seiciatrydd lyfr, a'r teitl oedd teitl y myfyrdod heddiw: *Beth yn y byd ddigwyddodd i bechod?* Yr hyn yr oedd yn ceisio ei ddangos oedd hyn: y tu ôl i gymaint o broblemau meddyliol ac emosiynol (er nad y cyfan) y gorwedd materion oedd yn arfer cael eu cydnabod fel 'pechod' ond bellach sy'n cael eu disgrifio mewn termau mwy niwlog. Mae 'godineb' yn air sy'n hyll yng ngolwg ein cymdeithas gyfoes, felly gwell gennym sôn am 'berson yn cael perthynas hefo rhywun arall'. Mae 'ymddygiad gwrywgydiol' yn ymadrodd arall sydd yn heriol, ac felly byddwn yn sôn am fywyd lle mae'r unigolyn 'yn dilyn trywydd gwahanol'. Felly, gyda llawer o eiriau yr oedd ein tadau yn arfer eu defnyddio, bellach yr ydym yn edrych am eiriau sy'n gwanhau effaith ac unrhyw feirniadaeth ar bechod unigolion.

Yn anffodus, wrth i ni newid yr enwau, yr ydym hefyd yn colli golwg ar y pechodau, ac wrth golli golwg ar bechod yr ydym yn colli golwg ar y moddion i bechod – edifeirwch, maddeuant a bywyd. Mae pobl bellach yn edrych am strategaethau seicolegol i ddelio gyda'u heuogrwydd, ond yn fynych iawn yn darganfod nad oes ganddynt unrhyw rym i wneud hynny. Ni ellir delio ag euogrwydd ond â maddeuant. Yn anffodus, mewn byd lle nad oes pechaduriaid, does fawr o angen iachawdwriaeth.

Beth am fynd ymlaen i ddarllen:
Diar. 28:13; Esec. 8:12; Ioan 8:1–11

Meddyliwch am y cwestiynau hyn:
1. Sut mae pobl yn delio gyda phechod?
2. Pam fod y dynion yn methu â llabyddio'r wraig?

Gweddi
O Dad, ble arall y medrwn fynd â'n pechod os na ddown atat ti? Os ydym yn rhedeg oddi wrthyt ti, yna rydym yn rhedeg o'r goleuni i dywyllwch, o ryddid i gaethiwed. Diolch am anfon dy Fab i'n hachub oddi wrth ein pechodau. Yr wyf yn gweddïo yn ei enw achubol ef. Amen.

Pam yr enw "pechaduriaid"

"...ac os wyt yn bur ac uniawn, yna fe wylia ef drosot, a'th adfer i'th safle o gyfiawnder." (adn. 6)

Beth am ddarllen Job 8:1–22 ac yna myfyrio

Ddoe, fe gyfeiriwyd at seiciatrydd oedd yn nodi fod cymaint o broblemau meddyliol ac emosiynol pobl yn deillio o bechod. Nid fod pob problem yn ganlyniad pechod personol; petaem yn mynnu honni hynny, fe fyddem yn disgyn i'r un calon-galedwch â Bildad, un o gynghorwyr Job, oedd yn mynnu awgrymu fod marwolaeth plant Job yn ganlyniad naill ai i bechod Job neu i'w pechod eu hunain, er ein bod ni yn y bennod gyntaf yn darllen fod yr anawsterau a ddaeth i'w ran wedi dod oherwydd bod Duw wedi caniatáu i'r diafol dynnu i lawr yr amddiffynfa oedd yn gwarchod drosto ef a'i deulu (Job 1:8–12). A oedd Bildad yn gynghorwr ansensitif? Mae'r Ysgrythur yn awgrymu hynny.

Mae rhai pobl sydd yn dioddef oherwydd ffactorau nad oes a wnelo nhw ddim â'u sefyllfa eu hunain ac nad ydynt mewn unrhyw ffordd yn deillio o'u gweithredoedd eu hunain. Ond mae angen i ni gofio, oherwydd nad yw problem yn ganlyniad uniongyrchol pechod, fod hyn yn awgrymu nad oes pechod ym mywyd yr unigolyn. Hyd yn oed yng nghalon y rhai sydd wedi dioddef dan law pobl sydd am eu cam-drin, mae'r cwestiwn o wrthryfel yn erbyn Duw yn parhau, a'r gwrthryfel yma sy'n ein gwneud ni yn bechaduriaid.

Beth am ystyried am eiliad beth mae'r Beibl yn ei olygu pan mae'n galw dynion a merched yn bechaduriaid? Nid yw'r gair 'pechadur' yn golygu fod person yn gynhenid annerbyniol. Y rheswm dros yr enw yw bod eu perthynas â Duw wedi ei thorri, a bod dyn yn mynnu cynnal agwedd gwrthryfelgar tuag ato. Mae'r Beibl yn gwneud y pwynt fod pobl, nid yn unig yn bechaduriaid oherwydd eu bod yn pechu, ond eu bod yn pechu oherwydd eu bod yn bechaduriaid. Mae pechod yn ddwfn o fewn i natur pob un ohonom. Y peth gwaethaf am bechod yw nid yn unig ei fod yn torri cyfraith Duw, ond ei fod yn torri calon Duw hefyd.

Beth am fynd ymlaen i ddarllen:
Preg. 7:20; Eseia 64:6–7; Rhuf. 3:21–26

Meddyliwch am y cwestiynau hyn:
1. Pam fod pawb yn cael eu diffinio fel pechadur?
2. Pam fod ein gweithredoedd gorau ond fel bratiau budron?

Gweddi
O Dad, rwy'n diolch i ti am y gras i ymateb i dy ras di yn fy mywyd. Fe ddaethost ataf er mwyn i mi gael dod atat ti. Rwyf am ddiolch i ti trwy dragwyddoldeb am hyn. Amen.

Her na ddylid ei hosgoi

"Os dywedwn ein bod yn ddibechod, yr ydym yn ein twyllo ein hunain, ac nid yw'r gwirionedd ynom." (adn. 8)

Beth am ddarllen 1 Ioan 1:1–10 ac yna myfyrio

Mae yna dystiolaeth mewn adrannau rhyddfrydol o'r Eglwys gyfoes fod y ffaith o bechod yn cael ei hosgoi, a hyd yn oed yn cael ei chuddio. Gall eglwysi efengylaidd hefyd fod yn euog o guddio pechod. Fe ddywed un awdur mewn llyfr diweddar fod yna duedd o fewn yr Eglwys Gristnogol, hyd yn oed yn yr oedfaon lle y gwahoddir pobl i ymateb i'r Efengyl, i esgeuluso ac anwybyddu realiti pechod, a thrwy hynny dorri asgwrn cefn yr Efengyl. Y gwir Beiblaidd yw lle nad oes yna ddadleniad clir gyda golwg ar bechod, bod Efengyl gras yn dod yn rhywbeth dianghenraid ac anniddorol. Mae hyn yn mynd â ni yn ôl at wirionedd a fynegwyd eisoes: os nad oes pechod, does dim angen am Waredwr.

Yn yr eglwysi hynny sydd yn gwrthod siarad am bechod a'i ddiffinio yn glir, nid oes unrhyw newyddion da i gynnig i ddynion a merched, gan nad ydynt yn eu cynorthwyo i ddeall yr angen am Waredwr. Yr unig beth y maent yn ei gynnig yw rhyw ddiwygio ar fywydau yn hytrach nag aileni, rhyw aildrefnu bywyd yn hytrach na phrynu bywyd. Mae hyn yn gwneud yn fach o groes yr Arglwydd Iesu Grist ac yn gwneud gras yn rhad yn yr ystyr fod gras Duw bob amser yn dod atom ni gydag ôl y gwaed arno.

Os nad ydym yn pregethu pechod yn ein heglwysi, yr ydym yn barod iawn i bwysleisio gras a chariad. Nid gwadu pechod, ond siarad am ras heb sôn am bechod yw hyn. Yr anhawster tragwyddol a berthyn i hyn yw nad ydym yn cymryd natur ddifrifol pechod i ystyriaeth. Nid oedd dim llai na marwolaeth Mab Duw yn ddigonol i ddelio gyda phechod, i wneud iawn dros bechod. Mae osgoi cyfeirio at bechod yn anghofio sôn am y bwriadau tragwyddol oedd gan Dduw wrth anfon ei Fab; mae'n anghofio gras a ddatguddiwyd ar ben Calfaria wrth i gorff Iesu gael ei rwygo a'i waed gael ei dywallt er ein mwyn ni. Mae sôn am ras heb bechod yn ddiystyr.

Beth am fynd ymlaen i ddarllen:
Jer. 2:19–24; 30:11–12; Luc 13:1–5

Meddyliwch am y cwestiynau hyn:
1. Ar ba adegau y gallwn dybio nad oes ynom bechod?
2. Beth yw canlyniad gwadu pechod?

Gweddi
O Dduw, gwared ni rhag cyflwyno gwirionedd sydd heb unrhyw falans ynddo yn ein heglwysi. Rwy'n gweld, os nad yw'r Efengyl yn cael ei chyflwyno yn ei chyflawnder, fod gennym efengyl arall. Gwared yr Eglwys rhag pregethu efengyl arall. Yn enw Iesu. Amen.

"Cristnogion Diwylliedig"

"Yna, bu imi gydnabod fy mhechod wrthyt, a pheidio â chuddio fy nrygioni; dywedais, 'Yr wyf yn cyffesu fy mhechodau i'r Arglwydd'; a bu i tithau faddau euogrwydd fy mhechod." (adn. 5)

Beth am ddarllen Salm 32:1–11 ac yna myfyrio

Heddiw, rhaid gofyn y cwestiwn: Sut mae eglwysi sy'n osgoi'r ffaith fod gwŷr a gwragedd yn bechaduriaid yn delio gyda'r rhai sydd â hiraeth dwfn i chwilio am Dduw?

Un o'r ffyrdd mwyaf cyffredin yn yr eglwysi hyn yw dysgu fod pawb yn y bôn yn hiraethu ac yn dymuno adnabod y dwyfol. Fe wahoddir pobl i ofyn i Dduw anadlu ar yr hiraeth mewnol yma, gan ganiatáu iddo fflamio i fyny mewn bywyd o addoliad a chariad tuag ato. Canlyniad y math yma o ddysgu yw cynhyrchu'r hyn a alwodd rhywun yn 'Gristnogion Diwylliedig' – pobl sydd yn mynnu ceisio dilyn Crist yn hytrach na chaniatáu i fywyd Crist gael ei roi yn eu bywyd hwy drwy'r Ysbryd Glân.

Mae i efelychu ei derfynau. Gyda'r ewyllys gorau yn y byd, ni allaf lwyddo i gopïo dawn lenyddol Shakespeare, neu ddawn siarad Winston Churchill. Mae'r math yma o ragoriaeth y tu hwnt i mi. Ac os na allaf gopïo dyn ar ei orau, sut yn y byd y medraf efelychu'r Arglwydd Iesu? Os na allaf efelychu clyfrwch dynol, sut yn y byd mae'n bosibl i mi efelychu cymeriad dwyfol? Mae hyn yn amlwg yn amhosibl – os yw yn wir mai dyma ddymuniad Duw yn ei gynnig. Ond nid dyna yw'r dymuniad yn ôl y Gair.

Er mwyn cyflawni ynom y newid sy'n caniatáu i ni gael ein cydymffurfio â'i gymeriad ei hun, mae Crist yn cynnig ei hunan. Yn gyntaf, fel y dywed y salmydd yn ein darlleniad heddiw, rhaid i ni gyffesu ein pechod. Ac, yn ôl yr apostol Ioan, "Os cyffeswn ein pechodau, mae Duw yn ffyddlon ac yn gyfiawn ac fe faddeua i ni ein pechodau a'n puro o bob anghyfiawnder." Cyffes o bechod yw'r cam cyntaf tuag at iachawdwriaeth. Mae'r Beibl yn gwbl glir ynglŷn â hyn: os nad oes cyffes, does dim iachawdwriaeth. Ynglŷn â hyn, nid oes dim dadl.

Beth am fynd ymlaen i ddarllen:
Salm 38:18; 51:1–18

Meddyliwch am y cwestiynau hyn:
1. Beth oedd gofid y salmydd?
2. Beth oedd testun a byrdwn ei weddi?

Gweddi
O Dad, yn yr eglwysi lle mae'r ffaith fod y gyffes o bechod, fel yr hyn sy'n rhagflaenu iachawdwriaeth, yn rhywbeth sy'n cael ei guddio, tyrd â'r gwirionedd i'r goleuni. Rwy'n gweddïo hyn yn enw Iesu. Amen.

Pechaduriaid truenus

"Y mae'r Arglwydd yn dda ac uniawn, am hynny fe ddysg y ffordd i bechaduriaid." (adn. 8)

Beth am ddarllen Salm 25:1–22 ac yna myfyrio

Yr ydym wedi bod yn edrych ar y problemau hynny sy'n cael eu hachosi gan eglwysi lle mae'r ffaith o bechod yn rhywbeth nad ydynt yn ei dderbyn, ond mae'n broblem hefyd yn yr eglwysi sydd yn derbyn realiti pechod, ond ar yr un pryd yn methu gweithredu mewn ffordd sy'n sensitif wrth gyflwyno hynny i'w cynulleidfaoedd. Byddaf yn meddwl yn aml am y gwasanaethau y bu i mi eu mynychu pan oeddwn yn fachgen ifanc. Deuai pregethwyr a fyddai'n pwyso dros ochr y pulpud, a chyda wynebau coch yn gweiddi ar y cynulleidfaoedd: "Y pechaduriaid truenus â chi.. mae Duw wedi ei wylltio... mynnwch gael eich achub cyn i chi fynd i uffern." Roedd fy ffrindiau, fel fi, yn ystyried pregethwyr fel hyn yn rhai oedd braidd wedi gwallgofi!

Un noson, daeth pregethwr i'n heglwys, ac yn ystod ei bregeth, fe ddangosodd i ni mewn ffordd gariadlon a gofalus nad yw Duw yn ein herbyn oherwydd ein pechod, ond o'n plaid oherwydd ein pechod. Bu i'r ymadrodd hwnnw (un yr wyf wedi ei ddefnyddio yn gyson yn fy ngweinidogaeth fy hunan) dynnu i lawr yr amddiffynfeydd yr oeddwn wedi eu codi, gan ganiatáu i Grist ddod at fy nghalon. Esboniodd petawn yn cyffesu fy ngwrthryfel, petawn yn cydnabod nad oeddwn wedi caniatáu i'r Gwaredwr ddod i mewn i'm calon, a gofyn iddo am ei faddeuant am y blynyddoedd lawer y bu i mi wrthryfela, yna y maddeuid fy mhechod ac y byddai Crist yn dod i mewn i'm bywyd. Fe wnes yr hyn a ddywedodd y pregethwr, a bu i mi brofi'r gwirionedd bendigedig sydd i'w weld yng ngeiriau'r emyn cyfarwydd:

i'r pennaf droseddwr yr Iesu a rydd
lawn bardwn pan ddaw at ei Arglwydd mewn ffydd.

Fe gymerodd lai o amser nag a gymerodd i E. H. Griffiths gyfieithu'r emyn yma i'm pechod gael ei faddau, ac i'r Arglwydd Iesu Grist gerdded i mewn i'm bywyd, gan beri i'm henaid ganu weddill fy mlynyddoedd.

Credaf i'r pregethwr gymryd ei arweiniad y noson honno o'r testun sydd gerbron heddiw gan fy nghyfarwyddo fi – y pechadur – mewn ffordd gariadlon ac mewn ffordd gywir yn ffyrdd yr Arglwydd.

Beth am fynd ymlaen i ddarllen:
Jer. 31:16–21; 31:33–34; Luc 23:39–43

Meddyliwch am y cwestiynau hyn:
1. Beth yw sail ein gobaith ar gyfer y dyfodol?
2. Beth yw neges y Beibl i bechaduriaid?

Gweddi
O Dduw, rwy'n gweddïo unwaith eto y bydd i ti roi i bregethwyr ac efengylwyr y sensitifrwydd yna wrth gyflwyno'r Efengyl i bechaduriaid. Cynorthwya hwy i ddeall mai dyma dy ddaioni di, y daioni o'i ddatguddio sy'n arwain i edifeirwch. Rwy'n gofyn hyn yn enw Iesu. Amen.

214

Gwrthwynebu diwylliant

"Y mae ffyliaid yn gwawdio euogrwydd, ond yr uniawn yn deall beth sy'n dderbyniol." (adn. 9)

Beth am ddarllen Diarhebion 14:1–12 ac yna myfyrio

Yn anffodus, mae rhai eglwysi, yn eu hymdrech i ddianc oddi wrth y darlun o bwyntio bys wrth efengylu, wedi mynd i'r eithaf arall gan ddweud ychydig, os rhyfaint, am bechod. Gan fod gwirionedd y neges Gristnogol yn mynd ar draws teimladau'r hyn a ddigwydd yn y diwylliant cyfoes, mae'n rhaid i ni fod yn ofalus nad yw ein cymdeithas yn tynnu'r min oddi ar ei neges. Dyna pam, mi gredaf, y mae angen pwysleisio pechod yn gyson. Rhaid atgoffa y rhai sydd wedi credu, ac mae ar y rhai sydd heb gredu angen eu herio er mwyn iddynt ddod i gredu.

Mae ein diwylliant heddiw yn tueddu i gymysgu da a drwg, ac nid oes fawr o neb ag awydd i sefyll yn gadarn gyda golwg ar unrhyw beth. Mewn nifer o ysgolion mae athrawon bellach wedi peidio â defnyddio ymadroddion fel "Paid. Rwyt ti'n amharu ar y dosbarth." Mae'r geiriau yma yn cael eu hystyried yn rhai beirniadol. Yn hytrach, maent yn gofyn, "Beth wyt ti'n ei wneud? Pam wyt ti'n gwneud hyn? Sut mae hyn yn gwneud i ti deimlo?"

Ar 12 Rhagfyr 1991, cyhoeddwyd erthygl yn y *Wall Street Journal* oedd yn awgrymu y dylem adfer y gair 'pechod' a'i ddefnyddio unwaith eto. Yn yr Unol Daleithiau, yn ôl yr erthygl, mae yna broblem ddifrifol gyda chyffuriau; mae yna broblem yn eu hysgolion uwchradd; mae yna broblem hefo AIDS a phroblem hefo trais, a chydnabyddir na fydd yr un o'r rhain yn diflannu nes y bydd i bobl mewn safleoedd o awdurdod ddod ymlaen ac esbonio mewn termau moesol fod rhai o'r pethau a wnawn heddiw yn anghywir.

Yn anffodus, mae'r gair 'pechod' yn fwy cyffredin ar fwydlen bwyty nag mewn ambell i eglwys. Tebyg bod y pechod o fwyta siocled yn fwy difrifol na'r pechodau a nodir yn yr Ysgrythur.

Beth am fynd ymlaen i ddarllen:
Esc. 32:1–4; 32:19–25; Eseia 5:20; Mal. 2:17

Meddyliwch am y cwestiynau hyn:
1. Pam fod pobl yn galw'r hyn sy'n ddrwg yn dda?
2. Sut y bu i Aaron esgusodi ei bechod?

Gweddi
O Dad, cynorthwya ni fel dy Eglwys i beidio cael ein dylanwadu gan ddiwylliant ein dydd i'r graddau ein bod yn esgeuluso galw'r hyn sydd yn anghywir yn anghywir. Gwared ni rhag cydymffurfio a chyfaddawdu, a hynny yn enw Iesu. Amen.

Yn sâl mewn ffordd newydd

"Pwy a all ddweud, 'Yr wyf wedi puro fy meddwl; yr wyf yn lân o'm pechod'"?
(adn. 9)

Beth am ddarllen Diarhebion 20:1–12 ac yna myfyrio

Yn ôl un awdur, mae pob cenhedlaeth yn sâl mewn ffordd newydd. Yn ein cenhedlaeth bresennol, yr ydym yn sâl – hynny yw, mae'r cyflwr pechadurus sydd yn amlwg yn ein cenhedlaeth yn wahanol i'r hyn a welwyd yn nyddiau ein tadau er bod yna rai pethau cyffelyb. Cyn dyddiau Charles Darwin, er enghraifft, nid oedd ein teidiau yn poeni am wastatáu mawredd y Duwdod o fewn i'r Creu, doedd dim angen iddynt boeni am theori esblygiad nac ymdrechion i geisio uniaethu iachawdwriaeth hefo hunanhyder. Yn yr hen ddyddiau, roedd balchder yn un o'r pechodau gwaethaf; bellach mae'n cael ei ganmol. Mae'r pechodau y mae Paul yn eu rhestru yn Galatiaid 5:19–21 bellach yn rhai sydd yn cael eu gosod o'r neilltu fel rhai amherthnasol, ac mae'r bobl sy'n euog o'r troseddau hynny yn cael eu goddef.

Mae yna un gwahaniaeth arall rhwng y genhedlaeth a fu a'r genhedlaeth bresennol. Yn y gorffennol, roedd pobl yn tueddu i guddio eu pechod; bellach maent yn ei hysbysebu. Mae pynciau oedd yn arfer cael eu hystyried fel rhai amhriodol mewn sgwrs ddiwylliedig bellach yn cael eu trafod yn agored. Mae bywgraffiad cyffredin heddiw yn aros yn hir hefo pechodau cudd y gwrthrych. Y pethau hynny, yr oedd eraill yn tybio eu bod yn iawn i dynnu llen drostynt, mae'r bywgraffydd cyfoes yn eu datguddio gyda brwdfrydedd. Y peth lleiaf, yn ôl gwŷr a gwragedd ein cenhedlaeth bresennol, yw ein bod yn onest, fel petai gonestrwydd yn esgusodi pechod.

Does dim amheuaeth fod ein hoes bresennol yn ddiffygiol gyda golwg ar ymwybyddiaeth o bechod. Mae'n ein hannog i gymryd y natur ddynol fel ag y mae. Fe all fod ein hoes bresennol yn sâl mewn ffordd newydd, ond mae'r ffeithiau yn sicr yn dangos ein bod ni'n sâl. Mae'r angen am Waredwr yn parhau.

Beth am fynd ymlaen i ddarllen:
2 Sam. 13:1–14; 1 Bren. 21:1–10

Meddyliwch am y cwestiynau hyn:
1. Pam fod Amon ac Ahab yn sâl?
2. Sut y bu iddynt geisio teimlo'n well?

Gweddi
O Dad, pwy sy'n medru'n deffro i'n cyflwr ysbrydol a'n hangen am Waredwr? Dim ond dy Ysbryd Glân di sydd yn abl i wneud hyn. Anfon dy Ysbryd Glân mewn mesur helaeth i'th Eglwys ac i mewn i'th fyd. Amen.

"Y disgwyliad am ras"

"Glanhewch eich dwylo, chwi bechaduriaid, a phurwch eich calonnau, chwi bobl ddau feddwl." (adn. 8)

Beth am ddarllen Iago 4:1–12 ac yna myfyrio

Yn ôl Samuel Johnson, "Mae angen i ni gael ein hatgoffa ynghyd â chael ein dysgu." Mi fyddai'n fuddiol i'r rhai sydd yn cynllunio ac yn cyflwyno'r weinidogaeth mewn eglwysi gadw hyn mewn golwg. Ochr yn ochr â dysgu, mae yna rai gwirioneddau sydd angen atgoffa cynulleidfaoedd amdanynt, ac mae'r gwirionedd am bechod yn un o'r rheiny. Ein gelyn yw pechod, ac mae ar ei waethaf pan mae'n ein twyllo nad yw'n bodoli.

Yr hyn yr ydym wedi ei bwysleisio dros y dyddiau diwethaf yw bod eglwys yn colli ei hagosrwydd at yr Ysgrythurau os nad yw'n seinio nodyn clir gyda golwg ar y ffaith fod dynion a merched yn bechaduriaid. Nid fod y gair 'pechadur' i fod yn arf gyda golwg ar gondemnio, ond yn hytrach yn arf i greu disgwyliad am ras. Pan mae eglwys yn gweld pobl fel ag y mae'r Beibl yn eu gweld – fel pechaduriaid y mae angen Gwaredwr arnynt– yna mae hyn yn diogelu sylfaen o lawenydd. Gall wedyn gyhoeddi gweithredoedd mawrion Duw o blaid pechadur. Lle bynnag mae'r ffynnon hon wedi ei chau, dylid gwneud ymdrechion buan i'w hailagor. Nid moderniaeth sydd i ffurfio ein dealltwriaeth o bechod. Gwaith yr Ysgrythur yw hwnnw.

Bellach yr ydym yn gorfod cydnabod fod y syniad fod gwŷr a gwragedd yn bechaduriaid ac angen Gwaredwr arnynt yn wirionedd sy'n gwneud i'r byd wenu, ac i wenu mewn gwawd. Ac nid gwên ond gofid sy'n dod i galon y Cristion wrth ystyried ei bechod ei hunan. Ond yn y gofid hwn y mae llawenydd a gorfoledd pennaf ei enaid, oherwydd yn Iesu Grist ceir Gwaredwr i bechod.

Beth am fynd ymlaen i ddarllen:
Math. 21:28–32; Luc 15:11–24

Meddyliwch am y cwestiynau hyn:
1. Pwy oedd yn mynd i mewn i deyrnas Dduw?
2. Sut mae Iesu yn esbonio ymateb Duw i bechaduriaid?

Gweddi
O Dduw, cynorthwyo ni, nid i fod yn feirniadol, ond i feddu ar ofid dwyfol. Caniatâ i ni dynnu'r trawst o'n llygaid ein hunain cyn i ni feiddio ceisio dwyn y brycheuyn o lygaid ein brawd. Yn enw Iesu. Amen.

217

Cariad Duw, cariad sanctaidd

"...a dywedasant wrth y mynyddoedd a'r creigiau, 'Syrthiwch arnom, a chuddiwch ni rhag wyneb yr hwn sy'n eistedd ar yr orsedd a rhag digofaint yr Oen." (adn. 16)

Beth am ddarllen Datguddiad 6:1–17 ac yna myfyrio

Yr ydym yn dod yn awr at wirionedd arall sydd wedi ei guddio mewn rhai rhannau o'r Eglwys gyfoes, ac un sydd yn dal cysylltiad agos â'r hyn yr ydym wedi ei ystyried dros y diwrnodau diwethaf – llid Duw. Mae hon yn athrawiaeth sydd yn peri anesmwythyd hyd yn oed i Gristnogion, ac eto, ni ddywedir fawr amdani yn yr eglwysi. Mae'r rhai sydd yn ymateb yn negyddol i'r gwirionedd hwn yn dymuno edrych yn hytrach ar gariad Duw. Yr hyn y maent yn ei anghofio yw, nid yn unig fod Duw yn gariad, ond yn gariad sanctaidd. Yn ei fydysawd, bydd rhaid cael tâl am bob dyled, ac fe olyga hyn fod pob calon anedifeiriol i gael ei barnu.

Dywedodd un gweinidog amlwg yn ddiweddar nad oedd yn credu yn Nuw yr Hen Destament oedd yn eistedd ar ben Mynydd Seion yn gweiddi mewn dicter gan gondemnio. Roedd yn well ganddo gredu yn Iesu oedd, yn ei farn ef, yn tynnu pobl ato trwy rym ei gariad. Anghofiodd, neu, yn hytrach, fe fynnodd anghofio'r gwirionedd fod yr Un yr oedd ef yn ei gymharu â Duw yr Hen Destament wedi cyfeirio at ddicter Duw yn y termau mwyaf clir. Mae hon yn un enghraifft. "Mae'n well i chi fyned i mewn i deyrnas Dduw hefo un llygad nag i gael dau lygad a chael eich taflu i uffern lle nad yw'r pry byth yn marw a lle na fydd fflamau'r tân yn diffodd." (Marc 9:47–48) Mae yna lawer o adnodau yn y Testament Newydd sydd yn cyfeirio at ddicter Duw, a does yna'r un enghraifft yn fwy ofnadwy na'r adnodau sydd o'n blaen heddiw, adnodau sy'n cyfeirio at y ffaith fod pobl yn y diwedd yn galw ar y mynyddoedd ac yn galw ar y creigiau i syrthio arnyn nhw er mwyn eu cuddio rhag dicter yr Oen. A yw dicter Duw yn rhywbeth sy'n cael ei ddysgu yn gyson yn eich eglwys mewn ffordd gytbwys? Os nad yw, yna efallai bod y meddylfryd Philistaidd wedi meddiannu'r eglwys.

Beth am fynd ymlaen i ddarllen:
Math. 3:1–10; Ioan 3:36

Meddyliwch am y cwestiynau hyn:
1. Beth yw neges Ioan Fedyddiwr?
2. Beth sy'n digwydd i'r bobl hynny sydd yn gwrthod y Mab?

Gweddi
O Dduw, dyro i ni'r ddealltwriaeth a'r hyder i ystyried yr holl Ysgrythurau, nid y rhannau hynny sy'n apelio atom yn unig. Yr ydym yn ymwybodol iawn o rwyddineb osgoi'r pethau hynny sydd yn anffafriol yn ein golwg. Yn enw Iesu. Amen.

Dim camddealltwriaeth

"...yr oeddem wrth natur, fel pawb arall, yn gorwedd dan ddigofaint Duw."
(adn. 3–5)

Beth am ddarllen Effesiaid 2:1–5 ac yna myfyrio

Mae nifer cynyddol o weinidogion ac athrawon yn yr Eglwys heddiw yn mynnu fod y syniad o ddigofaint Duw yn anghyson â'i gariad. Yn ôl John Stott, mae dyn (neu ddynoliaeth) yn wrthrych cariad ochr yn ochr â digofaint Duw. Mae'r Duw sydd yn ei gondemnio am ei anufudd-dod eisoes wedi trefnu ffordd i'w gyfiawnhau.

Mae'r gymhariaeth rhwng adnodau 3 ac adnodau 4 a 5 yn y darlleniad heddiw yn ddiddorol iawn. "Yr oeddech wrth natur yn wrthrychau digofaint, ond oherwydd ei gariad mawr tuag atom, bu i Dduw, sy'n gyfoethog mewn trugaredd, ein gwneud yn fyw yng Nghrist hyd yn oed pan oeddem yn feirw mewn camweddau trwy ras yr ydych yn gadwedig." Mae Paul yn symud o ddigofaint Duw i drugaredd a chariad Duw heb unrhyw fath o wrth-ddweud. Mae Paul yn medru dal y ddau beth yma gyda'i gilydd, oherwydd bod y ddau beth yn cael eu dal gyda'i gilydd ym meddwl a chymeriad Duw. Ond a yw hyn yn gwneud Duw yn berson sydd â deuoliaeth yn perthyn iddo? Mae bron yn amhosibl i ni ddal yn ein meddwl y syniad o Dduw fel barnwr sydd yn cosbi troseddwyr, a Duw sydd yn Dad yn ceisio iachawdwriaeth pechaduriaid ar yr un pryd. Ond dyna beth mae'r Ysgrythur yn ein dysgu i gredu.

Er bod y gair 'digofaint' yn swnio yn hagr, mae angen i ni ddeall beth yn union y mae'n ei olygu. Nid yw digofaint Duw yn debyg i'n gwylltineb ni. Mae digofaint Duw wedi ei setlo ar bob gwrthryfel, ar bob pechod. Mae digofaint Duw yn dangos i'r greadigaeth ac i'r bydysawd cyfan ei fod yn barod i faddau. Ond nid yw'n barod i'r anedifeiriol ddianc cosb pechod.

Beth am fynd ymlaen i ddarllen:
Ex. 20:4–6; 34:5–7; Heb. 12:5–11

Meddyliwch am y cwestiynau hyn:
1. Beth a ddywed Duw am ei hun?
2. Sut all cariad a chosb gyd-fyw?

Gweddi
O Dad, caniatâ i mi ddal yn fy meddwl, fel ag y bu i'r apostol Paul, y gwirionedd gyda golwg ar dy natur. Unwaith eto, rwy'n gofyn i ti beidio caniatáu i mi wrthod y gwirionedd oherwydd ei fod yn anodd ei dderbyn. Yn enw Iesu. Amen.

Archwiliad Duw

"Gwelais y meirw, yn fawr a bach, yn sefyll o flaen yr orsedd; ac agorwyd llyfrau." (adn. 12)

Beth am ddarllen Datguddiad 20:7–15 ac yna myfyrio

Mae'r darlleniad heddiw yn dweud wrthym fod Duw yn cadw cofnod mewn llyfrau o'r hyn y mae pobl wedi ei gyflawni, a bod pawb sydd yn anedifeiriol yn cael eu galw i gyfrif yn y diwedd. Rhaid i farnwr gerdded gyda thraed o blwm, yn ôl yr Esgob Jewel. Yr hyn a olygodd wrth ddweud hyn oedd ei bod yn beryg i bobl sy'n cael eu galw i farnu i symud yn gyflym at y farn. Efallai mai dyma'r rheswm pam fod Duw yn gadael Dydd y Farn i ddiwedd hanes dynoliaeth. Ni fydd yn dedfrydu unrhyw un nes y byddant wedi cael pob cyfle i droi oddi wrth eu pechod a darganfod maddeuant. Mae'r rhai hynny sy'n meddu ar feddylfryd Philistaidd yn gwrthod y darlun dychrynllyd yma o'r farn olaf. Maent yn ystyried hyn fel llenyddiaeth ddarluniadol. Yn ei lyfr *The Problem of Pain*, dywed C. S. Lewis, "Buaswn yn fodlon talu unrhyw bris yn y byd i fedru dweud gydag argyhoeddiad y bydd pob un yn cael ei achub. Ond mae fy rheswm yn dweud, 'Heb ei ewyllys, neu gyda'i ewyllys?' Os dywedaf, 'Heb ei ewyllys', yr wyf ar unwaith yn darganfod gwrthddywediad; sut all y weithred o hunanymwadiad fod yn rhywbeth nad yw ein hewyllys ynglŷn â hi? Os wyf yn dweud 'Gyda'i ewyllys', mae fy rheswm yn ateb, 'Sut, os nad yw am ildio?'" Mae'r Beibl yn ei gwneud yn glir fod yna fyrddiynau sydd yn gwrthod ildio i honiadau Iesu Grist. Os yw'r farn dragwyddol yn sicr, ac mae'r Ysgrythur yn dweud yn glir am y farn honno, yna mae'n beth sylweddol i eglwys esgeuluso'r gwirionedd hwn.

Mae'r modd y mae'r Eglwys Gristnogol yn ein dydd ni yn anwybyddu'r Dydd yma yn beryg real. Yn sicr, mae pobl yn poeni mwy am ddifodiant trwy ryfel neu drwy effeithiau dynion ar yr amgylchfyd nag y maent am y farn hon. Yn ôl yr Ysgrythur, mae'r farn yn llawer iawn gwaeth nag unrhyw beth a all ddigwydd ac a ellir ei ddiffinio fel trychineb naturiol.

Beth am fynd ymlaen i ddarllen:
Dan. 7:9–10; Ioan 16:7–11; 2 Pedr 3:1–10

Meddyliwch am y cwestiynau hyn:
1. Beth oedd yr Ysbryd Glân i'w wneud pan fyddai Ef yn dod?
2. Pam fod Duw yn oedi ei farn?

Gweddi
O Dduw, rwy'n gweld fod yr Efengyl yn cynnwys newyddion drwg a newyddion da. Y newyddion drwg yw bod yna ddiwrnod yn dod pan fydd barn yn syrthio. Y newyddion da yw bod Iesu Grist wedi dod i'n gwaredu ni rhag y farn derfynol honno. Caniatâ i ni ddweud y cyfan o'r newyddion wrth ein cenhedlaeth. Amen.

220

Cael ein gwahanu oddi wrth Dduw

"A pheidiwch ag ofni'r rhai sy'n lladd y corff, ond na allant ladd yr enaid; ofnwch yn hytrach yr hwn sy'n gallu dinistrio'r enaid a'r corff yn uffern."
(adn. 28)

Beth am ddarllen Mathew 10:24–33 ac yna myfyrio

Nid yw digofaint Duw yn gwneud unrhyw synnwyr hyd nes i ni ddarganfod ein heuogrwydd. Yng ngoleuni ein heuogrwydd a'n pechod, mae digofaint Duw yn rhywbeth yr ydym yn ei dderbyn braidd yn naturiol. Hwn yw'r barnwr cyfiawn. Hwn yw'r un sydd yn mynnu fod i bob pechod ei gyflawn daledigaeth. Rhaid talu dyled pechod ac os na fydd i ddynion a gwragedd dderbyn fod eu pechod, wedi ei dalu gan Iesu Grist ar bren Calfaria, yna fe fydd yn rhaid iddynt dalu dyled eu pechod eu hunain.

Y peth mwyaf ofnadwy am y farn eithaf yw y bydd i bobl orfod dioddef cael eu gwahanu yn gyfan gwbl oddi wrth Dduw. Os bydd i chi wahanu'r afon oddi wrth ei tharddiad, mae yna farwolaeth. Torrwch y gangen oddi wrth y goeden, ac mae yna farwolaeth. Torrwch y corff oddi wrth yr enaid, ac mae yna farwolaeth. Torrwch yr enaid oddi wrth Dduw, mae yna farwolaeth dragwyddol. Yn ôl Thomas Watson, "Y mae tragwyddoldeb i'r duwiol yn ddiwrnod heb fachlud. Ond i'r annuwiol, mae'n nos heb wawr."

Clywais un yn dweud unwaith fod colledigaeth un enaid yn golygu fod Duw wedi ei drechu. Beth yr oedd y dyn yma yn methu â'i ddeall oedd bod Duw, wrth greu dynoliaeth, wedi rhoi iddynt y gallu i ddewis. Fe allant benderfynu ei wasanaethu ef, neu wrthryfela yn ei erbyn. O'r cychwyn, fe wyddai Duw y byddai pobl yn ei wrthod. Dyma'r bobl fydd yn cael eu gwahanu oddi wrth Dduw yn nhragwyddoldeb.

Beth am fynd ymlaen i ddarllen:
Gen. 18:22–25; Eseia 59:1–15

Meddyliwch am y cwestiynau hyn:
1. Sut y bu i Abraham gyfeirio at yr Arglwydd?
2. Pam fod pobl yn cael eu gwahanu oddi wrth Dduw?

Gweddi
O Dad, er na fyddi di yn gorfodi pobl i dy gydnabod, yr wyt yn hiraethu am weld eu hiachawdwriaeth. Datguddia dy hun trwy dy Ysbryd Glân yw fy ngweddi. Rwy'n gofyn hyn yn enw annwyl Iesu. Amen.

Cri y Coll

"Heblaw hyn oll, rhyngom ni a chwi y mae agendor llydan wedi ei osod, rhag i neb a ddymunai hynny groesi oddi yma atoch chwi, neu gyrraedd oddi yna atom ni." (adn. 26)

Beth am ddarllen Luc 16:19–31 ac yna myfyrio

Mae'n gwbl amhosibl wrth gwrs i siarad am lid Duw heb hefyd siarad am uffern. Nid oes fawr o bregethau ar y testun hwn yn cael ei gyhoeddi heddiw, ond mae'r rhybuddion, gyda golwg ar uffern, yn aml yn y Beibl.

Yn ystod cyfnod cynnar fy ngweinidogaeth, a minnau yn ifanc yn y gwaith, yr oeddwn yn ofidus rhag sôn am uffern a bod hyn yn tarfu ar bobl. Yna, un diwrnod, rhoddodd Duw weledigaeth i mi (yr unig weledigaeth a gefais erioed fod pobl yn syrthio i uffern ac ers yr amser hwnnw, yr wyf wedi edrych ar y mater yn wahanol iawn.) Yn fy ngweledigaeth, yr oeddwn yn cerdded ar hyd un o briffyrdd dros ddinas Llundain a miloedd o bobl yn cerdded fel petai yr awr brysura'n y dydd. Ar ganol y briffordd, yr oedd dyn yn sefyll gyda lantern goch yn gweiddi: "Trowch yn ôl, trowch yn ôl". Yna, fe'm codwyd gan yr Ysbryd uwchben y dyrfa er mwyn i mi weld y rheswm pam fod y dyn yn galw. Roedd y ffordd yn gorffen mewn dibyn ond wrth i'r bobl nesáu, nid oedd posibl troi yn ôl oherwydd pwysau'r rhai oedd yn dod ar eu hôl. Gwyliais wrth i un ar ôl un syrthio dros y dibyn i mewn i'r dyfnder, ac yr oeddwn yn gwybod mai darlun oedd hwn o uffern.

Yn fy ngweledigaeth, clywais eu cri ac mae fy mywyd wedi ei lywio ers hynny gan yr hyn yr wyf yn ei adnabod fel 'cri y coll'. Dyna pam, fel efengylwr, yr wyf yn ceisio annog pobl i ddod at Iesu Grist ble bynnag a phryd bynnag y byddaf yn siarad. Rwy'n ymwybodol fod y rhai sydd yn darllen y myfyrdodau hyn heb eto ddod at Iesu Grist. Os nad wyt ti wedi gwneud y penderfyniad hynny i dderbyn Crist fel Gwaredwr personol, yna rwy'n dy annog i wneud hynny'n awr. Adrodd y weddi hon gan ei hadrodd o dy galon:

O Arglwydd Iesu, rwy'n codi fy nghalon atat ti'r foment hon. Mae'n flin gennyf fy mod wedi dy gau allan o'm bywyd cyhyd. Rwy'n edifarhau am fy mhechod ac yn agor fy nghalon i'th dderbyn di fel Arglwydd a Gwaredwr. Cynorthwya fi i fod y Cristion gorau y medraf ei fod. Amen.

Beth am fynd ymlaen i ddarllen:
Math. 13:47–50; 25:31–46

Meddyliwch am y cwestiynau hyn:
1. Beth yw'r ddau ddiwedd sydd i bobl?
2. Beth fydd dy ddiwedd di?

Cynhadledd ar Uffern

"...a phwy bynnag sy'n dweud wrtho, 'y ffŵl', bydd yn ateb am hynny yn nhân uffern." (adn. 22)

Beth am ddarllen Mathew 5:21–26 ac yna myfyrio

Fe gyfarfu grŵp o weinidogion efengylaidd mewn tref yn yr Unol Daleithiau ychydig amser yn ôl i drafod y cwestiwn o uffern a cheisio darganfod pam eu bod mor amharod i bregethu ar y testun. Bu iddynt ddod i bedwar casgliad. Yr ydym am ystyried dau ohonynt heddiw a dau arall yfory.

Y rheswm cyntaf oedd eu bod yn ofidus rhag cael eu cysylltu gyda phregethwyr "tân a brwmstan" y gorffennol – pobl oedd â'u disgrifiadau byw o uffern yn rhai oedd yn cael eu hystyried fel rhai oedd yn ceisio manipiwleiddio pobl. Fe ddywedodd Jonathon Edwards, er enghraifft, mewn pregeth enwog ar bechaduriaid yn nwylo Duw... "mae y pydew wedi ei baratoi ar gyfer pechaduriaid, mae'r tân yn barod, mae'r ffwrnais yn boeth yn barod i'w derbyn." Wrth gwrs, nod Jonathon Edwards oedd annog pobl i ddianc rhag y dicter oedd i ddod ond roedd ei iaith yn eithafol. Yn anffodus, mae rhai beirniaid yn barod i roi'r label "tân a brwmstan" ar unrhyw un sydd yn siarad am uffern er eu bod yn cyflwyno'r ffeithiau heb unrhyw ymdrech i fanipiwleiddio. Bu i'r gweinidogion rannu gyda'i gilydd eu consyrn Cristnogol am y mater yma.

Bu iddynt weld mai'r ail reswm eu bod yn amharod i bregethu am uffern oedd yr anhawster i gymodi ym meddwl rhai Cristnogion yr athrawiaeth am uffern gyda'r athrawiaeth am gariad Duw. Yr wyf wedi gwneud cryn dipyn o ymchwil yn y maes hwn ac yr wyf yn ymwybodol fod y rhan fwyaf o Gristnogion yn ei chael hi'n anodd credu fod Duw sydd yn gariad yn medru dioddef hyd yn oed dioddefaint tragwyddol un enaid yn uffern gan gynnwys Jwdas Iscariot. Bu rhaid i'r gynhadledd yma gydnabod fod yr athrawiaeth am uffern yn destun sydd yn anodd dod i delerau ag ef.

Beth am fynd ymlaen i ddarllen:
Math. 5:29–30; 2 Pedr 2:1–10

Meddyliwch am y cwestiynau hyn:
1. Rhestrwch esiamplau o farn Duw.
2. Beth ddigwyddodd i'r cyfiawn?

Gweddi
O Dad, cynorthwya fi i ddod i delerau gyda'r testun yma. Nid wyf am fy nylanwadu gan fy emosiynau i'r graddau nad wyf yn ffyddlon i'th Air. Arwain fi trwy dy Ysbryd yw fy ngweddi i'r canlyniad iawn. Yn enw Iesu. Amen.

223

Canlyniadau Pellach

"Chwi seirff ac epil gwiberod, sut y dihangwch rhag barn uffern?" (adn. 33)

Beth am ddarllen Mathew 23:29–39 ac yna myfyrio

Heddiw rydym am ystyried y trydydd a'r pedwerydd casgliad y daeth y criw o weinidogion y bu inni drafod ddoe iddynt wrth ystyried y cwestiwn o uffern. Roeddent yn gytûn ar y trydydd ffactor yma oedd yn esbonio'u hamharodrwydd i bregethu ar y testun, sef eu gofal dros deimladau'r bobl hynny yn eu cynulleidfaoedd oedd wedi colli anwyliaid a hynny heb iddynt adnabod yr Arglwydd Iesu. Bob tro y byddaf yn pregethu ar uffern, rwy'n ymwybodol bod yna gredinwyr sy'n cael anhawster mawr wrth feddwl nid yn unig am rai y maent wedi eu caru sydd wedi marw heb dderbyn Crist ond hefyd eu gofid ynglŷn â'r rhai sy'n dal yn fyw ac eto heb amser o gwbl i Iesu.

Y pedwerydd ffactor oedd y diddordeb sydd yn cael ei ddangos gan lawer o gynulleidfaoedd modern wrth geisio atebion i gwestiynau cyfoes a hyn wedi symud o'r neilltu unrhyw ystyriaeth o'r hyn a ddigwydd ar ôl inni farw. Pan hysbysodd un gweinidog ei flaenoriaid o'i fwriad i bregethu cyfres ar y nefoedd, bu i un ohonynt wneud y sylw: "Nid yw bobl am wybod am y nefoedd, maent am wybod am heddiw a rŵan." Efallai mai dyma pam y bu i un sy'n arsylwi ar y sefyllfa Gristnogol gyfoes ddweud: "Mae pregethau ar y nefoedd a gobaith tragwyddol y Cristion bron â bod mor brin â phregethau ar uffern." Wedi gweddïo, bu i'r gweinidogion gychwyn trafodaeth ynglŷn â'r modd i symud ymlaen yn y dyfodol. Eu hymrwymiad cyntaf oedd hyn: "Mae'r testun, er ei anawsterau, yn destun sydd yn rhy bwysig i'w anwybyddu. Rhaid i bob crediniwr efengylaidd ddod i'r un casgliad. Mae iachawdwriaeth yn troi o amgylch tynged y colledig. Os bydd i ni beidio edrych ar ganlyniadau gwrthod Iesu Grist, yna mi fyddwn ninnau mewn perygl o edrych dim ond ar fywyd cyflawn yn y byd hwn.

Beth am fynd ymlaen i ddarllen:
1 Cor. 10:6–13; Heb. 2:1–4; 12:25–29

Meddyliwch am y cwestiynau hyn:
1. Sut mae Duw yn ein rhybuddio o'i farn?
2. Sut allwn ni osgoi'r farn?

Gweddi
O Dad, rwy'n dechrau gweld yn fwy clir beth sy'n digwydd pan mae'r gwirionedd yn cael ei esgeuluso. Dyro i'r rhai sy'n pregethu dy Air yr hyder a'r eneiniad i ddelio gyda'r mater hwn. Yn enw Iesu. Amen.

Ymdeimlo'n ddagreuol

"Pan ddaeth yn agos a gweld y ddinas, wylodd drosti..." (adn. 41)

Beth am ddarllen Luc 19:28–44 ac yna myfyrio

Yr ydym am fyfyrio ar dynged y gweinidogion hynny a gyfarfu i drafod y testun hwn am un diwrnod yn ychwanegol. Bu iddynt ddod i'r casgliad ar ddiwedd eu cyfarfod y dylid trafod y testun hwn yn ein dagrau ac os nad oes dagrau yn ein llygaid, yna fe ddylent fod yn bresennol yn ein henaid. Mae pregethu am uffern gydag unrhyw ddymuniad i weld pobl yn cael eu cosbi yn wyriad mawr ar Gristnogaeth. Fel y gwelwn o'r testun heddiw bu i Iesu wylo dros gyflwr a dyfodol trist Jerwsalem. Casgliad arall a ddaeth o'u trafodaethau oedd hyn – fod y syniad o Dduw sydd yn gariad yn mynd i roi pobl yn uffern angen ei wynebu yn glir; gan esbonio mai oherwydd bod Duw yn caru cyfiawnder a barn, mai dyma'r rheswm pam na fydd yn caniatáu i unrhyw un o fewn ei fydysawd i beidio â medi cosb anghyfiawnder a phechod. Bu iddynt hefyd ystyried y gwaith sydd angen ei wneud gyda golwg ar esbonio tynged yr anwyliaid hynny sydd wedi marw heb Grist. Gyda golwg ar hyn, nid oes neb yn gwybod cyflwr enaid unigolion yn yr oriau neu'r munudau hynny cyn iddynt gyfarfod â marwolaeth ac felly fod angen i ni ymddiried mewn Duw sy'n gweld yn ddyfnach i mewn i'r galon nag y medrwn ni.

Yn olaf, bu i'r gweinidogion gytuno fod yr athrawiaeth am uffern yn hanfodol ar gyfer iechyd yr eglwys gan gadarnhau ein rhesymau dros efengylu ymhlith holl genhedloedd y ddaear. Aeth y gweinidogion yma yn ôl i'w heglwysi i gyflwyno mewn ffordd resymol yr argyhoeddiadau hynny a oedd wedi eu cadarnhau yng nghwmni'i gilydd. Nid wyf yn gwybod beth ddigwyddodd ar ôl hynny ond rwyf yn gwybod na fyddai i'r eglwysi hynny boeni am agwedd Philistaidd oedd yn cau i fyny ffynhonnau gwirionedd gyda golwg ar y testun hwn.

Beth am fynd ymlaen i ddarllen:
Math. 9:35–36; 15:29–37; Actau 20:31

Meddyliwch am y cwestiynau hyn:
1. Beth oedd cymhelliad Iesu?
2. Ym mha beth y bu Paul yn ddi-baid?

Gweddi
O Dad, cariadlon a graslon, unwaith eto rwyf yn gofyn i ti gynorthwyo dy eglwys i gymhwyso'r athrawiaeth am uffern mewn ffordd sydd yn gyson â dy Air di. Rwy'n gweddïo y bydd na ddagrau yn yr enaid wrth gyflwyno hyn i dy bobl, a hynny er mwyn Iesu. Amen.

Iesu, goleuni'r byd

"Y mae ef yn bod cyn pob peth, ac ynddo ef y mae pob peth yn cydsefyll."
(adn. 17)

Beth am ddarllen Colosiaid 1:15–23 ac yna myfyrio

Mae'n amser bellach i ganolbwyntio ar un arall o weithredoedd Philistaidd ein cyfnod ni – celu'r gwirionedd am Iesu Grist. Caniatewch i mi roi ychydig o gefndir fy nghonsyrn yn y mater hwn. Un o eiriau mawr ail hanner yr ugeinfed ganrif oedd 'syncretiaeth' – yr ymdrech i gysoni holl grefyddau'r byd i mewn i un ffydd.

Beth bynnag, erbyn yr unfed ganrif ar hugain, mae pethau wedi newid. Y gair nawr yw 'plwraliaeth' – cydnabyddiaeth o integriti pob ffydd, a'r farn fod pob crefydd yn gyfartal. Ond nid yw pob crefydd yn gyfartal. Fel y dywedwyd eisoes, mae na bethau rhagorol ymhob crefydd ac mae Cristnogaeth yn cydnabod hyn. Er hynny, nid un grefydd ynghanol llawer o grefyddau yw Cristnogaeth. Mae mewn categori ar ei ben ei hun. Ein honiad ni am Gristnogaeth ac am y ffydd Gristnogol yw ei bod hi yn ffydd unigryw. Ni all yr un ffydd arall honni mai ei sylfaenydd oedd Duw yn ddyn. Yr ydym yn honni hynny am Iesu Grist. Mae diwinyddion yn cyfeirio at ei dduwdod – y ffaith ei fod o'r un hanfod â Duw. Fe ddylai fod unrhyw ddadl am hyn mewn unrhyw eglwys sydd yn honni ei bod yn Gristnogol oherwydd fel ag y dengys yr adran heddiw, "Y mae ef yn bod cyn pob peth, ac ynddo ef y mae pob peth yn cydsefyll." Nid yw duwdod Iesu Grist yn fater i drafodaeth. Os nad yw Iesu Grist yn Dduw, yna mae'r ffydd Gristnogol yn sioe oherwydd fe honnodd y diffiniad yma ei hun.

Ni allwn ganiatáu i Iesu Grist gael ei osod yn gyfartal ac yn gyfwerth gyda phob proffwyd neu arweinydd crefyddol arall oherwydd ni ellir cymharu unrhyw un o'r duwiau nag unrhyw un o'r proffwydi gyda'r Iesu. Nid ydym yn anystyriol o rinweddau ysbrydol a all ddod o lampau eraill, ond yr ydym am gydnabod mai Iesu Grist, a Iesu Grist yn unig, yw goleuni'r byd.

Beth am fynd ymlaen i ddarllen:
Eseia 9:1–7; Ioan 8:12; 12:35–36; Heb. 1:1–3

Meddyliwch am y cwestiynau hyn:
1. Pa enwau wnaeth Eseia ei roi i'r mab oedd i ddod?
2. Beth sy'n digwydd wrth inni ymddiried yn y goleuni?

Gweddi
Gwaredwr grasol, fe ddaethost ti oddi wrth Dduw i'n dwyn ni at Dduw. Rwyt wedi peri fod goleuni yn gorlifo i mewn i fywyd y byd, goleuni sydd yn fwy llachar nag unrhyw oleuni arall. Diolch i ti am y goleuni sydd wedi herio'r tywyllwch o'm henaid. Amen.

Gwadu ein ffydd

"Dywedodd Iesu wrtho, 'Myfi yw'r ffordd a'r gwirionedd a'r bywyd.'" (adn. 6)

Beth am ddarllen Ioan 14:1–14 ac yna myfyrio

Ddoe, bu i mi sôn am y gair allweddol mewn trafodaethau heddiw sef 'plwraliaeth', hynny yw ein bod yn derbyn bod pob ffydd yn gyfartal ac yn gyfwerth.

Ychydig flynyddoedd yn ôl yn Eglwys St Martins yn y Fields yn Llundain, cynhaliwyd gwasanaeth lle caed Hindŵiaid, Bwdhyddion, Mwslemiaid a Christnogion yn cymryd rhan ar lefel gyfartal, y pedwar yn cydnabod eu ffydd gyffredin. Darllenwyd o wahanol lyfrau'r gwahanol grefyddau. Darllenodd y cynrychiolydd Bwdhaidd o'r *Tripitaka*, yr Hindŵ o'r *Bhagavad Gita*, y Mwslim o'r *Qur'an*, a'r Cristion o'r Beibl. Bu i'r wasg gyhoeddi'r gwasanaeth hwn fel carreg filltir nodedig yn hanes crefydd. Yn fy marn i, roedd yn wadiad o'r ffydd Gristnogol ond bu iddo esgor ar nifer o wasanaethau cyffelyb sydd bellach yn cael eu cynnal ar draws y byd.

Rwy'n hoff iawn o'r hyn a ddywed Dr. W. A. Visser Hooft yn ei lyfr *No Other Name* lle mae'n gwadu plwraliaeth. Mae'n hen bryd i Gristnogion i ailddarganfod calon y ffydd sef bod Iesu Grist ddim wedi dod i wneud cyfraniad i fywyd crefyddol y byd, ond yn hytrach fod Duw, ynddo ef, wedi cymodi'r byd ag ef ei hun. Wrth gwrs, mae hyn yn ein gadael yn agored i'r honiad ein bod yn mynnu unigrywiaeth, ond nid oes yr un Cristion sydd am gau allan unrhyw un o deyrnas Dduw. Gall pawb ddod yn yr un modd ag y mae gan y byd i gyd yr hawl i'r gorau o'r hyn y mae'r byd wedi ei ddysgu. Felly y mae gan y byd i gyd yr hawl i ddysgu am Dduw. Mae'r gorau y mae'r byd wedi ei ddysgu am Dduw ym mherson yr Arglwydd Iesu Grist. Nid yn unig hwn yw'r gorau y mae'r byd wedi ei weld, dyma'r un gorau a wêl y byd.

Beth am fynd ymlaen i ddarllen:
Actau 4:5–12; 1 Ioan 4:1–3

Meddyliwch am y cwestiynau hyn:
1. Beth oedd datganiad yr apostol Ioan?
2. Beth yw prawf gwir ffydd?

Gweddi
O Iesu, rwyf mor falch i ti ddweud 'Myfi yw y ffordd'. Diolch nad 'ffordd' ymhlith ffyrdd eraill ond mai ti *yw y* Ffordd, ein hunig obaith am iachawdwriaeth. Rwyf am fod yn was ufudd i ti am byth. Amen.

Caru cymydog

"Ewch, gan hynny, a gwnewch ddisgyblion o'r holl genhedloedd, gan eu bedyddio hwy yn enw'r Tad a'r Mab a'r Ysbryd Glân..." (adn. 19)

Beth am ddarllen Mathew 28:16–20 ac yna myfyrio

Mae llawer sydd yn beirniadu Cristnogaeth am ddweud wrthym fod gwneud honiadau am unigrywiaeth ein ffydd yn un o'r ffyrdd mwyaf anffodus o ddilyn gorchymyn Iesu Grist i garu ein cymydog fel ein hunain. Ond os yw'r efengyl yn wir, yna'r ffordd orau i garu ein cymydog yw i ddweud wrthyn nhw am unigrywiaeth Iesu Grist. Mae gadael y bobl yma mewn anwybodaeth amdano yn gam yn ein cariad tuag atynt.

Fe ddywed gweinidog am ei wraig yn siarad un diwrnod hefo rhywun mewn siop gan nodi bod ei merch yn genhades. Fe ddywedodd y person wrthi, "Nid wyf yn credu mewn cenhadon... does gennym ni ddim hawl mynd i wledydd eraill gan ymyrryd â'u diwylliant a'u crefydd." Wrth gwrs, mae hyn yn farn miloedd o bobl. Ond, fel y dywed y darlleniad heddiw, cyn i Iesu Grist adael y ddaear, fe orchmynnodd ei ddisgyblion i fynd i'r holl fyd i bregethu'r efengyl. Meddyliwch petai gwlad yn darganfod modd i iachau pobl o gancr ac yna cadw'r darganfyddiad yn gyfrinach. Mi fyddai hyn yn bechod yn erbyn dynoliaeth. Yn yr un modd, mae'r rhai hynny ohonom sydd â gwybodaeth am efengyl Iesu Grist ac yn ei gadw i ni'n hunain yn pechu yn erbyn dynoliaeth.

Mae gorchymyn ein Harglwydd i fynd i'r holl fyd a phregethu'r efengyl yn cael ei gadarnhau gan angen mawr bobl dros y byd i gyd. Yn ôl un sydd yn teithio ac wedi astudio gwahanol grefyddau yn y gwledydd yr ymwelodd â hwy, ei dystiolaeth oedd mai'r hyn y mae pobl yn llefain amdano ymhob rhan o'r byd yw cael eu rhyddhau o'r ymwybyddiaeth o euogrwydd a chael profi maddeuant dwyfol. Does ond Iesu sy'n medru cynnig hynny. Mae ei groes ef yn agor breichiau'r nefoedd yn agored i bawb drwy'r byd i gyd ac oherwydd Crist, a Christ yn unig, fe all siarad y gair hynny sydd yn rhyddhau pobl o'u pechodau ac yn hynny yn medru meddiannu'r byd i gyd yn ei enw Ef.

Beth am fynd ymlaen i ddarllen:
2 Bren. 7:3–9; Math. 5:13–16

Meddyliwch am y cwestiynau hyn:
1. Sut y bu i'r gwahangleifion ddelio â'r newyddion da?
2. Sut allwn garu ein cymydog?

Gweddi
O Iesu, rwyf mor ddiolchgar wrth i mi ufuddhau i'th orchymyn i fynd â phregethu'r efengyl i rywun dy fod ti dy hunan yn addo bendithio hyn. Diolch dy fod ti yn dod ataf i er mwyn i mi ddod atat ti ac i fynd at eraill. Diolch Arglwydd. Amen.

Unig ymgnawdoliad o Dduw

"A daeth y Gair yn gnawd a phreswylio yn ein plith..." (adn. 14)

Beth am ddarllen Ioan 1:1–18 ac yna myfyrio

Mewn oes o blwraliaeth, rhaid gofyn: Beth sydd angen i ni ei gredu am Iesu Grist i fod yn ffyddlon i'r ffydd Gristnogol? Yr ydym eisoes wedi delio ag un mater – ei ddwyfoldeb (ei gydraddoldeb â Duw) – yn awr yr ydym am edrych ar y ffaith nesaf – ei ymgnawdoliad.

Petawn am ddewis y deg adnod fwyaf pwysig yn yr Ysgrythur, ni fyddai amheuaeth y byddai adnod heddiw yn un ohonynt: 'Daeth y Gair yn gnawd.' Yn ôl yr esboniwr William Bartley, "Efallai mai hon yw'r adnod fwyaf bendigedig yn y Testament Newydd." Nid oes yr un debyg iddi mewn unrhyw grefydd arall. Mae pob ffydd arall yn ceisio dweud rhywbeth wrthym am Dduw ond dweud am athroniaeth, dweud am ymarfer moesol. Mae Cristnogaeth, ar y llaw arall, yn fwy na chrefydd o ddylanwadau a gwerthoedd ac egwyddorion. Mae'n grefydd o ddigwyddiadau real mewn hanes. Daeth Duw i mewn i'r byd yma ar awr benodol mewn hanes a hynny drwy gorff gwyryf, i le arbennig ar y ddaear, a bu iddo fyw yn ein plith. Peidiwn ni byth â gollwng gafael ar y gwirionedd bendigedig hwn. Does dim angen i ni amlhau geiriau oherwydd mae'r geiriau'n amlwg. Mae'r rhai hynny sydd yn gwadu ymgnawdoliad Iesu, ei enedigaeth wyryfol, yn gwadu hanfod Cristnogaeth.

Peth arall sydd angen i Gristnogion gredu yw fod yr Arglwydd Iesu wedi byw yn ddibechod. Yn ôl Ioan 8:46, ei eiriau ei hun oedd 'A oes rhywun sydd yn gallu fy argyhoeddi o bechod?' Bu rhai oedd yn cerdded gydag ef a rhai oedd yn gwylio ei fywyd mewn amryw o amgylchiadau yn methu â chanfod dim pechod ynddo. Ei fywyd dibechod oedd y rheswm pam y medrai gario ein pechodau ni. Mae gwrthod credu hyn yn wadiad o wir Gristnogaeth.

Beth am fynd ymlaen i ddarllen:
Math. 1:18–23; Phil. 2:5–8; 1 Tim. 3:16

Meddyliwch am y cwestiynau hyn:
1. Pam oedd y Mab i'w alw yn Emaniwel?
2. Beth yw natur Crist?

Gweddi
O Iesu, rwy'n diolch i ti dy fod ti'r hyn ag yr wyt ti oherwydd dyna sydd yn penderfynu'r cyfan yn achos fy enaid. Rwy'n edrych atat ac yn gwybod nad oes neb tebyg. Ti yw unig Fab Duw, ei unig ymgnawdoliad. Rwyf mor ddiolchgar. Amen.

Gwyrthiau'r Meistr

"Ewch a dywedwch wrth Ioan yr hyn yr ydych wedi ei weld ac wedi ei glywed. Y mae'r deillion yn cael eu golwg yn ôl, y cloffion yn cerdded..." (adn. 22)

Beth am ddarllen Luc 7:18–35 ac yna myfyrio

Ar hyn o bryd, yr ydym yn ystyried beth yw'r pethau hynny sy'n rhaid i ni eu credu am Iesu i fod yn ffyddlon i'r ffydd Gristnogol. Rydym eisoes wedi edrych ar ei ddwyfoldeb, Ei ymgnawdoliad, ei fywyd dibechod. Y mater nesaf yw ei wyrthiau.

Mae gwyrthiau ein Harglwydd fel ag y dywed yr ysgrythur heddiw yn arwyddion o deyrnas Dduw a'i ddwyfoldeb Ef. Maent yn arwyddo fod teyrnasiad y Meseia wedi cychwyn a dyma'r dystiolaeth y bu i Iesu ei chyflwyno i gysuro Ioan Fedyddiwr ag yntau yn y carchar. Ysgrifennodd C. S. Lewis lyfr hyfryd ar wyrthiau ac ynddo mae'n dweud, "Rwy'n darganfod ymhlith diwinyddion modern y syniad nad yw'r gwyrthiau erioed wedi eu cyflawni." Mae gwadu gwyrthiau Iesu fel gwadu ei ddwyfoldeb, ac mae gwadu ei ddwyfoldeb fel y dywedais ynghynt yn ein cau allan o'r ffydd Gristnogol.

Y peth nesaf sydd angen ei dderbyn ac angen ei gredu gan unrhyw un sydd yn dymuno cyhoeddi eu bod yn Gristnogion yw marwolaeth iawnol Iesu Grist ac nad oedd unrhyw bechod yn perthyn i Iesu Grist yn ei natur nac yn ei weithredoedd. Fe allai fod wedi dianc rhag marwolaeth a'i symud i'r nefoedd. Fel y dywed un pregethwr yn hanes y Gweddnewidiad, bu bron â digwydd. Ond mae'n cymryd cam yn ôl i'r byd yma gan symud o fynydd y Gweddnewidiad i fynydd Calfaria er mwyn marw dros ein pechodau. Ein marwolaeth ni oedd ei farwolaeth Ef – y gosb ag y mae ein pechodau ni yn ei haeddu. Fe allai fod wedi ein gadael ni i'n cosb gan ein gadael i dderbyn cyflog ein pechod, ond mae ei gariad tuag atom gymaint fel ei fod yn rhoi ei fywyd drosom ar y groes. Rwyf wrth fy modd yn ailadrodd yr hanes. Nid oes hanes tebyg yn y byd i gyd.

Beth am fynd ymlaen i ddarllen:
Math. 8:23–27; Luc 11:14–20

Meddyliwch am y cwestiynau hyn:
1. Beth oedd y rheswm dros ryfeddod y disgyblion?
2. Beth mae gwyrthiau Iesu yn arddangos?

Gweddi
O Waredwr bendigedig, sut y medraf ddiolch i ti ddigon am y wyrth yr wyt wedi ei chyflawni yn fy mywyd wrth i ti fy achub. Nid oedd neb arall allai fy newid. Nawr mae fy nghalon yn eiddo i ti am byth. Amen.

Angau yn methu Ei ddal

"Oherwydd cyhoeddi'r newydd da am Iesu a'r atgyfodiad yr oedd." (adn. 18)

Beth am ddarllen Actau 17:16–34 ac yna myfyrio

Yr ydym yn parhau i feddwl am y pethau hynny sydd angen eu credu er mwyn bod yn ffyddlon i'r ffydd Gristnogol. Yn dilyn marwolaeth iawnol Iesu Grist, mae ei atgyfodiad oddi wrth y meirw. Mae'n ymddangos fod yr eglwys yn wynebu argyfwng ar y mater hwn. Ychydig flynyddoedd yn ôl, bu i Esgob Durham, David Jenkins, ddweud am yr atgyfodiad, 'Nid digwyddiad ond cyfres o brofiadau oedd hyn.' Wrth wneud sylwadau ar hyn, fe ddywedodd John Stott, ' Fe ddaeth yn gyfres o brofiadau oherwydd, yn gyntaf, ei fod yn ddigwyddiad gwrthrychol hanesyddol.' Daeth Iesu Grist o farw yn fyw, yn llythrennol, yn gorfforol. "Chwi a'i lladdodd," meddai Pedr yn ei bregeth ar y Pentecost, "ond Duw a'i cyfododd ef o'r meirw."

Efallai bod ambell un yn gofyn, 'Pa wahaniaeth yn y byd mae atgyfodiad corfforol Iesu Grist yn ei wneud?' Gadewch i ni adael i'r apostol ei ateb: 'Os nad yw Crist wedi atgyfodi, yna y mae'n pregethu a'ch ffydd chwi yn ofer... Ac yn wir os nad yw Crist wedi atgyfodi, gwagedd yw eich ffydd; yr ydych yn parhau yn eich pechodau.' Yr ydym yn gwybod heb unrhyw amheuaeth fod ein pechodau wedi eu maddau ar y groes oherwydd bod Duw wedi codi Iesu Grist o farw. Mae nifer o bobl yn gweld y groes fel methiant, yr atgyfodiad fel buddugoliaeth. Ond na – y groes oedd y fuddugoliaeth a'r atgyfodiad yw cyhoeddiad y fuddugoliaeth. Rhaid inni ymwrthod ag unrhyw ymdrech i gredu nad oedd atgyfodiad Iesu yn un corfforol. Eto, yng ngeiriau John Stott, 'Corff atgyfodedig Iesu Grist oedd ac sy'n parhau i fod y rhan yna o'r bydysawd crëedig sydd wedi ei adfer, ac yn hynny dyma gychwyn ac ernes creadigaeth newydd Duw. Oherwydd ei fod Ef yn fyw, byw fyddwn ninnau.

Beth am fynd ymlaen i ddarllen:
1 Cor. 15:1–8; 15:12–22

Meddyliwch am y cwestiynau hyn:
1. Faint o bobl welodd yr Iesu atgyfodedig?
2. Pam fod yr atgyfodiad mor bwysig?

Gweddi
O Arglwydd grasol, yr wyf mor ddiolchgar fy mod yn byw yn yr un a fu farw unwaith ond na fydd marw mwyach. Caniatâ i'th fywyd atgyfodedig di i lifo trwy bob rhan o'm mywyd i, heddiw a phob dydd o hyn ymlaen, a hynny er mwyn Dy enw. Amen.

Esgyniad a gogoneddiad

"Am hynny, tradyrchafodd Duw ef, a rhoi iddo'r enw sydd goruwch pob enw."
(adn. 9)

Beth am ddarllen Philipiaid 2:1–11 ac yna myfyrio

Gwirionedd arall y mae'n angenrheidiol i Gristnogion ei gredu yw'r hyn a elwir 'gogoneddiad Iesu'. Dethlir y digwyddiad hwn ar Ddydd Iau Dyrchafael er bod rhai Cristnogion yn amharod i sôn am y digwyddiad ar ei ben ei hun oherwydd mae'r diwrnod yn cofnodi rhywbeth mwy na Iesu Grist yn codi o'r ddaear. Rhaid i ni nodi'r gwahaniaeth rhwng esgyniad Iesu a gogoneddiad Iesu. Ei esgyniad oedd ei ddyrchafu o'r ddaear yng ngŵydd ei ddisgyblion tra bod ei ogoneddiad yn cyfeirio at ei osod ar yr orsedd fel Arglwydd a Gwaredwr.

Mae llawer o Gristnogion yn gofyn pam fod Iesu wedi ei ddyrchafu i'r nefoedd mewn ffordd fel hyn, tra medrai fod wedi diflannu fel ag y gwnaeth ar adegau eraill ar ôl ei atgyfodiad. A oedd angen yr olygfa yma? Y rheswm dros ddyrchafiad Iesu gerbron y disgyblion oedd dangos iddynt fod ei ymadawiad yn derfynol. Yr oedd wedi ymddangos ac wedi diflannu dro ar ôl tro yn ystod y deugain diwrnod, ond bellach roedd amser ffarwel wedi cyrraedd, a hynny nes iddo ddychwelyd ato mewn gogoniant yn ei ailddyfodiad.

Wedi'r esgyniad, mae'r disgyblion yn dychwelyd i Jerwsalem, nid i ddisgwyl amdano i wneud ymddangosiad arall, ond yn hytrach i ddisgwyl iddo i roi iddyn nhw'r un grym ag yr oedd yn ei nerthu ef – grym yr Ysbryd Glân. Mae un esboniwr yn cyfeirio at y ffaith fod genedigaeth Iesu a'i farwolaeth yn ganlyniad ffaith ei fod wedi rhoi ei hunan, ond mae ei atgyfodiad a'i ogoneddiad ar yr orsedd yn weithredoedd y Tad. Mae'r un a ddywedodd ei fod wedi ei fodloni yn y Mab yn ei fedydd bellach wedi ei fodloni yn llwyr wrth i'w Fab gymryd ei sedd ar yr orsedd eto, bellach nid fel Duw yn unig ond fel Gwaredwr hefyd.

Beth am fynd ymlaen i ddarllen:
Actau 2:32–33; 5:30–32; 1 Pedr 3:18–22

Meddyliwch am y cwestiynau hyn:
1. Beth ddigwyddodd wedi i'r Iesu esgyn i'r nefoedd?
2. Pwy sydd wedi ei ddarostwng i Grist?

Gweddi
Arglwydd Iesu Grist, fy Ngwaredwr a'm Prynwr, mae fy nghalon yn llawenhau oherwydd dy fod ti ar dy orsedd. Trwy hynny, medraf gael y sicrwydd y byddaf un diwrnod yn ymuno â thi. Arglwydd, mae fy nghalon yn llawenhau yn fy nisgwyliad. Amen.

Ein diwedd bendigedig

"...ac felly byddwn gyda'r Arglwydd yn barhaus. Calonogwch eich gilydd, felly, â'r geiriau hyn." (adn. 17–18)

Beth am ddarllen 1 Thesaloniaid 4:13–18 ac yna myfyrio

Y gwirionedd olaf yr wyf am gyfeirio ato sydd yn rhaid i Gristnogion ei gredu yw y bydd Crist yn dychwelyd un diwrnod i'r ddaear. Ymhlith y saint, cyfeirir at hyn fel 'y gobaith Cristnogol.' Mae'r gobaith hwnnw, er hynny, yn ymestyn y tu hwnt i'r disgwyliad am ei ddychweliad. Mae hefyd yn cynnwys y gwirionedd y bydd i Iesu, pan ddaw, ddychwelyd y saint sydd wedi marw ato ac fe fydd y saint sydd eto'n fyw yn ymuno â nhw i fod gyda'r Iesu i dragwyddoldeb.

Ar hyd y canrifoedd, mae pobl wedi gofyn sut mae pethau am ddod i ben cyn belled ag y mae dynoliaeth yn y cwestiwn. Dros ddwy fil o flynyddoedd yn ôl, fe welodd y proffwyd Daniel weledigaeth o ŵr a ofynnodd, 'Pa hyd cyn i'r pethau rhyfeddol hyn gael eu cyflawni?' (Daniel 12:6) Gofynnodd y disgyblion gwestiwn cyffelyb yn Mathew 24:3, 'Beth fydd yr arwyddion am dy ddyfodiad a diwedd yr oes?' Bu i Paul amlinellu beth fyddai'n digwydd yn 1 Corinthiaid 1:15–24, 'Yna, fe ddaw y diwedd.'

Ar gyfer y saint, wrth gwrs, fe fydd y diwedd yn rhyfeddol ac nid yn gymaint yn ddiwedd ond yn ddechrau oherwydd yn union fel ag y dywedodd C. S. Lewis, 'mi fydd pob pennod yn well na'r un o'i blaen.'

Mae'r gwirioneddau yr ydym wedi edrych arnynt dros y diwrnodau diwethaf ynglŷn â Iesu a'r gwirioneddau hanfodol yn rhai y mae'n rhaid i ni eu credu. Yn anffodus, rhaid i mi ddweud fod y bobl hynny sydd yn ceisio taflu lludw a llaid i mewn i'r ffynnon yn ceisio cau'r ffynhonnau yma, ffynhonnau gwirioneddau sylfaenol. Mae'n rhaid i'r bobl yma osod o'r neilltu eu hawl i alw eu hunain yn Gristnogion.

Beth am fynd ymlaen i ddarllen:
Math. 24:30–31; Actau 1:6–11; Dat. 21:1–5

Meddyliwch am y cwestiynau hyn:
1. Sut y bydd Iesu'n dychwelyd?
2. Beth fydd yn dod i ben?

Gweddi
Arglwydd Iesu, rwy'n gweld fod y diwedd yn gychwyn bywyd newydd ar gyfer y rhai sy'n dy garu ac yn dy ddilyn di. Rwy'n dy ganmol am fy nghynnwys i ymhlith y nifer hynny. Bydded pob clod a gogoniant i'th enw di am byth. Amen.

Galwad i sancteiddrwydd

"Yr wyf yn ymbil arnoch, gyfeillion, ar sail tosturiaethau Duw, i'ch offrymu eich hunain yn aberth byw, sanctaidd a derbyniol gan Dduw." (adn. 1)

Beth am ddarllen Rhufeiniaid 12:1–8 ac yna myfyrio

Un o'r ffynhonnau hynny y byddaf yn gofidio yn arw y byddaf yn taflu llwch a llaid iddi'r diwrnodau hyn yw 'sancteiddrwydd'. Yn ystod cynhadledd yn ddiweddar ar gyfer arweinwyr Cristnogol ifanc, mynegwyd consyrn fod llawer o eglwysi wedi peidio â dysgu pobl ifanc am sancteiddrwydd gan esbonio pa mor bwysig yw hwn yn y bywyd.

Roedd un arweinydd yn galaru am hyn yn fy ngŵydd gan ddweud, 'Nid ydym byth yn clywed gair yn fy eglwys am Dduw yn sanctaidd. Mae popeth fel petai yn osgoi hynny. Nid oes gennyf wrthwynebiad i hyn ond rwy'n gwybod y gall pobl ifainc ganu, dawnsio, llefain, ymateb, dod lawr i'r blaen, rhoi eu hunain i'r dasg o ennill pobl eraill i Grist, ond, ar yr un pryd, yn meddwl dim am gael rhyw y tu allan i briodas.'

Does dim amheuaeth fod llawer o weinidogion yn ofnus gyda golwg ar y pwnc oherwydd eu bod yn meddwl y bydd hyn yn cael ei ddehongli fel rhyw fath o ddychwelyd at y ddeddf. Tybiaf fod angen esbonio lle'r ddeddf a lle'r gyfraith ym mywyd y Cristion yn glir. Nid ceisio ennill iachawdwriaeth trwy fod yn ufudd i ddeddf ac i gyfraith Duw yw'r alwad yma i sancteiddrwydd. Nid yw bod yn Gristnogion yn eithrio oddi wrth y ddeddf. Yn hytrach, mae presenoldeb yr Ysbryd Glân yn ein calonnau yn ein cynorthwyo ni i gadw'r gyfraith, a hynny trwy'r grym dwyfol sydd ynom. Nid yw credinwyr yn gweithio i gael eu hachub ond yn gweithio oherwydd eu bod wedi eu hachub. Mae yna fyd o wahaniaeth rhwng y ddau.

Os nad yw'r sancteiddrwydd sydd yn y Testament Newydd yn cael ei adfer o fewn eglwysi, mae yna beryg na fydd yna fawr o wahaniaeth rhwng yr eglwys a'r byd a phwy fydd yn sylwi.

Beth am fynd ymlaen i ddarllen:
Eseia 35:5–10; 1 Thes. 4:1–8

Meddyliwch am y cwestiynau hyn:
1. Pa lwybr a gysylltir â iachawdwriaeth?
2. Beth yw ewyllys Duw ar gyfer ein bywyd?

Gweddi
O Dad nefol, rwy'n ymwybodol efallai bod y ffordd rwy'n byw fy mywyd Cristnogol yn deillio o'r ffaith nad ydw i wedi dysgu sut mae byw. Arglwydd, rwy'n gofyn i ti annog a herio ein harweinwyr i bregethu nid y gwirionedd yn unig ond y gwirionedd i gyd. Yn enw Iesu. Amen.

Beth sydd wrth fodd Duw?

"...a bydded iddo lunio ynom yr hyn sydd gymeradwy ganddo, trwy Iesu Grist..."
(adn. 21)

Beth am ddarllen Hebreaid 13:15–21 ac yna myfyrio

Un o'r gwirioneddau sydd angen eu dysgu i Gristnogion newydd yw fod Duw am i ni fyw bywyd o sancteiddrwydd, bywyd sydd wrth ei fodd.

Deuthum yn Gristion yn ystod fy arddegau. Ychydig wythnosau yn diweddarach, rhaid oedd eistedd gyda'm gweinidog, ac un o'r pethau a ddywedodd wrthyf oedd, 'Pwrpas Duw ar dy gyfer yw i'th wneud yn sanctaidd. Nid cwestiwn o'th wneud yn hapus yn gyntaf ac yna yn sanctaidd os yn bosibl, ond sancteiddrwydd yn gyntaf, a bydd hynny yn arwain at lawenydd.' Cofiaf deimlo yn anesmwyth, oherwydd golygai sancteiddrwydd, yn fy nhyb i, wisgo dillad tywyll, cludo Beibl du a gwisgo gwep ddiflas ar fy wyneb. Nid oeddwn yn siŵr o ystyr y gair go iawn, ond roedd yn air yr oeddwn yn ei gysylltu â byd gwahanol iawn i fyd bachgen yn ei arddegau.

Bu i mi fynegi fy ngofid i'r gweinidog a'i ymateb ef oedd, 'Os nad wyt ti'n hoffi'r gair *sanctaidd*, beth am y gair *gwahanol* oherwydd dyna yw person sanctaidd – rhywun sydd yn wahanol, wedi ei osod ar wahân i'r byd.' Esboniodd fod cael ein gosod ar wahân i'r byd ymhell o olygu byw mewn mynachlog. Nid yw sancteiddrwydd yn cael ei feithrin lle nad oes yna bobl ond yn hytrach agwedd meddwl yw'r awydd am sancteiddrwydd. Mae'n safonau ni yn rhai duwiol yn hytrach na rhai bydol. Mae Duw yn ein galw ni i gymryd ein rhan yn y byd ac eto i fod ar wahân i'r byd. Yr ydym yn cymryd ein lle yn y byd, yn cyfrannu iddo ond nid ydym yn gweithredu yn ôl ei safonau. Yr ydym yn gweithredu yn ôl cyfraith teyrnas Dduw – dyna yw sancteiddrwydd.

Beth am fynd ymlaen i ddarllen:
Salm 19:13–14; Ioan 17:14–19; Gal. 6:14

Meddyliwch am y cwestiynau hyn:
1. Sut mae rhyngu bodd Duw?
2. Sut mae bod yn y byd ag eto nid o'r byd?

Gweddi
O Dduw, rwy'n gofyn i ti ganiatáu i oleuni'r nef ei hun lifo ar y gwirionedd yma o fewn yr eglwys. Arglwydd, mae'r angen am adfer y pwyslais ar fywyd sanctaidd arna i ac ar dy eglwys. Cynorthwya ni, Dad nefol, yn Iesu. Amen.

Adlewyrchu ei ogoniant

"Ac yr ydym ni i gyd...yn cael ein trawsffurfio o ogoniant i ogoniant, yn wir lun ohono ef." (adn. 18)

Beth am ddarllen 2 Corinthiaid 3:7–18 ac yna myfyrio

Ddoe, bu inni sôn mai gair arall am sancteiddrwydd yw bod 'ar wahân'. Mae fy nghyfaill, Philip Greenslade sydd yn fy nghynorthwyo o bryd i'w gilydd i ysgrifennu *Pob Dydd Gyda Iesu* yn ymhelaethu ar yr holl gwestiwn hwn o sancteiddrwydd: Yr ydym yn beiddio bod yn bobl sanctaidd Duw, i fod mor wahanol â Duw, i sefyll allan fel pobl sydd yn eiddo iddo ef trwy ein purdeb a'n daioni, a hynny mewn cymdeithas sydd wedi ei llygru gan bechod.'

Y ffordd i feddiannu sancteiddrwydd yn fy mhrofiad i yw nid yn gymaint i ymdrechu i'w feddiannu ond yn hytrach i edrych ar berson yr Arglwydd Iesu Grist, yr un hwnnw a weithredodd sancteiddrwydd. Rhyfedd mai'r unig ddigwyddiad yn yr efengylau lle y cyfeirir at Iesu fel yr un sanctaidd yw yn y synagog yng Nghapernaum ac un o'r ysbrydion drwg wnaeth hynny (Luc 4:34). Ond mae hyd yn oed y rhai hynny sy'n darllen yr efengylau yn arwynebol yn gorfod sylwi fod Iesu Grist yn wahanol mewn sawl ffordd i'r rhai oedd yn byw gydag ef oedd yn y byd, ag eto nad oedd o'r byd. Medraf ddweud wrth y diafol, 'mae tywysog y byd hwn yn dod, nid oes ganddo afael ynof fi.' (Ioan 14:30) Nid oedd dim o'r byd yn Iesu ac felly ni allai'r diafol ddarganfod unrhyw beth yn ei erbyn ef.

Wrth i mi edrych fwyfwy ar Iesu ac wrth iddo ef ddod yn fwy canolog i'n meddyliau ni, wrth i ni ei garu ef fwy, mi fyddwn ni wrth ein bodd yn ei efelychu. Mae'r person hwnnw sydd wedi ei feddiannu gan Iesu yn darganfod, hyd yn oed pan nad yw'n ymdrechu i fod fel Iesu, bod ei gariad tuag ato yn peri ei fod yn ei adlewyrchu. Po fwyaf fyddwn ni'n edrych ar Iesu, mwya oll fyddwn ni'n ei adlewyrchu.

Beth am fynd ymlaen i ddarllen:
Effes. 4:17–32; Heb. 12:1–3

Meddyliwch am y cwestiynau hyn:
1. Beth yw'r pethau hynny sy'n cael eu gwahardd?
2. Beth yw'r pethau hynny sy'n cael eu cymeradwyo?

Gweddi
O Dad, diolch dy fod ti'n dymuno bod yn debycach i dy Fab. Caniatâ i mi wneud Iesu yn ganolbwynt fy mywyd fel, wrth i mi edrych arno ef, y gall pobl edrych arna i a gweld Iesu. Rwy'n gofyn hyn yn ei enw bendigedig. Amen.

Safonau dwbl

"Yr ydych chwi yn hil etholedig, yn offeiriadaeth frenhinol, yn genedl sanctaidd, yn bobl o'r eiddo Duw ei hun..." (adn. 9)

Beth am ddarllen 1 Pedr 2:1–10 ac yna myfyrio

Heddiw, yr ydym am ystyried y cwestiwn: A yw'n bosibl i bob Cristion fyw bywyd sanctaidd neu ai rhywbeth ar gyfer rhai o'r saint yw hyn? Yr ateb wrth gwrs yw fod yr alwad i fyw bywyd gwahanol i fywyd y byd yn cael ei gyfeirio at bawb sydd yn enwi enw Iesu. Yn anffodus, dyma un o'r gwirioneddau sydd wedi ei guddio o fewn i hanes yr eglwys ac yn taflu cysgod dros yr oesau.

Ar hyd y blynyddoedd, mae'r eglwys wedi cydnabod (ac yn dal i gydnabod) 'safon ddwbl'. Y gredo yw bod yna un safon ar gyfer yr aelod eglwysig arferol a safon arall ar gyfer y bobl hynny sy'n ymdrechu at dduwioldeb. Roedd rhai o'r Cristnogion cynnar yn dadlau, er mwyn bod yn sanctaidd, bod rhaid gwahanu eich hunan yn gorfforol o weddill y byd. Dyma a arweiniodd at gynnydd mewn mynachlogydd. Nid oes gennyf ddim yn erbyn pobl sydd yn teimlo galwad i fywyd mynachlogaidd a hynny er mwyn rhoi eu hunain yn gyfan gwbl i weddi, cyn belled nad ydynt yn rhoi'r argraff mai dyma'r unig ffordd i ymarfer duwioldeb. Mae sancteiddrwydd yn agored i bob Cristion ac mae pob Cristion yn cael ei alw i sancteiddrwydd. Mae'r person sydd yn glanhau'r stryd neu'r person sydd yn sefyll yn y pulpud yn cael eu galw gan yr Arglwydd i fod ar wahân.

Mae'n testun heddiw yn cyfeirio at y ffaith fod Cristnogion yn genedl sanctaidd ac rydym i gyd yn rhan o'r genedl honno. Felly mae angen sylweddoli fod pob Cristion i fod yn wahanol – ond nid yn wahanol yn yr ystyr eu bod yn datblygu rhyw ffyrdd rhyfedd o fyw a gweithredu. Mae Crist am ein sancteiddio ni, nid ein gwneud ni i edrych yn wirion yng ngolwg y byd.

Beth am fynd ymlaen i ddarllen:
2 Cor. 6:14–7:1; 1 Pedr 2:11–17

Meddyliwch am y cwestiynau hyn:
1. Pam ddylem geisio perffeithio sancteiddrwydd yn ein bywydau?
2. Beth fydd canlyniad ein bywydau da?

Gweddi
O Dad, ble bynnag y mae'r syniad o ddwy safon yn bodoli ymhlith dy bobl, rwy'n gofyn i ti i'w chwalu. Cynorthwya fi i weld fod sancteiddrwydd yn safon yr wyt ti'n ei osod ar gyfer pob un o dy blant, beth bynnag yw ein galwad, beth bynnag yw ein sefyllfa mewn bywyd. Yn enw Iesu. Amen.

Beth sydd o'i le ar bechu?

"A ydym i barhau mewn pechod, er mwyn i ras amlhau?" (adn. 1)

Beth am ddarllen Rhufeiniaid 6: 1–14 ac yna myfyrio

Bellach yr wyf am symud at gwestiwn arall. Beth yw ystyr ymarferol dod â'n bywydau i fyw yn ôl safonau'r Ysgrythur? Mae'n golygu peidio â dweud celwydd, peidio twyllo, dwyn, rhegi, meddwi, gwylltio, anonestrwydd ac yn y blaen. Wrth restru'r pethau hyn, mi fuasai'n hawdd i rywun feddwl nad yw Cristnogaeth yn ddim mwy na gwaharddiadau, ond mae'r Cristion yn gwybod yn wahanol. Mae ein lles ysbrydol, ein hymwybyddiaeth o iechyd, yn deillio o'n parodrwydd i ymwadu â phethau fel hyn.

Roedd rhai yn yr Eglwys Fore yn credu fod bywyd sanctaidd yn rhywbeth y gellid ei esgeuluso, gan gredu, wrth i ni bechu, ein bod yn rhoi cyfle i Dduw ddangos ei ras. Mae'n siŵr fod yna rai sydd yn parhau i goleddu'r farn hon. Ymwelais â gwefan 'eglwys' yn ddiweddar, ac o dan sylwadau'r gweinidog roedd y geiriau hyn; 'Yn ôl Paul, *yr ydym wedi ein rhyddhau o iau caethiwed y gyfraith* (Galatiaid 5:1) ac felly os ydym yn pechu, ni ddylem boeni yn ormodol gan nad ydym mwyach o dan y gyfraith ond yn hytrach o dan ras.'

Yr hyn y mae Paul yn cyfeirio ato yma yw'r gwirionedd am ein perthynas gyda Duw. Nid yw ein derbyniad bellach yn ddibynnol ar gadw gofynion y gyfraith, ond ar y ffaith ein bod, drwy ffydd, wedi credu fod gwaith Iesu ar y groes yn ein rhyddhau i fywyd, gan ei fod Ef wedi cymryd melltith y ddeddf arno'i hun. Yr ydym yn cael ein derbyn gan Dduw oherwydd ein bod wedi derbyn Iesu, ond nid yw hyn yn golygu y medrwn anwybyddu'r gyfraith y bu i Dduw ei llunio.

Beth am fynd ymlaen i ddarllen:
Gal. 5:13–26

Meddyliwch am y cwestiynau hyn:
1. Sut mae defnyddio ein rhyddid?
2. Beth yw nodweddion bywyd yn yr Ysbryd?

Gweddi
O Dad, diolch am roi Iesu i ni yn Waredwr ac yn Arglwydd, yn un y medrwn, o edrych arno, fesur ein bywyd ysbrydol bob dydd. Cynorthwya fi i osgoi'r loes o beidio â chadw fy llygaid arno yn wastad. Rwy'n gofyn hyn yn enw Iesu. Amen.

Rhai sy'n caru'r Gair

"Rhowch eich bryd ar y pethau sydd uchod, nid ar y pethau sydd ar y ddaear."
(adn. 2)

Beth am ddarllen Colosiaid 3:1–17 ac yna myfyrio

Nid yw 'sancteiddrwydd' yn gyflwr y medrwn daro ar ei draws yn ein bywydau, fel petaem am ei brofi yn disgyn arnom o ryw wagle. Yn hytrach, rhaid gosod ein meddwl ar ei feddiannu. Mae'r rhan fwyaf o frwydrau ysbrydol yn cael eu hennill yn y meddwl. Yn ôl Paul, (Rhufeiniaid 12:1–2) wrth i'n meddyliau gael eu hadnewyddu, mae ein bywydau yn cael eu trawsffurfio.

Trosodd a thro yn y Beibl, fe'n gelwir i ganolbwyntio ein meddwl ar wirionedd Duw, er mwyn i wirionedd Duw, yn ei dro, drawsffurfio ein bywydau. Ystyriwch yr adnodau canlynol, y naill o Philipiaid 4:8, a'r llall o Rufeiniaid 8:5–6: 'Bellach, gyfeillion, beth bynnag sydd yn wir, beth bynnag sydd yn anrhydeddus, beth bynnag sydd yn gyfiawn a phur, beth bynnag sydd yn hawddgar a chanmoladwy, pob rhinwedd a phopeth yn haeddu clod, myfyriwch ar y pethau hyn,' ac yna: 'Oherwydd y sawl sydd â'u bodolaeth ar wastad y cnawd, ar bethau'r cnawd y mae eu bryd; ond y sawl sydd ar wastad yr Ysbryd, ar bethau'r Ysbryd y mae eu bryd. Yn wir, y mae bod â'n bryd ar y cnawd yn farwolaeth, ond y mae bod â'n bryd ar yr Ysbryd yn fywyd a heddwch. Oherwydd y mae bod â'n bryd ar y cnawd yn elyniaeth tuag at Dduw; nid yw hynny, ac ni all fod, yn ddarostyngiad i Gyfraith Duw. Ni all y sawl sy'n byw ym myd y cnawd foddhau Duw.'

Yn sylfaenol, mae'n debyg mai rheolaeth feddyliol yw hunanreolaeth. Wrth inni roi ein meddwl ar ufuddhau, yna fe welwn ganlyniadau hynny. Mae'r gwrthwyneb yn wir hefyd, os nad yw ein meddwl ar ufudd–dod rhaid derbyn y canlyniadau. Yr ydym yn medi yn ein gweithredoedd yr hyn a heuwyd gan ein meddwl. Nes y medrwn ddeall yr angen i reoli'r meddwl, ni fyddwn yn darganfod cyfrinach sancteiddrwydd.

Beth am fynd ymlaen i ddarllen:
Salm 119:9–11; 97–104; Rhuf. 8:1–10

Meddyliwch am y cwestiynau hyn:
1. Sut lwyddodd y Salmydd i osgoi pechod?
2. Sut y gellir newid a rheoli dymuniadau anghywir?

Gweddi
O! Dad trugarog, yr wyt wedi datguddio dy feddwl trwy dy Air. Cynorthwya fi i roi fy meddwl i Ti. Rwy'n caru dy Air, cynorthwyo fi i dy garu fwy, drwy ufuddhau i'th Air. Yn enw Iesu. Amen.

Cydnabod Gwrthwynebiad

"..gadewch inni fynd ato ef y tu allan i'r gwersyll gan oddef y gwaradwydd a oddefodd ef." (adn. 13)

Beth am ddarllen Hebreaid 13:1–14 ac yna myfyrio

Cri John Stott yw, 'Ble mae'r hen bwyslais efengylaidd ar sancteiddrwydd?' Ymhle yn wir? Mae'n tybio fod sancteiddrwydd wedi ei oddiweddyd gan yr awydd am brofiadau, ac er bod profiadau yn bethau i'w dymuno, mae sancteiddrwydd yn fwy felly.

Erbyn hyn, gobeithio ei bod yn amlwg na ellir meddwl am sancteiddrwydd heb feddwl am debygrwydd i Grist. Cofiwch, wrth ichwi ymdebygu iddo, mi fydd gwawd y byd yn siŵr o gynyddu. Mae'r gwawd yn bodoli hyd yn oed yn y gwledydd hynny lle ceir rhyddid crefyddol. Mi fydd yna bobl sydd am eich gwawdio, am eich gosod y tu allan i gylch eu ffrindiau, a hynny nid oherwydd unrhyw beth yn eich cymeriad, ond oherwydd eich perthynas â Iesu.

Sut ddylem ymateb i broblemau a all godi yn ein bywydau personol, cymdeithasol neu ym myd ein gwaith oherwydd ein hymrwymiad i safonau Duw? Dylem gydnabod y problemau, a hyd yn oed gorfoleddu ynddynt! Gorfoleddu! Ie, dyma ddywedodd Iesu wrth ei ddisgyblion yn Mathew 5:12; 'Llawenhewch a gorfoleddwch, oherwydd y mae eich gwobr yn fawr yn y nefoedd; felly yn wir yr erlidiwyd y proffwydi oedd o'ch blaen chwi.' Mae angen imi ddweud wrthyf fy hun, nid cywilydd yw hyn, ond canlyniad fy ymlyniad wrth yr Arglwydd. Braint i'r Cristion yw cael mynd 'y tu allan i'r gwersyll', a dioddef er mwyn Iesu. Mae angen imi fynd yn fodlon, gan fodloni i godi'r groes, i ddioddef, gan rannu gwawd Iesu.

Beth am fynd ymlaen i ddarllen:
Luc 6:20–22; Heb. 11:24–27; 1 Pedr 4:12–16

Meddyliwch am y cwestiynau hyn:
1. Sut ddylem ddeall erledigaeth?
2. Am ba reswm y dewisodd Moses lwybr gwawd?

Gweddi
O! Dduw, paid â gadael imi gydymffurfio â'r byd er mwyn ennill mawl y byd. Beth bynnag ddaw, cynorthwya fi i aros yn ffyddlon. Amen.

Dyfnder yn galw ar ddyfnder

"Dywed wrth holl gynulleidfa pobl Israel, 'Byddwch sanctaidd, oherwydd yr wyf fi, yr Arglwydd eich Duw yn sanctaidd.'" (adn. 2)

Beth am ddarllen Lefiticus 19:1–18 ac yna myfyrio

Nid oes dim ond cynnydd mewn duwioldeb ymhlith y bobl hynny sy'n galw eu hunain yn Gristnogion, sydd am wneud yr Eglwys yn dystiolaeth rymus yn y byd. Mae halen yn puro, ac mae Duw am ddefnyddio ein bywydau ni i ddangos i'r byd bod yna ryddid yn Iesu o gaethiwed i bechod – os bydd iddynt ildio eu bywydau iddo.

Un sylw diddorol mae nifer wedi ei wneud yw bod Cristnogion sydd yn ystyried sancteiddrwydd o ddifrif, yn amharod i weld Cristnogion eraill fel Anglicaniaid, Bedyddwyr, Annibynwyr, Presbyteriaid ac yn y blaen, ac yn fwy parod i weld y muriau hyn yn dymchwel wrth iddynt adnabod cymdeithas Cristnogion gyda'i gilydd. Yn Ioan 17, mae Iesu yn cychwyn ei weddi gyda'r ymadrodd 'Dad Sanctaidd' ac yna yn mynd ymlaen i sôn am undod ei blant. Mae sancteiddrwydd ac undeb yn bethau na ellir eu gwahanu. Tra bod y byd yn meithrin amheuon, mae'r rhai sy'n 'saint' yn sanctaidd, yn medru estyn dwylo ar draws y terfynau arferol.

Er bod yna bobl sydd am lygru'r ffynnon hon, mae'r gwirionedd fod Duw yn ein galw i sancteiddrwydd yn ffynnon sydd raid ei hail-agor. Mae Duw yn codi'r safon sydd angen ei gyrraedd yn uchel iawn, ond mae'n rhoi'r adnoddau inni ei gyrraedd hefyd. Cofiwch – 'sancteiddrwydd, yna llawenydd'. Yn wir, ceisiwch y sancteiddrwydd sydd yn dwyn gorfoledd ac iechyd i'r enaid.

Beth am fynd ymlaen i ddarllen:
Phil. 1:27–30; 1 Pedr 1:13–17

Meddyliwch am y cwestiynau hyn:
1. Beth ganiatawyd i'r Philipiaid?
2. Sut mae paratoi ein hunain ar gyfer sancteiddrwydd?

Gweddi
Ein Tad yn y nefoedd, diolch bod llawenydd a gorfoledd yn dy nefoedd, yn dy sancteiddrwydd di. Cynorthwya fi i rannu dy lawenydd drwy feddiannu dy sancteiddrwydd. Rwy'n gofyn yn enw Iesu. Amen.

Model o ddiwygiad

"...ac yn sydyn fe ddaeth swn o'r nef fel gwynt grymus yn rhuthro..." (adn. 2)

Beth am ddarllen Actau 2:1–21 ac yna myfyrio

Yn ystod y diwrnodau diwethaf, yr ydym wedi bod yn pwysleisio'r ffaith fod esgeuluso'r gwirioneddau sylfaenol yn waith pobl sydd â meddylfryd Philistaidd. Mae'r tuedd yma yn glir hefyd gyda'r hyn yr wyf am siarad amdano dros y diwrnodau nesaf – y gwirionedd am ddiwygiad o'r nefoedd. Mae cuddio'r gwirionedd yma yn effeithio ar fywyd a brwdfrydedd yr eglwys i'r fath raddau fel bod angen inni roi sylw difrifol iddo. Cyn mynd ymhellach, y mae angen i mi ddweud fy mod yn deall diwygiad fel y gair hwnnw sy'n cael ei ddefnyddio i ddisgrifio unrhyw beth o benwythnos lle profwyd bendith arbennig mewn eglwys i ymgyrch efengylaidd gyda miloedd o bobl yn ymgynnull. Yn wir, pan ddaeth Billy Graham i ardal Harringay yn Llundain yn 1954, bu i'r wasg Gristnogol gyhoeddi 'Diwygiad yn dod i Lundain'. Roedd ymgyrch yn amser o fendith arbennig a bu i filoedd o bobl ddarganfod perthynas newydd hefo Iesu Grist, ond nid diwygiad oedd e mewn gwirionedd. Y diffiniad gorau o ddiwygiad a glywais erioed yw diffiniad y Dr Martyn Lloyd Jones. Mae'n sôn am ddiwygiad fel 'dychwelyd at y Pentecost'.

Ar ddydd y Pentecost bu i ynni ysbrydol goruwchnaturiol lifo i mewn i fywydau'r disgyblion cynnar i'r fath raddau fel yr oedd yn beth cwbl newydd yn hanes eglwys Dduw. Nid rhai defnynnau yn dod i lawr oedd hyn. Roedd hwn yn fwy nag afon. Dyma oedd grym Duw yn gorlifo i mewn i fywydau'r rhai oedd yn dilyn Iesu Grist. Mae digwyddiadau'r Pentecost a chael dychwelyd i'r dyddiau hynny o rym ac o ogoniant yn un o'r pethau ddylai fod yn ddyhead pennaf y saint.

Beth am fynd ymlaen i ddarllen:
2 Cron. 5:12–14; 7:1–4

Meddyliwch am y cwestiynau hyn:
1. Beth oedd yr hyn a ragflaenodd ogoniant Duw yn llanw'r deml?
2. Sut fu i'r Israeliaid ymateb i dân o'r nefoedd?

Gweddi
O Dduw, tyrd ac ymwêl â ni eto fel y gwnaethost ar ddydd y Pentecost. Caniatâ i'r addewid o lifogydd ar dir sych gael eu cyflawni yn ein dydd yn yr un modd ag y cyflawnwyd ef ar y dydd cyntaf hwnnw yn hanes y disgyblion. Yn enw Iesu. Amen.

Rhai gwrthwynebiadau i ddiwygiad

"Ac wedi iddynt weddïo, ysgwydwyd y lle yr oeddent wedi ymgynnull ynddo..."
(adn. 31)

Beth am ddarllen Actau 4:23–31 ac yna myfyrio

Mae nifer rhyfeddol o Gristnogion sy'n gweld ymweliad yr Ysbryd yn debyg i ymweliad dydd y Pentecost, fel rhywbeth nad ydym ei angen. Yn sicr, mae hwn yn agwedd meddwl Philistaidd ac yn esbonio i raddau pam fod yr eglwys yn ei chyflwr presennol.

Un o'r gwrthwynebiadau i weddïo dros ddiwygiad yw hyn: mae'r Ysbryd Glân wedi bod yn yr eglwys ers dydd y Pentecost, felly mae'n anghywir i weddïo am dywalltiad o'r Ysbryd. Mae yn ein plith yn awr. Beth mwy sydd ei angen? Mae'r bobl sy'n dadlau fel hyn yn methu â deall fod yr Ysbryd wedi dod mewn grym anghyffredin ar ddydd y Pentecost ac wedi dod ar gyfnodau eraill hefyd. Mae'r darlleniad heddiw yn enghraifft. Ar ôl i Pedr ac Ioan gael eu ceryddu gan y Sanhedrin, wedi iddynt eu gorchymyn i beidio siarad mwyach yn enw Iesu, dyma'r ddau yn mynd at eu cyd-gredinwyr. Wedi adrodd beth a ddigwyddodd iddynt, dyma ymuno i weddïo ac wedi gorffen gweddïo, mae'r lle'n cael ei lenwi, yn cael ei ysgwyd, a phob un yn cael ei lenwi â'r Ysbryd Glân. Ac yna, wrth gwrs, mae yna dywalltiadau pellach yn nhŷ Cornelius yn Actau 10:44.

Dim ond dwy enghraifft sydd yma o waith yr Ysbryd Glân fel ag y mae Llyfr yr Actau yn ei gofnodi. Ond wrth wynebu'r fath dystiolaeth, mae'r rhai sy'n gwrthwynebu yn dweud, 'Ie, ond mae'r tywalltiadau yma wedi eu cyfyngu i gyfnod byr ar ôl y Pentecost er mwyn cynorthwyo'r eglwys i gael ei thraed oddi tani. Sut all pobl honni fod yr Ysbryd wedi disgyn ar yr eglwys mewn grym anghyffredin a hynny ond yn nyddiau Llyfr yr Actau pan fo diwygiadau hanes yn dangos yn gwbl wahanol? Yn anffodus, rhagor o sbwriel yn y ffynnon yw hyn.

Beth am fynd ymlaen i ddarllen:
Actau 8:14–17; 10:44–48; 19:1–6

Meddyliwch am y cwestiynau hyn:
1. Beth oedd wedi synnu'r Iddewon?
2. Beth oedd y diffyg ym mywydau'r disgyblion yn Effesus?

Gweddi
Fy Nuw a fy Nhad, caniatâ i mi ddeialltwriaeth newydd o'r ffaith dy fod ti'n barod i agor ffenestri'r nefoedd a rhoi Pentecost eto. Ehanga ein dymuniad fel ein bod ni yn cael dy weld di a gweld dy rym unwaith yn rhagor. Yn enw Iesu. Amen.

243

Digwyddiad anghyffredin

"Peidiwch â diffodd yr Ysbryd." (adn. 19)

Beth am ddarllen 1 Thesaloniaid 5:12–28 ac yna myfyrio

Ddoe, bu inni ystyried un gwrthwynebiad i ddiwygiad, hynny yw bod yr Ysbryd wedi dod mewn grym ar ddydd y Pentecost a'i fod wedi gweithio yn yr eglwys ers y diwrnod hwnnw, ac o ganlyniad does na ddim angen i weddïo am ailadrodd digwyddiadau'r Pentecost. Fel y gwelwyd pan fyddwn ni'n dangos yr adrannau hynny yn Llyfr yr Actau sy'n cofnodi sut y bu i'r Ysbryd ddod, ar achlysuron eraill, mewn grym mawr, maent am ddadlau fod hyn, yn wir, ddim ond er mwyn sefydlu'r eglwys. Wedi i'r eglwys gael ei sefydlu, neu dyna'r honiad, mae'r gwyrthiau a'r ymddangosiadau goruwchnaturiol yma yn peidio ac mae'r Ysbryd yn ei amlygu ei hun mewn ffyrdd llawer mwy cyffredin.

Beth bynnag, yn ychwanegol at y gwaith cyffredin yma (maddeuwch y term) – gwaith fel aileni, sancteiddio, ac yn y blaen – mae hefyd ei waith goruwchnaturiol, y gwaith yr ydym ni'n ei alw yn ddiwygiad, gwaith anarferol. Mae'r bobl hynny y mae Duw wedi eu defnyddio yn y gorffennol i ddwyn diwygiad yn siarad amdano fel y gwaith anghyffredin yna o eiddo Duw oherwydd nid yw Duw yn Dduw cyffredin yn unig.

Mae eraill eto fyth yn gwrthwynebu gweddïo am ddiwygiad ar sail y ffaith ein bod yn byw yn y dyddiau diwethaf ac mae'r Ysbryd Glân yn cael ei ddal yn ôl. Mae'r bobl sy'n honni hynny yn seilio eu dadl ar ddehongliad o 2 Thesaloniaid 2. Mae'r bennod yma, yn ôl y bobl hyn, yn dangos y sefyllfa fydd yn codi yn y dyddiau diwethaf ac felly, mae'n dod i'r casgliad nad diwygiad fydd gwaith mawr Duw ond yn hytrach dyrchafiad yr hyn y mae Paul yn ei alw'n 'ddyn anghyfraith', a bydd pethau yn gwaethygu yn sylweddol cyn dyfodiad Crist. Yn sicr, mae hon yn adran anodd iawn i'w dehongli, ond ni ellir ei defnyddio i'n perswadio i beidio â gweddïo am ddiwygiad. Mae'r rhai sy'n gwneud hynny yn dod yn agos, yn fy marn i, i wneud yr hyn y mae'r testun heddiw yn dweud wrthym ni am beidio â'i wneud, sef diffodd yr Ysbryd.

Beth am fynd ymlaen i ddarllen:
Salm 51:11; Eseia 63:10; Actau 7:51–53; Effes. 4:29–31

Meddyliwch am y cwestiynau hyn:
1. Beth oedd gofid Dafydd?
2. Sut y medrwn ddiffodd yr Ysbryd?

Gweddi
O Dad, maddau ein hagwedd ein bod ni yn cyfyngu ar dy allu ac yn bodloni ar y cyffredin a thithau am ein tywys ni i brofi pethau anghyffredin. Maddau i ni ac adnewydda ni. Yn enw Iesu. Amen.

Gwylied yr Eglwys

"ond ni faddeuir i'r sawl sy'n cablu yn erbyn yr Ysbryd Glân." (adn. 10)

Beth am ddarllen Luc 12:1–12 ac yna myfyrio

Gellir cymharu Diwygiad fel dychweliad i ddydd y Pentecost, oherwydd yn ystod y cyfnod hwn mae Duw yn agor y nefoedd, gan wneud gwaith rhyfeddol ymhlith ei bobl. Dyna a welwch wrth ddarllen hanes diwygiadau mewn hanes – Duw yn dod i'r Eglwys, fel yn nydd y Pentecost.

Gwrthwynebiad arall i Ddiwygiad yw'r ddadl nad yw yn ddim ond math o wylltineb seicolegol. Mae'n gwneud dim ond ennyn rhyw deimladau arwynebol, ac nid yw'n briodol i bobl addysgedig. Ni allaf ddychmygu dim a allai fod yn fwy tebygol o dristau'r Ysbryd, ein bod yn gwneud gwaith yr Ysbryd yn ddim mwy na hysteria seicolegol. Y fi fyddai'r person olaf i geisio dweud fod y cyfan a ddigwydd mewn diwygiad yn waith yr Ysbryd Glân; mae cymeriad ambell un yn golygu eu bod yn ymddwyn mewn ffordd sydd am dynnu sylw atynt hwy, a throeon mae'n ddiamheuol fod yna bethau wedi digwydd drwy ysbrydion eraill. Ond nid yw hynny yn gyfystyr â gwadu fod afon bur yr Ysbryd ar waith mewn diwygiad, ac ni ddylid beio Duw am y rhai sydd yn ymddwyn yn unol â'u natur hwy.

Mae ein testun heddiw yn mynnu ein bod yn ofalus iawn wrth feirniadu gwaith yr Ysbryd Glân, gan fod hyd yn oed geiriau yn erbyn Iesu yn cael eu maddau, ond nid felly geiriau yn erbyn yr Ysbryd. Gwylied yr Eglwys rhag priodoli ei gwaith i unrhyw ffynhonnell arall.

Beth am fynd ymlaen i ddarllen:
Barn. 13:24–25; 16:15–21; 1 Sam. 15:17–26; 16:14

Meddyliwch am y cwestiynau hyn:
1. Beth oedd profiad Samson?
2. Pam y gadawodd yr Ysbryd Saul?

Gweddi
Dad cariadlon, paid â gadael i fy ofnau, fy rhagfarnau, fy meirniadaeth, dristau dy Ysbryd Glân. Yn enw Iesu. Amen.

All Duw wneud hyn eto?

"Oni fyddi'n ein hadfywio eto, er mwyn i'th bobl lawenhau ynot?" (adn. 6)

Beth am ddarllen Salm 85:1–13 ac yna myfyrio

Mewn diwygiad, mae tywalltiad yr Ysbryd mor sylweddol fel bod cymunedau cyfan yn cael eu heffeithio, mae'r Ysbryd yn gorffwys ar bobl am fisoedd, os nad blynyddoedd. Mae yna berygl mewn galw unrhyw beth arall yn ddiwygiad a gallai hynny olygu bod ein disgwyliadau yn mynd yn is. Bu i Dduw ymweld yn fynych â Chymru yn y gorffennol, ac mae llawer o'n diwinyddion yn disgrifio tair nodwedd sydd yn perthyn i'r ffenomen: (1) ymwybyddiaeth real o bresenoldeb Duw; (2) ymdeimlad dwfn o bechod ag awydd i gefnu arno; (3) dylanwad nerthol ar y gymuned. Mae'n annhebyg y gellir disgrifio gwaith fel diwygiad heb yr arwyddion hyn.

    Mae Diwygiad 1904–05 yn enghraifft o hyn. Gwelwyd glowyr a chwarelwyr yn dod yn ymwybodol o nerth Duw, a hynny yn ddwfn o dan y ddaear, a byddai rhai yn syrthio ar eu gliniau mewn edifeirwch. Mi fyddai oedfaon yn bethau rhyfeddol, gan y byddai yna bobl yn codi ac yn gweiddi, 'beth sydd raid imi wneud i fod yn gadwedig?' Mi fyddai eraill o dan y fath argyhoeddiad fel y byddai yna bledio am faddeuant. Yn sgil hyn, mi fyddai cymunedau cyfan yn cael eu torri i lawr, gyda chanlyniadau rhyfeddol. Mae sôn fod yr ynadon yn y Rhondda wedi cael menyg gwynion gan y Cyngor, arwydd o burdeb oedd yn adlewyrchu'r ffaith fod cyn lleied o waith ganddynt i'w gyflawni.

    Wrth feddwl am yr hyn a fu, y cwestiwn a erys yw, a all Duw wneud hyn eto? Credaf o argyhoeddiad ei fod yn medru ac yn dymuno gwneud hynny.

Beth am fynd ymlaen i ddarllen:
Actau 2:42–47; 5:1–11

Meddyliwch am y cwestiynau hyn:
1. Beth oedd nodweddion diwygiad Jerwsalem?
2. Beth oedd y rheswm dros y gwrthwynebiad i bechod?

Gweddi
O! Dduw, fy Nhad, cri'r Salmydd yw fy nghri innau, oni fyddi'n ein hadfywio eto? Disgyn Iôr, a rhwyga'r nefoedd, tywallt Ysbryd gras i lawr; disgyn fel y toddo'r bryniau, diosg fraich dy allu mawr. Yn enw Iesu. Amen.

Rysáit y nefoedd

"...ac yna bod fy mhobl, a elwir wrth fy enw, yn ymostwng ac yn gweddïo, yn fy ngheisio ac yn dychwelyd o'u ffyrdd drygionus, yna fe wrandawaf o'r nef, a maddau eu pechod ac adfer eu gwlad." *(adn. 14)*

Beth am ddarllen 2 Chronicl 7:11–22 ac yna myfyrio

Ddoe, bu imi ddweud fod tair nodwedd arbennig i Ddiwygiad: 1. ymwybyddiaeth real o bresenoldeb Duw; 2. ymdeimlad dwfn o bechod ac awydd i gefnu arno; 3. dylanwad nerthol ar y gymuned. Mae pob Diwygiad yn cychwyn gyda'r ymwybyddiaeth yma o bresenoldeb Duw. Yn ôl Rick Warren, gweinidog eglwys enwog Saddleback yn California, mae mwy o bobl yn cael eu perswadio i dderbyn Iesu gan yr ymwybyddiaeth o bresenoldeb Duw nag sydd yn dod ato drwy ein cyhoeddi o'r gwirionedd. Boed hynny yn wir ai peidio, mae'n sicr fod fy mhrofiad innau o weld pobl yn dod yn Gristnogion yn tystio i rym ymwybyddiaeth o bresenoldeb yr Arglwydd. Mae hyn yn medru toddi calonnau a chwalu amheuon, ac ochr yn ochr â dysgeidiaeth glir o'r efengyl, fel ag y nodwyd eisoes yn yr astudiaeth yma, gall Duw wneud pethau rhyfeddol.

Wedi dweud hyn i gyd, mae angen adnabod ewyllys Duw hyd yn oed wrth weddïo am ddiwygiad. Sylwch yn yr adran a ddarllenwyd o lyfr Cronicl, cyn inni geisio diwygiad, cyn gweld gwireddu addewid Duw, mae angen inni ymostwng o'i flaen. Nid yw ceisio diwygiad yn ddigon os yw hynny'n golygu fod darostwng ein hunain yn beth yr ydym yn eithrio rhagddo. Gadewch inni gydnabod yn ostyngedig, gyda phob cymorth technolegol, yr ydym yn ddi-rym i sylweddoli gwaith grymus ohonom ein hunain. Os na fydd yr Arglwydd yn clywed o'r nefoedd, bydd ein hymdrechion yn ofer. Mae ymostwng, ochr yn ochr â gweddi ddyfal, yn hanfodol i'n dyhead am ddiwygiad.

Beth am fynd ymlaen i ddarllen:
Salm 20:6–7; Eseia 31:1; 64:1–9

Meddyliwch am y cwestiynau hyn:
1. Cymharwch y gwahanol lefydd y mae pobl yn rhoi eu hymddiriedaeth ynddynt?
2. Sut y darostyngodd Eseia ei hun o flaen Duw?

Gweddi
Mae Dy Air O! Dduw yn mynd fel saeth i waelod ein hanawsterau. Cynorthwya ni i osod heibio ein balchder, a cheisio Diwygiad yn ddiwyd a dyfal. Gofynnwn hyn yn enw ein Harglwydd Iesu Grist. Amen.

Dim diwygiad – dim gobaith

"Fe'n hadfywia ar ôl deuddydd, a'n codi ar y trydydd dydd, inni fyw yn ei ŵydd."
(adn. 2)

Beth am ddarllen Hosea 6:1–11 ac yna myfyrio

Mae'r cwestiwn o ddiwygiad mor ganolog i dynged yr Eglwys fel y dylem sianelu ein holl feddyliau, ein holl weddïau i'r cyfeiriad hwn. Barn Albert Barnes, esboniwr o'r bedwaredd ganrif ar bymtheg oedd, 'Bydd y dydd pan gawn ein perswadio o realaeth ac angenrheidrwydd diwygiad yn ddydd fydd yn gychwyn ar dymor newydd yn hanes crefydd, dydd fydd yn rhagflaenu tymor o fendith nas gwelwyd ers dydd y Pentecost.' Rwy'n siŵr fod ei eiriau yn parhau yn wir.

Mae'n anodd gennyf gredu pam nad yw pobl yn gweld fod ein holl ymdrechion i efengylu, er eu bod yn glodwiw, yn cael ychydig iawn o effaith. Yr ydym yn byw mewn dyddiau lle mae yna olion gwlith, ond nid yw gwlith yn llanw llynnoedd. Mae'r rhagolygon gyda golwg ar ddyfodol y dystiolaeth Gymraeg yn tystio i gyfnod ar y gorwel lle y bydd ardaloedd helaeth o fewn i'n gwlad heb unrhyw fath o gapel nac eglwys. Yn wir, os na fydd i'r Arglwydd ymweld, ac os parhawn i gau Duw a nerth ei Ysbryd allan o'n gweithgarwch, pa werth sydd i'n tystiolaeth?

Mae ein cynulleidfaoedd yn lleihau, ond mae rhyddfrydiaeth ddiwinyddol yn parhau i gael ei le, er nad yw yn geni plant i'r deyrnas. Beth yw'r ateb? Wel, yn sicr nid ein clyfrwch, nid ein hymdrechion personol, nid cefnu ar y goruwchnaturiol, nid gwadu y gwyrthiol. Yn bersonol, nid oes yn fy ngolwg i ddim llai na thywalltiad nerthol o weithgarwch yr Ysbryd Glân yn ddigonol mewn unrhyw gyfnod i eglwys Dduw. A ydym yn barod i wneud y gri yma yn gri ddyddiol, yn barod i ymostwng, i gydnabod ein gwendid?

Beth am fynd ymlaen i ddarllen:
Esec. 37:1–14

Meddyliwch am y cwestiynau hyn:
1. Beth oedd geiriau tŷ Israel?
2. Sut y daeth diwygiad i'r esgyrn?

Gweddi
O! Dad, mae'r rhain yn ddyddiau anodd. Dyro'r penderfyniad inni nad ydym yn mynd i ollwng gafael ynot nes i ti ein bendithio. Cychwyn dy waith ynof heddiw, Arglwydd. Yn enw Iesu. Amen.

Wyt ti yna?

"Yna clywais lais yr Arglwydd yn dweud, 'Pwy a anfonaf? Pwy a â drosom ni?'
Atebais innau, 'Dyma fi, anfon fi.'" (adn. 8)

Beth am ddarllen Eseia 6:1–8 ac yna myfyrio

Un o'r cwestiynau sydd yn aros yn wastad gyda golwg ar ddiwygiad yw: Pam, pan mae diwygiad yn dod, mai ond am gyfnod y mae'n aros? Gyda rhai diwygiadau medrwch roi dyddiad y cychwyn, a bron y medrwch roi dyddiad wrth sôn am ddiwedd y dylanwad. Nid oes gennyf ateb clir i'r cwestiwn, oddieithr nodi fod y Beibl yn cyfeirio at gyfnodau o adnewyddiad (Actau 3:19). A yw'r cyfeiriad at gyfnod neu dymor yn awgrymu dechrau a diwedd?

Ond, nid gofidio am y pethau dirgel mewn diwygiad yw ein consyrn pennaf ond, yn hytrach, sylweddoli o'r newydd ein hangen dybryd am dymor o fendith, tymor pryd y mae'r Ysbryd Glân yn disgyn mewn nerth. Gwyrth yw diwygiad, a d'oes ond Duw sydd yn abl i gyflawni gwyrthiau. Er hynny, mae hanes yn ein dysgu fod yna gyfnod cyn yr ymweliadau gwyrthiol hyn, lle y mae Duw yn gweithio ar galonnau ac yn peri dyhead a baich, baich na all neb ond Duw, a dim ond ymweliad dwyfol, ei ryddhau.

Wrth i Dduw alw Moses dywedodd, 'Wele fi'(Exodus 3:4). Pan alwyd Samuel dywedodd 'Wele fi' (1 Samiwel 3:1–10). Ac yma, mae Eseia yn ymateb yn yr un modd, ac yn mynegi'r fraint anghyffredin sydd yn deillio o glywed llais Duw, ac yn arbennig Ei lais yn galw yn bersonol. Efallai bod rhai ohonoch, wrth ichwi ddarllen y geiriau hyn, yn ymwybodol fod yr Ysbryd yn delio â'ch enaid, yn siarad i mewn i'r galon, yn gofyn, 'Wyt ti yna?'Caniatewch i mi ofyn y cwestiwn eto, 'Wyt ti yna?' Mae Duw yn chwilio am bobl i osod y baich am ddiwygiad ar eu calonnau. Wyt ti yn un ohonynt? Cynnig dy hun, ildia i'r Arglwydd, yn wir, gofyn iddo roi'r baich hwn ar dy galon di.

Beth am fynd ymlaen i ddarllen:
Jer. 29:10–14; Dan. 9:1–5; 9:17–19

Meddyliwch am y cwestiynau hyn:
1. Beth oedd addewid Duw i Jeremeia?
2. Beth oedd ymateb Daniel i ddarllen yr addewid?

Gweddi
Dad trugarog, os wyt yn gofyn heddiw i mi, 'Wyt ti yna?', yna rwyf am ymateb gyda phob tamaid ohonof, 'Dyma fi'. Defnyddia fi O! Arglwydd yn ôl d'ewyllys. Danfon ddiwygiad, a danfon dy Ysbryd arnaf i. Yn enw Iesu. Amen.

Gair i gloi

"O! Arglwydd, adfer ein llwyddiant fel ffrydiau yn y Negef"." (adn. 4)

Beth am ddarllen Salm 126:1–6 ac yna myfyrio

Yr wyf am gloi'r gyfres hon ar yr angen i lanhau ac ail-agor y ffynhonnau y mae Philistiaid ein dydd wedi eu cau drwy awgrymu rhai sylwadau cyffredinol. Yn gyntaf, mae Duw yn ddi-os am inni ail-ddarganfod yr etifeddiaeth ysbrydol, gan ein defnyddio i ddiogelu fod y ffynhonnau a gloddiodd ein tadau yn cael eu diogelu, ac mewn sawl achos, yn cael eu hail-agor.

Ond beth yw'r gwaith ymarferol y mae Duw yn ein galw iddo? Yn sicr mae'n ein galw i edifeirwch, edifeirwch personol, edifeirwch ar ran yr eglwys, ac yna, trwy weddi, trwy bob arf sydd yn agored inni, perswâd, dadl a hyd yn oed gwrthwynebiad ar brydiau, rhaid sicrhau fod dyfroedd y gwirionedd yn cael llifo yn ôl i mewn i fywyd yr Eglwys.

Credaf fod yna gyfle inni fel hyn ar ddechrau'r unfed ganrif ar hugain i weithio a gweddïo er ceisio hyn. A ydym am achub ar ein cyfle? Beth am her y geiriau yr ydym wedi eu hystyried dros yr wythnosau diwethaf? Beth am yr addewidion y mae Duw yn eu rhoi inni, addewidion sydd yn Iesu yn Ie ac yn Amen. Credaf fod angen i bob gweinidog, arweinydd a phawb mewn awdurdod yn yr eglwys i ail-ddarganfod y ffynhonnau hyn, ac i godi eto er mwyn eu hail-gloddio, eu hagor i'n cenhedlaeth. Rhaid ymroi yn hyn i 'undod y ffydd'(Effesiaid 4:13). I'r rhai sydd heb fod yn arweinwyr, dylem uno fel côr o weddïwyr, gan ofyn i Dduw sicrhau methiant gweithgarwch Philistiaid ein dydd. Diogelwch eich Beiblau, dyma Air y gwirionedd. Darllenwch, myfyriwch ynddo bob dydd. Cofiwch adnodau, plediwch y Gair o flaen gorsedd Duw. Uwchlaw popeth, gweddïwch y bydd Duw ei hun yn rhoi ar ein calonnau i'w geisio Ef, Ef yn unig. Dyma'r wyrth sydd yn newid ein calon ni, y wyrth a all newid yr Eglwys.

Beth am fynd ymlaen i ddarllen:
Salm 42:1–3; 44:23–26; Eseia 41:17–20; Ioan 7:37–39;

Meddyliwch am y cwestiynau hyn:
1. Sut y gall pechadur feiddio gweddïo am waredigaeth?
2. Beth yw addewid Duw i'r sychedig?

Gweddi
Arglwydd, rwy'n gweld fod gennyt fwriad graslon ar gyfer fy mywyd, a gwaith imi ei gyflawni. Dangos i mi fy rhan wrth inni geisio diogelu ffynhonnau'r bywyd yn ein dydd. Paid â gadael imi lesmeirio yn y gwaith, paid â gadael imi golli gafael ynot Ti. Yn enw Iesu. Amen.

Edrych yn ôl

"Daeth ofn ar bob enaid; yr oedd rhyfeddodau ac arwyddion lawer yn cael eu gwneud drwy'r apostolion." (adn. 43)

Beth am ddarllen Actau 2:42–47 ac yna myfyrio

Yr ydym bellach wedi hen gychwyn ar ganrif newydd ac ar fileniwm newydd ac yr ydym fel Eglwys yn gorfod wynebu her oes newydd. Yr ydym am astudio thema sydd yn angenrheidiol i'r Eglwys wrth wynebu yr her yma. Yn ystod y trigain diwrnod nesaf, byddwn yn edrych ar sut mae diwygio'r Eglwys.

Ni fydd y thema yn edrych yn gymaint ar ddiwygiad yn nhermau yr hyn a ddigwyddodd, dyweder, yn yr unfed ganrif ar bymtheg, lle adferwyd y Beibl i'w le priodol ac y purwyd yr Eglwys i raddau helaeth iawn. Nid galwad i fynd yn ôl i'r unfed ganrif ar bymtheg neu'r ddeunawfed ganrif sydd yma, ond galwad i fynd yn ôl i'r ganrif gyntaf. Heb amheuaeth, os yw Eglwys yr Arglwydd Iesu Grist i greu argraff ar y byd fel y gwnaeth yn y ganrif gyntaf, yna mae'n rhaid iddi ddychwelyd at ei gwreiddiau – dychwelyd at y blynyddoedd bendigedig hynny wedi i'r Ysbryd gael ei dywallt ar Ddydd y Pentecost. Yn y dyddiau hynny, yr ydym yn clywed fod y byd wedi ei droi â'i ben i waered gan ddisgyblion oedd wedi eu llenwi â'r Ysbryd Glân. (Actau 17:6).

Tybed a glywsoch am hanes Billy Graham panoedd yn ifanc yn cynnal cyrch efengylaidd yn Los Angeles. Daeth miloedd i gredu yn Iesu Grist, gan gynnwys nifer helaeth o sêr Hollywood. Ychydig wedi'r ymgyrch yma, fe gwynodd rhai o weinidogion Los Angeles fod Billy Graham wedi troi cloc yr Eglwys yn ei ôl ganrif. Pan glywodd ef hyn, meddai: "Mae'n ddrwg gennyf! Roeddwn i'n bwriadu ei droi yn ôl ddwy fil o flynyddoedd." Os ydym am weld sut y dylid diwygio'r Eglwys, mi fydd yn rhaid i ninnau deithio, nid pum cant o flynyddoedd, ond dwy fil o flynyddoedd yn ôl.

Beth am fynd ymlaen i ddarllen:

Josua 24:1–28; Salm. 136:1–26; Luc 9:57–62

Meddyliwch am y cwestiynau hyn:

1. Pam y bu i Josua edrych yn ôl, a beth oedd canlyniad hyn?
2. Pryd ddylem ni osgoi edrych yn ôl?

Gweddi

O Dduw, cynorthwya dy Eglwys i ddeall fod yna adegau pan mae'n angenrheidiol i edrych yn ôl er mwyn symud ymlaen. Rho i bob un ohonom ni olwg ar yr hyn yr wyt yn dymuno i ni fod. Diwygia ni ar dy ddelw dy hun. Yn enw Iesu Grist. Amen.

Beth am y dyfodol?

"...ar y graig hon yr adeiladaf fy eglwys, ac ni chaiff holl bwerau Hades y trechaf arni." (adn. 18)

Beth am ddarllen Mathew 16:13–20 ac yna myfyrio

Ddoe, fe'n hatgoffwyd fod yn rhaid i'r Eglwys gael ei diwygio er mwyn wynebu her yr unfed ganrif ar hugain. Er mwyn cael ei diwygio, mae angen iddi edrych yn ôl, nid pum cant o flynyddoedd i gyfnod y Diwygiad Protestannaidd, ac nid dau gant a hanner o flynyddoedd i gyfnod y Diwygiad Methodistaidd, ond dwy fil o flynyddoedd i'r amser pan oedd dyfroedd y bywyd yn tarddu yn newydd o'r graig.

Wrth gynghori pobl sydd yn paratoi i briodi, byddaf bob amser yn galw i sylw yr hyn a fwriadodd Duw ar gyfer priodas yng Ngardd Eden. Dim ond wrth weld, a gweld yn glir, beth oedd bwriadau gwreiddiol Duw, y byddwn mewn sefyllfa i fedru adnabod y peryglon sydd yn siŵr o ddilyn wrth symud o'r patrwm gwreiddiol yma. Yn yr un modd, credaf y dylai'r Eglwys yn ein dydd ni edrych yn ôl ar y patrwm gwreiddiol, er mwyn deall sut y bu i'r Arglwydd gynllunio ei Eglwys i wasanaethu yn y byd. O weld hyn, byddwn hefyd yn medru gweld y peryglon a all ei hwynebu, ynghyd â gweld pa mor bell yr ydym wedi crwydro oddi wrth batrwm Duw.

Wrth wylio rhaglen deledu ar gyflwr yr Eglwys, gofynnodd rhywun gwestiwn: "A fydd yr Eglwys Gristnogol yn dal i fodoli ar ddiwedd yr unfed ganrif ar hugain?" Mae'n amlwg mai y teimlad cyffredinol ymysg y bobl yno, pobl nad oeddent yn Gristnogion, oedd fod yr Eglwys yn amherthnasol, ac ymhen canrif, bydd wedi diflannu. Wrth wrando ar y drafodaeth, roeddwn yn gwenu oherwydd daeth yr adnod sydd ar ben y dudalen i'm cof. "Byddaf yn adeiladu fy Eglwys ac ni fydd pyrth uffern yn ei gorchfygu hi." Eto, er bod yr Arglwydd wedi addo na fydd yr Eglwys yn cael ei gorchfygu, nid yw'n dilyn fod yr Eglwys yn y man y dylai fod yn ysbrydol. Mae angen dybryd arni am ddiwygiad ysbrydol. Heb hynny, does fawr o obaith y bydd yr unfed ganrif ar hugain yn cael ei throi â'i phen i waered.

Beth am fynd ymlaen i ddarllen:
1 Cor. 3:5–16; Eff. 2:19–22; 4:11–16

Meddyliwch am y cwestiynau hyn:
1. Sut mae Iesu yn adeiladu ei Eglwys?
2. Pa ran yr ydym ni yn ei chwarae?

Gweddi
Arglwydd Iesu Grist, fe fu i ti rymuso dy ddilynwyr cynnar, gan eu galluogi i droi y byd â'i ben i waered. Cyffwrdd â'n bywyd ni yn yr un ffordd. Maddau i ni ac adnewydda ni, a hynny er mwyn dy enw dy hun. Amen.

Gwarchod gwerthoedd

"Chwi yw halen y ddaear; ond os cyll yr halen ei flas, â pha beth yr helltir ef?
(adn. 13)

Beth am ddarllen Mathew 5:1–16 ac yna myfyrio

Does dim amheuaeth nad oes gan yr Eglwys Gristnogol frwydr. Efallai mai hon yw'r frwydr fwyaf y bu iddi erioed ei hwynebu. Yr ydym yn byw ac wedi byw ers tipyn o amser mewn cyfnod sydd yn cael ei alw gan rai fel cyfnod "ôl–Gristnogol", ac mae'r Eglwys i'r rhan fwyaf o bobl yn gwbl amherthnasol.

Ar ben mynydd yng nghanolbarth India, roedd yna gaer oedd yn cael ei hamddiffyn gan filwyr yn dal ffyn miniog yn eu dwylo ac wedi eu gwisgo mewn gwisgoedd crand iawn. Ar un adeg yr oedd holl weinyddiaeth yr ardal honno yn cael ei rheoli o'r gaer yma. Ond bellach, roedd canolbwynt y grym wedi symud i ddinas filltiroedd i ffwrdd. Er nad oedd gan y gaer yma ddim pwrpas i'w bodolaeth bellach, eto roedd y milwyr yn dal i wylio. Yn ôl y rhai sydd yn beirniadu'r Eglwys heddiw, mae hwn yn ddarlun sydd yn ei disgrifio i'r dim. Mae'n sefyll yn amherthnasol i ofynion yr oes. Nid yw'n wynebu problemau ein dyddiau. Mae'n gwarchod gwerthoedd sydd yn amherthnasol.

Yr ydym am wadu hyn yn syth. Nid yw ein gwerthoedd yn amherthnasol. Efallai fod y gwerthoedd hyn yn amwys oherwydd iaith hynafol, ond wedi diosg yr hen wisg yma, dyma'r gwerthoedd sydd eu hangen ar y byd. Heb y gwerthoedd hyn, mae ein cymunedau yn ddim mwy na phrysurdeb, pobl yn mynd a chyrraedd yr un man gan ymdrechu fwyfwy er mwyn goroesi.

Beth yw'r gwerthoedd y mae'r Eglwys yn eu hamddiffyn? Dyma restr fer er bod yna lawer mwy: yr angen i addoli Duw; gonestrwydd; purdeb; ffyddlondeb; gwasanaethu eraill; atebolrwydd; pwysigrwydd y teulu. Mae'r gwerthoedd hyn fel lefain mewn cymdeithas yn ei harbed rhag dymchwel yn llwyr. Roedd yna adeg pryd roedd y byd yn pwysleisio eu gwerth, ond dim mwyach. Mae'r byd yn gyffredinol wedi penderfynu nad oes angen gwerthoedd absoliwt, na moesoldeb absoliwt. Unig obaith y byd, yn ein tyb ni, yw Eglwys sydd wedi ei diwygio mewn ffordd rymus ac ysbrydol.

Beth am fynd ymlaen i ddarllen:
Lef. 2:13; Marc 9:50; Luc 14:34–35; Phil. 2:14–16; Col. 4:6

Meddyliwch am y cwestiynau hyn:
1. Beth yw prif nodweddion halen?
2. Sut y gall ein sgwrs fod wedi ei "flasu â halen"?

Gweddi
O Dad, rwyt wedi ein galw i fod yn halen ac yn oleuni. Maddau i ni fod yr halen wedi colli ei flas a bod ein goleuni'n llewyrchu yn wan iawn. Arllwys dy Ysbryd ar dy Eglwys, O Dad. Eto, rwy'n gofyn i ti: diwygia ni, adnewydda ni. Yn enw Iesu. Amen.

253

"Derbyniwch"

"Yr ydym ni, fel cydweithwyr, yn apelio atoch i beidio â gadael i'r gras a dderbyniasoch gan Dduw fynd yn ofer." (adn. 1)

Beth am ddarllen 2 Corinthiaid 6:1–13 ac yna myfyrio

Yr ydym am barhau i fyfyrio ar y syniad a gyflwynwyd ddoe, sef bod y gwerthoedd y mae'r Eglwys i'w hamddiffyn yn werthoedd sydd yn dal y byd at ei gilydd. Mae'r gwerthoedd hyn sydd wedi eu rhoi i bawb drwy'r Ysgrythur yn adlewyrchu'r gwerthoedd mwyaf y mae dynoliaeth erioed wedi eu derbyn. Rwy'n defnyddio'r gair 'derbyn' oherwydd ni allai neb erioed fod wedi eu dychmygu. Maent yn rhodd gan Dduw. Mae dynion yn yr unfed ganrif ar hugain sydd yn gwrthod y gwerthoedd hyn fel Esau yn ein dydd ni. Pobl sydd yn gwerthu eu hetifeddiaeth am fowlen o gawl.

Wrth deithio o Singapore i Kuala Lumpur ychydig fisoedd yn ôl, gadewais fy Meibl ar yr awyren ar ddamwain. Roedd yna nifer helaeth o nodiadau yn fy Meibl, nodiadau yr oeddwn wedi eu hysgrifennu wrth fyfyrio am oriau lawer. O fewn awr i lanio, bu i mi hysbysu'r cwmni awyrennau ei fod ar goll. Ond mae'n debyg fod llyfrau a chylchgronau yn cael eu gadael yn aml gan deithwyr, ac mae'r rhai sydd yn dod i lanhau yr awyren yn eu taflu i'r bag ysbwriel. Roeddwn yn digalonni wrth feddwl am fy Meibl gwerthfawr yn cael ei daflu o'r neilltu gyda hen bapurau newydd a chylchgronau, ac eto, mae'n ddarlun clir o'r hyn mae pobl yn ein dydd ni yn ei wneud. Mae pobl heddiw yn taflu'r Beibl o'r neilltu, gan ei ystyried fel dim mwy na hen bapur newydd neu gylchgrawn sydd bellach wedi dyddio.

Mae papurau newydd wedi dyddio braidd cyn i'r inc sychu. Nid felly y Beibl, gan fod hwn yn rhoi i ni yr etifeddiaeth fwyaf gwerthfawr y mae y ddynoliaeth erioed wedi ei derbyn. Mae'n drist iawn i weld ein cenhedlaeth yn chwilio am ystyr, ac eto'n anwybyddu'r egwyddorion a'r gwerthoedd mae ein Creawdwr wedi eu rhoi i ni er mwyn darganfod ystyr i fywyd. Unwaith eto, yr wyf am bwysleisio fod yr Eglwys i amddiffyn yr egwyddorion hyn, yr egwyddorion sydd yn gwneud bywyd yn ystyrlon. Os na fydd i'r Eglwys eu hysbysu a'i harddangos i'r byd, yna, ni thybiaf fod yna fawr o obaith i'n byd.

Beth am fynd ymlaen i ddarllen:
Math. 10:1–18; Actau 4:18–37; 1 Cor. 15:1–3; 1 Ioan 1:1–4

Meddyliwch am y cwestiynau hyn:
1. Beth ydym ni wedi ei dderbyn?
2. Beth ddylem ei arddangos?

Gweddi
Fy Nuw a fy Nhad, gofynnir llawer oddi wrth dy Eglwys, ac eto, yn gyffredinol, nid yw'n arddangos fawr iawn o'r rhinweddau hynny y dylai eu harddangos. Maddau i ni a chynorthwya ni, Arglwydd. Yn enw Iesu Grist. Amen.

"Rwyf am dy erlyn!"

"Am hynny y dywedir: 'Deffro, di sydd yn cysgu, a chod oddi wrth y meirw, ac fe dywynna Crist arnat." (adn. 14)

Beth am ddarllen Effesiaid 5:1–14 ac yna myfyrio

Er mai yr Eglwys sydd i warchod yr egwyddorion a'r gwerthoedd y mae Duw wedi eu gosod i lawr yn yr Ysgrythur, mae'n siŵr y byddai pob Cristion yn barod i gyfaddef nad ydym yn gwneud gwaith cystal ag y dylem ni o gyflwyno y gwerthoedd hynny i'r byd.

Mae hanes am genhadwr yn India unwaith yn cyfarfod Mahatma Gandhi gan ofyn y cwestiwn hwn iddo: "Beth ddylem ni fel Cristnogion ei wneud i gynorthwyo dynion a gwragedd yn India?" Atebodd Gandhi: "Yr wyf am awgrymu pedwar peth. Yn gyntaf, y dylai pob Cristion a phob cenhadwr ddechrau byw yn debycach i Iesu Grist. Yn ail, y dylech weithredu eich crefydd heb dynnu dim oddi arni. Yn drydydd, y dylech bwysleisio cariad gan ei wneud yn rym yn eich gwaith, oherwydd mae cariad yn ganolog i Gristnogaeth. Yn bedwerydd, y dylech astudio y crefyddau nad ydynt yn Gristnogol gydag agwedd gydymdeimladol er mwyn i chi fedru cydymdeimlo yn well â phobl." Mae'r hyn yr oedd Gandhi yn ei ddweud yn syml yn golygu hyn: os wyt am fod yn berthnasol, mae'n rhaid i ti fod yn fwy tebyg i dy feistr. Bydd yn Gristion.

Mae yna un pregethwr a wahoddwyd unwaith i siarad â chriw o wŷr busnes cyfoethog yn sôn am y ffordd y bu i filiwnydd ddod ato cyn iddo gychwyn ei bregeth gan hanner awgrymu: "Os na fyddi di yn effeithio tröedigaeth yn fy mywyd heddiw, byddaf yn dy erlyn." Tybed ai dyna y mae'r byd yn hanner ei ddweud ond yn ei feddwl; "Os nad ydych chi Gristnogion yn gallu effeithio tröedigaeth yn ein bywyd ni, yr ydym am eich erlyn am dorri eich addewid. Yr ydych yn addo llawer ond beth yn union ydych yn ei wneud i sylweddoli eich addewidion?" Mae'n debyg pe buasai holl wawd y byd yn cael ei grisialu mewn un frawddeg mai dyma fyddai'r frawddeg: "Rydych yn addo llawer, beth am ei ddarparu?" Mae'r Eglwys wedi addo llawer i'r byd. Bellach, mae'n amser cyflawni yr addewidion.

Beth am fynd ymlaen i ddarllen:
Diar. 24:30–34; Dat. 3:1–22; Eseia 60:1–20

Meddyliwch am y cwestiynau hyn:
1. Beth yw galwad Iesu ar ei Eglwys?
2. Pa ymateb y disgwylid oddi wrth Eglwysi Llyfr y Datguddiad?

Gweddi
O Dad, mae dy her di fel cleddyf yn taro fy nghalon ac eto ni allaf ddadlau yn erbyn dy her. Mae angen i ti i'm hadnewyddu yn ysbrydol, angen i ti fy niwygio i. Cynorthwya fi yn enw Iesu. Amen.

"... dim bellach yn Kansas"

"... y mae'n bryd ceisio'r Arglwydd." (adn. 12)

Beth am ddarllen Hosea 10:9–15 ac yna myfyrio

Yn ddiweddar, bu i mi eistedd i lawr a darllen trwy Lyfr yr Actau. Mae hyn yn cymryd tua awr a hanner. Daeth brawddeg ryfedd i'm meddwl. Roedd yn ddyfyniad o'r ffilm *The Wizard of Oz*: "Toto, mae gennyf ryw deimlad nad ydym yn Kansas mwyach." Wedi darllen am yr Eglwys fore a chymharu beth a ddigwyddodd yr adeg honno a'r hyn sydd yn digwydd heddiw o fewn Cristnogaeth, teimlais nad oeddwn yn yr un Eglwys.

Nid yw hyn bob amser yn wir, oherwydd wrth i mi ymweld â rhai gwledydd, yr wyf yn ymdeimlo â'r ffaith fy mod wyneb yn wyneb â'r un grym a oedd yn bywhau yr Eglwys Fore. Mae'r Eglwys yn Affrica yn un esiampl. Ychydig amser yn ôl, yr oeddwn yng ngwlad Nigeria. Wrth iddynt baratoi ar gyfer pedair miliwn (ie pedair miliwn) i ddod i gyfarfod â'i gilydd ar Ynys Fictoria yn Lagos, ar gyfer noson o weddi. Nid yw yn beth anghyffredin yno i ddarganfod can mil o bobl. Mae un eglwys yn Lagos hefo cynulleidfa o hanner miliwn. Mae gennyf hyder mawr fod yr Eglwys yn Affrica yn gyffredinol yn cyfarfod â her yr unfed ganrif ar hugain.

Mae gennyf yr un hyder mewn perthynas â rhai eglwysi yn Asia. Felly hefyd eglwysi yn Ne America. Ond beth am y rhannau eraill o'r byd, Ewrop a Gogledd America, er enghraifft? Er bod rhai adrannau o'r Eglwys ar y cyfandiroedd hyn yn symud ymlaen yng ngrym yr Ysbryd , eto, yr wyf yn teimlo ein bod wedi gwyro oddi ar y llwybr y mae'r Eglwys Fore yn ei osod ar ein cyfer, y llwybr yr ydym i fod i ddilyn. Mae geiriau y testun heddiw yn berthnasol iawn i angen ein dydd: "mae'n amser ceisio yr Arglwydd."

Beth am fynd ymlaen i ddarllen:
Deut. 4:29–31; Eseia 55:6; Jer.29:10–14; Daniel 9:1–3; Hosea 6:1–6

Meddyliwch am y cwestiynau hyn:
1. Sut yn union y dylem geisio yr Arglwydd?
2. Sut bu i Daniel gymhwyso proffwydoliaeth Jeremeia?

Gweddi
Arglwydd, yr wyf am i ti godi y cen oddi ar fy llygaid a'm cynorthwyo i weld go iawn. Yr wyf yn sefyll ar groesffordd ysbrydol. Cynorthwya fi i gymryd y llwybr iawn, y llwybr yr wyt ti yn dymuno i mi ei ddilyn. Yn enw Iesu Grist. Amen.

Cristion mewn gwirionedd

"Yn Antiochia y cafodd y disgyblion yr enw Cristnogion gyntaf." *(adn. 26)*

Beth am ddarllen Actau 11:19–30 ac yna myfyrio

Hyd yn hyn yn ein myfyrdodau, yr ydym wedi pwysleisio yr angen mawr o fewn yr Eglwys Gristnogol i gael ei diwygio. Ond ar ba sail? Er bod yna lawer o Eglwysi rhagorol yn y ganrif gyntaf, yr un yr wyf am ei defnyddio fel patrwm ar gyfer yr unfed ganrif ar hugain yw yr Eglwys yn Antiochia. Mae'r Eglwys yma yn darparu ar ein cyfer ni batrwm clir o sut y dylai'r Eglwys weithredu. Nid ar ddamwain "y galwyd y disgyblion yn Gristnogion am y tro cyntaf yn Antiochia".

Yn y dyddiau hynny, fe newidiwyd enwau wrth i unigolion arddangos rhai nodweddion arbennig yn eu bywydau. Os oedd y cymeriad yn newid, roedd yr enw yn newid. Rhoddodd Iesu yr enw 'Ceffas' i Simon Pedr (ystyr y gair yw 'craig') oherwydd, er ei fod o ran natur yn gwyro yn ôl ac ymlaen, gwelodd y meistr o'i fewn rinweddau cadarn yn datblygu (Ioan 1:42). Enw Barnabas cyn iddo ildio i Iesu oedd 'Joseff' ac ystyr y gair 'Joseff' yw 'bydded i Dduw ychwanegu meibion'. Ond wedi cwrdd â Iesu, nid ychwanegiad oedd Joseff mwyach. Galwyd ef yn 'Barnabas' gan yr apostolion – mab yr anogaeth.

Roedd Antiochia yn ddinas gyfoethog gyda dros hanner miliwn o breswylwyr, ond mae hyd yn oed awduron paganaidd y cyfnod yn gytûn wrth ddisgrifio y ddinas hon fel un o ddinasoedd mwyaf paganaidd y byd Rhufeinig. Wrth i nifer fawr o bobl gredu a throi at yr Arglwydd, yr oedd Ysbryd Crist mor amlwg fel bod pobl Antiochia yn gorfod gweld y gwahaniaeth yn y bobl hyn. Gan fod nodweddion y grŵp yma o bobl yn ymdebygu i nodweddion Iesu ei hun, yr oeddent bellach yn cael eu galw yn 'Gristnogion', neu 'pobl Iesu Grist'. Pa ffordd well sydd i ddarganfod patrwm ar gyfer diwygio yr Eglwys na thrwy archwilio elfennau y gymuned honno oedd mewn gwirionedd yn Gristnogol?

Beth am fynd ymlaen i ddarllen:
Luc 14:25–33; Ioan 13:34–35; 2 Pedr 1:1–11

Meddyliwch am y cwestiynau hyn:
1. Sut y cysylltir y geiriau 'disgybl' a 'Christion'?
2. Beth yw nodweddion disgybl Cristnogol?

Gweddi
O Dad, rwyf yn ddyledus i ti fod nodweddion dy Fab a chymeriad dy Fab yn medru cael ei adlewyrchu ym mywyd dy bobl. Caniatâ i'r nodweddion hyn fyw ynof fi. Caniatâ bod Ysbryd Crist yn fy meddiannu i'r fath raddau fel y bydd pobl yn fy adnabod fel Cristion. Amen.

Defnyddio gwrthwynebiad

"... ond nid yw'r Goruchaf yn trigo mewn tai o waith llaw." (adn. 48)

Beth am ddarllen Actau 7:44–60 ac yna myfyrio

Ddoe, fe nodwyd mai yr Eglwys yn Antiochia oedd yr eglwys gyntaf yn y Testament Newydd i gael ei galw yn Eglwys Gristnogol. Dyma'r Eglwys y galwodd Duw ar Saul i fod yn weinidog arni, tra ar yr un pryd yn parhau i'w hyfforddi yntau fel disgybl. Yr wyf am edrych yn awr ar rai o nodweddion yr Eglwys hon sydd yn ei gwneud yn esiampl dda ar gyfer yr Eglwys heddiw. Y nodwedd gyntaf yw hon: bod yr Eglwys yn Antiochia wedi ei sylfaenu gan wŷr a gwragedd oedd wedi dioddef ar gyfrif eu ffydd gan droi y gwrthwynebiad yn gyfle. Mae Actau 11:19 yn dweud wrthym fel hyn: "Yn awr yr oedd y rhai a wasgarwyd oherwydd yr erlid a gododd o achos Steffan wedi teithio cyn belled â Phenice a Cyprus ac Antiochia..."

Yr wyf yn tybied y bydd yn ddefnyddiol i ni edrych am eiliad ar brif fyrdwn pregeth Steffan. Dyma'r bregeth hiraf yn y Testament Newydd (ar wahân i'r Bregeth ar y Mynydd) ac mae'n debyg mai dyma'r bregeth fwyaf arwyddocaol a gyhoeddwyd gan unrhyw ddilynwr i Iesu Grist yr amser honno. Dywedodd wrth aelodau y Sanhedrin: "Nid yw y Goruchaf yn byw mewn tai o waith llaw ... yr ydych chi yn wastad yn gwrthwynebu yr Ysbryd Glân! ... A chwithau yn awr, bradwyr a llofruddion fuoch iddo ef."

Pan bu i Steffan ymosod ar yr arweinwyr crefyddol yma ar gyfrif eu credo mewn Duw oedd wedi ei gyfyngu i'r deml, fe welsant hyn fel arwydd peryglus a hyn arweiniodd at labyddio Steffan. Yn dilyn, fe gododd y fath wrthwynebiad i'r Eglwys Gristnogol fel bod llawer wedi gorfod ffoi o Jerwsalem gan ddianc i ardaloedd eraill o fewn yr ymerodraeth. Mi fyddai'n bosibl iddynt fod wedi cuddio, wedi mynd â'u ffydd newydd a'i chynnal a'i choleddu yn y dirgel. Ond nid felly y bu. Aethant i bob man gan rannu eu ffydd gyda phob dyn. Dyma bobl oedd nid yn unig yn dioddef erledigaeth ond yn defnyddio erledigaeth. Yr oedd yn costio i'r rhain fod yn Gristnogion ond yr oedd yn golygu rhywbeth i'r rhain hefyd i fod yn Gristnogion.

Beth am fynd ymlaen i ddarllen:
Actau 8:1–8; Rhuf. 5:1–5; 2 Cor. 4:1–12; Phil. 1:12–21

Meddyliwch am y cwestiynau hyn:
1. Sut y gellir cysylltu gwrthwynebiad ag efengylu?
2. Beth arall all gwrthwynebiad ei hybu?

Gweddi
O Dad, cynorthwya ni i ddysgu'r wers na ddylem yn unig ddioddef erledigaeth ond defnyddio erledigaeth. Gallaf ddefnyddio popeth pan fyddaf gyda thi. Mae hyd yn oed maen tramgwydd yn troi yn garreg i'n cynorthwyo i godi i dir uwch. Rwyf am ddiolch i ti Arglwydd. Yn enw Iesu. Amen.

Llawdriniaeth sylweddol

"Nid oes dim gwahaniaeth rhwng Iddew a Groegwr. Yr un Arglwydd sydd i bawb, a chyfoeth ei ras i bawb sy'n galw arno. (adn. 12)

Beth am ddarllen Rhufeiniaid 10:1–13 ac yna myfyrio

Un o'r sylwadau a wneuthum ddoe oedd fod amddiffyniad Steffan gerbron y Sanhedrin yn un o'r areithiau mwyaf pendant a wnaed erioed gan ddilynwr Crist yr adeg honno. Mae'r Dr E. Stanley Jones yn disgrifio yr araith hon fel llawdriniaeth sylweddol. Gellid dehongli ei sylwadau fel rhai dadleuol ond rwyf am eu dyfynnu beth bynnag: "Roedd araith Steffan yn llawdriniaeth sylweddol oherwydd fe dorrodd y mudiad Cristnogol yn rhydd o ddillad claddu Iddewiaeth gan ddweud: 'Gollwng nhw, a gad iddyn nhw fynd – caniatâ i'r mudiad i fod yn un achubol byd eang.'" I fyny i'r amser hwn yr oedd yna berygl y buasai Cristnogaeth yn ddim mwy na sect o fewn Iddewiaeth. Ond bellach, mae geiriau pendant Steffan yn torri caethiwed Iddewiaeth ac mae'r mudiad Cristnogol yn dod yn rhydd ar ei ben ei hun o dan awdurdod Duw. Fe gostiodd yr araith fywyd Steffan. Ef oedd y merthyr cyntaf.

Pan mae'r Dr Stanley Jones yn sôn am ganiatáu i'r mudiad Cristnogol dorri yn rhydd o'i ddillad claddu Iddewig, nid yw am awgrymu ei fod am dorri'n rhydd o'i wreiddiau mewn Iddewiaeth. Yn hytrach, yr unig beth a wna yw torri'n rhydd o'r mowld Iddewig. Mae araith Steffan felly yn taro nodyn newydd gan dystio fod Duw am fyw, nid mewn temlau o waith llaw, ond yng nghalonnau dynion a gwragedd. Roedd yr hyn a ddywedodd Steffan yn ymddangos fel petai yn torri ar draws popeth yr oedd y Cristnogion yma wedi ei ddysgu yn eu cefndir Iddewig. Yr hyn y mae yn ei wneud yw cyhoeddi fod gyda Duw drefn newydd a dirgelwch newydd i'w ddatguddio. Nid fod Duw yn troi Iddewon yn genedl–ddynion, nac ychwaith yn troi cenedl–ddynion yn Iddewon, ond yn hytrach yn creu creadigaeth newydd o bobl, dynion a gwragedd, oedd yng Nghrist.

Mae'n amlwg na fu yna dderbyniad cynnes iawn i hyn ymhlith pobl draddodiadol, ond dyma ogoniant yr Efengyl. Trwy'r groes, mae Duw wedi creu cymdeithas newydd gyda'r pwyslais bellach nid ar hynafiaethau ond yn hytrach ar ein safle yng Nghrist.

Beth am fynd ymlaen i ddarllen:
Actau 11:1–18; 15:1–31; Effes.2:10–22; Col.2:6–7; 3:1–11

Meddyliwch am y cwestiynau hyn:
1. Pa furiau y mae'r groes wedi ei chwalu?
2. Ble mae gwreiddiau y greadigaeth newydd?

Gweddi
O Dad, sut medraf ddiolch i ti yn ddigonol am dy waith ar y groes ac am atgyfodiad dy Fab. Nid yw fy hynafiaethau i yn bwysig bellach. Yr hyn sydd yn bwysig yw i ble rydw i'n mynd? Boed anrhydedd a gogoniant i ti ac i'th enw annwyl. Amen.

Y nefoedd: dal yn agored

"Wedi iddo lefaru'r geiriau hyn, cododd Iesu ei lygaid i'r nef a dywedodd: 'O Dad, y mae'r awr wedi dod'." (adn. 1)

Beth am ddarllen Ioan 17:1–19 ac yna myfyrio

Wedi edrych yn fyr ar sylwedd araith Steffan, yr araith a arweiniodd at yr erledigaeth fawr, yr ydym yn awr am ddychwelyd at yr Eglwys yn Antiochia a'r gwirionedd ei bod wedi ei sylfaenu gan wŷr a gwragedd oedd wedi dioddef oherwydd eu ffydd, gan wŷr a gwragedd oedd nid yn unig yn dioddef erledigaeth, ond yn defnyddio yr erledigaeth. Rwyf am eich atgoffa o'r hyn mae Actau 11:19 yn ei ddweud: "Yn awr yr oedd y rhai a wasgarwyd oherwydd yr erlid a gododd o achos Steffan wedi teithio cyn belled â Phenice a Cyprus ac Antiochia." Clywais ymadrodd pan ymhlith llwyth y Tamiliaid yn Ne India: "Mae'r un sydd wedi ei eni yn y tân yn ddiogel o beidio gwywo yn yr haul." Ganwyd yr Eglwys yn Antiochia mewn tân, y tân a amgylchynodd y Cristnogion yn dilyn erledigaeth a dioddefaint Steffan. Yr oedd hyn yn sicrhau na fyddai yn gwywo wyneb yn wyneb â gwrthwynebiad. Yr oedd arwydd y groes ar sylfeini'r Eglwys yma ac felly y mae bywyd yr atgyfodiad yn llifo drwyddi. Os nad yw ein ffydd wedi costio, ni fydd yn cyfrannu ychwaith.

Er bod erledigaeth yn sylweddol mewn rhannau helaeth o'r byd, eto nid yw yr Eglwys yma yn cael ei gyrru gan erledigaeth allanol amlwg. Eto, yr ydym yn cael fod pobl yn mynnu ein bod yn amherthnasol ac nad oes lle i'r Eglwys yn y byd modern. Mae stormydd yn curo arnom o bob cyfeiriad – o'r gogledd, de, dwyrain a'r gorllewin ac wrth gwrs o'r byd tanddaearol yna sydd mor amlwg yn yr Ysgrythur. Dim ond y nefoedd sydd yn agored i ni. A yw yn bosibl i ni gael ein hysbrydoli yn ddigonol o'r nefoedd er mwyn cyflawni yr hyn yr oedd y dynion a'r gwragedd a sylfaenodd Eglwys Antiochia yn medru ei gyflawni, a gwneud hynny nid trwy ddioddef yr erledigaeth ond ei ddefnyddio? Rydym yn byw mewn dyddiau sydd yn rhoi i ni gyfleon ardderchog i ddangos bod ein ffydd wedi ei sylfaenu ar y graig. Rhaid i'r Eglwys symud ymlaen, nid yn ofnus ond mewn buddugoliaeth.

Beth am fynd ymlaen i ddarllen:
Heb.11:32–40; 1 Ioan 2:13–29; 5:1–5; Dat.12:7–11

Meddyliwch am y cwestiynau hyn:
1. Pwy yw y rhai sydd yn gorchfygu?
2. Sut yr ydym ni i orchfygu?

Gweddi
O Ysbryd Glân, yr wyf yn gofyn i ti i fyw ynof gyda'r fath nerth a bywyd fel y byddaf yn medru symud ymlaen i'r bywyd sydd gan y Tad ar fy nghyfer, nid mewn ofn ond mewn buddugoliaeth. Caniatâ hyn yn enw Iesu. Amen.

Ein hawr fawr

"Ond i Dduw y bo'r diolch, sydd bob amser yn ein harwain ni yng Nghrist yng ngorymdaith ei fuddugoliaeth ef..." (adn. 14)

Beth am ddarllen 2 Corinthiaid2: 12–17 ac yna myfyrio

Ddoe, buom yn sôn am y gwyntoedd sydd yn chwythu ar yr Eglwys o bob cyfeiriad, nid yn gymaint erledigaeth gorfforol, ond yn hytrach gwrthwynebiad i'n safbwynt ar bethau fel priodas, erthyliad a gwrywgydiaeth. Dywedodd ffrind i mi unwaith sydd yn weinidog: "Nid yw y bobl sydd yn ein herbyn yn dweud eu bod yn ein casáu ond yn hytrach yn gofyn ble ydych chi'n sefyll?" Efallai o dan y cyfan fod y gri honno a gyfeiriais ati eisoes yn codi: "Os na allwch effeithio fy nhröedigaeth yr wyf am eich erlyn." Mae'n amlwg y dylem wneud mwy na sefyll yn y stormydd yma, dylem eu defnyddio. Ond sut?

Yn ôl A. J. Toynbee, yr hanesydd, yn ei lyfr *An Historian's Approach to Religion,* dywed fod yna nifer o ffyrdd y gall mudiad ei gymryd wrth wynebu argyfwng. Yn gyntaf, gall encilio i mewn i'w orffennol a'r gogoniant a fu. Mae Toynbee yn galw hyn yn 'hynafiaeth'. Neu, gall wynebu y dyfodol gan adeiladu cestyll yn yr awyr. Gall freuddwydio am yr hyn y buasai yn hoffi ei wneud. Mae'n galw hyn yn 'ddyfodolaeth'. Yn drydydd, gall encilio gan roi iddo'i hun brofiadau cyfriniol. Ei derm i ddisgrifio hyn yw 'cyfriniaeth'. Yn bedwerydd, gall gymryd gafael yn yr argyfwng, ei drawsnewid i fod yn rhywbeth positif gan wneud cychwyn newydd. Mae'n galw hyn yn 'ddiwygiad'. Dim ond yr ateb olaf sydd yn ateb. Mae'r gweddill i gyd yn fyrhoedlog.

Mae gan y Tsieineaid air am argyfwng sydd yn defnyddio dwy lythyren – perygl a chyfle. Ymhob argyfwng, mae y perygl yn bodoli y gall popeth chwalu ond ar yr un pryd, mae y cyfle i bob peth gael ei ddiwygio a'i drawsnewid. Fel y dywedodd Syr Winston Churchill yn ystod yr Ail Ryfel Byd, gall hon fod yn awr fawr i ni. A ydym yn fodlon ar fyw drwy'r awr neu ynteu a ydym am geisio defnyddio yr awr i fod yn gyfle newydd? Dyma yw ein dewis.

Beth am fynd ymlaen i ddarllen:
Ex. 14:1–31; 16:1–15; Num. 13:17–14:11

Meddyliwch am y cwestiynau hyn:
1. Cymharwch agwedd Moses a'r Israeliaid?
2. Beth fyddwch chi'n ei wneud mewn argyfwng?

Gweddi
O Dad, arbed ni rhag hynafiaeth, dyfodolaeth a chyfriniaeth. Cymorth ni i gymryd llwybr diwygiad a thrawsnewidiad. Mae pob adnodd ar ein cyfer yn yr Efengyl. Cynorthwya ni trwy ffydd i'w meddiannu yn Iesu Grist. Amen.

Mae popeth yn gwasanaethu

"Cryna, O ddaear, ym mhresenoldeb yr Arglwydd, ym mhresenoldeb Duw Jacob, sy'n troi'r graig yn llyn dŵr a'r callestr yn ffynhonnau." (adn.7–8)

Beth am ddarllen Salm 114:1–8 ac yna myfyrio

Mae'r peryglon a amlinellir gan Toynbee yn her wirioneddol i'r Eglwys heddiw. Fe allwn encilio i ddoe a bod yn bobl ddoe gan fwynhau adlewyrchu ar yr hyn yr oeddem. Gallwn aros uwchben y dyfodol gan obeithio y bydd yna newid rhyw ddiwrnod, ond yn gwneud dim ymdrech i newid yn awr. Gallwn encilio i brofiadau cyfriniol gan osgoi wynebu her y funud. Dim ond wrth i ni ymestyn a meddiannu yr adnoddau sydd gan y nefoedd i'w cynnig i ni y medrwn wrthwynebu yr ymosodiadau sydd yn awr ar yr eglwys gan ennill y rhai sydd yn ein herio tra, ar yr un pryd, dystio i'r hyn sydd yn ein meddiant.

Yr wyf yn gofyn i ti sydd yn rhan o'r Eglwys Gristnogol nid yn gymaint i sefyll yn yr argyfwng hwn, ond i'w ddefnyddio. Nid yw y ffydd Gristnogol erioed wedi addo na fyddem yn dioddef, na fyddem yn cael ein herlid, ond yn hytrach yn ein dysgu sut i gymryd meddiant o'r gwaethaf y gall y byd ei daflu atom gan ei droi er llesâd. Yng nghalon ein ffydd y mae'r person a feddiannodd, hyd yn oed, Calfaria gan ei droi yn fore'r Pasg. Nid dioddef y groes yn unig a wnaeth ein Harglwydd, ond ei ddefnyddio.

Mae'r Eglwys heddiw yn yr un sefyllfa â'r Eglwys Fore. Mae'n cael ei herlid. Mae rhai yn cael eu herlid yn gorfforol ond mae'r erledigaeth sydd yn effeithio ar ein sefyllfa ni yn erledigaeth mwy deifiol. Mae'r erledigaeth yma yn ein hanafu bron yr un faint â chyllyll a chleddyfau. Yr ydym yn cael ein cyhuddo o fod yn amherthnasol, yn perthyn i oes sydd wedi mynd heibio. Beth mae'r erledigaeth yma yn ei wneud i ni? A yw yn ein gorfodi i encilio neu yn ein gorfodi i weithredu? A yw y gwawd yn peri i ni fynd o dan y ddaear neu i feddiannu y ddaear fel y dynion a'r gwragedd a sylfaenodd yr Eglwys yn Antiochia. Fe all y gwawd ein helpu ni, ein cynorthwyo i gyffesu ein camweddau, ein cynorthwyo i ailddarganfod yr ynni sydd gan Dduw ar ein cyfer gan esgymuno popeth amherthnasol a'n gadael gyda'r hyn sydd yn berthnasol – grym ein Gwaredwr.

Beth am fynd ymlaen i ddarllen:
Actau 16:13–40; 2 Cor.1:2–11; Ioan 16:21

Meddyliwch am y cwestiynau hyn:
1. Sut bu i'r cernodiau a ddioddefodd Paul ei wasanaethu?
2. Sut all dioddefaint ddwyn daioni?

Gweddi
O Dad, yr wyf yn gweld fod yna fywyd buddugoliaethus ac yr wyf am ei feddiannu. Cynorthwya fi i edrych ar y gwrthwynebiad a'i droi yn gyfle newydd. Wrth i mi dy ddilyn di, gall croes fod yn gyfle i wasanaeth. Yn enw Iesu. Amen.

Gwyntoedd croes

"Felly, gan ein bod yn derbyn teyrnas ddi–sigl, gadewch inni fod yn ddiolchgar..." (adn. 28)

Beth am ddarllen Hebreaid 12:14–29 ac yna myfyrio

Yn ddiweddar, wrth ymweld ag eglwys yr oeddwn i bregethu ynddi, arweiniodd un o'r blaenoriaid y gynulleidfa mewn gweddi oedd yn defnyddio geiriau tebyg i hyn: "Arglwydd, yr ydym yn meddwl y bore yma am dy Eglwys sydd dan erledigaeth. Bydd gyda y rhai sydd yn dioddef ar gyfrif eu ffydd gan eu hachub rhag dioddefaint corfforol." Aeth ymlaen: "Diogela ninnau yr un modd rhag pob erledigaeth a gwrthwynebiad, prun ai yn erledigaeth gorfforol neu fel arall." Dywedais 'Amen' i'r rhan fwyaf o'r weddi yna, ond ni allwn ddweud 'Amen' i'r darn olaf – dymuniad i gael ein hachub rhag pob ffurf ar wrthwynebiad. Petai hyn yn wir, mae'n siŵr y byddai pregeth angladdol yr Eglwys ar fin dilyn. Mae'n gywir i ddweud fod pobl sydd yn byw heb wrthwynebiad mewn perygl o orffwys gan fodloni ar hanner ymroad, a ffydd Gristnogol sydd ymhell o fod yn heintus.

Clywais unwaith am Gristion oedd wedi ei oddiweddyd yn llythrennol pan ddaeth i gysylltiad y tro cyntaf â Marcsiaeth yn Rwsia yn 1934. Wrth weld comiwnyddiaeth yn adeiladu byd newydd heb Dduw ac yn gwneud hynny gyda brwdfrydedd, fe synnodd yn ddirfawr. Fe glywodd bobl ifainc yn canu eu bod yn gwneud byd newydd wrth iddynt gludo pridd i agor twnnel. Yna, pan bu i un o arweinyddion y comiwnyddion i ddweud wrth Gristnogion: "Mae eich dydd wedi dod i ben... nawr mae wedi dod yn ddydd ar gomiwnyddiaeth"; fe fethodd ei ffydd. Ond oherwydd y gwrthwynebiad, dechreuodd chwilio yr Ysgrythur yn fwy dyfal gan ddarganfod dau wirionedd a ddaeth yn sylfaen i'w neges o'r diwrnod hwnnw ymlaen. Mae'r gwirionedd cyntaf yn ein testun heddiw. Mae teyrnas Dduw yn ddi–sigl. Mae'r ail wirionedd i'w ddarganfod mewn adnod arall yn Hebreaid: "Iesu Grist, yr un ydyw ddoe, heddiw, ac yn dragywydd". (Hebreaid 13:8) Fe barodd y gwrthwynebiad iddo ailddarganfod datguddiad Duw. Daeth adref o Rwsia yn ddyn gwell. Bellach, wrth gwrs, mae comiwnyddiaeth yn gorwedd yn llwch hanes. Crist yn unig sydd yn achub ac yn abl i greu byd a dynoliaeth newydd.

Beth am fynd ymlaen i ddarllen:
1 Samuel 17:1–58

Meddyliwch am y cwestiynau hyn:
1. Beth oedd effeithiau gwrthwynebiad ar:
    i) Dafydd? ii) yr Israeliaid?

Gweddi
O Dad, cynorthwya fi nid yn gymaint i gael fy ysgwyd gan y gwrthwynebiad ond, yn hytrach, i gael fy annog gan wrthwynebiad i newid y byd. Dangos i mi bod pob gwynt croes sydd yn dod i'm rhan yn gyfle newydd. Ni all dim fy ngoddiweddyd i yn dy gwmni di. Diolch i ti, O Dad. Amen.

Cael fy anwybyddu, neu cael fy nerthu

"Yn y byd, fe gewch orthrymder, ond codwch eich calon, yr wyf fi wedi gorchfygu'r byd." (adn. 33)

Beth am ddarllen Ioan 16:17–33 ac yna myfyrio

Pan mae Cristnogion yn wynebu anawsterau, maent yn aml yn gofyn: "Ble mae Duw yn hyn i gyd? Beth mae Duw yn ei wneud" Yn ôl ei arfer, mae yn barod i'n hachub gan ddwyn daioni allan o ddrygioni, i wneud byd newydd allan o'r hen fyd. Yr wyf am eich atgoffa eto ei fod wedi gwneud hynny ar y groes. Fe feddiannodd Iesu y peth gwaethaf a allai ddigwydd iddo – ei farwolaeth – gan ei wneud y peth gorau a allai ddigwydd i'r byd, hynny yw, iachawdwriaeth. Ac mae'r Iesu yn parhau i fod yn un sydd yn ein cynorthwyo i droi y gwaethaf er y gorau.

Clywais unwaith am ŵr oedd yn hedfan awyren yn y Caribî, a gofynnwyd iddo: "Beth yw'r perygl mwyaf yr wyt ti wedi ei wynebu wrth hedfan yn y rhan hyn o'r byd? Ai y corwyntoedd?" "Na," meddai, "gallwn ddefnyddio y corwyntoedd. Maent yn symud yn ara' deg iawn yn y canol. Felly, yr ydym yn cyrraedd ei hymyl ac fe fydd gennym wynt cryf o dros gan milltir yr awr o'n plaid ni. Wrth ddod yn ôl, mi fyddwn yn ceisio cyrraedd yr ochr arall. Yr ydym yn defnyddio'r corwyntoedd wrth ddod a mynd." Yn ein dydd ni pan mae corwyntoedd gwrthwynebiad yn wynebu'r Eglwys, gallwn ninnau hefyd ei defnyddio – wrth fynd ac wrth ddod.

Mae'n debyg y bydd y gwrthwynebiad sydd o flaen yr Eglwys yn ei dyfodol, nid yn gymaint yn wrthwynebiad corfforol, ond, yn hytrach, yn llawer mwy slei. Mae yr agwedd gyffredinol tuag at yr Eglwys yn cael ei nodweddu gan frawddeg a glywais rywun yn ei llefaru ar y radio unwaith: "Nid wyf am dynnu sylw at yr Eglwys oherwydd nid oes dim gwerth tynnu sylw ati." Mae gwrthwynebiad corfforol yn dod ar ffurf cleddyf a chyllyll. Daw gwrthwynebiad ysbrydol yn fynych wrth i ni gael ein hanwybyddu. Mae'r ddau wrthwynebiad yn brifo. Eto, rhaid i ni sylweddoli fod y rhai sydd yn gwrthwynebu yn dioddef eu hunain, yn dioddef o wacter ystyr mewnol. Maent yn ein hanner gasáu ac eto yn hanner gobeithio y medrwn eu perswadio ein bod yn iawn. Dyma agwedd meddwl y dyn modern.

Beth am fynd ymlaen i ddarllen:
Gen. 37:1–36; 50:15–21; Ioan 8:1–11; Rhuf.8:28

Meddyliwch am y cwestiynau hyn:
1. Sut bu i'r gwrthwynebiad a wynebodd Joseff weithio er daioni?
2. Sut bu i Iesu ddefnyddio gwrthwynebiad i ddangos trugaredd Duw?

Gweddi
O Dad, pan fyddaf yn wynebu corwyntoedd erledigaeth neu wrthwynebiad, cynorthwya fi i ddefnyddio'r gwyntoedd hynny o'm plaid wrth ddod ac wrth fynd. Dangos i mi sut mae defnyddio popeth er gwasanaethu'r Efengyl. Yn enw Iesu Grist. Amen.

Tair ton enfawr

"...oherwydd y mae Tywysog y byd hwn yn dod. Nid oes ganddo ddim gafael arnaf fi..." (adn. 30)

Beth am ddarllen Ioan 14:15–31 ac yna myfyrio

Rydym am dreulio un diwrnod arall yn adlewyrchu ar y ffaith fod yr Eglwys yn Antiochia wedi ei sylfaenu gan wŷr a gwragedd oedd wedi dioddef ar gyfrif eu ffydd gan droi y gwrthwynebiad yn gyfle. Yr ydym ni hefyd yn byw mewn dyddiau pan fo popeth a ellir ei siglo yn siglo, ond ni ddylai hynny beri ein bod yn digalonni – gall hon fod yn awr fawr i bobl yr Arglwydd. Yr ydym yn sefyll gyda theyrnas ddi– sigl o dan ein traed a pherson anghyfnewidiol o'n blaen. Dyma y neges y byddwn yn ei ddefnyddio i wrthwynebu agwedd meddwl ein dydd. Nid ein gofid pennaf yw sut i ddioddef y gwrthwynebiad ond sut medrwn ddefnyddio y gwrthwynebiad.

Mae'r adnod sydd yn destun i'r sylwadau heddiw wedi fy rhyfeddu ers i mi ei darganfod gyntaf. Er fy mod wedi cyfeirio at hyn o'r blaen, caniatewch i mi wneud y pwynt eto. Mae'r cyfieithydd James Moffatt yn cyfieithu'r adnod fel hyn: "Nid oes ganddo ef (y Diafol) unrhyw afael arnaf fi; bydd ei ddyfod ond yn gwasanaethu..." Sylwch fel y bu i Iesu wneud hyd yn oed i'r Diafol wasanaethu. Pan na all y Diafol ddylanwadu arnom trwy ein hunan dosturi, ein bywyd hunan ganolog, neu ein chwerwder, yna bydd ei ymweliad â'n calon ni yn ddim mwy na chyfrwng i'n cynorthwyo i wasanaethu yr Iesu yn well. Mae ymdrechion y Diafol yn hyn yn cyfrannu at ddefnyddioldeb y saint.

Mae'r siŵr fod y Diafol wrth ei fodd yn gweld y saint yn cael eu gwasgaru mor bell a Phenice, Cyprus ac Antiochia, ond beth oedd ei ymateb tybed wrth weld canlyniadau eu gwaith yn Antiochia? Mae'n anodd gennyf gredu na all y Diafol weld ei fod yn amhosibl i drechu y rhai y mae Duw yn preswylio yn eu calonnau. Sefydlwyd yr eglwys yma gan storm o wrthwynebiad ond ar gyfrif y gwrthwynebiad, fe esgorwyd ar storm fwy. Aeth tair ton enfawr allan o Antiochia wrth i Paul, yr apostol, gychwyn oddi yno ar ei daith genhadol. Dyma'r grymoedd a ysgydwodd y byd.

Beth am fynd ymlaen i ddarllen:
2 Cor. 11:16–13:1; 2 Tim. 1:1–2:19

Meddyliwch am y cwestiynau hyn:
1. Pam bu i Paul lawenhau mewn gwrthwynebiad?
2. Beth yw yr hyn na ellir ei ysgwyd?

Gweddi
O Dduw ein Tad, cynorthwya ni i fod yn eglwys fel eglwys Antiochia – yn ganolbwynt i rym yr Efengyl – fel y byddwn ninnau hefyd yn ysgwyd y byd â thonnau enfawr. Rydym yn gofyn hyn yn enw bendigedig Iesu Grist. Amen.

Newyddion da

"Y mae'r sawl sydd wedi fy ngweld i wedi gweld y Tad." (adn.9)

Beth am ddarllen Ioan 14:1–14 ac yna myfyrio

Yr ydym am edrych yn awr ar elfen arall yng nghreadigaeth yr eglwys yn Antiochia. Daeth i fodolaeth oherwydd y newyddion da am Iesu Grist. Dyma'r hyn y mae Actau 11:20 yn dweud wrthym: "Ond yr oedd rhai ohonynt yn bobl o Cyprus a Cyrene a dechreusant hwy, wedi iddynt ddod i Antiochia, lefaru wrth y Groegiaid hefyd, gan gyhoeddi'r newydd da am yr Arglwydd Iesu."

Mae'r neges am Iesu Grist yn sylfaenol i'r Eglwys Gristnogol. Wrth anghofio hynny, yr ydym yn gosod yr Eglwys mewn sefyllfa beryglus iawn. Nid yw'r Efengyl yn cyfeirio yn unig at berson Crist; mae'r Efengyl yn gorwedd ym mherson Crist. Ni ddaeth Iesu i ddwyn y newyddion da yn unig; ef *yw* y newyddion da. Ni ddaeth i ddangos y ffordd yn unig; ef *yw* y ffordd. Ni ddaeth i gyfeirio at y gwirionedd yn unig; ef *yw* y gwirionedd. Cyfeiriodd Moses at y gyfraith, cyfeiriodd Mohammed at y Qur'an, Confucius at yr Analectiaid, Buddha at y Llwybr Wythblyg. Cyfeiriodd Iesu at ef ei hunan gan ddweud: "Deuwch ataf fi bawb a'r sydd yn flinderog ac yn llwythog, a mi a esmwythâf arnoch. (Mathew 11:28) Ni all neb llai na Duw ei hun wneud hyn heb fod yn euog o gymryd enw Duw yn ofer. Yn y fan hyn, cawn afael mewn un sydd ag awdurdod priodol i siarad.

Nid oes y fath beth â hanner ffordd ynglŷn â hyn. Naill ai mae Iesu yn Dduw neu nid yw yn dda. Pan welodd Thomas y Crist atgyfodedig am y tro cyntaf, cyffesodd: "Fy Arglwydd a'm Duw." (Ioan 20:28). Ni fu i Iesu ymateb trwy ddweud: "Thomas, rwyt ti wedi camgymryd. Efallai mai fi yw dy Feistr, ond nid dy Dduw". Na, fe dderbyniodd addoliad Thomas fel Duw oherwydd ei fod yn Dduw. Mae'n wir dweud fod unrhyw eglwys sydd wedi ei hadeiladu ar sylfaen arall heb fod yn eglwys o gwbl. Efallai fod ganddi safbwyntiau da, ond dim newyddion da.

Beth am fynd ymlaen i ddarllen:
Ioan 1:1–14; 5:18; 6:30–58; 8:51–59; 10:39; 1 Tim. 2:5

Meddyliwch am y cwestiynau hyn:
1. Pa mor bwysig yw dwyfoldeb Iesu?
2. Pa mor bwysig yw dyndod Iesu?

Gweddi
O Dad, rwy'n diolch i ti am ddod i'r byd yma ym mherson dy Fab. Wrth gyhoeddi hyn, nid cyhoeddi safbwynt a wnawn ond newyddion– newyddion da! Yr wyf yn diolch i ti am gael cyhoeddi'r fath newyddion. Amen.

Darlun gorau Duw

"Ef yw disgleirdeb gogoniant Duw, ac y mae stamp ei sylwedd ef arno. (adn. 3)

Beth am ddarllen Hebreaid 1:1–14 ac yna myfyrio

Ddoe, fe nodwyd fod yr eglwys yn Antiochia wedi ei sylfaenu ar y newyddion da am Iesu Grist. Pam nad ydym yn dweud 'y newyddion da am Dduw'? Oherwydd mai Iesu yw y ffordd at Dduw. Ni ddylem byth beidio â siarad am Dduw yn yr Eglwys Gristnogol, ond yr unig ffordd i mewn i'r Eglwys yw trwy Iesu Grist. Gofynnodd un mewn cyfarfod unwaith: "Pam eich bod yn gwneud cymaint o sylw o'r Arglwydd Iesu ac mor ychydig o Dduw?" "Mae Iesu yn Dduw," oedd yr ateb, ac wrth i ni sôn llawer amdano ef, yr ydym yn cyfeirio nid yn unig ato ef ond at y Tad, oherwydd Iesu yw'r un sydd yn datguddio'r Tad.

Er bod yr Hen Destament yn datguddio darlun clir o Dduw, y datguddiad mwyaf eglur o Dduw yw Iesu. Clywais un yn dweud unwaith: "Os nad yw Duw fel Iesu, nid wyf yn tybied fy mod am ei adnabod." Wel, mae Duw fel Iesu, oherwydd mae'r Mab yn datguddio'r Tad – yn ei ddatguddio yn llawn. "Fel Iesu" yw'r disgrifiad gorau mewn unrhyw iaith. Wrth i chi edrych i mewn i wyneb Iesu Grist, yr ydych yn gweld wyneb Duw – y Duw sydd yn achub, yr unig Dduw. Os tybiwch eich bod yn gweld Duw yn unman arall, yn hytrach nag yng ngwyneb Iesu, yr ydych yn gweld rhywbeth sydd heb fod yn Dduw, rhywbeth sydd wedi deillio o ddychymyg dyn. Fel y dywed ein testun heddiw, Iesu yw disgleirdeb gogoniant Duw ac y mae stamp ei sylwedd ef arno.

Un o'r pethau mwyaf trist sydd yn digwydd mewn cylchoedd diwinyddol yw colli Iesu. Mae diwinyddion rhyddfrydol yn dweud llawer am Dduw ond yn esgeuluso dweud llawer am Iesu, ac ar yr adegau hynny pan fyddant yn cyfeirio ato, fe gyfeirir yn bennaf at ei ddyndod. Os byddwch yn colli Iesu, byddwch yn colli Iesu a Duw. Yn ôl un plentyn bach mewn ysgol Sul unwaith: "Iesu yw'r llun gorau o Dduw a gymerwyd erioed."

Beth am fynd ymlaen i ddarllen:
Math. 9:36; 14:14–21; 15:32; 21:12–14

Meddyliwch am y cwestiynau hyn:
1. Pa agweddau oedd i gymeriad Iesu?
2. Sut fyddech yn cymharu hyn â chymeriad Duw yn Salm 86:15?

Gweddi
Fy Nuw a'm Tad, yr wyf mor ddiolchgar i ti dy fod wedi datguddio dy hun i ni yn Iesu Grist, dy Fab. Mor wahanol yw ein syniadau ni amdanat ti. Arglwydd, mae'n dychymyg ni yn cael ei chwalu wrth edrych ar Iesu. Diolch am ei weld ef yn eglur. Amen.

Golau'r haul yn erbyn golau'r lleuad

"... y mae ef hefyd yn gallu achub hyd yr eithaf y rhai sy'n agosáu at Dduw trwyddo ef, gan ei fod yn fyw bob amser i eiriol drostynt." (adn. 25)

Beth am ddarllen Hebreaid 7:11–28 ac yna myfyrio

Dechreuodd yr eglwys yn Antiochia gyda'r newyddion da am Iesu Grist. Petai'r Cristnogion yno wedi bod yn amheus ynglŷn â'r neges, yna ni fyddai unrhyw rym, ni fyddai unrhyw bobl wedi dod i gredu, ac, ymhellach, ni fyddai yna genhadaeth fyd–eang. Roedd y neges yn allweddol – "y newyddion da am yr Arglwydd Iesu". Disgrifir crefydd yn aml fel ymchwil dyn am Dduw, ac oherwydd hynny mae yna lawer o grefyddau. Disgrifir y ffydd Gristnogol fel "ymchwil Duw am ddyn". Dyma'r newyddion da; felly, dim ond un Efengyl sydd, ac mae'r Efengyl honno, yn ôl Hebreaid 1:2, yn cael ei llefaru wrthym ni ym Mab Duw.

Deuthum ar draws y gosodiad hwn yn ddiweddar a chredaf ei fod yn crynhoi'r ffydd Gristnogol. Y mae gan Gristnogaeth gredoau, ond nid credo yw. Y mae ganddi athrawiaethau, ond nid athrawiaeth yw. Y mae ganddi seremonïau ac arferion, ond nid arfer a seremoni yw. Y mae ganddi ei sefydliadau, ond nid sefydliad yw. Yn y canol y mae person. Crist yw Cristnogaeth.

Cyn i'r Iesu gael ei eni, daeth angel at Joseff gan ei hysbysu pam ei fod ar ddod: "Yr wyt i roi iddo yr enw 'Iesu' oherwydd bydd yn achub pobl oddi wrth eu pechodau." (Mathew 1:21) Does dim, dim o gwbl, sydd ei angen fwy ar bobl ein cenhedlaeth na chael eu hachub oddi wrth eu pechodau. Ein pechod personol, a'n pechod fel cymdeithas yw'r rheswm dros ein problemau. Yr ydym yn gwastraffu biliynau o eiriau yn ceisio dadansoddi cyflwr dynoliaeth tra gellir ei grynhoi mewn un gair – pechod. Pan fu i'r disgyblion gael eu gwasgaru ar draws y byd yn y ganrif gyntaf, bu iddynt roi eu bys ar angen sylfaenol eu cenhedlaeth. Y mae angen i bob cenhedlaeth glywed y newyddion da am yr Arglwydd Iesu, nid syniadau da amdano. Mae'r naill yn olau haul, a'r llall yn olau lleuad.

Beth am fynd ymlaen i ddarllen:
2 Pedr 1:1; 1:11; 2:4–20; 3:2; 3:18; Actau 5:31; 26:18

Meddyliwch am y cwestiynau hyn:
1. Rhag beth y mae Iesu yn ein gwared?
2. I beth mae Iesu yn ein gwared?

Gweddi
O Dad, yr wyf yn diolch i ti eto am anfon dy Fab, fy Ngwaredwr, i mewn i'r byd. Bellach mae fy myd wedi ei lewyrchu, nid gan olau lleuad, ond â golau'r haul. Bydded pob gogoniant ac anrhydedd i'th enw bendigedig. Amen.

Hanfod y gwahaniaeth

*"Y mae'r byd a'i drachwant yn mynd heibio, ond y mae'r sawl sy'n gwneud
ewyllys Duw yn aros am byth." (adn. 17)*

Beth am ddarllen 1 Ioan 2:7–17 ac yna myfyrio

Yn yr Eglwys sydd wedi ei diwygio, yr Eglwys sydd yn barod i gyfarfod â her yr
unfed ganrif ar hugain, rhaid diogelu'r sylfaen, sef y newyddion da am yr Arglwydd
Iesu. Pan fu i'r disgyblion gyhoeddi hyn yn Antiochia, fe glywn yn ôl Actau 11:21:
"Yr oedd llaw'r Arglwydd gyda hwy, a mawr oedd y nifer a ddaeth i gredu a throi at
yr Arglwydd." Ychydig amser yn ôl, dywedodd swyddog eglwysig wrthyf fod yna
bwyllgor, oedd yn gyfrifol am efengylu yn ei eglwys, wedi dod i'r casgliad y byddai'n
well iddynt adael allan y geiriau 'Duw' a 'Iesu Grist' wrth wynebu dynion a gwragedd
y genhedlaeth hon, gan gyfeirio'n unig at y bywyd da. Os gadewir Iesu a Duw allan,
beth sydd ar ôl? Dim mwy na dyneiddiaeth. Dychmygwch petai'r adnod yr ydym
yn meddwl amdani yn ystod y deufis hwn (Actau 11:20) yn darllen fel hyn: "Yr
oedd rhai ohonynt, beth bynnag, dynion o Cyprus a Cyrene wedi mynd i Antiochia
a dechrau siarad hefo'r Groegiaid gan ddweud wrthynt am y bywyd da." A fyddem
yn darganfod wedyn fod llaw'r Arglwydd gyda nhw a bod nifer fawr o bobl wedi
troi a chredu yn yr Arglwydd? Byth! Bydded i'r Eglwys geisio ei gwaredu ei hun
o unrhyw ymdrech i wanhau neges yr Efengyl. Heb Iesu, does dim newyddion da.
Mae angen cael gwared hefyd ar y syniad y dylem fod yr un fath â phobl er
mwyn eu hennill. Clywais am un dyn oedd yn arfer ymatal rhag yfed cwrw, ac, eto,
roedd yn llwytho ei stepen drws â photeli cwrw fel bod ei gymdogion yn credu ei
fod fel un ohonynt hwy. Mae'n rhaid i ni, wrth gwrs, godi pontydd at bobl, i rannu
ym mhrofiadau pobl, ond dim ond rhannu i'r graddau lle byddwn yn ofalus i beidio
anwybyddu egwyddorion y Beibl. Yr ydym i sicrhau bod yna wahaniaeth hanfodol
rhyngom; y gwahaniaeth yma fydd yn peri fod eraill am fod yn wahanol.

Beth am fynd ymlaen i ddarllen:
Eff. 4:17–32; 6:1–10; 1 Cor. 9:16–23

Meddyliwch am y cwestiynau hyn:
1. Beth yw y gwahaniaeth sylfaenol?
2. Beth sydd yn gyffredin rhyngom?

Gweddi
O Dad, caniatâ i ni ddiogelu gwahaniaeth sylfaenol mewn ffordd fydd yn peri nad
yw pobl yn ein gweld fel rhai sydd ar wahân, ond, yn hytrach, yn rhai enillgar.
Dysga ni sut i fod yn y byd heb fod o'r byd. Yn enw Iesu. Amen.

Crefyddol neu Gristnogol?

"...oherwydd nid ar air yn unig y daeth atoch yr Efengyl yr ydym ni yn ei phregethu, ond mewn nerth hefyd, ac yn yr Ysbryd Glân, a chydag argyhoeddiad mawr." (adn. 5)

Beth am ddarllen 1 Thesaloniaid 1:1–10 ac yna myfyrio

Os yw'r Eglwys yn yr unfed ganrif ar hugain i'w diwygio, yna mae'n rhaid iddi ddechrau yn yr un man ag y dechreuodd yr eglwys yn Antiochia – dechrau gyda'r "newyddion da am Iesu Grist". Mae hyn yn hanfodol. Wrth i'r disgyblion ddechrau ar y sail yma, yna fe ddilynwyd eu hymdrechion gan fendithion. Nid fod ailddarganfod y gwirionedd am yr Arglwydd Iesu yn datrys pob anhawster, wrth gwrs. Yr oedd yn rhaid i'r neges a dderbyniwyd gan bobl Antiochia gael ei gweithredu yn eu perthynas â'u teuluoedd ac â'r gymuned o'u hamgylch. Ond, oherwydd bod y sail hon ganddynt, daeth yr eglwys yn eglwys mewn gwirionedd, gyda Iesu'n ysbrydoli pob un o'u gweithgareddau a'u cynorthwyo i gymhwyso ei ddysgeidiaeth i'w bywydau a'u perthynas ag eraill. Iesu oedd eu patrwm, a Iesu oedd eu nod. Iesu hefyd oedd y grym oedd yn eu cynorthwyo i gyrraedd y nod.

Mae yna ddogfen sydd yn rhestru erthyglau Cymdeithas Gristnogol y Gwŷr Ifainc. Tynnwyd allan y rhestr yn y bedwaredd ganrif ar bymtheg gan ŵr o'r enw George Williams. Yn ôl y ddogfen, dywedir fod y Gymdeithas wedi ei bwriadu yn wreiddiol i fod yn 'Gymdeithas Grefyddol y Gwŷr Ieuainc.' Beth bynnag, fe ddilëwyd y gair 'crefyddol' gan ddefnyddio yn hytrach y gair 'Cristnogol'. Mae rhai'n disgrifio y dilead yna fel yr un mwyaf pwysig yn hanes y Gymdeithas. Petai'r Gymdeithas neu yr Y.M.C.A. bellach, wedi cychwyn trwy fod yn fudiad crefyddol yn hytrach na mudiad Cristnogol, ni fuasai wedi medru adnabod y grym a'r nerth oedd ar ei chyfer ym mherson yr Arglwydd Iesu, ac ni fyddai erioed wedi profi y fath fendith yn ei gweinidogaeth o efengylu.

Bellach, wrth gwrs, mae yna nifer o adrannau o'r Y.M.C.A. yn coleddu safbwyntiau llai Cristnogol. Os pery hyn, ni fydd y mudiad hwn yn ddim mwy na grym cymdeithasol, heb ddim grym ysbrydol. Mae rhai eglwysi'n adlewyrchu'r patrwm yma. Nid ydynt mwyach yn Gristnogol, ac felly maent yn marw trwy fod yn annelwig.

Beth am fynd ymlaen i ddarllen:
Actau 2:14–37; 3:1–4:2; 4:18; 8:5

Meddyliwch am y cwestiynau hyn:
1. Beth mae cyhoeddi Iesu yn ei olygu?
2. Beth yw canlyniadau cyhoeddi Iesu?

Gweddi
O Dduw, diogela dy Eglwys rhag bod yn gymdeithas annelwig. Cynorthwya ni i fod yn gymdeithas Gristnogol gan gyhoeddi Iesu, a thrwy hynny arwain pobl atat ti yn hytrach nag atom ni. Gofynnaf hyn yn enw Iesu. Amen.

Y patrwm Beiblaidd

"A minnau, os caf fy nyrchafu oddi ar y ddaear, fe dynnaf bawb ataf fy hun."
(adn. 32)

Beth am ddarllen Ioan 12:20–36 ac yna myfyrio

Nid yw'r Testament Newydd yn cynnig cynllun ar gyfer adeilad eglwysig yn unman. Ond, mae yn cynnig cynllun ar gyfer y patrwm sydd i'w ddarganfod o fewn yr Eglwys a'i gweinidogaeth gerbron Duw, patrwm ar gyfer y rhai sydd yn perthyn iddi, a phatrwm ar gyfer ei gwaith yn y byd. Fe welir y patrwm yma ar ei amlycaf yn yr eglwys yn Antiochia. Rwy'n dweud 'ar ei amlycaf' oherwydd, er bod yna eglwysi eraill yn bodoli, yma yn Antiochia y galwyd y disgyblion yn Gristionogion am y tro cyntaf. Roedd eu bywydau mor debyg i fywyd yr Arglwydd Iesu fel bod pobl wedi eu galw yn Gristionogion. Dyma'r bobl sydd yn gosod y cywair ar gyfer yr Eglwys, gan wneud hynny drwy bwysleisio Iesu Grist i'r fath raddau fel mai 'Cristionogion' oedd yr unig air a ellid ei ddefnyddio i'w disgrifio.

Mae yna emyn sydd wedi bod yn mynd trwy fy meddwl wrth imi ysgrifennu'r sylwadau hyn. Mae'n siŵr fod rhai ohonoch yn gyfarwydd â'r geiriau:

> *Dyrchafer enw Iesu cu*
> *gan seintiau is y nen,*
> *a holl aneirif luoedd nef,*
> *coronwch ef yn ben.*

Mae symud y pwyslais oddi ar yr Arglwydd Iesu yn arwain at ddirywiad a dadrithiad. Mae ailddarganfod Iesu yn arwain at ddiwygiad. Mae angen i'r eglwysi hynny sydd am ailgychwyn wneud hynny yn yr un man ag y cychwynnodd yr eglwys yn Antiochia– gyda'r newyddion da am Iesu Grist.

Beth am fynd ymlaen i ddarllen:
Num. 21:4–9; Ioan 3:1–17; 8:28

Meddyliwch am y cwestiynau hyn:
1. Sut fyddech yn cymharu Iesu â'r sarff bres?
2. Sut gallwn ddyrchafu Iesu?

Gweddi
Ein Tad grasol a chariadlon, maddau i ni fod cymaint o amser yr Eglwys yn cael ei dreulio ar bethau ymylol, yn hytrach nag ar y person sydd i fod yn y canol. Cynorthwya ni i roi y pwyslais ar y newyddion da am Iesu Grist. Yn ei enw bendigedig. Amen.

Cymdeithas sy'n gofalu

"Oherwydd y mae Macedonia ac Achaia wedi gweld yn dda gyfrannu i gronfa ar ran y tlodion ymhlith y saint yn Jerwsalem." (adn. 26)

Beth am ddarllen Rhufeiniaid 15:14–33 ac yna myfyrio

Mae yna elfen arall y dylid ei chynnwys, wrth ddiwygio'r Eglwys yn yr unfed ganrif ar hugain, oedd yn amlwg iawn ym mywyd eglwys Antiochia – eu gofal dros eraill. Roedd eglwys Antiochia yn eglwys ofalus. Pan glywyd am y newyn mawr oedd i ddod yn Jerwsalem ac yn y byd Rhufeinig, penderfynodd yr eglwys yn Antiochia anfon cymorth i'r Cristnogion oedd yn byw yn Jwdea, pob un yn ôl ei allu (Actau 11:29). Dyma osod safon glir ar gyfer eu rhoddion. Os oedd ganddynt lawer, yr oeddynt yn rhoi llawer. Cynhaliwyd y safon yma drwy eu cyfrannu, oherwydd fe welwn o'r testun heddiw fod y credinwyr ym Macedonia ac Achaia wedi parhau i ddanfon cymorth i'r saint yn Jerwsalem.

Roedd y penderfyniad i helpu Cristnogion Jerwsalem yn un pwysig i'r eglwys ifanc yma. Beth petai'r eglwys wedi anfon gair o gydymdeimlad atynt? Mae'n siŵr y buasai hynny wedi bod o gysur, ond ni fyddai'r credinwyr hyn wedi gwneud yr oll ag y gallent. Dyma'r gair yn aros yn air, gair o gydymdeimlad a dim byd mwy. Mae'n siŵr y gellid cyhuddo Cristnogion yn aml o arddangos ewyllys da yn hytrach na gweithredu ewyllys da. Mae'n ardderchog i weld y gweithredu oedd yn eu nodweddu, pob un yn rhoi yn ôl ei allu. Nid dim ond casgliad oedd hwn, ond polisi ystyrlon.

Rwyf yn hoff o'r pwyslais yn yr Ysgrythur sydd yn nodi fod y Cristnogion yn Antiochia wedi penderfynu i gynorthwyo cyd-gredinwyr yn Jwdea. Mae'n siŵr eu bod wedi trafod y mater (ac rydym yn gwybod fod trafod yn medru bod yn ffordd dda o beidio gwneud dim byd); ond, dyma'r rhain yn trafod a phenderfynu. Nid pobl oedd yn oedi ond pobl oedd yn gweithredu, cymdeithas oedd yn gofalu mewn gwirionedd. Dywedodd un beirniad unwaith: "Mae'r Eglwys Gristnogol yn fwy cartrefol yn trafod nag yn penderfynu." Er efallai nad yw hyn yn wir ymhob amgylchiad, mae yna ddigon o wirionedd yn yr ymadrodd i beri gofid i ni.

Beth am fynd ymlaen i ddarllen:
Math. 25:31–46; Actau 9:36–42; 1 Tim. 5:9–10

Meddyliwch am y cwestiynau hyn:
1. Ym mha ffordd y mae bywyd Dorcas yn esiampl o un oedd yn gofalu fel Cristion?
2. Sut medrwch chi ofalu?

Gweddi
Maddau i ni, O Dad, ein bod yn aml yn credu fod trafod rhywbeth yn ddigonol. Cynorthwya ni i ddilyn esiampl y credinwyr yn Antiochia wnaeth drafod, penderfynu ac yna gweithredu. Gofynnwn hyn yn enw Iesu Grist. Amen.

Ymdeimlo â phobl

"Bydded gofal gan bob un ohonoch, nid am eich buddiannau eich hunan yn unig ond am fuddiannau pobl eraill hefyd." (adn. 4)

Beth am ddarllen Philipiaid 2:1–11 ac yna myfyrio

Yr ydym yn parhau i edrych ar ymateb y Cristnogion yn Antiochia i angen y credinwyr yn Jerwsalem ynghanol y newyn. Mae Eugene Peterson yn *The Message* yn cyfieithu Actau 11:28–29 fel hyn: "Safodd Agabus i fyny un diwrnod ac wedi ei gymell gan yr Ysbryd, dyma rybuddio'r bobl fod yna newyn mawr yn mynd i lethu y wlad. Felly, penderfynodd y disgyblion ddanfon beth bynnag oedd ganddyn nhw i'w cyd-Gristnogion yn Jerwsalem. Mae'r gair 'Felly' yn nodi'r pwyslais y gallwn ni yn aml ei osgoi. Roedd y newyn ar ddod... felly. Mae'n ymddangos fod y Cristnogion yma wedi ymateb i'r angen, nid oherwydd bod yna wledd i godi arian wedi ei chynnal, nag ychwaith oherwydd bod yna apêl emosiynol wedi ei chyflwyno. Doedd neb wedi gofyn, doedd yna neb wedi areithio yn wych. Y cyfan a ddigwyddodd oedd fod y bobl yma yn ymdeimlo ag angen.

Mae'n bwysig i'r Cristion feddu ar yr ymdeimlad yma. Mae'n siŵr y medrwch fesur i ba raddau yr ydych yn ofalus o eraill drwy ofyn y cwestiwn: "Beth yw lled a beth yw dyfnder fy ngofal i?" Mae rhai pobl ond yn ymdeimlo â'u hangen eu hunain. Maent yn byw mewn cyflwr lle yr hunan yw'r unig un sydd yn bwysig, ac, felly, mae eu bywyd yn adlewyrchu bywyd isel iawn. Mae eraill ond yn ymdeimlo â'r bobl hynny y maent yn byw neu'n gweithio gyda nhw, er enghraifft, teulu a chyfeillion. Gellir dweud eu bod nhw wedi codi i dir ychydig yn uwch. Mae eraill yn ymdeimlo ag angen eu dosbarth cymdeithasol neu eu cenedl. Mae'r rhain ychydig yn uwch eto.

Mae bod yn Gristion, yn ôl un hen bregethwr Cymraeg, yn golygu ein bod yn ymdeimlo ag angen pob un, hyd yn oed ein gelynion. Mae'r sylw yma bob amser yn fy herio i oherwydd, er nad wyf yn ymwybodol fod gennyf elynion, tybiaf petai gennyf elyn, y dylwn fod yn ymdeimlo â'i angen, yn ofalus o'r hyn y mae yn ei feddwl, yn ofalus o'i les. Pa mor uchel mae ein bywyd ni wedi cyrraedd? Pa mor lydan a dwfn yw ein gofal ni?

Beth am fynd ymlaen i ddarllen:
2 Bren. 6:8–23; 2 Cron. 28:8–15; Math. 5:39–48; Rhuf. 12:14–21

Meddyliwch am y cwestiynau hyn:
1. Sut bu i Eliseus ofalu am ei elynion?
2. Beth mae gofalu am ein gelynion yn ei wneud i'n gelynion, a beth mae yn ei wneud i ni?

Gweddi
O Dad, os yw'n angenrheidiol i'r Cristion ymdeimlo ag angen, mae angen ymdeimlo ag angen pob dyn, hyd yn oed fy ngelynion. Cynorthwya fi i fod yn fwy gofalus, i feddwl am eraill yn hytrach nag amdanaf fi fy hun. Yn enw Iesu. Amen.

Ffynhonnell gofal

"Yn hyn y dangoswyd cariad Duw tuag atom: bod Duw wedi anfon ei unig Fab i'r byd er mwyn i ni gael byw drwyddo ef." (adn. 9)

Beth am ddarllen 1 Ioan 4:7–21 ac yna myfyrio

Os byddwn yn olrhain gofal Cristnogol i'w darddle, yna byddwn yn darganfod ei fod yn cychwyn yng nghalon Duw ei hunan. "Canys felly y carodd Duw y byd fel y rhoddodd ei unig–anedig Fab..." (Ioan 3:16)

Bu i genhadwr o'r India, wrth bregethu i gynulleidfa o Gristnogion a phobl o grefyddau eraill, ddweud unwaith fod gofal i'w weld ar ei amlycaf yn y darlun o Dduw yn rhoi ei Fab ar y groes. "Mae'r Duw a welwn yn Iesu," meddai, "yn Dduw sydd yn gofalu, yn Dduw sydd yn gofalu cymaint fel ei fod yn rhoi ei Fab ei hun ar y groes." Wedi iddo orffen, cododd y cadeirydd, meddyg Hindŵaidd, gan ddweud: "Diolch i'n siaradwr heno am ei araith, ond ni ddylem ddod â Duw i mewn i ddigwyddiadau ein byd. Rhaid iddo gael ei ddyrchafu uwchlaw'r pethau hyn. Ni ddylem feddwl am Dduw yn ddyn." Nawr i'r cadeirydd yma, roedd Duw yn Dduw nad oedd yn gofalu, ddim yn poeni. Nid wyf am swnio yn amharchus, ond yr wyf yn tybied fod duw sydd ddim yn gofalu ddim yn cyfrif. Mae'r duw sydd yn eistedd ar wahân i'w fyd, wedi ei wahanu oddi wrth ei broblemau, yn un nad yw'n haeddu anrhydedd.

Er hynny, gallwn ni lawenhau gan fod ein Duw, Tad ein Harglwydd Iesu Grist, yn Dduw sydd yn gofalu. Trwy ei ddarostyngiad yn dod i mewn i'n byd, yn gwisgo ein cnawd, yn mesur ein gwendid, yn gwybod yn union sut yr ydym ni'n teimlo, mae Duw yn amlygu ei gariad. Mae'n siŵr eich bod yn gyfarwydd â'r emyn:

Ymhlith holl ryfeddodau'r nef
hwn y mwyaf Un –
gweld yr anfeidrol, ddwyfol Fod
yn gwisgo natur dyn.

Beth am fynd ymlaen i ddarllen:
Ioan 10:1–18; Rhuf. 5:6–8; Eff. 2:1–10; Math. 6:25–34

Meddyliwch am y cwestiynau hyn:
1. Beth sydd yn arddangos yn derfynol fod Duw yn gofalu amdanom?
2. Pa mor bell y mae gofal Duw yn ymestyn?

Gweddi
O Dduw ein Tad, diolch i ti mai ti yw ffynhonnell pob gofal, pob cydymdeimlad. Tyn fi mor agos at dy galon fel y byddaf innau hefyd yn teimlo ac yn gofalu fel yr wyt ti yn gofalu. Ni all yr un Duw arall siarad â'm cyflwr, oherwydd nid oes yr un Duw arall wedi gwisgo fy natur. Diolch i ti, O Dad. Amen.

Cyfraith Crist

"Cariwch feichiau eich gilydd, ac felly fe gyflawnwch Gyfraith Crist." (adn. 2)

Beth am ddarllen Galatiaid 6:1–10 ac yna myfyrio

Yr ydym am lawenhau fod Duw yn Dduw sydd yn gofalu amdanom. Dywedodd gwyddonydd Cristnogol unwaith: "Mae'r dystiolaeth i Dduw sydd yn gofalu i'w gweld ymhobman yn ei greadigaeth; yn y modd y mae'r haul yn gwawrio ac yn machlud, yn nhymhorau'r ddaear, yn y ffordd y mae blodyn yn agor ei betalau... mae'r cyfan i gyd yn bloeddio fod yna Dduw sydd yn gofalu y tu ôl i'w greadigaeth, ac wrth i ni ddod i adnabod y Duw yma yn well, mi fyddwn yn adnabod ei ofal yn well. Mae hyn yn anhepgor. Wrth gwrs, nid yw calon ofalus Duw yn cael ei datguddio yn un man yn fwy eglur nag ym mherson ei Fab, Iesu Grist. Mae'r testun heddiw yn dweud wrthym, wrth i ni gario beichiau ein gilydd, yr ydym yn cyflawni cyfraith Crist.

Gosododd Duw nifer o gyfreithiau yn ei fydysawd – cyfraith disgyrchiant, cyfraith thermodynameg, cyfraith marwolaeth ac yn y blaen, ond mae yna un gyfraith sydd yn uwch na'r cwbl, ac, eto, yn rhan o'r cwbl, cyfraith Crist. A beth yw y gyfraith yma? Cyfraith gofal. Dyma'r gyfraith sydd yn dal pob cyfraith arall ynghyd. Heb hon, byddai'r bydysawd yn chwalu. Nid oes yr un flaenoriaeth fel cyfraith Crist yn y byd.

Ychydig fisoedd yn ôl, bûm mewn eglwys yn Kuala Lumpur. Roedd yr eglwys wedi sefydlu canolfan ddialysis. Wrth wneud hyn, mae wedi darparu'r adeilad, yr offer, a rhan fwyaf o'r bobl sydd yn angenrheidiol ar gyfer y ganolfan. Wrth wneud hyn, mae'n peri fod pobl oedd o'r blaen yn gorfod teithio milltiroedd lawer i'r ddinas, bellach yn cael eu harbed rhag y daith hir ac anghyfforddus yma. Mae'r eglwys yma yn pregethu'r Efengyl saith diwrnod yr wythnos, nid dim ond mewn geiriau, ond mewn gweithredoedd. Mae ei gweinidog a'i phobl yn cyflawni cyfraith Crist. Rhaid i ni arddangos ein gofal yn ein gweithredoedd, ynghyd ag yn ein geiriau, os ydym am wneud gwahaniaeth yn y ganrif hon.

Beth am fynd ymlaen i ddarllen:
Iago 1:26–2:26; Eseia 58:1–12; Rhuf. 15:1–7

Meddyliwch am y cwestiynau hyn:
1. Beth yw gwir grefydd?
2. Beth yw'r berthynas rhwng ffydd a gweithredoedd?

Gweddi
O Dad, maddau i ni ein bod yn rhai da am ddefnyddio geiriau ond yn aml yn sâl am weithredu. Tyn y cen oddi ar ein llygaid er mwyn i ni gael gweld, nid yn unig yr anghenion sydd o'n cwmpas, ond y cyfleon i ni wasanaethu'r anghenion hyn. Maddau i ni a chynorthwya ni. Yn enw Iesu. Amen.

Ai ceidwad fy mrawd ydwyf i?

"Safodd Iesu, a dywedodd: 'Galwch arno.' A dyma hwy'n galw ar y dyn dall ac
yn dweud wrtho, 'Cod dy galon a saf ar dy draed; y mae'n galw arnat.'"
(adn. 49)

Beth am ddarllen Marc 10:46–52 ac yna myfyrio

Bu i ni ddweud ychydig ddiwrnodau yn ôl bod angen i'r Cristion ymdeimlo ag
angen pob dyn. Roedd Iesu yn sensitif i angen unigolion, ac os ydym am ei ddilyn
ef, rhaid i ni astudio ei esiampl. Heddiw, clywn sut bu i Bartimeus alw ar Iesu: "Fab
Dafydd, trugarha wrthyf" (adn.48). Dywedodd y bobl o'i amgylch wrtho am dewi.
Er hynny, clywodd Iesu ef yn galw dro ar ôl tro, ac felly, trodd gan orchymyn;
"Galwch arno." Yna, bu rhai oedd wedi bod yn ei annog i dewi ruthro at y dyn, gan
ddweud: "Cod dy galon. Saf ar dy draed. Mae'n galw arnat." Wedi i Iesu ddangos
diddordeb yn y cardotyn yma, bu i'r dyrfa oedd gynt yn ei anwybyddu ddechrau
cymryd diddordeb ynddo. Er nad wyf am awgrymu fod diddordeb y dyrfa yn y dyn
dall yr un diddordeb ag oedd gan Iesu, yr wyf am awgrymu y dylem arddangos yr un
gofal ag y bu i Iesu ei arddangos. Rhaid i ni ymdeimlo ag angen a bod yn sensitif i
angen.

    Bu i mi gynghori Cristion ychydig flynyddoedd yn ôl oedd mewn anawsterau.
Wedi i ni siarad, awgrymais fod Duw wedi ei gynorthwyo ac y dylai ei roi ei hun i
gynorthwyo eraill. Awgrymais un neu ddwy o ffyrdd iddo gyflawni hyn, gan nodi
rhai pobl fyddai mewn sefyllfa i'w gyfarwyddo. Ond wedi i mi ddisgrifio eu
hamgylchiadau, trodd ataf a dweud: "Dydw i'n poeni dim." Er fy mod dros y
blynyddoedd wedi clywed credinwyr yn dweud pethau anghristnogol iawn, mae'n
rhaid i mi gyfaddef fod ei eiriau wedi torri fel cyllell drwy fy nghalon. Sut all
dilynwr i Iesu Grist ddweud hyn? Wrth gwrs, ni fu'r gŵr yma yn hir cyn mynd i
anawsterau eto, anawsterau o'i wneuthuriad ei hunan. Nid oedd yn poeni am neb, ac
oherwydd ei ddiffyg gofal methodd â dod i delerau â'i fywyd ei hun.

Beth am fynd ymlaen i ddarllen:
Math. 18:21–35; Heb.13:1–3; 1 Ioan 3:1–19

Meddyliwch am y cwestiynau hyn:
1. Sut y mae ein hagwedd at bobl eraill yn arddangos cyflwr ein henaid?
2. Beth yw'r berthynas rhwng cariad a gweithredoedd?

Gweddi
O Dad, caniatâ na fydd i'r geiriau "ai ceidwad fy mrawd ydwyf i" gael eu clywed ar
fy ngwefusau. Bydded i'r hyn sydd o ddiddordeb i'm Gwaredwr fod o ddiddordeb
i mi. Bydded i destunau ei ofal ef fod yn destunau fy ngofal i. Er mwyn ei enw
annwyl. Amen.

Ei ffordd

"Wrth glywed hyn llanwyd pawb yn y synagog â dicter." (adn. 28)

Beth am ddarllen Luc 4:14–29 ac yna myfyrio

Os ydym yn ddilynwyr i Iesu, fe ddylem fod â'r un diddordeb ag oedd gan ein Gwaredwr. Rhaid i ni fod yn sensitif ac yn ofalus, fel oedd Iesu. Wrth i ni edrych ar yr hyn sydd yn cael ei amlygu yn y darlleniad heddiw, gadewch i ni ystyried hyn: yn nyddiau Iesu Grist, fe fyddai'r Iddewon mwyaf crefyddol yn diolch i Dduw yn gyson nad oeddent wedi cael eu geni "yn wahanglwyf, yn wraig, nac yn genedl–ddyn". Dyma oedd meddylfryd y bobl yr oedd Iesu yn pregethu iddynt yn y synagog yn Nasareth, ac fe ganiataodd i'r bobl hyn glywed pa mor bell yr oedd am fynd gyda'i raglen o ryddid. Bu yna newyn mawr yn ystod cyfnod Eleias, ac, o ganlyniad, roedd yna lawer o wragedd gweddwon yn Israel. Ond ni ddanfonwyd y proffwyd at yr un o'r rhain. Yn hytrach, danfonwyd Eleias at wraig weddw yn Sarepta. Yr un modd yng nghyfnod Eliseus, roedd yna lawer o wahangleifion yn Israel, ond ni iachawyd yr un ohonynt hwy, ond, yn hytrach, Namaan, y Syriad. Beth oedd Iesu yn ei ddweud wrth y bobl yma? Roedd yn dweud fod Duw yn gofalu am wragedd, yn gofalu am wahangleifion, yn gofalu am genedl-ddynion. Meddai un esboniwr: "Mae Iesu'n nodi yn glir fod eu gweddïau dyddiol yn gwbl annerbyniol."

Roedd y bobl wedi gwylltio hefo Iesu a bu iddynt ei ddwyn i ben y bryncyn, lle'r adeiladwyd Nasareth, er mwyn ei daflu oddi yno. Nid oedd ganddynt unrhyw ddiddordeb yn ei ofal ef. Yr unig ofal oedd yn bwysig iddyn nhw oedd gofal dros eu cenedl eu hunain. Roeddent yn fwy na pharod i lofruddio Iesu, ac eto, yn sydyn, dyma rywbeth am Iesu yn peri eu bod yn ymatal. Mae'r adran yn gorffen trwy ddweud wrthym: "Ond aeth ef drwy eu canol hwy, ac ymaith ar ei daith." Sylwch 'ymaith ar *ei* daith', nid eu taith hwy. Felly, fel ei ddilynwyr, dylem ddilyn ei ffordd ef, nid ein ffordd ni, ei ffordd ef o ofalu, dros bawb, ymhobman.

Beth am fynd ymlaen i ddarllen:
Math. 8:1–3; Marc 10:13–16; Ioan 4:5–27; Actau 20:35

Meddyliwch am y cwestiynau hyn:
1. Pam bu i Iesu gyffwrdd â'r gŵr oedd yn dioddef o'r gwahanglwyf?
2. Pam synnwyd y disgyblion?

Gweddi
Iesu, fy Arglwydd a'm Meistr, mae yna rywbeth yn fy nghalon sydd yn peri fy mod am ddilyn fy ffordd fy hun. Cynorthwya fi i'th ddilyn di, i feddiannu dy ffordd di, i ofalu am eraill. Hyn yw fy ngweddi. Amen.

Gofal cyfyngedig

"Ond yr oedd y Phariseaid a'r ysgrifenyddion yn grwgnach ymhlith ei gilydd, gan ddweud, 'Y mae hwn yn croesawu pechaduriaid ac yn cydfwyta gyda hwy.'"(adn. 2)

Beth am ddarllen Luc 15:1–10 ac yna myfyrio

Fel y nodwyd, bu yna gryn wrthwynebiad i Iesu oherwydd y modd y byddai'n mynnu fod Duw yn gofalu, nid yn unig am yr Iddewon, ond am bawb ymhobman. Pan ofynnodd y cyfreithiwr i Iesu, "Pwy yw fy nghymydog?" (Luc 10:9), atebodd ef drwy adrodd dameg oedd yn cymryd y syniad Iddewig am gymydog (sef rhywun o'r un genedl â chi) i mewn i ddimensiwn cwbl newydd, hynny yw, gall cymydog fod yn unrhyw un, o'r un genedl neu o genedl arall.

Sylwch pa mor glyfar y mae Iesu, wrth gychwyn ei ddameg, yn gofyn cwestiwn i'r un oedd wedi ei holi: "P'run o'r rhain wyt ti yn tybied oedd yn gymydog i'r gŵr a syrthiodd ymhlith lladron?" (Luc 10:36) Doedd ond un ateb y medrai'r cyfreithiwr ei roi: "Yr un a ddangosodd drugaredd arno" (Luc 10:37). Mae'r ddameg yma wedi setlo'r diffiniad o 'Pwy yw ein cymydog' unwaith ac am byth – unrhyw un sydd mewn angen. Yr wyf am honni ein bod yn anaeddfed iawn fel Cristnogion os nad ydym yn gweld hyn ac yn gweithredu ar hyn.

Er bod yna lawer iawn o ofal yn y byd, eto mae'r rhan fwyaf o'r gofal yma yn gyfyngedig iawn, yn gyfyngedig i'n teulu ein hunain, i'n cenedl ein hunain, i gylch ein cyfeillion ein hunain. Dywed un awdur cyfoes: "Mae'r byd yn dioddef o ofal cyfyngedig, dosbarth am ddosbarth, cenedl am genedl. Yr hyn sydd ei angen yw gofal anghyfyngedig, pobl sydd yn gofalu nid yn unig am bobl sydd yr un fath â nhw, ond hefyd am y bobl sydd yn wahanol iddynt. Mi fyddai'r enw 'Cymdeithas Gofal Cyflawn' yn enw da ar yr Eglwys. Ond a ydym yn gwireddu'r gofal cyflawn yma? Fe welwch Gristnogion yn gofalu am Gristnogion eraill yn unig. Maent yn gwadu hanfod beth yw bod yn eglwys. Bu i Iesu rannu ei gariad â phawb heb gymryd i ystyriaeth y dosbarth na'r genedl y perthynent iddynt. Felly mae'n rhaid i ni ofalu.

Beth am fynd ymlaen i ddarllen:
Luc 7:36–50; 10:25–37; 16:19–31

Meddyliwch am y cwestiynau hyn:
1. Beth oedd cymhelliad y Samariad?
2. Beth oedd cymhellion y rhai oedd yn anwybyddu'r angen?

Gweddi
O Dad, cynorthwya fi i weld dy fod am i mi berthyn i 'gymdeithas sydd yn gofalu yn *gyflawn*'. Cynorthwya fi i wneud dy bwrpas di yn bwrpas i mi ac i'th Eglwys di. Yn enw Iesu. Amen.

Mewn ffocws

"Atebodd Iesu ef, 'Y mae'n ysgrifenedig: "Yr Arglwydd dy Dduw a addoli, ac ef yn unig a wasanaethi."'" (adn. 8)

Beth am ddarllen Luc 4:1–13 ac yna myfyrio

Yr ydym am symud nawr i edrych ar nodwedd arall o fywyd yr eglwys yn Antiochia. Yr oedd yr eglwys yn sylweddoli pwysigrwydd addoliad. Mae'r adroddiad yn Actau 13:2 yn dweud wrthym: "Tra oeddent hwy'n offrymu addoliad i'r Arglwydd ac yn ymprydio, dywedodd yr Ysbryd Glân, 'Neilltuwch yn awr i mi Barnabas a Saul, i'r gwaith yr wyf wedi eu galw iddo.'" Sylwch fod yr Ysbryd Glân wedi llefaru tra oeddent yn addoli ac yn ymprydio, gan roi'r arweiniad angenrheidiol iddynt. Nid dim ond yn gwasanaethu anghenion a gofalu am bobl yr oedd yr eglwys yn Antiochia, roeddent hefyd yn gwybod beth oedd gwasanaethu Duw mewn addoliad. Rhaid i ni sicrhau ein bod yn gwasanaethu eraill a gwasanaethu'r Arglwydd.

Yn anffodus, mae'r balans yma wedi mynd ar goll mewn rhai eglwysi. Maent yn addoli'r Arglwydd, ond heb ymdeimlo o gwbl ag angen pobl eraill. Ar yr ochr arall, mae yna ymdeimlad ag angen pobl, ond nid ydynt yn ymhyfrydu yn yr Arglwydd. Ychydig yn ôl, clywais am weinidog yn dweud: "Rhaid symud canolbwynt bywyd yr Eglwys o'r addoliad ar y Sul i ofal am anghenion corfforol a thymhorol pobl. Mewn geiriau eraill, canolbwynt bywyd yr Eglwys ddylai fod y gymuned, nid Duw. "Mae gwasanaethu pobl," meddai, "yn wasanaeth i Dduw." Petai i ni ddilyn ei esiampl a'i syniadau, gallem hepgor addoli Duw yn gyfan gwbl, gan wasanaethu dynion yn unig. Mae ateb Iesu yn ein darlleniad heddiw yn cael ei newid felly o 'Addolwch yr Arglwydd eich Duw, ac ef yn unig' i 'Rhowch heibio addoli Duw, gan wasanaethu pobl yn unig.' Pendraw hyn yw dyneiddiaeth – ymroi i anghenion dynol yn unig.

Yn ôl yr Ysgrythur, y gweithwyr gorau yw'r addolwyr gorau, oherwydd wrth i ni weld Duw yn iawn, fe fyddwn yn gweld angen dyn yn iawn.

Beth am fynd ymlaen i ddarllen:
2 Bren. 3:11–20; Marc 12:28–31; Dat. 2:1–7

Meddyliwch am y cwestiynau hyn:
1. Pa bryd y mae'r Ysbryd yn siarad wrthym?
2. Pam fod yr Effesiaid wedi meddu ffocws anghywir?

Gweddi
O Dad, gofala bod fy mlaenoriaethau yn rhai priodol: addoli yn gyntaf, gweithio yn ail. Gwared fi rhag cyfnewid y drefn yma, oherwydd, wrth wneud hynny, nid wyf yn gwneud dy ewyllys di; nid wyf o unrhyw werth i eraill ychwaith. Yn enw Iesu Grist. Amen.

Yn rhydd – i addoli

"Gollwng fy mhobl yn rhydd, er mwyn iddynt fy addoli yn yr anialwch."
(adn. 16)

Beth am ddarllen Exodus 7:14–24 ac yna myfyrio

Nid oes gennyf unrhyw amheuaeth nad y weinidogaeth bennaf oedd yn nodweddu'r eglwys yn Antiochia oedd ei gweinidogaeth i'r Arglwydd. Yr wyf am bwysleisio eto, wrth i aelodau'r eglwys yma addoli, bu iddynt ddarganfod ewyllys Duw ar eu cyfer.

Mae C. S. Lewis yn ei lyfr *Reflections on the Psalms* yn esbonio fel hyn: "Wrth iddo gael ei addoli, mae Duw yn cyfrannu ei bresenoldeb. O fewn Iddewiaeth, hanfod aberth oedd, nid yn gymaint fod dynion yn offrymu teirw a geifr i Dduw, ond bod Duw, wrth iddynt hwy offrymu, yn ei roi ei hun i ddynion. Wrth addoli, byddwn yn tybied yn aml mai y ni sydd yn rhoi a Duw sydd yn derbyn, ond mae yr un mor wir i ddweud mai Duw sydd yn rhoi ac yr ydym ni yn derbyn. Mae'r adnodau hynny o fewn yr Ysgrythur sy'n wahoddiad (hyd yn oed, yn orchymyn) gan Dduw i'w addoli, yno, nid oherwydd bod Duw yn dymuno ein haddoliad fel gwraig sydd eisiau rhyw ganmoliaeth, neu ryw awdur eisiau cael ei ganmol wrth gyflwyno llyfr, ond am fod Duw yn gorchymyn i ni i'w addoli oherwydd mae'n gwybod, wrth i ni agor drws ein calon i'w addoli, mae'n medru dod i mewn trwy'r union ddrws hwnnw, gan ein gwneud yn ymwybodol o'i bresenoldeb yn ein calonnau."

Dywed un esboniwr fod yr eglwys yn Antiochia yn gwneud ei gwaith gorau wrth addoli Duw. Ond a yw'n bosibl disgrifio addoliad fel gwaith? Gellir sôn amdano fel dyletswydd, ond a yw hwn yn waith? Pan fo rhywun mewn cariad yn dweud wrth ei anwylyd ei bod yn brydferth, a ellir disgrifio hyn fel gwaith? Wrth edrych ar ddarlun ardderchog, neu edrych ar fachlud ardderchog, ai gwaith yw rhyfeddu at hyn? Rhoi gwrogaeth ddyledus i Dduw yw addoliad, mwynhau Duw, yn ôl yr hen ddiwinyddion. Mae'n amhosibl addoli Duw heb ei fwynhau.

Beth am fynd ymlaen i ddarllen:
2 Cron. 5:11–14; 20:1–22; Iago 4:8

Meddyliwch am y cwestiynau hyn:
1. Beth sydd yn digwydd wrth i ni nesau at Dduw i'w addoli?
2. Sut mae addoli Duw?

Gweddi
O Dad, rwy'n cydnabod wrth i mi dy addoli, nid ti sy'n fy nerbyn i, ond y fi sy'n dy dderbyn di. Wrth addoli, rwy'n agor drws fy nghalon i nesau atat ti, ac rwyt ti yn barod i gerdded i mewn trwy'r drws yma. Diolch i ti, Iesu. Amen.

Ystyr addoliad

"Rhowch i'r Arglwydd ogoniant ei enw." (adn. 2)

Beth am ddarllen Salm 29:1–11 ac yna myfyrio

Yr ydym yn parhau i fyfyrio ar y gwirionedd mai gweinidogaeth arbennig eglwys Antiochia oedd gweinidogaeth ei haddoliad. Wrth ysgrifennu ar addoliad, mae A. W. Tozer yn dweud: "Addoliad yw'r gem sydd ar goll yn yr Eglwys Gristnogol." Mae'n nodi, er bod yna sawl amlygiad o ogoneddu yn yr eglwys, nad yw'n gweld arwyddion o wir addoliad. "Gogoneddu," meddai, "yw diolch i Dduw am yr hyn mae yn ei wneud. Addoli yw ei garu ef am yr hyn yw." Os yw'r Eglwys yn yr unfed ganrif ar hugain i addoli Duw, rhaid iddi yn gyntaf fod yn Eglwys sydd yn caru Duw. Mae'n debyg mai'r duedd yn ein byd heddiw yw i feddwl mwy am gael na rhoi. Does fawr neb o fewn ein cymdeithas yn meddwl am eraill. Ychydig o ddegawdau yn ôl, fe fu i rywun grynhoi meddylfryd ein cymdeithas drwy alw ei genhedlaeth yn "genhedlaeth fi". A ninnau wedi cychwyn ar fileniwm newydd, nid yw'n ymddangos fod pethau wedi newid. Bellach yn 2006, mae dynion a gwragedd yn addoli'r hunan fel ag y buont erioed, ac y mae hyn wedi gadael ei ôl ar yr Eglwys. Faint o wir addoli sydd yn yr eglwysi? Pa mor aml ddown ni o flaen Duw heb feddwl am beth y medrwn ni ei dderbyn, gan ganolbwyntio ar yr hyn y medrwn ni ei gynnig iddo ef mewn addoliad?

Ystyriwch am eiliad beth sydd yn gorwedd tu ôl i'r gair 'addoliad'. Mae'r gair Saesneg wedi esblygu o'r gair Sacsonaidd sydd yn golygu rhoi gwerth ar rywbeth. Mae addoli, felly, yn rhoi gwerth ar Dduw, yn rhoi'r anrhydedd sydd yn ddyledus iddo ef. Mae hyn yn cael ei adlewyrchu yn ein testun heddiw. Mae addoli Duw yn golygu rhoi'r gogoniant sydd yn ddyledus iddo. Peidiwch ag ymatal rhag gogoneddu Duw am yr holl bethau da y mae wedi eu gwneud i chi. Ond peidiwch anghofio ychwaith ei addoli am yr hyn yw o ran ei berson.

Beth am fynd ymlaen i ddarllen:
Salm 95:1–11; 96:1–13; 97:1–12

Meddyliwch am y cwestiynau hyn:
1. Ewch i'r geiriadur i ddarganfod beth yw ystyr y gair 'addoli'.
2. Beth am gyfansoddi salm o addoliad?

Gweddi
O Dad, maddau i mi fy mod mor aml yn poeni mwy am dderbyn o'th law di na rhoi i ti yr addoliad sydd yn ddyledus. Datguddia dy hun i mi er mwyn i mi dy addoli di yn well. Yn enw Iesu. Amen.

Y duw "Fi"

"... y mae eu gwlad yn llawn o eilunod; ymgrymant i waith eu dwylo, i'r hyn a wnaeth eu bysedd." (adn. 8)

Beth am ddarllen Eseia 2:1–9 ac yna myfyrio

Yr ydym am feddwl eto heddiw am bwysigrwydd addoliad priodol. Pennaf waith dyn yw addoli Duw; nid oes dim yn fwy pwysig. Ynom o'm mewn mae yna awydd i addoli, ac os nad ydym am addoli Duw, yna mi fyddwn yn siŵr o addoli rhywbeth neu rywun arall, hyd yn oed, ni ein hunain. Rhaid i ddyn addoli. Mae pobl grefyddol yn dod o Sul i Sul i'r Eglwys gyda'r bwriad o addoli Duw. Ond mae yna ymdrech hefyd i gadw Duw y tu allan i'r hunan, heb roi iddo y lle priodol yn y galon. Mae gwir addoliad yn cael ei sylweddoli pan fo gwŷr a gwragedd yn cytuno fod Duw eistedd, nid yn unig ar orsedd y bydysawd, ond hefyd ar orsedd eu calonnau.

Bu William Temple yn Archesgob Caergaint am gyfnod ac ysgrifennodd amryw o bethau am addoliad sydd, yn fy ngolwg, yn rhai o'r darnau mwyaf prydferth ar y testun hwn. "Y mae addoliad yn golygu darostwng ein holl natur i Dduw Mae'n golygu fod ein cydwybod yn cael ei bywhau gan ei sancteiddrwydd, y meddwl yn cael ei fwydo â'i wirionedd, ein dychymyg yn cael ei buro gan ei brydferthwch ein calon yn cael ei hagor gan ei gariad, ein hewyllys yn gorfod ildio gan ei bwrpas ac mae'r cyfan i gyd yn cael ei grynhoi mewn mawl sydd yn adlewyrchu'r mwyaf y gall ein natur ni ei gyflawni." Dyma yw y moddion pennaf i falchder hunanol ffrwyth ein pechod gwreiddiol.

Os nad yw Duw ar orsedd ein calon, os nad yw'n ganolog i'n bodolaeth, yna mi fyddwn yn creu eilun o'n bywyd ein hunain. "Mae bod yn hunanganolog," yn ôl William Law, "yn nodweddu gwraidd, canghennau a choeden pob drwg sydd yn perthyn i'r natur ddynol." Ni allwn addoli Duw os y fi yw'r duw sydd ynghanol y galon.

Beth am fynd ymlaen i ddarllen:
Eseia 40:18–31; 44:6–24; 46:5–9; Dan. 3:1–4:37; Actau 12:21–23

Meddyliwch am y cwestiynau hyn:
1. Pam fod dynoliaeth yn addoli eilunod?
2. Beth oedd achos cwymp Herod a Nebuchadnesar?

Gweddi
O Dad, rwy'n derbyn yn ddwfn o'm mewn, ac mae yna awydd i addoli. Caniatâ mai gwrthrych yr addoli yn wastad yw dy berson di. Rwy'n nesau yn awr i addoli. Cynorthwya fi i addoli mewn ysbryd a gwirionedd. Yn enw Iesu. Amen.

Gwir addoliad

"Ysbryd yw Duw, a rhaid i'w addolwyr ef addoli mewn ysbryd a gwirionedd."
(adn. 24)

Beth am ddarllen Ioan 4:1–26 ac yna myfyrio

Os nad yw Duw ar orsedd ein calon, yna mae'n amhosibl i ni ei addoli yn ôl ei ewyllys. Mae cyfarfyddiad yr Arglwydd â'r wraig wrth y ffynnon yn dystiolaeth gref o hyn. Mae cwestiwn y wraig mewn perthynas â chanolbwynt gwir addoliad yn codi oherwydd y trafod parhaus oedd rhwng yr Iddewon a'r Samariaid ynglŷn â'r lle y dylid addoli Duw. Credai'r Iddewon y dylid addoli Duw yn Jerwsalem. Credai'r Samariaid y dylid ei addoli ar Fynydd Gerizim. Trwy bwysleisio lleoliad penodol i addoliad, roedd yr Iddewon a'r Samariaid yn dangos eu diffyg dealltwriaeth o wir natur addoliad. Dyma pam mae Iesu'n pwysleisio, nid lle y dylid addoli Duw, ond ut y dylid ei addoli.

Pan fo Duw yn cael ei gyfyngu i leoliad, yna mae'n haws byw gyda phechod. Mae gosod Duw mewn isadran yn ein bywyd yn ei atal rhag gwneud unrhyw ofynion ar weddill ein bywyd. Gallwn gadw'r dwyfol mewn un rhan, a gosod godineb (fel yn achos y wraig yma) mewn rhan arall. Mae Iesu yn chwalu'r syniad yma trwy gyhoeddi fod y rhai sydd yn addoli Duw yn gorfod ei addoli mewn ysbryd a gwirionedd. Mae gwir addoliad yn symud Duw o'i orsedd mewn teml ac yn ei roi ar orsedd y galon. Yno, mae ei fywyd, ei rym a'i sancteiddrwydd yn effeithio ar bob gwedd o'n natur a'n cymeriad.

Mae'r Dr Cynddylan Jones, un o bregethwyr enwocaf Cymru, yn nodi "fod caniatáu ymddygiad moesol annerbyniol yn gwneud Duw yn afreal… yn ei osod rmhell oddi wrthym. Yr ydym yn adnabod Duw i'r graddau ag yr ydym yn barod i ganiatáu ei ofynion yn ein bywyd ymarferol." Beth mae Duw yn ei ofyn oddi wrthym yn ei addoli? Sancteiddrwydd, sydd, yn ôl yr awdur at yr Hebreaid, yn elfen angenrheidiol cyn y medrwn addoli Duw. (Hebreaid 12:14).

Beth am fynd ymlaen i ddarllen:
Salm 15:1–5; 24:1–10; Phil. 3:1–3; Math. 15:7–20

Meddyliwch am y cwestiynau hyn:
1. Pa gysylltiad sydd rhwng sancteiddrwydd ac addoliad?
2. Beth sy'n angenrheidiol yn y gwir addolwr?

Gweddi
O Dduw, cynorthwya fi i fod yn wir addolwr, un sydd yn dy addoli mewn ysbryd a gwirionedd. Cynorthwya fi i gefnu ar bob math o eilunaddoliaeth, gan dy addoli di yn unig. Yn enw Iesu Grist. Amen.

Y newid mewnol

"Eilunod yw holl dduwiau'r bobloedd, ond yr Arglwydd a wnaeth y nefoedd."
(adn. 26)

Beth am ddarllen 1 Cronicl 16:7–26 ac yna myfyrio

Yr ydym am dreulio un diwrnod arall yn edrych ar y gwirionedd mai'r nodwedd bwysicaf ym mywyd eglwys Antiochia oedd ei phwyslais ar addoliad. Ddoe, fe sylwyd na ellir addoli mewn gwirionedd tra bod Duw mewn isadran yn ein bywyd. Rhaid iddo gael y rhyddid i feddiannu ein calon i gyd. Mae'r ffordd yr edrychwn ar addoliad yn peri gwahaniaeth mawr yn ein bywyd ni. Os ydym yn ceisio lleoli Duw mewn adeilad neu deml, yr ydym yn siŵr o ddod i sefyllfa lle y mae ei ddylanwad ar ein bywyd yn gyfyngedig iawn. Os ydym am ei wahodd i gymryd ei le ar orsedd ein calon, fe welwn yn syth fod ei Ysbryd yn goleuo ei sancteiddrwydd ac yn peri fod llewyrch y goleuni yma yn cael ei daflu ar bob rhan o'n cymeriad a'n bywyd.

Os nad yw gwrthrych ein haddoliad yn puro ac yn glanhau ein calon, yn puro y ffordd yr ydym yn ymddwyn, yna mae'n amhosibl dweud ein bod wedi gwir addoli erioed. Mae cadw Duw mewn teml yn arwyddo awydd i sicrhau nad yw'r dod yn rhy agos i ganol ein bywyd.

Ychydig ddiwrnodau yn ôl, fe soniwyd am yr angen sydd gan bobl i addoli. Ond rhaid i ni dderbyn y ffaith fod addoliad o Dduw mewn ysbryd a gwirionedd ddim ond yn wir pan fo Duw yn cael ei le yn ein calon. Os nad ydym yn barod i wynebu'r newid mewnol sydd yn dilyn adnabod Duw, mi fydd ein haddoliad yn ddim mwy na ffurf, ac addoli eilun y byddwn ni, nid addoli'r gwir Dduw. Mae'r eilun yma yn bodloni i ryw raddau ein hawydd i addoli, a hefyd yn sicrhau nad oes raid i'n bywyd ni gael ei newid. Nid yw hyn yn dwyn unrhyw bleser nac ychwaith unrhyw heddwch. Mae'n bwysig i ni sylweddoli na fydd yna wir addoliad yn ein bywyd ni nac ym mywyd ein heglwys, os nad ydym ar yr un pryd yn barod am newid mewnol.

Beth am fynd ymlaen i ddarllen:
Ex. 15:1–18; Salm 115:1–18; Actau 17:22–30; 2 Cor. 6:14–7:1; Col. 3:1–5

Meddyliwch am y cwestiynau hyn:
1. Beth yw gwir addoliad?
2. Beth yw'r cysylltiad rhwng addoliad a ffordd o fyw?

Gweddi
O Dad, rwy'n diolch i ti dy fod yn fy nwyn, nid yn unig i adnabod fy hunan, ond hefyd i brofi'r hunan yn cael ei newid. Rwyt wedi dangos y ffordd i mi allan o eilunaddoliaeth. Cynorthwya fi yn awr i gerdded y ffordd honno. Yn enw Iesu Amen.

Calon crefydd

"Ond fe dderbyniwch nerth wedi i'r Ysbryd Glân ddod arnoch." *(adn. 8)*

Beth am ddarllen Actau 1:1–11 ac yna myfyrio

Nodwedd arall o fywyd yr eglwys yn Antiochia oedd parodrwydd y credinwyr i fod yn agored i weinidogaeth yr Ysbryd Glân. Yr ydym yn darllen yn Actau 13:2: "Tra oeddent hwy'n offrymu addoliad i'r Arglwydd ac yn ymprydio, dywedodd yr Ysbryd Glân…". Mae'n amlwg fod yr Ysbryd Glân yn cael ei gydnabod yn yr eglwys yn Antiochia. Pan fyddai'n llefaru, fe fyddai'r credinwyr yn gwrando.

Mae'n bosibl i dynnu llinell mewn un man yn y Testament Newydd, ac ar y naill ochr i'r llinell, fe fyddwch yn darganfod annigonolrwydd ysbrydol, a'r cyfan yn siom. Ar yr ochr arall i'r llinell, fe fyddwch yn darganfod digonolrwydd ysbrydol, sicrwydd moesol, a grym anghyffredin, y cyfan mor gyffrous. Y lle i dynnu'r llinell yw hanes tua chant ac ugain o ddisgyblion yn dod ynghyd i ddisgwyl am y grym a addawyd gan yr Arglwydd – addewid a gyflawnwyd ar Ddydd y Pentecost pan lanwyd hwy â'r Ysbryd Glân. Ar y foment yna, fe gychwynnodd cyfnod newydd yn natblygiad ysbrydol pobl yr Arglwydd. Wedi'r foment yma, gallwch ddarganfod grym sydd â'r gallu ganddo i drawsnewid dynoliaeth. Yn ôl Dr Martyn Lloyd-Jones "Mae calon crefydd yn ei grym."

Mewn adolygiad o lyfr ar waith yr Ysbryd Glân a gyhoeddwyd yn y *Times* yn ddiweddar, cafwyd y sylw canlynol: "Nid oes yr un athrawiaeth mor gymhleth i'r person cyffredin na'r athrawiaeth am yr Ysbryd Glân." Ymhlith y Cristnogion cynnar, beth bynnag, roedd yr Ysbryd Glân, nid yn gymaint yn gymhleth, ond yn ym oedd yn cynnal bywyd eu ffydd. Dyma'r deinamig oedd yn gyrru eu bywyd. Mae braidd yn amhosibl dweud wrth ddarllen Llyfr yr Actau ble'r oedd gweithredoedd yr apostolion yn dod i ben a gwaith yr Ysbryd Glân yn cychwyn. Roedd y dynol a gwaith yr Ysbryd yn un. Felly, hefyd, mae'n rhaid i'r un grym gael ei amlygu yn yr Eglwys yn yr unfed ganrif ar hugain.

Beth am fynd ymlaen i ddarllen:
Ioan 14:16–17; 14:26; 15:26; 16:7–15

Meddyliwch am y cwestiynau hyn:
1. Beth oedd addewid Iesu mewn perthynas â'r Ysbryd Glân?
2. Sut fyddai'r Ysbryd Glân yn eiddo i'r:
   a) disgyblion b) byd?

Gweddi
O Dduw, sut yn y byd y medrwn wynebu sialens y mileniwm newydd yma, os na chawn ni ein hwynebu â grym dy Ysbryd di. Dyro i ni yr un deinamig ag a oedd yn eiddo i'r Eglwys Fore. Yna, medrwn droi'r byd â'i ben i waered. Amen.

Ble mae'r proffwydi?

"A dyma'i roddion: rhai i fod yn apostolion, rhai yn broffwydi." (adn. 11)

Beth am ddarllen Effesiaid 4:1–16 ac yna myfyrio

Nodwyd ddoe fod yr Ysbryd Glân wedi llefaru wrth y proffwydi a'r athrawon oedd wedi ymgynnull yn Antiochia, gan gyhoeddi ei bwrpas mewn perthynas â Barnabas a Saul. Trafodwyd llawer ar y modd y bu i'r Ysbryd Glân gyfleu'r gwirionedd hwn i'r eglwys, yn arbennig cyfleu gwirionedd mor benodol mewn perthynas â Barnabas a Saul. Mae un esboniwr yn credu fod y gynulleidfa i gyd wedi clywed llais yr Ysbryd yn eu meddyliau wrth iddynt weddïo ac addoli. "Yr oeddent yn un â'i gilydd ac yn un â Duw," meddai, "ac oherwydd hyn gallent glywed llais Duw ynghyd."

Er nad wyf am wadu'r posibilrwydd yma yn gyfan gwbl, i mi mae'n debyg mai trwy un o'r proffwydi y llefarwyd y neges. Yn ôl Actau 11:27, yr ydym yn darllen: "Yn y dyddiau hynny daeth proffwydi i lawr o Jerwsalem i Antiochia, a chododd un ohonynt, o'r enw Agabus, a rhoi arwydd trwy'r Ysbryd fod newyn mawr ar ddod dros yr holl fyd; ac felly y bu yn amser Clawdius." Clywyd llais y proffwyd yn aml yn yr Eglwys Fore, ac mae'n ymddangos i mi ei bod yn berffaith resymol i gredu, yn yr amgylchiad yr ydym yn ei drafod, fod yr Ysbryd wedi llefaru trwy un o'r proffwydi.

Ble mae proffwydi Duw yn yr Eglwys heddiw? A fyddwn yn clywed llais y proffwydi yn yr Eglwys? Gobeithio y byddwn. Mae rhai'n amheus iawn o unrhyw beth sydd yn oruwchnaturiol, ond y goruwchnaturiol a ffurfiodd yr Eglwys Fore a'i gwneud yr hyn yr oedd. Un o'r gofidiau mewn perthynas â'r goruwchnaturiol yw'r perygl o bob math o ddylanwadau. Ond mae yna ddiogelwch yn yr Ysgrythur. Wedi i'r Ysbryd lefaru, parhaodd yr eglwys i ymprydio ac i weddïo cyn arddodi dwylo ar Barnabas a Saul (Actau 13:3).

Beth am fynd ymlaen i ddarllen:
Luc 2:36–38; Actau 13:1; 15:32; 21:8–14; 1 Thes. 5:19–20

Meddyliwch am y cwestiynau hyn:
1. Pa ran oedd i'r proffwydi yn yr Eglwys Fore?
2. Pa ran sydd i broffwydi yn eich eglwys chi?

Gweddi
Fy Nuw a fy Nhad, rwyf yn gofyn i ti sicrhau o fewn i'th Eglwys fod yna weinidogaeth lawn, y weinidogaeth yr wyt ti wedi ei bwriadu ar gyfer yr Eglwys, y weinidogaeth sydd yn cael ei hamlygu yn yr Eglwys Fore. Dyro i ni, nid yn unig ddyhead amdanat ti, ond hefyd y grym i'th ddilyn di. Yn enw Iesu. Amen.

Eglwys sy'n gwrando

"Ond pan ddaw ef, Ysbryd y Gwirionedd, fe'ch arwain chwi yn yr holl wirionedd." (adn. 13)

Beth am ddarllen Ioan 16:1–16 ac yna myfyrio

Tybed a fydd y rhai sydd yn perthyn i'r Eglwys yn ein canrif ni yn dysgu addoli Duw gyda'i gilydd, a hefyd yn gwrando ar lais yr Ysbryd, gan gymryd eu harweiniad oddi wrtho ef. Os na fydd i'r Eglwys wneud hyn, yna fe fydd llawer o gamgymeriadau'r gorffennol yn cael eu hailadrodd. Wrth edrych ar yr Eglwys heddiw, mae'n debyg bod yna lawer gormod o bobl yn dibynnu ar ddoethineb dynol, heb wrando ar lais yr Ysbryd. Nid dweud yr ydym fod yr Ysbryd yn anwybyddu ein profiad a'n synnwyr cyffredin, ond rhaid pwysleisio fod y llwybr y mae'r Eglwys am ei gymryd yn un sydd mor bwysig fel bod yn rhaid wrth arweiniad clir, er mwyn osgoi cynllwynion y Diafol.

Does dim yn fwy ffrwythlon ac yn fwy grymus nag eglwys sydd yn dod ynghyd i wrando ar yr Arglwydd ac yna, wedi gwrando, yn codi ac yn dweud: "Yr ydym wedi clywed llais yr Arglwydd. Yn awr, yr ydym am weithio." Yr ydym yn sefyll rhwng dau gyfnod – un yn marw, ac un arall heb ei eni eto. Nid yw'n debygol y bydd pobl y byd yn gwrando arnom ni os nad ydym ni, yn gwrando ar Dduw. Fe fyddant yn siŵr o synhwyro, os yw ein geiriau yn eiriau sydd yn ffrwyth ein dychymyg yn hytrach nag yn eiriau Duw.

Faint o eglwysi sydd yn dod at ei gilydd i ymprydio ac i weddïo, er mwyn darganfod beth yw cynlluniau Duw ar eu cyfer? Er bod llawer yn gwneud hyn, nid wyf i ond wedi cyfarfod ag un – eglwys sydd yn cyfarfod bob tri mis i ymprydio a gweddïo, gan wrando ar yr hyn sydd gan yr Ysbryd i'w ddweud. Mae'r eglwys yma'n barod ar gyfer pob amgylchiad, oherwydd mae ei haelodau yn gwrando ar lais yr Ysbryd. Mae gan Dduw gynlluniau ar gyfer pob eglwys, ac mae llwyddiant yr Eglwys yn dibynnu ar weithredu cynlluniau Duw, nid ein cynlluniau ni.

Beth am fynd ymlaen i ddarllen:
Barn. 20:24–28; Esra 8:21–23; Dan. 9:1–27; Joel 2:12–29

Meddyliwch am y cwestiynau hyn:
1. Beth ddaeth o flaen gweledigaeth Daniel?
2. Sut mae ymprydio yn ein cynorthwyo i glywed yr Ysbryd yn gliriach?

Gweddi
O Dduw, dwg ni i'r man lle yr ydym yn dibynnu, nid ar ein doethineb a'n harbenigedd ni, ond ar gyfeiriad a doethineb yr Ysbryd. Yr ydym yn ymwybodol nad wyt yn anwybyddu ein gallu, ond cynorthwya ni i beidio dibynnu ar ein gallu ni, ond ar dy allu di ynom ni. Amen.

Gair bendigedig

*"Nid yw'r Arglwydd yn oedi cyflawni ei addewid...; bod yn amyneddgar wrthych
y mae, am nad yw'n ewyllysio i neb gael ei ddinistrio, ond i bawb ddod i
edifeirwch." (adn. 9)*

Beth am ddarllen 2 Pedr 3:1–18 ac yna myfyrio

Heddiw, yr ydym am ofyn y cwestiwn: Pan lefarodd Duw wrth yr eglwys yn
Antiochia, beth yn union ddywedodd Duw? Dyma a ddywedodd: "Neilltuwch yr
awr i mi Barnabas a Saul, i'r gwaith yr wyf wedi eu galw iddo." (Actau 13:2). Y
gwaith o efengylu oedd y gwaith yma. Roedd y ddau ddyn yma yn cynrychiol
ymdrech yr eglwys i gyrraedd eneidiau yn y byd paganaidd. Wrth ddanfon Paul a
Barnabas allan, gwelwn yr eglwys yn Antiochia yn cymryd ei sandalau, gan gerdded
i mewn i'r byd, y byd oedd mewn angen am y newyddion da am Iesu Grist.

Mae efengylu yn flaenoriaeth gyda Duw. Yn wir, buaswn yn barod i ddweud
fod eglwys sydd heb ddiddordeb mewn ennill eneidiau yn eglwys y tu allan i ewyllys
Duw. Er fy mod wedi defnyddio'r ymadrodd yma o'r blaen, mae yna bob amser
ddarllenwyr newydd i 'Pob Dydd gyda Iesu'. Caniatewch i mi ddweud eto: mae yna
ddau ddarlun sydd yn disgrifio ennill eneidiau yn y Testament Newydd – y naill yn
ddarlun o bysgotwr a'r llall yn ddarlun o fugail. Felly, rhaid ennill eneidiau trwy eu
bachu, neu hefo'r ffon fugail. Os oedd yr eglwys yn Antiochia i gyflawni ei gwaith
yr oedd yn rhaid iddi efengylu. Roedd yn rhaid wrth raglen genhadol. Heb yr
efengylu yma, ni fyddai ei chalon yn curo yn iach.

Nid yw neges Duw i'r Eglwys ar ddechrau yr unfed ganrif ar hugain yn
wahanol i'r neges a roes yn y ganrif gyntaf. Nid yw y byd wedi newid. Mae llawer
o eglwysi sydd â'u calon yn curo yn glaf iawn. Y rheswm am hyn yw nad ydynt yn
ymestyn allan trwy efengylu. Gallaf eich sicrhau, pan fo Duw yn llefaru wrth ei
Eglwys trwy ei Ysbryd, un o'r pethau y bydd yn siŵr o ddweud yw'r angenrheidrwydd
am efengylu. Dyma air bendigedig Duw.

Beth am fynd ymlaen i ddarllen:
Eseia 62:6; Esec.3:15–21; 33:1–19; Actau 20:25–27

Meddyliwch am y cwestiynau hyn:
1. Beth yw cyfrifoldebau'r gwyliedydd?
2. Sut mae Duw yn ystyried gwyliedydd tawedog?

Gweddi
O Dduw, maddau i ni fod ein tawelwch yn peri ein bod yn euog yn dy olwg di
oherwydd ein gwrthodiad i rannu ag eraill yr hyn yr wyt wedi ei wneud yn ein
bywyd. Yn enw Iesu, rydym yn gofyn i ti faddau i ni ac i adnewyddu ynom faich
dros eneidiau. Amen.

Geiriau a gweithredoedd

"Byddwch yn barod bob amser i roi ateb i bob un fydd yn ceisio gennych gyfrif am y gobaith sydd ynoch." *(adn. 15)*

Beth am ddarllen 1 Pedr 3:8–22 ac yna myfyrio

Mae'r eglwysi hynny sydd yn tueddu i ganolbwyntio ar faterion cymdeithasol yn tueddu i esgusodi eu hunain trwy ddweud: "Yr ydym yn pregethu yr Efengyl, nid â geiriau ond â gweithredoedd." Mae cymryd sylw o anghenion cymdeithasol yn bwysig i'r Eglwys, ond ni all byth gymryd lle efengylu penodol. A allwch ddychmygu Iesu, yr un a ddisgrifir fel y Gair a wnaethpwyd yn gnawd, yn dweud: "Byddaf y Gair a wnaethpwyd yn gnawd yn unig. Byddaf yn gadael i bobl weld yr hyn ydwyf trwy yr hyn yr wyf yn ei wneud yn unig, nid trwy yr hyn yr wyf yn ei ddweud." Hanner datguddiad fyddai hyn. Byddai fel aderyn yn ceisio hedfan gydag un adain. Geiriau a gweithredoedd yw dwy adain y Cristion. Mae'r rhai sydd yn galw am eiriau yn unig, a'r rhai sydd yn galw am weithredoedd yn unig, yn anghywir. Yr ydym yn perthyn i'r un oedd â'i eiriau yn weithredoedd, a'i weithredoedd yn eiriau. Yr oedd y ddau mewn perthynas iawn â'i gilydd.

Er nad yw'n angenrheidiol i ni bregethu i bobl yn wastad, eto, yn ôl ein testun heddiw, dylem gymryd mantais o bob cyfle i rannu Crist mewn ffordd sydd yn enillgar. Beth petai'r eglwys yn Antiochia wedi ei meddiannu gyda chonsýrn i ddanfon bwyd wrth ddanfon Barnabas a Saul i Jerwsalem? Beth petaent wedi penderfynu: "Newyn yw y drwg pennaf yn y byd. Rhaid pwysleisio hwnnw." Petaent wedi gwneud hyn fe fyddent yn fuan iawn wedi colli eu ffordd. Rhaid i'r Eglwys ddelio â newyn, ond hyd yn oed petai pob newyn yn diflannu, buasai pobl yn dal i fod mewn angen am dröedigaeth. Rhaid i ni gael y balans iawn yn y mater yma, wrth gwrs. Mae pobl sydd yn newynu angen pryd o fwyd cyn i ni gyflwyno'r Efengyl iddynt. Ond, rhaid i ni beidio anghofio ein bod wedi ein gorchymyn i fynd i'r holl fyd i bregethu yr Efengyl. Ni ddylid byth anghofio y gorchymyn yma.

Beth am fynd ymlaen i ddarllen:
Marc 16:15–16; Rhuf. 10:13–14; 2 Tim. 1:5–8; 4:1–5; 1 Pedr 2:12

Meddyliwch am y cwestiynau hyn:
1. Beth yw pwysigrwydd geiriau yn nhystiolaeth y Cristion?
2. Beth yw pwysigrwydd gweithredoedd?

Gweddi
O Dad, rwyt wedi rhoi'r gwaith pwysicaf yn y byd i'th Eglwys – y gwaith o arwain pobl atat ti. Cynorthwya ni yn awr i ailgyflwyno ein hunain i'r gwaith yma. Does dim yn cyfrif yn fwy na hyn. Yn enw Iesu. Amen.

Ond a wrandawant hwy?

"Bydded hysbys i chwi, felly, fod yr iachawdwriaeth hon, sydd oddi wrth Dduw, wedi ei hanfon at y Cenhedloedd ac fe wrandawant hwy." (adn. 28)

Beth am ddarllen Actau 28:17–31 ac yna myfyrio

A fydd dynion a gwragedd yn yr unfed ganrif ar hugain yn gwrando ar ein hapêl ar iddynt ildio eu bywyd i'r Arglwydd Iesu Grist? Credaf y byddant os byddwn yn cyhoeddi'r Efengyl yn iawn. Geiriau olaf yr apostol Paul yn Llyfr yr Actau yw geiriau ein testun heddiw: "Fe wrandawant hwy." O roi'r geiriau yma yn eu cyd–destun, mae Paul yn dweud wrth yr arweinwyr Iddewig, os bydd yr Iddewon yn gwrthod gwrando ar yr Efengyl, yna mi fydd y Cenhedloedd yn gwrando. Mae'r dyn yma yn y ddalfa, dyn wedi ei wawdio ac wedi ei feirniadu, ond mae'n cyhoeddi, gyda hyder, frawddeg sydd angen i ni ei meddiannu wrth i ni wynebu her ein cenhedlaeth.

A ddaeth geiriau Paul yn wir? Mae'r Cenhedloedd wedi gwrando ar neges Iesu. Nid yn unig mae enw Iesu wedi ei ysgrifennu ar hanes gwareiddiad, mae wedi ei aredig i mewn i hanes gwareiddiad. Ysgrifennwyd mwy o lyfrau amdano ef nag unrhyw berson arall mewn hanes. A fydd pobl yn ysgrifennu amdano yn yr unfed ganrif ar hugain? Dyma ein consýrn ni. Yn bersonol, y mae gennyf hyder y bydd y genhedlaeth nesaf yn gwrando ar yr Efengyl, oherwydd mae ein hoes ni yn fwy na phob oes arall yn dioddef o ddiffyg ystyr, ac mae'r gwagle yma yn dyfnhau.

Y gwir yw na all y galon ddynol ddim byw gyda'r gwagle hwn. Nid yw technoleg yn ei lenwi, nid yw addysg yn ei lenwi, nid yw athroniaeth yn ei lenwi. Mae'r galon yn dyheu am berthynas gyda Duw, ac mae annigonolrwydd pethau yn parhau i lethu'r galon. Yr un modd, mae hyn yn rhoi cyfleon bendigedig i'n gwaith ni o efengylu. Os bydd i ni gerdded ymlaen yn weddigar ac yn ofalus, os byddwn yn parhau i gyhoeddi y neges fod ystyr i'w ddarganfod yn Iesu ac ynddo ef yn unig, fe dybiaf, fel y dywedodd yr apostol Paul am genedl–ddynion ei ddydd, fe wrandawant.

Beth am fynd ymlaen i ddarllen:
Preg. 1:12–2:26; 12:13; Eseia 55:1–3; Col. 2:9–10

Meddyliwch am y cwestiynau hyn:
1. Sut bu i Solomon ddarganfod bodlonrwydd?
2. Ble gellir darganfod gwir fodlonrwydd?

Gweddi
O Dad, cynorthwya ni i fod yn ofalus rhag syrthio yn awr fawr yr Eglwys. Dyro hyder i ni wrth gyflwyno'r Efengyl. Dyro ffydd i ni, dyro ras i ni weld dynion a gwragedd fel rhai yr wyt ti am gyffwrdd â hwy, gan ateb eu hangen pennaf trwy Iesu Grist. Yn ei enw ef, yr ydym yn gofyn y cyfan. Amen.

Un yng Nghrist

"Oherwydd mewn un Ysbryd y cawsom i gyd ein bedyddio i un corff, boed yn Iddewon neu yn Roegiaid, yn gaethweision neu yn rhyddion." (adn. 13)

Beth am ddarllen 1 Corinthiaid 12:12–26 ac yna myfyrio

Yr ydym am barhau i edrych ar y modd y gall eglwys Antiochia gyfrannu i'n deall o'r hyn ddylai'r Eglwys fod yn yr unfed ganrif ar hugain. Ystyriwch hyn: yr oedd gan yr eglwys yn Antiochia olwg glir iawn ar werth pob person. Doedd yna ddim dosbarth na gwahaniaeth hil yn ymddangos o fewn yr eglwys hon.

Os ydych yn credu fod yr Ysgrythur wedi ei ysbrydoli gan Dduw, yna mae'n siŵr y gwelwcharwyddocâd y ffordd y mae'r Ysbryd yn rhestru'r enwau sydd yn Actau 13:1. "Yr oedd yn yr eglwys oedd yn Antiochia broffwydi ac athrawon, Barnabas a Simeon (a elwid Niger), Lucius o Cyrene, Manaen (un o wŷr llys y Tywysog Herod) a Saul." Sylwch, fe enwir Barnabas yn gyntaf, a Saul yn ddiwethaf, ac yn y canol mae yna ŵr o'r enw Manaen, sydd, yn ôl cyfieithiad Moffatt, "yn frawd maeth i Herod y tywysog". Tybed beth fyddai'r Eglwys yn ei wneud heddiw petai'r fath berson yn ymuno â nhw – math o frawd i frenin. Mae'n siŵr y byddent yn rhoi ei enw ar ben y rhestr, ond mae Manaen yma ynghanol y rhestr ac yn dod ar ôl un oedd, mae'n debyg, o Ogledd Affrica – Simeon, a elwid Niger. Ystyr y gair 'niger' yw du, ac o'r gair yma mae'r term 'negro' yn deillio. Yn ddiweddar, dywedais wrth gynulleidfa anferth yn Lagos, Nigeria, fy mod yno oherwydd dyn du. Roedd un o'r dynion a arddododd ddwylo ar Paul, gan ei gomisiynu i bregethu'r Efengyl i'r cenhedloedd, yn ddyn du. Dywedais fod gan y gŵr yma ran yn y ffordd y deuthum i glywed yr Efengyl. Bu i bawb yn yr eglwys gymeradwyo.

Mae'n amlwg fod cymdeithas fel hon, oedd heb ffiniau dosbarth a heb unrhyw fath o hiliaeth yn perthyn iddi, wedi blaguro yn Antiochia, a phetai'r Eglwys wedi aros fel hyn trwy ei hanes, mae'n siŵr y byddai wedi dylanwadu yn helaethach ar y byd. Rhaid i ni adfer ysbryd Antiochia os ydym am i bobl ein cymryd o ddifrif.

Beth am fynd ymlaen i ddarllen:
Gen. 11:1–9; Num. 12:1–15; Ioan 17:20–23; Actau 2:5–12

Meddyliwch am y cwestiynau hyn:
1. Beth yw seiliau rhagfarn?
2. Beth yw'r allwedd i undod?

Gweddi
Rwy'n diolch i ti, o Dduw, fod dy gariad yn ymestyn at bob dyn. Dyro i ni y cariad sydd yn cyrraedd pawb, ac yn cyrraedd pawb fel rhai cydradd. Cynorthwya ni i symud i'r dyfodol, gan arddangos dy gariad di tuag at bawb, beth bynnag yw lliw eu croen, neu eu cefndir cymdeithasol. Yn enw Iesu. Amen.

Llond côl o bosibiliadau

"Nid oes rhagor rhwng Iddewon a Groegiaid, rhwng caeth a rhydd, rhwng gwryw a benyw, oherwydd un person ydych chwi oll yng Nghrist Iesu." (adn. 28)

Beth am ddarllen Galatiaid 3:15–29 ac yna myfyrio

Echdoe, bu i ni ddweud, petai'r Ysbryd oedd wedi meddiannu'r Eglwys Fore, yn arbennig yr eglwys yn Antiochia, wedi ei gynnal yn hanes yr Eglwys, yna byddai yr Eglwys wedi gadael llawer iawn mwy o ddylanwad ar y byd. Bu i'r Eglwys gychwyn yn dda, ond bu iddi golli ei hadnabyddiaeth o gydraddoldeb ar hyd y daith. Yn wir, erbyn oes Fictoria, gwelwyd y rhagfarn yma ar ei hamlycaf mewn nifer o eglwysi.

Mae un awdur yn nodi y byddai'r Eglwys Fore wedi methu dygymod o gwbl â'r rhagfarn yma. Fe fu i'r Eglwys, dros y canrifoedd, lyncu rhagfarn, gwahaniaethu ar sail dosbarth, a cholli ysbryd Crist o'i mewn. Collwyd y ddirnadaeth y mae Duw yn ei roi dros y blynyddoedd, ac yn ei le, cafwyd ysbryd rhagfarnllyd, hiliol o fewn Eglwys yr Arglwydd Iesu Grist. Os na fydd i ni ailfeddiannu agwedd meddwl y Cristnogion cynnar, ni fydd ein neges yn effeithiol yn yr unfed ganrif ar hugain. Mae pob person yn llond côl o bosibiliadau, dim ond i ni roi'r cyfleon a'r amgylchiadau iawn iddynt. Fe ddylem gydnabod hyn. Mae bod yn Gristion yn rhoi i ni bosibiliadau helaeth, oherwydd wrth i ni ddod i gyffyrddiad â Iesu, yr ydym yn dod i gyffyrddiad â'r un sydd yn gallu creu mwy o wahaniaeth ynom ni na'r un dylanwad arall yn y bydysawd.

Dywedodd un oedd yn arfer darlithio yn y maes addysg: "Does yna ddim y fath beth â phobl sydd, oherwydd eu hil, yn iselradd. Does yna neb, oherwydd ei hil, sydd yn perthyn i ddosbarth uwch ychwaith. Os yw pawb yn derbyn yr un cyfleon, mi fydd y meddwl dynol yn ei amlygu ei hunan yn weddol wastad ar draws pob cenedl." Un o'r myfyrwyr a lwyddodd orau erioed ym Mhrifysgol Calcutta, lle mae yna ddegau o filoedd o fyfyrwyr, oedd gŵr oedd yn perthyn i genedl a arferai, yn y blynyddoedd a fu, ladd pobl eraill er mwyn eu bwyta. Mae yna bosibiliadau ymhob dyn, ymhobman, o bob cefndir cymdeithasol, ac o bob hil dan yr haul.

Beth am fynd ymlaen i ddarllen:
Barn. 6:11–16; 2 Sam. 7:8–16; Jer. 1:4–10; 1 Cor. 1:26–31; 2 Cor. 4:7

Meddyliwch am y cwestiynau hyn:
1. Pam fod Duw yn aml yn dewis y rhai iselradd?
2. Beth yw llwyddiannau'r bobl hyn?

Gweddi
Arglwydd, gwared fi a gwared dy Eglwys rhag bod yn hiliol. Gwared ni hefyd rhag y rhagfarn sydd yn cefnu ar rai oherwydd eu cefndir cymdeithasol. Diolch i ti am y ffydd sydd yn ein gwneud ni i gyd yn un. Rwyf am ddelio â phob un yn gydradd. Yn enw Iesu. Amen.

"Dim ond 'dyn ffordd' yw hwn"

"Byddwch yn gytûn ymhlith eich gilydd. Gochelwch feddyliau mawreddog; yn hytrach, rhodiwch gyda'r distadl." (adn. 16)

Beth am ddarllen Rhufeiniaid 12:9–21 ac yna myfyrio

Yr wyf am eich atgoffa ein bod yn myfyrio ar y gwirionedd fod yr eglwys yn Antiochia yn cyfrif pob person yn werthfawr. Doedd yna ddim rhaniad ar sail dosbarth. Mae pethau'n wahanol iawn heddiw, o fewn ac o'r tu allan i'r Eglwys.

Ychydig flynyddoedd yn ôl, rwy'n cofio eistedd mewn caffi a chlywed dwy wraig yn siarad am y tywydd. Roedd hi'n tywallt y glaw. Dyma un yn edrych allan trwy'r ffenestr, ac wrth weld y dyn yn ysgubo'r ffordd gydag ond ychydig amddiffyniad rhag y glaw, dyma hi'n dweud: "Edrych ar y dyn bach allan yn y fan yna yn gwlychu at ei groen!" Dyma'r wraig fach arall yn ateb: "Dim ond glanhau'r ffordd y mae'r dyn yna. Rwy'n teimlo'n flin dros y dyn acw. Edrych arno fo yn ei siwt yn disgwyl am y bws. Mae'n rhaid ei fod yn teimlo'n ofnadwy o gael ei ddal mewn cawod fel hyn." Mae'n amlwg fod y wraig yma yn gallu teimlo rhyw fath o ymdeimlad, ond nid oedd yn ymdeimlo ag angen pob un.

Mae pob cenedl lle gwelir ymrafael hiliol yn cyhoeddi i'r byd: "Yr ydym wedi datblygu yn rhannol fel pobl. Rydym yn ymwybodol o angen ein cenedl ni, ond nid anghenion pobl eraill." Wrth gwrs, mae yna filiynau o bobl yn byw mewn cenhedloedd lle mae yna ymrafael hiliol sydd yn ymwybodol o anghenion pobl, ond, ar yr un pryd, maent yn anghofio bod yn halen yn eu cymdeithas. A hyd yn oed yn yr Eglwys, mae yna bobl nad ydynt yn dangos agwedd meddwl Crist, nac yn caru gwŷr a gwragedd, beth bynnag fo'u cefndir. Mae'n amlwg na fyddai unrhyw Gristion yn cymryd rhan mewn gwrthdystiad hiliol, ac eto mae'n gallu coleddu yn y galon y syniad eu bod yn well na rhai pobl eraill. Mae'r math yma o feddylfryd yn bechod. Mae'r dyfodol yn perthyn i'r eglwysi hynny sydd yn ymwrthod yn gyfan gwbl â phob math o hiliaeth ac yn cofleidio pawb ymhobman.

Beth am fynd ymlaen i ddarllen:
Math. 13:53–58; Ioan 1:43–46; Actau 4:1–14; 21:27–30

Meddyliwch am y cwestiynau hyn:
1. Pam oedd y bobl yn methu cyfrannu o rym yr Arglwydd Iesu?
2. Pam y synnwyd y Sanhedrin?

Gweddi
O Dduw grasol a thrugarog, rwy'n gweddïo eto ar i ti fy ngwaredu o unrhyw fath o hiliaeth, gan fy ail-greu fwyfwy ar ddelw dy Fab. Rwy'n gofyn hyn yn enw Iesu. Amen.

"Yr un dagrau yw ein dagrau"

"Oherwydd ynddo ef yr ydym yn byw ac yn symud ac yn bod." (adn. 28)

Beth am ddarllen Actau 17:16–34 ac yna myfyrio

Rydym am aros gyda'r syniad fod agwedd meddwl falch yn ein perthynas â phobl o hil wahanol, yn ymosodiad ar yr egwyddorion hynny y mae'r Ysbryd yn ein dysgu. Rhaid i ni wynebu'r ffaith yma, gan waredu ein hunain o unrhyw agwedd haerllug fel hyn os ydym am wneud gwahaniaeth yn y dyfodol. Mae'r Eglwys am gyfnod maith wedi bod yn dawedog iawn wyneb yn wyneb â hiliaeth. Rhaid i ni ddelio â'r mater yma unwaith ac am byth os ydym am ddiogelu ein dyfodol.

Wrth deithio o amgylch y byd yn cyfarwyddo pobl mewn perthynas â chynghori Cristnogol, rwyf wedi darganfod rhywbeth rhyfeddol. Wedi i chi gloddio drwy y gwahaniaethau diwylliannol sydd rhwng pobl o wahanol genhedloedd, mae pob un yn y bôn yr un fath. Wrth siarad gyda meddyg yn yr India oedd â gradd mewn seicoleg, gofynnais iddo: "Beth yw seicoleg Indiaidd?" Atebodd, "Nid oes y fath beth a seicoleg Indiaidd. Mae yna ddiwylliant Indiaidd, ond mae seicoleg yr enaid yr un fath ymhobman." Clywais sylwadau tebyg yn yr Affrig, yn y Dwyrain Pell, ac yn Ewrop. Does dim seicoleg Affricanaidd, does dim seicoleg Indiaidd, does dim seicoleg Tsieiniaidd, er bod yna wahaniaethau diwylliannol. Yn y bôn, mae pawb yr un fath. Yr un yw angen gŵr o'r Affrig a gŵr sydd yn byw yn y Gorllewin. Yr un gri sydd yn ei galon am gariad. Mae dynoliaeth yr un fath ymhobman. Yng ngeiriau un gŵr: "Yr un yw ein dagrau."

Mae gan genhadwr o'r Affrig hanes am fachgen ifanc a ddaeth ato unwaith heb fawr o gefndir addysgol. Wedi iddo gael ei osod mewn ysgol breswyl, fe fu iddo arddangos gallu anghyffredin, gan ragori ar blant oedd yn llawer iawn hŷn nag ef. Nid oes y fath beth â phobl sydd oherwydd eu hil yn rhagori, neu sydd yn eilradd am fod eu hil yn llai gwerthfawr. Yr unig beth a geir yw pobl sydd wedi datblygu fel cenedl a phobl sydd heb ddatblygu fel cenedl. Peidiwch anghofio hyn.

Beth am fynd ymlaen i ddarllen:
Actau 16:22–40; 21:30–22:29

Meddyliwch am y cwestiynau hyn:
1. Pam fu i bobl newid eu hymddygiad tuag at Paul?
2. Sut bu i Paul ddefnyddio'i statws?

Gweddi
O Dad, rwy'n gofyn i ti weithredu'r fath lawdriniaeth ar fy nghalon i fel bod balchder ac ymffrost yn diflannu. Cyfranna iechyd ysbrydol i'm henaid. Cynorthwya fi wrthweithio grym pechod. Yn enw Iesu. Amen.

Mae rhywun yn torri ar fy nhraws!

"Nid oes yma ragor rhwng Groegiaid ac Iddewon, enwaediad a dienwaediad, barbariad, Scythiad, caeth, rhydd; ond Crist yw pob peth, a Christ sydd ym mhob peth." (adn. 11)

Beth am ddarllen Colosiaid 3:1–17 ac yna myfyrio

Ychydig ddegawdau yn ôl bellach, bu i'r Unol Daleithiau benderfynu symud tuag at integreiddio. Clywyd am un wraig yn siroedd y de yn dweud; "Mae popeth yn cael ei integreiddio, ond diolch i Dduw fod gennym ein heglwysi." Beth bynnag am y wraig, mae'n amlwg fod yr eglwysi oedd yn meddwl yr un fath â hi yn methu â dilyn dysgeidiaeth yr Arglwydd. Mae'n siŵr eich bod wedi clywed yr hanes am yr Americanwr du a geisiodd fynd i mewn i eglwys wyn. Fe wrthodwyd y gŵr gan y stiwardiaid wrth y drws. Eisteddodd ar y pafin â'i ben yn ei ddwylo, gan ddweud: "Arglwydd, ceisiais fynd i'r eglwys i'th addoli di heddiw, ond ni chefais ganiatâd." "Paid â phoeni," meddai'r Arglwydd, "rwyf wedi bod yn ceisio mynd i'r eglwys yma fy hun ers blynyddoedd." Mae yna un efengylwr yr wyf yn ei adnabod, gŵr sydd wedi ymrwymo i gael gwared â hiliaeth o fewn yr Eglwys, yn adrodd unwaith am ei ymdrech i bregethu mewn eglwys yn Atlanta, Georgia. Dyma un o'r gynulleidfa yn galw: "Fedrwch chi roi adnod i mi yn y Testament Newydd sydd yn cefnogi integreiddio?" Agorodd yr efengylwr ei Feibl a darllen y geiriau yma o Actau 13: "Yn yr eglwys yn Antiochia roedd yna broffwydi ac athrawon, Barnabas a Simeon, a elwid yn Niger..." Cododd y gŵr yn y gynulleidfa, a heb air ymhellach, gadawodd yr eglwys.

Os yw'r eglwys am ei diwygio, yna mae'n rhaid i'r Eglwys ddod yn gymdeithas sydd yn adlewyrchu'r hyn y mae ein darlleniad heddiw yn ei osod allan. Yn Iesu Grist, ni allwn ganiatáu Groegwr neu Iddew (gwahaniaeth hiliol), barbariad neu Scythiad (gwahaniaeth diwylliannol), caeth neu rydd (gwahaniaeth cymdeithasol neu economaidd), enwaediad neu ddienwaediad (gwahaniaeth crefyddol), neu hyd yn oed, fel y dywed Galatiaid 3:28, ŵr neu wraig. Yr ydym oll yn un gerbron Duw a gerbron dyn.

Beth am fynd ymlaen i ddarllen:
Actau 10:24–35; 11:1–18; Rhuf. 10:12; Gal. 2:11–21

Meddyliwch am y cwestiynau hyn:
1. Ym mha ffordd yr oedd Pedr yn adnabod y cenedl-ddynion?
2. Sut bu i Dduw osod sialens o'i flaen?

Gweddi
O Dad, maddau i ni ein bod wedi caniatáu i wahaniaethau lusgo i mewn i dy Eglwys. Nid felly y bu hi yn yr Eglwys Fore. Caniatâ fod y gwahaniaethau yma yn diflannu o fewn dy Eglwys heddiw ac yfory. Yn enw Iesu. Amen.

Y lle mae Iesu...

"Un corff sydd, ac un Ysbryd, yn union fel mai un yw'r gobaith sy'n ymhlyg yn eich galwad." (adn. 4)

Beth am ddarllen Effesiaid 4:1–6 ac yna myfyrio

Rhaid i ni wynebu'r dyfodol gydag Efengyl sydd yn parchu pawb yn ddiwahân, yn rhoi cyfle i bawb yn ddiwahân, yn rhoi gwerth ar bawb yn ddiwahân. Mae'r eglwysi hynny sydd yn ystyried eu hunain yn bwysig oherwydd dosbarth y bobl sydd yn dod yno neu hil y bobl sydd yn dod yno, yn amgueddfeydd a dim mwy. Mae'r Arglwydd Iesu wedi ymadael â hwy gan eu gadael yn farw. Ni allwch gau allan mab yr un dyn heb gau allan Mab y Dyn. Os y bydd i'r Eglwys yn yr unfed ganrif ar hugain gydymffurfio ar sail hil neu ddosbarth, ni fydd byth yn dystiolaeth rymus i'r byd.

Mae'r frawddeg yr ydym wedi bod yn edrych arni, "Yn yr eglwys yn Antiochia yr oedd yna broffwydi ac athrawon, Barnabas a Simeon (a elwid Niger)", wedi ei disgrifio fel un o'r cymalau mwyaf chwyldroadol yn y Testament Newydd. Mae'n chwalu ein trefn arferol ni. Fe gofiwch fod Duw wedi caniatáu i feibion Israel i grwydro yn yr anialwch am ddegawdau cyn eu bod yn barod i fynd i mewn i Wlad yr Addewid. Tybed a yw Duw yn gwneud yr un peth gydag adrannau o'r Eglwys heddiw, yn eu cadw yn yr anialwch oherwydd eu hanfodlonrwydd i wynebu'r ffaith mai un yw dynoliaeth.

Mae gwir gariad yn gariad at bawb ac ni ddylid cydymffurfio ar hyn. Cymerodd Iesu bobl oedd yn ddim yng ngolwg y byd gan eu gwneud yn gewri yng ngolwg y nefoedd. Cymerodd bysgotwyr gan eu gwneud yn athrawon. Bu i'r Meistr ymddiried iddyn nhw y ddysgeidiaeth fwyaf gwerthfawr a roddwyd i ddyn erioed. A oes yna'r fath beth â dosbarth neu ragfarn yn y cartref? Sut all hyn fod? Cartref oedd yr Eglwys Fore – cartref teulu Duw – ac oherwydd hyn nid oedd yna yr un fath o ragfarn. Lle mae Iesu, nid oes rhagfarn, a dyna ddiwedd y gân.

Beth am fynd ymlaen i ddarllen:
Lef. 19:9–15; Diar. 21:13; 1 Tim. 5:21; Iago 2:1–13; 1 Pedr 3:7

Meddyliwch am y cwestiynau hyn:
1. Sut mae'r Beibl yn ystyried ffafriaeth?
2. Sut all rhagfarn atal ein gweddïau?

Gweddi
O Dad, ni allwn ddiolch i ti ddigon fod pob person yn werthfawr yng ngolwg yr Arglwydd oherwydd bu i Iesu farw dros bawb yn ddiwahân. Mae yna werth anghymharol i hyn, a phosibiliadau diderfyn. Diolch, yn enw Iesu. Amen.

"Mab yr Anogaeth"

"Barnabas... (sef, o'i gyfieithu, Mab Anogaeth)..." (adn. 36)

Beth am ddarllen Actau 4:32–37 ac yna myfyrio

Elfen arall oedd yn bwysig yn yr eglwys yn Antiochia oedd y dylanwad yr oedd lleygwr yn ei ymarfer o'i mewn. Nid oedd gan yr apostolion ddim i'w wneud â sylfaenu'r eglwys hon. Mae'n wir i ddweud, pan glywodd yr apostolion beth oedd yn digwydd yn Antiochia, eu bod wedi danfon Barnabas (Actau 11:22), ond rhaid i ni gofio mai lleygwr oedd Barnabas.

Pan gyfarfyddwn ag ef am y tro cyntaf, yr ydym yn darganfod mai gwerthu cae yr oedd, gan osod yr arian wrth draed yr apostolion. Pan gafodd ei gomisiynu yn ddiweddarach gan yr apostolion i ymweld ag Antiochia, rydym yn darllen: "Wedi iddo gyrraedd a gweld gras Duw, yr oedd yn llawen." (Actau 11:23) Yr oedd yn fath o ddyn oedd yn cael ei gyffroi gan waith pobl eraill. Un o'r profion ar y gwir Gristion yw a all y dyn neu'r wraig yma lawenhau mewn gwaith sydd yn eiddo i bobl eraill. Roedd gan Barnabas ddiddordeb yn y deyrnas, ac nid ei ran ef yn y deyrnas yn unig.

Daeth Barnabas, er hynny, nid yn unig â'i Ysbryd ef ei hun i'r eglwys yn Antiochia, daeth hefyd â Paul, a elwid gynt yn Saul. Byddaf yn aml yn meddwl a fu i Barnabas, ar ôl gweld â'i lygaid ei hun beth oedd Duw yn ei wneud yn Antiochia, ddweud: "Dyma'r lle i hyfforddi Saul o Darsus." Felly, aeth i ffwrdd i Darsus i edrych am Saul. (Actau 11:25). Roedd dod â Saul i Antiochia yn waith rhyfeddol, oherwydd mi fyddai yr Eglwys hon wedi dylanwadu yn drwm arno a'i baratoi ar gyfer y weinidogaeth ryngwladol oedd yn gorwedd o'i flaen. Wrth ddarllen llythyrau Paul, rwy'n gweld stamp Barnabas ac eglwys Antiochia arno. Cafodd ei hyfforddi yn dda – ei hyfforddi gan y gorau o ddynion, yn un o eglwysi gorau y Testament Newydd.

Beth am fynd ymlaen i ddarllen:
Actau 9:26–27; 11:20–30; 12:25–13:5; 15:22–41; Gal. 2:11–13

Meddyliwch am y cwestiynau hyn:
1. Sut fyddech yn disgrifio agweddau cymeriad Barnabas?
2. A welwch unrhyw wendidau?

Gweddi
O Dduw, dyro yr un fath o galon i mi oedd yn nodweddu Barnabas, fel fy mod yn medru llawenhau yn yr hyn y mae eraill yn ei wneud dros y deyrnas, oherwydd y deyrnas sy'n bwysig, nid fy rhan i yn y deyrnas. Rwy'n diolch am dy waith drwy'r byd, a'th waith ynof fi. Yn enw Iesu. Amen.

Lleygwyr ar waith

"Cafodd Philip ei hun yn Asotus, ac aeth o gwmpas dan gyhoeddi'r newydd da yn yr holl ddinasoedd nes iddo ddod i Gesarea." (adn. 40)

Beth am ddarllen Actau 8:26–40 ac yna myfyrio

Yr ydym yn parhau i ystyried y gwirionedd fod yr eglwys yn Antiochia wedi ei sylfaenu gan leygwyr. Nid dweud yr ydym nad oes angen gweinidogaeth arbennig "apostolion, gweinidogion, proffwydi" ac yn y blaen ar yr Eglwys fel y gosodir hwy yn Effesiaid 4:11. Ond, yn hytrach, rydym am gydnabod fod dynion a gwragedd cyffredin, wedi eu hysbrydoli gan Ysbryd Duw, yn medru gwneud cyfraniad sylweddol i ddatblygiad yr Eglwys.

Yn ystod y blynyddoedd diwethaf, rwyf wedi dod i ystyried y term 'gweinidogaeth leyg' a 'gweinidogaeth ordeiniedig' fel rhai annerbyniol, gan eu bod yn creu'r gwahaniaeth sydd yn gyffredinol o ychydig gymorth i'r Eglwys. "Mae Cristnogaeth," yn ôl un hanesydd, "yn gyffredinol yn fudiad lleyg." Mae'n mynd ymlaen i nodi: "y bydd yn rhaid i'r Eglwys yn y dyfodol fod, yn bennaf, yn Eglwys leyg, gyda phobl leyg yn cymryd rhan flaenllaw, a'r rhai sydd wedi eu hordeinio yn hyfforddwyr y tîm yn hytrach na'r rhai sydd yn chwarae, y rhai sydd yn arwain mudiad lleyg." Rhaid i ni sydd yn weinidogion, yn efengylwyr, yn broffwydi neu yn athrawon, sylweddoli na fyddwn ni byth yn ennill y byd ar ben ein hunain. Does dim digon ohonom ni. A beth bynnag, ni fyddai o unrhyw fudd i'r Eglwys petai mwy o bobl ordeiniedig, oherwydd mi fyddai hyn yn amddifadu'r bobl leyg o'r datblygiad ysbrydol sydd yn dod wrth iddynt rannu eu ffydd.

Wrth imi weinidogaethu yn yr Affrig yn ddiweddar, dywedodd un o arweinwyr y Pabyddion wrthyf: "Y cyfan sydd i'w glywed o fewn yr Eglwys Gatholig y diwrnodau hyn yw'r sôn am y lleygwyr." Ychwanegodd: "Mae hwn yn wahaniaeth sylweddol, oherwydd, hyd yn hyn, eiddo'r offeiriaid oedd y weinidogaeth." Rwy'n pwysleisio fod angen newidiadau mawr ym mhob rhan o'r Eglwys wrth i ni gychwyn ar ganrif newydd, ac un o'r newidiadau angenrheidiol yw ein perthynas â'r lleygwyr yn ein plith.

Beth am fynd ymlaen i ddarllen:
Ex. 17:8–13; 35:4–36:7

Meddyliwch am y cwestiynau hyn:
1. Beth oedd dull Moses o weinidogaethu?
2. Sut bu i'r tîm ymateb?

Gweddi O Dduw trugarog, cynorthwya ni i ennill pobl i dy deyrnas di yn y dyfodol trwy ennill ein lleygwyr ein hunain. Yr ydym yn ymwybodol o'r potensial sydd o fewn ein heglwysi. Caniatâ i ni ryddhau'r potensial hwnnw. Yn enw Iesu. Amen.

"Y gynulleidfa gyfan"

"Yn awr, chwi yw corff Crist, ac y mae i bob un ohonoch ei le fel aelod."
(adn. 27)

Beth am ddarllen 1 Corinthiaid 12:27–31 ac yna myfyrio

Yr ydym wedi nodi fod mesur helaeth o'r grym a ryddhawyd yn yr eglwys yn Antiochia wedi ei ryddhau gan y lleygwyr o'i mewn. Yn ôl y geiriadur, diffinnir y gair 'lleygwyr' fel "y corff o bobl hynny sydd yn rhoi eu gwasanaeth i fudiad crefyddol yn rhan amser". Mae'r gair yn deillio o'r gair Groeg *laos*, gair a ddefnyddir yn aml yn y Testament Newydd i olygu 'pobl Dduw'. Gwaith yr apostolion, y proffwydi, yr efengylwyr, y gweinidogion a'r athrawon yw arfogi pobl Dduw ar gyfer ei wasanaethu, eu dwyn i adnabod eu doniau a'u gweinidogaeth. Nid gwaith pobl Dduw, y lleygwyr, yw edrych a gwrando, tra bod yr apostolion, y proffwydi, yr efengylwyr, y gweinidogion a'r athrawon yn gweithredu. Mae'n amlwg o fewn rhai eglwysi fod pobl yn ystyried mai gwaith y lleygwyr yw casglu, mynd â phobl i'w seddau, neu osod y llwyfan ar gyfer rhyw berfformiwr o bregethwr. Mae'r lleygwyr hefyd yn weinidogion. Yn ddiweddar, ymwelais ag eglwys oedd ar ei rhaglen wythnosol yn cyhoeddi enw pob un o'i swyddogion – y gweinidog, y gweinidog cynorthwyol, ac yn y blaen. Ar waelod y dudalen mewn print bras, roedd y geiriau "Gweinidogion – y gynulleidfa i gyd". Mae hyn yn rhoi'r lleygwyr ynghanol gwaith yr eglwys, nid ar ymylon gwaith yr eglwys. Rhaid hyfforddi'r lleygwyr ar gyfer gwaith y weinidogaeth, nid dim ond ar gyfer unrhyw waith. Wrth gwrs, mae yna waith amrywiol sydd angen ei wneud gan rywun, ond rhaid edrych ar bob gwaith o fewn yr eglwys fel rhan o'i gweinidogaeth.

Rhaid i ni ystyried mai prif swyddogaeth y rhai yr ydym ni yn eu galw yn "weinidogion llawn amser" yw i fod yn bobl sydd yn cymell ac yn annog ac "yn *paratoi* pobl Dduw ar gyfer gweithredoedd o wasanaeth er mwyn adeiladu corff Crist". Sylwch ar yr ymadrodd yr wyf yn ei bwysleisio, *pobl Dduw* – y lleygwyr.

Beth am fynd ymlaen i ddarllen:
Col. 3:9–17; Iago 5:9–16; 1 Pedr 1:22; 3:8; 4:8–11

Meddyliwch am y cwestiynau hyn:
1. Beth ddylem ei wneud gyda'n gilydd?
2. Sut mae annog yr Eglwys gyfan i fod yn gydweithwyr?

Gweddi
O Dad, mae'n drist iawn fod cymaint o'th bobl wedi eu dal mewn rhyw farweidd-dra, a hyd yn oed wedi eu gosod ar yr ymylon gan dy Eglwys. Mae yna lawer yn dy Eglwys sydd yn troi yn eu hunfan. Mae angen i ti ein diwygio a diwygio ein meddwl. Cynorthwya ni, o Dad. Yn enw Iesu Grist. Amen.

Erlid buddiol

"Y diwrnod hwnnw dechreuodd erlid mawr ar yr eglwys yn Jerwsalem.
Gwasgarwyd hwy oll, pawb ond yr apostolion..." (adn. 1)

Beth am ddarllen Actau 8:1–8 ac yna myfyrio

Wrth imi ymweld â choleg Beiblaidd unwaith, cefais fy nhynnu i mewn i ddadl ynglŷn â pham mai dim ond y lleygwyr a wasgarwyd, pan gychwynnodd yr erlid mawr yn dilyn marwolaeth Steffan. Pam y gadawyd yr apostolion? A oedd y rhain yn fwy dewr na'r gweddill? Y teimlad yn gyffredinol ymhlith y myfyrwyr oedd hyn: fod yr apostolion, yn gyffredinol yng ngolwg yr awdurdodau ar y pryd, yn llai peryglus na'r grŵp o leygwyr, oherwydd yr oeddent yn cyd-fynd yn well gyda threfn pethau o fewn Iddewiaeth. Mae'n debyg mai'r grŵp o leygwyr a arweiniwyd gan Steffan oedd yn cael ei ystyried fel y perygl pennaf, yn beryglus oherwydd eu bod yn honni, fel y gwelwyd o araith Steffan, nad oedd y Goruchaf yn byw mewn tai o wneuthuriad dynion. (Actau 7:48).

Ond bu i Steffan, a oedd yn lleygwr, ddweud hyn am y Deml wrth arweinwyr pennaf Iddewiaeth. Bu i hyn eu gwylltio, a bu iddynt ei ladd. O'r foment honno, fe syrthiodd y rhan fwyaf o'r erlid ar yr ochr leyg i'r mudiad. Mae'n wir dweud y byddai Pedr a'r apostolion eraill wedi eu rhoi i farwolaeth oni bai am eiriau Gamaliel (gweler Actau 5:33–34) ac, yn ddiweddarach, bu yna erlid ar apostolion. Lladdwyd Iago â'r cleddyf, a thaflwyd Pedr i'r carchar (Actau 12:2). Ond mae'n amlwg fod y gwrthwynebiad pennaf ar y cychwyn wedi ei gyfeirio at y lleygwyr.

A diolch i Dduw am hynny. Fe arweiniodd yr erledigaeth yma at gyfnod o fendith helaeth, oherwydd bu i'r lleygwyr yma gael eu gwasgaru ar hyd Jwdea a Samaria. Agorwyd meysydd newydd i lafurio ynddynt. Ni fyddai yna eglwys yn Antiochia oni bai am y lleygwyr. Credinwyr cyffredin gychwynnodd yr eglwys, a'i chynnal, a'u gwaith hwy arweiniodd at ddanfon y genhadaeth Gristnogol gyntaf allan ar draws yr Ymerodraeth. Mae'n amlwg mai'r lleygwyr yng nghyfnod y Testament Newydd oedd y prif symbyliad i weithgarwch. Fe ddylai hyn fod yr un fath heddiw.

Beth am fynd ymlaen i ddarllen:
Actau 11:19–21; Rhuf.16:1–16; 1 Cor.15:58

Meddyliwch am y cwestiynau hyn:
1. Beth mae Paul yn ei ddweud am aelodau yr Eglwys Fore?
2. Faint o bobl o fewn eich eglwys sydd yn weithwyr?

Gweddi
O Dduw, rwy'n gweld fod yna faes cenhadol anferth o fewn yr Eglwys ymhlith y bobl yna sydd wedi eu meddiannu gan bethau ymylol, yn cynhyrchu ychydig iawn. Cynorthwya ein harweinwyr i wneud y gorau o'r potensial sydd o fewn yr Eglwys, er lles dy deyrnas. Yn enw Iesu. Amen.

Cymwysterau Crist

"Trwy ba awdurdod yr wyt ti'n gwneud y pethau hyn? Pwy roddodd i ti'r awdurdod hwn?" (adn. 23)

Beth am ddarllen Mathew 21:23–27 ac yna myfyrio

Petai Iesu wedi dod i'r byd yn yr unfed ganrif ar hugain yn hytrach na'r ganrif gyntaf a gweithredu yn y modd y gwnaeth, mae'n debyg y byddai'n cael ei ystyried fel lleygwr. Doedd ganddo yr un cysylltiad ag unrhyw ysgol; nid oedd o dan reolaeth unrhyw gorff crefyddol. Yn y darlleniad heddiw, rydym yn darganfod fod yr Iddewon yn holi Iesu, gan fynnu gwybod drwy ba awdurdod yr oedd yn gwneud yr hyn yr oedd yn ei wneud. Mae'n adrodd dwy ddameg wrthynt sydd yn dangos eu bod hwy â mwy o ddiddordeb mewn trefn nag effeithiolrwydd ysbrydol. Yn dilyn hyn, maent yn edrych am ffordd i'w arestio, oherwydd, yn ôl adn. 45: "Gwyddent mai amdanynt hwy yr oedd yn sôn". Roedd y prif offeiriad a'r henuriaid eisiau gweld cymwysterau Iesu. Ond yr unig gymwysterau oedd ganddo oedd y bywydau oedd wedi eu newid wrth dderbyn ei Air ac wrth ei ddilyn fel disgyblion.

Yn gynharach wrth ddarllen, fe welwyd fod Ioan Fedyddiwr yn coleddu ambell amheuaeth, ac felly, dyma anfon ei ddilynwyr i ofyn: "Ai Ti yw yr un sydd i ddod ai a ddylem ddisgwyl rhywun arall?" (Mathew 11:3). Ymateb Iesu oedd y geiriau hyn: "Y mae'r deillion yn cael golwg, y cloffion yn cerdded, y gwahangleifion yn cael eu glanhau a'r byddariaid yn clywed, y meirw yn codi, y tlodion yn cael clywed y newyddion da" (11:5). Ac yna mae'n ychwanegu'r geiriau grymus hyn yn adnod 6: "Gwyn ei fyd y sawl na ddaw cwymp iddo o'm hachos i." Nid oedd Iesu am i amheuaeth lethu Ioan, felly, mae'n darparu cymwysterau ei weinidogaeth, y ffeithiau a'r digwyddiadau oedd yn canlyn y weinidogaeth.

Ar achlysur arall ym Mathew 7:16, fe ddywed Iesu: "Trwy ei ffrwythau yr adnabyddwch hwynt." Yr her sydd yn gorwedd o'n blaen ni bellach yw nid pwy sydd yn gallu meddu awdurdod eglwysig, ond pwy sydd yn gallu dwyn ffrwyth sydd yn aros? Y gwir yw, mae pobl leyg yr un mor effeithiol wrth ddwyn ffrwyth ysbrydol â phobl sydd wedi eu hordeinio.

Beth am fynd ymlaen i ddarllen:
Diar. 11:30; Ioan 15:1–16; Rhuf. 7:4; Gal. 5:22–23; Col. 1:10

Meddyliwch am y cwestiynau hyn:
1. Pwy sydd yn cael eu gorchymyn i ddwyn ffrwyth ysbrydol?
2. Beth yw rhai o'r ffrwythau hyn?

Gweddi
O Dad, wrth i mi ystyried y mater yma, rwy'n sylweddoli fwyfwy mai un o'r pethau sydd yn her i'r Eglwys heddiw yw cael gweld pobl leyg yn troi o fod yn gynulleidfa i fod yn weithwyr. Arglwydd, cynorthwya dy Eglwys i gyfarfod yr her hon. Er mwyn Iesu. Amen.

Y ddawn sy'n ateb y diben

"Y mae amrywiaeth doniau, ond yr un Ysbryd sy'n eu rhoi." (adn. 4)

Beth am ddarllen 1 Corinthiaid 12:1–11 ac yna myfyrio

Yn fy marn i, mae'n debygol y gall y diwygiad nesaf fydd yn effeithio ar ein heglwysi ddod o gyfeiriad pobl leyg. Mae'n anodd i ni sydd yn "weinidogion llawn amser" weld sut y medrwn ennill y byd. Does dim digon ohonom. Camgymeriad yw'r agwedd meddwl oedd yn fy nodweddu pan oeddwn yn ifanc. Roeddwn yn meddwl am yr Eglwys yn y termau hyn yn fras: "Fi yw'r gweinidog, wedi fy ngalw gan Dduw, wedi fy ordeinio gan ddynion i waith y weinidogaeth. Eich gwaith chi yw sicrhau nad oes rhyw feichiau dianghenraid yn fy llethu, er mwyn i mi gael mynd yn fy mlaen â gwaith pregethu'r Efengyl." Meddyliwch am yr hyfdra! Roeddwn yn arfer dweud wrth fy nghynulleidfa: "Dewch â'ch ffrindiau i'm clywed i'n pregethu, ac yna byddaf yn siŵr o'u harwain at Iesu Grist." Ni wawriodd arnaf y buasai wedi bod yn well i hyfforddi'r bobl yma i arwain eu ffrindiau eu hunain at yr Arglwydd Iesu. Diolch bod Duw wedi goleuo fy meddwl a'm calon cyn iddi fynd yn rhy hwyr. A diolch am y gras yr wyf wedi ei gael ers hynny i fedru annog eraill i wneud gwaith gweinidogaeth. Deuthum yn hyfforddwr, a dyma'r gwaith yr wyf wedi ceisio ei gyflawni ers hynny.

Un o'r offerynnau mwyaf defnyddiol yr wyf wedi ei ddatblygu yw siart syml sydd yn cynorthwyo'r clerigwyr a lleygwyr i adnabod eu doniau, ac o ganlyniad i fedru cyflawni eu potensial o fewn yr Eglwys. Mae miloedd o'r rhain wedi eu dosbarthu trwy'r byd ac mae cannoedd wedi ymateb, yn arbennig felly, y lleygwyr, gan nodi eu bod am y tro cyntaf wedi adnabod eu dawn a'r modd i ddefnyddio eu dawn yng ngwaith Duw. Mae'n sicr fod miloedd o Gristnogion yn cyflawni gorchwylion nad yw natur na dawn ysbrydol wedi eu harfogi ar eu cyfer. O ganlyniad, maent yn brwydro drwy eu bywyd gydag ychydig iawn o effeithiolrwydd a llawer iawn o flinder. Mae'n bwysig darganfod beth yw bwriad Duw ar ein cyfer ni yn yr Eglwys. Beth sydd yn defnyddio ein potensial ni? Wrth ddarganfod hyn, fe fyddwn yn darganfod hefyd ein heffeithiolrwydd, ac ni fyddwn yn blino.

Beth am fynd ymlaen i ddarllen:
Rhuf.12:1–15; 1 Cor.12:12–31

Meddyliwch am y cwestiynau hyn:
1. Sawl swyddogaeth fedrwch chi eu canfod yn Rhufeiniaid 12 ac 1 Corinthiaid 12?
2. Beth yw eich rhan yng nghorff Crist?

Gweddi
O Dad, cynorthwya dy bobl i beidio â throi yn eu hunfan, ond yn hytrach i feddiannu'r weinidogaeth yr wyt ti wedi ei fwriadu ar eu cyfer er mwyn cyflawni'r gwaith sydd gen ti ar eu cyfer yn y byd. Rwy'n gofyn hyn yn enw Iesu. Amen.

Hip-hip-hwrê! i'r lleygwyr!

"Wedi hynny, penododd yr Arglwydd ddeuddeg a thrigain arall, a'u hanfon allan o'i flaen, bob yn ddau." (adn. 1)

Beth am ddarllen Luc 10:1–24 ac yna myfyrio

Yn y testun heddiw, mae Iesu'n dewis saith deg a dau o bobl (hynny yw, saith deg a dau o leygwyr) a'u hanfon allan bob yn ddau, gan roi iddynt yr un comisiwn ag a roddodd i'w ddisgyblion (Luc 9:1–5). Dywedodd wrthynt am fod yn ofalus o'u hymarweddiad: "Pa dŷ bynnag yr ewch i mewn iddo, dywedwch yn gyntaf, 'Tangnefedd i'r teulu hwn'" (adn.5). Dywedodd wrthynt hefyd ei fod gyda hwy, yn barod i'w nerthu, a bod y rhai fyddai'n gwrando arnyn nhw yn gwrando arno ef (adn.16). Aeth y saith deg a dau allan, ac wedi cyfnod o amser, dyma'r disgyblion yn dod yn eu hôl gan ddweud: " Arglwydd, y mae hyd yn oed y cythreuliaid yn ymddarostwng inni yn dy enw di. (adn. 17).

Mae yna enghraifft yn y Testament Newydd o achlysur pryd yr oedd y disgyblion yn methu â bwrw allan un o'r cythreuliaid oedd wedi meddiannu bachgen (Mathew 17:14–16). Roedd y bachgen yma wedi ei feddiannu gan y Diafol, ac eto, yn ystod eu gweinidogaeth, roedd y lleygwyr yn medru bwrw allan y cythreuliaid hyn gyda rhwyddineb. Fe fu i lwyddiant y saith deg a dau ddwyn llawenydd mawr i galon yr Arglwydd. Yn ôl adnod 21, mae'n gweddïo fel hyn: "Yr wyf yn dy foliannu di, o Dad, Arglwydd nef a daear, am i ti guddio'r pethau hyn rhag y doethion a'r deallusion, a'u datguddio i rai bychain." Yr oedd yna rym newydd wedi ei ddarganfod ar gyfer pobl leyg.

Mae Philip yn lleygwr amlwg sydd yn cael sylw yn Llyfr yr Actau. Pregethodd yr Efengyl yn Samaria, ac fe ddaeth llawer i gredu yn Iesu Grist trwy ei weinidogaeth yno (Actau 8:5–8). Philip hefyd a rannodd yr Efengyl gyda'r Ethiop ac, yn ôl traddodiad beth bynnag, y gŵr yma fu'n gyfrifol am sefydlu'r Eglwys yn Ethiopia. Mae Harnack, yr hanesydd eglwysig, yn disgrifio buddugoliaethau cynnar Cristnogaeth fel rhai oedd yn cael eu sylweddoli trwy law "cenhadon anffurfiol" – ei air ef i ddisgrifio pobl leyg. Rwy'n teimlo fel gorfoleddu yn agored gan weiddi: "Hip-hip! hwrê! i'r lleygwyr!" Heb y rhain, ni fydd yna Eglwys gref i'r dyfodol.

Beth am fynd ymlaen i ddarllen:
Num.11:16–29; Actau 8:26–39; 2 Cor.3:1–18; 5:11–21

Meddyliwch am y cwestiynau hyn:
1. Beth wêl ein cymdogion o Gristnogaeth?
2. Beth yw cyfrifoldebau'r llysgennad Cristnogol?

Gweddi
O Dad, rwy'n gofyn i ti i'n hysbrydoli fel pobl wedi ein hordeinio ac fel lleygwyr i wneud dy waith di yn dy ffordd di. Mae gen ti bwrpas ar gyfer y ddau – y rhai a ordeiniwyd i hyfforddi, y lleygwyr i gyhoeddi. Cynorthwya'r ddau i wneud dy ewyllys. Yn enw Iesu. Amen.

Rhaid i Grist fod yn y canol

"Os nad yw rhywun gyda mi, yn fy erbyn i y mae, ac os nad yw'n casglu gyda mi, gwasgaru y mae." (adn. 30)

Beth am ddarllen Mathew 12:22–37 ac yna myfyrio

Yr ydym am edrych yn awr ar un elfen bellach yn yr eglwys yn Antiochia. Yr oedd yn eglwys oedd yn ymateb yn briodol a chyda dirnadaeth ysbrydol pan oedd yna wahaniaeth barn yn ei amlygu ei hunan rhwng Barnabas a Paul. Os yw'r Eglwys i adael ei hôl yn y dyfodol, mae angen iddi hithau hefyd wybod sut mae ymateb yn briodol pan gyfyd amrywiaeth barn ymhlith eu harweinwyr.

Mae'n amlwg fod Barnabas a Paul yn anghytuno ynglŷn â rhai pethau, ac mi fyddwn yn edrych ar y rhain yn ystod y dyddiau nesaf. Beth bynnag, fe fu i'r eglwys ymgymryd yn gyfrifol wrth geisio delio â'r anawsterau, a delio â hwy gyda gras ac urddas. Mae'n amhosibl credu y ceir sefyllfa lle bydd arweinwyr yn cytuno bob amser, ond fe ddylent gytuno i anghytuno. Dro ar ôl tro, wrth i ni siarad â phobl am yr Arglwydd Iesu, fe fyddwn yn siŵr o glywed rhai yn dweud: "Ni allwch chi, Gristnogion, fyth gytuno hefo'ch gilydd." Yr wyf yn gwybod yn dda am nifer o eglwysi lle mae eu harweinwyr wedi methu â chytuno ac o ganlyniad wedi rhannu'r gynulleidfa oherwydd mai dyma'r unig ffordd i'r gwaith bara ymlaen. Mae'r sylw canlynol yn esiampl berffaith o agwedd arweinwyr o'r fath: "Pan fyddi di yn dysgu delio â phethau yn well, mewn ffordd Gristnogol, tyrd yn ôl i siarad hefo fi, ac yna, efallai, byddaf yn barod i wrando."

Bu i'r eglwys yn Antiochia arddangos agwedd meddwl iach iawn pan gododd yr anghytundeb rhwng Barnabas a Paul. Nid oeddent yn fodlon i'r anghytundeb achosi rhwyg rhwng y ddau arweinydd cenhadol. Mae'n amlwg na fu i'r eglwys gymryd ochr y naill na'r llall, ac er fy mod yn ymwybodol na ellir dadlau ar sail tawelwch yn yr Ysgrythur, teimlaf, yn yr achos yma, fod y tawelwch yn arwyddocaol. Roedd yr eglwys yn Antiochia yn gwybod sut oedd gweithredu, ond yn gwybod hefyd sut i beidio â gor-ymateb.

Beth am fynd ymlaen i ddarllen:
Salm 133:1–3; 1 Cor. 1:10–13; Eff. 4:1–6; Phil. 1:27

Meddyliwch am y cwestiynau hyn:
1. Beth yw bendithion undod?
2. Beth yw sylfaen undod?

Gweddi
O Dduw, cynorthwya fi i wybod sut i ymateb pan fo arweinwyr yn anghytuno. Cynorthwya fi i'w cynorthwyo hwy trwy sicrhau nad yw anghytundeb yn troi yn rhwyg. Yn enw Iesu. Amen.

Tawelu'r dyfroedd

"Bu cymaint cynnen rhyngddynt nes iddynt ymwahanu." (adn. 39)

Beth am ddarllen Actau 15:36–41 ac yna myfyrio

Yr ydym am edrych yn awr ar yr anghytundeb a fodolai rhwng Barnabas a Paul – anghytundeb a allai fod wedi arwain at ffurfio dau enwad, ond ar gyfrif yr aeddfedrwydd ysbrydol oedd yn eglwys Antiochia, sicrhawyd nad hyn fyddai'r canlyniad. Wedi i Barnabas a Paul ddychwelyd o'u taith efengylu yn Cyprus ac yn Asia Leiaf, roedd Paul yn ymwybodol o alwad Duw i ddychwelyd i rai o'r trefi lle roeddent wedi pregethu'r Gair, er mwyn gweld sut oedd yr eglwysi yn dod ymlaen. Yr oedd Barnabas yn cytuno, gan awgrymu y dylent fynd â Ioan Marc yn gydymaith. Nid oedd Paul yn credu fod hyn yn beth doeth, gan roi fel rheswm y ffaith fod Ioan Marc wedi eu gadael yn Pamffylia. Roedd y fath wahaniaeth barn yn bodoli fel y bu i'r ddau wahanu. Aeth Paul y naill ffordd, a Barnabas y ffordd arall. Roedd Paul yn teimlo y dylent ddiogelu tîm cryf gydag aelodau oedd eisoes wedi eu profi eu hunain, a pheidio â chynnwys pobl oedd yn debygol o droi yn ôl. Roedd Barnabas yn teimlo y dylid rhoi ail gyfle i bobl.

Nawr, nid fy nymuniad yw ychwanegu at yr Ysgrythur, ond ai rhywbeth fel hyn y bu'r drafodaeth: Paul: "Mae'n amhosibl mynd â phobl ar ein teithiau cenhadol sydd ddim yn barod i wneud y gwaith. Rhaid i ni gael pobl sydd yn ymroddgar, pobl sydd, pan mae gwrthwynebiad yn codi, yn barod i sicrhau'r gwaith yn hytrach na'i adael." Barnabas: "Ni ddylem dorri calon pobl. Mae gan bawb hawl i ail gyfle." Gallai'r safbwyntiau yma fod wedi achosi gwahanu a sefydlu dau enwad: un, yr enwad Pawlaidd (y rhai oedd eisiau diogelu purdeb), ac yna yr enwad Barnabaidd (y rhai oedd yn cynnig ail gyfle). Wrth i Paul a Barnabas wahanu, bu i'r eglwys yn Antiochia ddiogelu mesur o ysbryd hunanfeddiannol. Doedd yna neb yno wedi cymryd y naill ochr na'r llall. Mae'n debyg bod yr eglwys yn rhy ysbrydol i ymbleidio ac roedd yr eglwys yn ei hunan yn tawelu'r dyfroedd.

Beth am fynd ymlaen i ddarllen:
Diar. 15:1; 30:33; Math. 5:9; Rhuf. 14:1–23

Meddyliwch am y cwestiynau hyn:
1. Sut all anghytundeb godi?
2. Beth sydd yn tawelu'r dyfroedd?

Gweddi
O Dad, yr ydym yn ymwybodol y buasai llawer rhwyg a gwahanu wedi eu hosgoi petai ysbryd pobl Antiochia yn cael ei arddangos yn ein bywyd ni fel Eglwys. Maddau i ni ein diffyg sensitifrwydd. Yn enw Iesu. Amen.

Achos "Ioan Marc"

"Bydded eich hynawsedd yn hysbys i bob dyn." (adn. 5)

Beth am ddarllen Philipiaid 4:1–9 ac yna myfyrio

Ychydig flynyddoedd yn ôl cefais wahoddiad i bregethu mewn eglwys oedd mewn perygl o rannu oherwydd achos tebyg i achos Ioan Marc. Roedd gan yr eglwys ddau arweinydd, y ddau yn gymeriadau cryf. Yr oedd y naill yn teimlo y dylid mynd â'r eglwys i un cyfeiriad, a'r llall yn teimlo y dylid mynd i gyfeiriad cwbl wahanol. Yr oedd y ddau yn gwybod fod yna aelodau yn y gynulleidfa oedd yn dawel yn dechrau cymryd y naill ochr neu'r llall mewn perthynas â'r achos. Ond roedd yn yr eglwys hefyd adran o gredinwyr oedd yn gweddïo ar i ewyllys Duw gael ei datguddio.

Fe'm gwahoddwyd i bregethu ynghanol yr anghytundeb yma, gan gynnig yn destun i'm sylwadau: 'diogelu undod yn wyneb gwahaniaethau barn'. Cymerais fel testun yr adnod yr oeddem yn edrych arni ddeuddydd yn ôl: "Mae'r sawl nad yw yn casglu gyda mi yn gwasgaru" (Mathew 12:30). Mae'r adnod hon yn dysgu yn ddiamheuol ein bod, wrth wneud Iesu yn Feistr ac wrth geisio ei ddilyn ef, yn darganfod undeb yn yr Arglwydd ac nid mewn rhyw berson, rhyw syniad, neu ryw athroniaeth, ac mae hyn yn ein galluogi i godi uwchlaw gwahaniaeth barn.

Ar ôl y bregeth, bu i ni eistedd o amgylch y bwrdd cymun, a dywedodd un o'r arweinwyr: "Mae fy mherthynas â Iesu mor bwysig i mi fel nad wyf am wneud dim i amharu ar gyflwr fy enaid na chyflwr enaid neb arall o'i bobl. Nid wyf am bwyso yr achos yma, ond yr wyf am aros nes derbyn yr arweiniad sydd gan Dduw ar ein cyfer ni." Bu i'r arweinydd arall, yn yr un modd, ddweud rhywbeth tebyg. O fewn ychydig fisoedd, wedi gweddïau ac ymprydiau o fewn yr eglwys, arweiniodd yr Arglwydd hwy ar hyd llwybr oedd yn wahanol iawn i lwybr y ddau arweinydd. Bu i ras orchfygu. Bu iddynt gyflawni'r gorchymyn sydd yn ein testun heddiw, sef bod eu hynawsedd a'u parodrwydd i ildio yn cael eu amlygu i bawb.

Beth am fynd ymlaen i ddarllen:
Math. 5:23–24; 1 Cor. 5:6–8; 11:17–34; Eff. 5:21; 2 Tim. 2:14–24

Meddyliwch am y cwestiynau hyn:
1. Sut all cymundeb gynorthwyo i ateb anghytundeb?
2. Beth yw ein hymateb ni pan mae pobl yn ein gwrthwynebu?

Gweddi
Arglwydd, wrth i ni wynebu achosion sydd am ein gwahanu, cynorthwya ni i ddiogelu undod dy gorff di. Cynorthwya i'r pethau hyn ein tynnu yn agosach at ein gilydd, er mwyn i'th enw di gael ei ogoneddu yn dy Eglwys. Er mwyn dy enw. Amen.

Dysgu o'n camgymeriadau

*"Yna dywedodd Abram wrth Lot, 'Peidied â bod cynnen rhyngom,...
oherwydd perthnasau ydym.'" (adn. 8)*

Beth am ddarllen Genesis 13:1–12 ac yna myfyrio

A yw'n bosibl i fod yn gywir ac yn anghywir? Mae'n bosibl. Roedd Paul yn berffaith iawn wrth ddweud na ddylai Ioan Marc fod wedi eu gadael yn Pamffylia, ond yn anghywir wrth fynnu na ddylai gael cyfle arall. Roedd Paul a Barnabas yn anghywir wrth iddynt ymwahanu oherwydd yr achos hwn.

Beth ddylai'r ddau yma fod wedi ei wneud wrth iddynt gael eu cythruddo gan eu hanghytundeb? Mae'n siŵr y dylent fod wedi dweud yr hyn a ddywedodd Abram wrth Lot: "Na foed cynnen rhyngom, oherwydd brodyr ydym." Mae'n debyg mai'r broblem yma oedd nid yn gymaint anghytundeb dros Ioan Marc, ond diffyg ysbryd Cristnogol. Gallent fod wedi gwahanu a dilyn eu llwybrau gwahanol heb fod yna gynnen.

Mae'n amhosibl atal pob cynnen sydd yn codi yn yr Eglwys, ond mae'n bosibl i gymryd camau sydd yn diogelu nad yw cynnen yn troi yn wahanu. Wrth i mi aeddfedu, wrth i fy mherthynas gyda'r bobl hynny yr wyf wedi gweithio gyda nhw gael ei hymestyn o bryd i'w gilydd, yr wyf wedi ceisio delio â'r tensiynau trwy gofio hyn: "Os wyt ti'n perthyn i Grist, a dwi'n perthyn i Grist, yna yr ydym yn perthyn i'n gilydd. Yr ydym yn berthnasau. Efallai fod yr achos dan sylw yn golygu ein bod yn mynd i gyfeiriadau gwahanol, ond nid wyf am ganiatáu i'r cyfeiriad gwahanol chwerwi ein heneidiau." Bu i Paul hefyd sylwi, wrth iddo aeddfedu, na ddylid caniatáu i gynnen, sydd yn medru codi yn y galon fwyaf ysbrydol, arwain at wahanu. A dweud y gwir, bu i Paul ei hun gynghori'r Effesiaid mewn perthynas â'r achos yma. Yn ôl Effesiaid 4:26, dywedodd: "Peidiwch â gadael i'r haul fachlud ar eich digofaint." Mae'n amlwg ei fod wedi dysgu o'i gamgymeriad. Dysgu o'n camgymeriadau yw un o'r pethau mwyaf bendigedig sydd yn deillio o aeddfedrwydd ysbrydol.

Beth am fynd ymlaen i ddarllen:
Gen. 4:1–16; Heb. 12:15; 1 Ioan 3:12–15

Meddyliwch am y cwestiynau hyn:
1. Pam fu i Cain lofruddio Abel?
2. Sut ddylai Cain fod wedi ymateb?

Gweddi
O Dad, rwy'n sylweddoli fod gwneud camgymeriadau yn rhan o fod yn berson dynol. Cynorthwya fi i ddysgu o'm camgymeriadau, er mwyn sylweddoli aeddfedrwydd ysbrydol yn fy mywyd. Yn enw Iesu Grist. Amen.

"Hysbys y dengys dyn..."

"Dyma fy ngorchymyn i: carwch eich gilydd fel y cerais i chwi." (adn. 12)

Beth am ddarllen Ioan 15:1–17 ac yna myfyrio

Mae'n bosibl i achosion fel achos Ioan Marc, achosion sydd yn debyg o greu gwahaniaeth, gael eu hadfer, ond i sylweddoli hyn rhaid i ni ein ymrwymo ein hunain i'r Arglwydd Iesu. A oedd Paul a Barnabas wedi ymrwymo felly? Wrth gwrs. Mae'n amhosibl esbonio eu gwaith a'u llwyddiant cenhadol heb sylweddoli eu perthynas agos â Iesu. Ond, ac mae'n siŵr y medr sawl Cristion addef hyn o brofiad, un o'r profion mwyaf ar ein perthynas â Iesu yw'r adegau hynny pan elwir arnom i ddelio â sefyllfaoedd anodd yn ein perthynas â phobl.

Dywedodd un cenhadwr wrthyf unwaith: "Gallaf deithio am ddiwrnodau, delio gyda bwyd di–flas, delio gyda pheidio â chysgu, ond paid â gofyn i mi eistedd i lawr mewn cymdeithas â chenhadwr arall yn yr un man. Mae hyn yn debyg o fy nghythruddo ac nid wyf yn gwybod pam." Pam tybed fod y cenhadwr yn dweud y fath beth? Oherwydd mae perthynas â phobl yn medru arwain at gymaint o broblemau. Os ydych am roi prawf ar eich perthynas â Iesu, peidiwch ag edrych yn gymaint ar yr hyn yr ydych yn ei wneud er mwyn Iesu, ond edrychwch yn hytrach ar eich perthynas â phobl Iesu. Mae'n siŵr ein bod ni i gyd yn gallu tystio mai yma y byddwn ar ein gwanaf. Mae geiriau Iesu yn y testun heddiw yn rai o'r geiriau mwyaf heriol yn y Testament Newydd: "Carwch eich gilydd fel y cerais i chwi." Mae'n siŵr ei bod yn haws i garu'r Arglwydd Iesu Grist na charu rhai o'i blant.

A yw'n dilyn, felly, os ydym yn caru eraill na fyddwn byth yn anghytuno â hwy? Nac ydyw. Mae'n afresymol i gredu na fyddwn byth yn anghytuno, ond fe allwn anghytuno heb greu cynnwrf a dicter. Dyma'r her sydd yn ein hwynebu. Cafodd Paul a Barnabas anhawster yn hyn. Fe gawn ninnau anhawster hefyd. Ond fel y dywedwyd ddoe, fe allwn ddysgu o'n camgymeriadau, a gall ein camgymeriadau fod yn adeiladol. Gall camgymeriadau arwain at aeddfedrwydd ysbrydol.

Beth am fynd ymlaen i ddarllen:
Eff. 3:14–19; 4:15–16; 5:2; Col. 2:2; 1 Thes. 3:12–13

Meddyliwch am y cwestiynau hyn:
1. Sut mae profi cyflawnder cariad Duw?
2. Sut mae corff Crist yn cael ei adeiladu?

Gweddi
O Dad, cynorthwya fi i garu eraill gyda'r un cariad sydd yn nodweddu fy mherthynas â thi. Diolch nad wyt ti byth yn peidio â'm caru. Arglwydd, cynorthwya fi i ddiogelu cariad, ac os byddaf yn methu, caniatâ fy mod yn gofyn am faddeuant ac yn peidio gadael i'r haul fachlud ar fy nigofaint. Yn enw Iesu. Amen.

Dim creithiau

"Ond trwy ras Duw yr wyf yr hyn ydwyf, ac ni bu ei ras ef tuag ataf yn ofer."
(adn. 10)

Beth am ddarllen 1 Corinthiaid 15:1–11 ac yna myfyrio

Wrth i ni wynebu her yr unfed ganrif ar hugain, rhaid i ni ddelio â phob achos a all greu rhwyg yn ein plith, gan benderfynu ymlaen llaw sut yr ydym am ddelio gyda'r achosion hynny.

Yr ydym wedi dweud eisoes na allwn byth ymrwymo i beidio anghytuno am ddim, ond fe allwn ein hymrwymo'n hunain i ddiogelu na fyddwn yn caniatáu i anghytundeb ddatblygu yn chwerwder ac yn ddicter. Gall hyn ddigwydd os byddwn yn ymrwymo i'r Arglwydd Iesu Grist.

Y diwrnod o'r blaen, dywedais fod yr eglwys yn Antiochia wedi gwrthod caniatáu i'r anghytundeb rhwng Barnabas a Paul greu rhwyg yn yr eglwys. Tynnwyd fy sylw at ddyfyniad o lyfr Henry Alfold, *Greek Testament.* "Mae'n debyg fod yna gryn wahaniaeth yng nghymeriad eu myned allan. Mae'n debyg fod Barnabas wedi mynd allan gyda'i nai, heb fawr o gydymdeimlad, nac anogaeth, ond bu i Paul gael ei gymeradwyo i ras Duw gan yr eglwys gynulledig. A oedd hyn yn ffordd garedig o ddweud: 'Nid ydym am gymryd ochr, ond, Barnabas, nid ydym chwaith yn credu mai gwahanu yw'r ffordd iawn i ddelio â'r achos hwn.'" A fu i ras orchfygu?

Os symudwn ychydig flynyddoedd ymlaen i'r cyfnod pan fu i Paul anfon ei ail lythyr at Timotheus, yr ydym yn darganfod y geiriau yma: "Luc yn unig sydd gyda mi. Galw am Marc, a thyrd ag ef gyda thi, gan ei fod o gymorth mawr i mi yn fy ngweinidogaeth." (2 Tim. 4:11). Tybed a oedd Paul yn meddwl wrth ysgrifennu'r geiriau hyn: "Yr oeddwn yn galed ac yn ddiwyro gyda Ioan Marc yn y dyddiau cynnar. Cymerodd Barnabas ef o dan ei adain a'i annog." Efallai fod angen anogaeth arno yn fwy na phregeth. Beth bynnag, mae hyn i gyd, bellach, yn y gorffennol. Mae'r berthynas wedi ei hadfer. Roedd y creithiau wedi eu cuddio. Diolch i Dduw.

Beth am fynd ymlaen i ddarllen:
Rhuf. 5:12–20; 11:1–6; 2 Cor. 13:5–14; Titus 3:3–7; 2 Pedr 3:18

Meddyliwch am y cwestiynau hyn:
1. Beth yw gras?
2. Sut mae tyfu mewn gras?

Gweddi
O Dad, cynorthwya fi i gymryd golwg ar fy mherthynas â phobl heddiw, ac os oes yna berthynas sydd yn dioddef oherwydd diffyg cymod, caniatâ i mi'r gras i ddelio â'r mater hwn. Rwy'n gofyn hyn yn enw bendigedig Iesu Grist. Amen.

Mae popeth mor fawr â'r enaid

"Deffro, O wynt y gogledd, a thyrd, O wynt y de; chwyth ar fy ngardd i wasgaru ei phersawr. Doed fy nghariad i'w ardd, a bwyta ei ffrwyth gorau." (adn. 16)

Beth am ddarllen Caniad Solomon 4:8–16 ac yna myfyrio

Yr ydym bron ar ddiwedd ein myfyrdod ar yr eglwys yn Antiochia. Roedd hon yn eglwys arbennig iawn. Dywed un esboniwr: "Os bydd i ti dorri hanes Antiochia allan o'r Testament Newydd, yr wyt yn torri allan galon lledaeniad Cristnogaeth i mewn i'r byd. Mi fyddai'n rhaid i ti ailysgrifennu hanes y byd, gan ei ailysgrifennu heb yr eglwys fwyaf effeithiol a ffrwythlon a fu yn y byd erioed."

Yr ydym yn byw mewn cyfnod cyffrous anghyffredin. Yr ydym yn wynebu mileniwm newydd a chanrif newydd gyda neges dragwyddol yr Efengyl. Yr ydym yn wynebu erledigaeth, sydd, nid yn gymaint yn erledigaeth gorfforol, ond yn erledigaeth ysbrydol, gan *"nas cenfydd llygad natur"* ogoniant yr Efengyl. Does ond gwaith Ysbryd Glân Duw all agor calonnau ac agor llygaid, a pheri i glustiau nad ydynt yn clywed glywed neges fendigedig yr Arglwydd Iesu Grist.

Mae'r dyfodol yn her real i'r eglwys Gristnogol. Mae anawsterau'n gorwedd yn ein dyfodol. A ydym am droi yr anawsterau hynny yn gyfleon cenhadol? A oes gennym yr hyder yn yr Efengyl i sicrhau bod enw Iesu yn cael ei gyhoeddi yn ein dydd mewn ffordd sydd yn berthnasol ac sydd yn dyrchafu ei waith ef? Wrth ddiolch am eglwys Antiochia, yr ydym yn ymwybodol fod ein cenhedlaeth ni yn edrych am eglwysi cyffelyb, eglwysi sydd yn cynrychioli Crist mewn ffordd real, mewn ffordd berthnasol; eglwysi sydd yn effeithio yn drwm ar eu cymunedau.

Beth am fynd ymlaen i ddarllen:
Can. Sol. 2:10–13; Salm 126:1–6; Esec. 37:1–14; Math. 13:31–33

Meddyliwch am y cwestiynau hyn:
1. A all yr Eglwys heddiw fyw?
2. Ym mha ffordd y gellir dweud fod gan yr Eglwys waith mawr i'w gyflawni?

Gweddi
O Dduw, rwy'n gofyn â'm holl galon, cychwyn dy waith ynof fi. Bywha fi a bywha dy waith o fewn dy Eglwys, fel y bydd i ni wrth dy addoli ac wrth dy wasanaethu, weld dy Ysbryd yn newid ein cymunedau, yn newid ein gwlad, ac yn newid ein byd. Amen.

Y nefoedd – breuddwyd ffŵl

"Oherwydd nid i gysegr o waith llaw ... yr aeth Crist i mewn, ond i'r nef ei hun."
(ad. 24)

Beth am ddarllen Hebreaid 9:11–28 ac yna myfyrio.

Yr ydym am droi ein sylw yn y gyfrol yma i destun lle nad oes yna fawr o ysgrifennu wedi bod arno yn ein cenhedlaeth ni – y nefoedd. Yr oedd ein tadau yn y ffydd yn siarad ac yn ysgrifennu yn gyson am y pwnc yma, ond heddiw, am ryw reswm, anarferol iawn yw unrhyw drafodaeth ar y mater. Efallai mai un o'r rhesymau am hyn yw bod dangos gormod o ddiddordeb yn y nefoedd yn ein gadael yn agored i'r cyhuddiad ein bod yn meddwl am fyd arall yn hytrach na byw yn y byd yma. Yn ystod y degawdau diwethaf, mae yna bwyslais wedi bod ar yr Efengyl gymdeithasol i'r fath raddau fel bod llawer iawn ohonom yn ofni siarad am y nefoedd, rhag ofn inni orfod wynebu y cyhuddiad o goleddu breuddwyd ffŵl. Mae angen dweud yn syth nad yw yr Efengyl gymdeithasol yn Efengyl gyflawn. Does gennym ddim lle i fod yn anystyriol o'n cyfrifoldeb i'r gymuned, ein gwlad, y byd, ac fe ddylem wneud pob peth o fewn ein gallu, er mwyn esmwytháu cur y rhai hynny sydd mewn angen. Er hynny, ni ddylem golli golwg ar y ffaith mai'r unig Jerwsalem newydd a welwn ni yw honno fydd yn dragwyddol ac yn y nefoedd. Nid dynion fydd wedi adeiladu hon.

Mae rhai o'r diwygwyr cymdeithasol mwyaf, er enghraifft, John Wesley, yr Arglwydd Shaftesbury, a William Booth, wedi bod yn bobl oedd wedi eu meddiannu gan Dduw, pobl oedd yn cadw'r nefoedd yn gyson o flaen eu llygaid, ac oherwydd hynny yn gweithio yn gydwybodol yn y byd, oherwydd, trwy ffydd, yr oedd yr hyn sydd berffaith bob amser yn eu golwg. Nid byw mewn byd arall yw siarad a meddwl am y nefoedd, mor belled ag ein bod ni yn rhoi amser priodol i eraill hefyd. Felly, does yna ddim ymddiheuriad am gyfeirio eich meddyliau tuag at y nefoedd. Hwn, wedi'r cyfan, yw pen draw ein taith, nod pob Cristion. Yma, pererinion ydym, yno yr ydym yn perthyn. Ni ddylai dim byth ganiatáu inni anghofio hyn.

Beth am fynd ymlaen i ddarllen:
Math. 13:24–47; 20:21; 22:2; 25:1

Meddyliwch am y cwestiynau hyn:
1. Sut yr oedd Iesu'n disgrifio'r nefoedd?
2. Beth yw goblygiadau hyn?

Gweddi
Dad trugarog a graslon, helpa fi i ddeall fod cadw y nefoedd o flaen fy llygaid yn wastad ddim yn golygu fy mod i esgeuluso fy nghyfrifoldebau fel pererin yn y byd. Yn hytrach, mae cadw'r nefoedd yn fy ngolwg am fy ngwneud yn fwy effeithiol yn y byd. Rwy'n gweddïo yn enw Iesu. Amen.

Yn ddedwydd ac anesmwyth

"oherwydd i ni glywed am eich ffydd... ac am y cariad sydd gennych... deubeth sy'n tarddu o wrthrych eich gobaith, sydd ynghadw yn y nefoedd i chwi. (adn. 4)

Beth am ddarllen Colosiaid 1:1–14 ac yna myfyrio

A yw cadw golwg ar y nefoedd sydd o'n blaen yn peri ein bod yn amharod i wasanaethu ein brodyr a'n chwiorydd yma ar y ddaear? Os yw hynny'n wir, mae rhywbeth o'i le. Meddyliwch am y canlyniadau cymdeithasol aruthrol a ddeilliodd o waith y dynion y cyfeiriwyd atynt ddoe, Wesley, Shaftesbury a Booth. Gyda sêl a gallu arbennig, bu iddynt weithio allan bwrpas Duw ar y ddaear, ac eto roeddent yn gwbl sicr o'r nefoedd ac yn siarad amdani yn aml:

> Trwy darth, trwy niwl, mi wela'r fan
> ddymuna i'm henaid gael i'w ran,
> ardaloedd gras, ardaloedd hedd
> y wlad mae cariad pur di–drai
> fel afon yn ei dyfrhau
> tu hwnt i angau du a'r bedd.

Rwyf am ddal y byddwch yn gweithio yn well dros Dduw yma ar y ddaear os, trwy ffydd, bydd gennych olwg berffaith ar ddiwedd Duw ar eich cyfer. Felly, peidiwch â meddwl, wrth i mi eich tywys trwy'r astudiaethau yma ar y nefoedd dros yr wythnosau nesaf, y dylai eich gweithgarwch dros Dduw yma ar y ddaear gael ei leihau. Mae rhai yn y gorffennol wedi eu meddiannu gymaint gyda golwg ar y nefoedd fel na fu iddynt wneud fawr ddim i gynorthwyo neb ar y ddaear. Ond does dim angen i hyn ddigwydd i chwi. A dweud y gwir, pan fyddwch yn dal y weledigaeth o'r nefoedd o'ch blaen yn wastad, fe ddylai hyn eich annog i weithio dros Dduw yma ar y ddaear, gan y bydd y weledigaeth yn atgof cyson fod popeth sydd o'ch cwmpas fel pabell, ac ar unrhyw adeg gall y gair ddod i godi'r pegiau.

Beth am fynd ymlaen i ddarllen:
2 Cor. 5:1–10; Luc 10:20; Heb. 11:10

Meddyliwch am y cwestiynau hyn:
1. Am beth oedd Paul yn hiraethu?
2. Beth ddylai fod testun ein gorfoledd ni?

Gweddi
O Dad cariadlon, mae angen y gair yma arna i, oherwydd mae rhywbeth ynof fi sydd am ddal gafael mewn pethau tymhorol yn hytrach na phethau tragwyddol. Newid fy mlaenoriaethau, Arglwydd. Gad i'r disgwyliad am y nefoedd ddylanwadu ar fy holl waith yma ar y ddaear. Dwi'n gweddïo yn enw Iesu Grist. Amen.

Agwedd un sy'n alltud

"a'r sawl sy'n casáu ei einioes yn y byd hwn, bydd yn ei chadw i fywyd tragwyddol." (adn. 25)

Beth am ddarllen Ioan 12:20–36 ac yna myfyrio

Dros y blynyddoedd, rwyf wedi cyfarfod â llawer o bobl dduwiol iawn, ac un o'r pethau sydd bob amser yn fy rhyfeddu ynglŷn â'r bobl sydd yn byw yn agos at yr Arglwydd yw fod rhywbeth o agwedd yr alltud yn perthyn iddyn nhw. Mae eu geiriau a'u gweithredoedd yn arddangos fod y byd yma yn lle dieithr iddynt a'u bod megis pererinion yn mynd drwodd.

Mae'n debyg mai un o freintiau mawr fy mywyd i oedd adnabod un person yn arbennig yr oeddwn i yn ei ystyried ei fod yn debyg iawn i'r Arglwydd Iesu. Glöwr oedd wrth ei alwedigaeth, a'r hyn oedd yn rhyfeddol oedd y modd y bu i bobl oedd ddim yn Gristnogion sefydlu perthynas agos ag ef. Ni allai neb regi yn ei ŵydd ac os oeddent o bryd i'w gilydd yn anghofio eu hunain a bod gair yn dod o rywle, mi fyddent ar eu hunion yn ymddiheuro. Pan bu farw, bu bron i bawb o'r pwll glo lle'r oedd yn gweithio ddod i'r angladd. Gwelais ddynion cryf yn crio fel babanod wrth i'w gorff gael ei ostwng i mewn i'r bedd. Rhoddodd un o bregethwyr enwocaf Cymru y deyrnged yn ei angladd, ac er fy mod wedi anghofio llawer o'r hyn ddywedodd ef, rwyf yn cofio un frawddeg a ddefnyddiodd pan oedd yn disgrifio bywyd glöwr. Dyma'r frawddeg yr wyf wedi ei defnyddio ychydig ynghynt. "Roedd ein brawd", meddai, "yn ymdebygu i un oedd yn alltud."

Mae'n siŵr y gellid dweud yr un peth am yr apostol Paul. Yr oedd yn brysur eithriadol dros deyrnas Dduw, ond yn 2 Corinthiaid 5:8, mae'n mynegi ei awydd i fod gartref gyda Duw. Mae'r dyn duwiol yn edrych ar bethau'r byd yma yn debyg iawn i'r ffordd y mae edrych ar gelfi ystafell wely mewn gwesty. Efallai eu bod yn hardd iawn, ond ddim yn bwysig – dwi ddim yn aros.

Beth am fynd ymlaen i ddarllen:
Phil. 1:12–26; 1 Thes. 4:13–18

Meddyliwch am y cwestiynau hyn:
1. Beth oedd ing Paul?
2. Sut y medrwn annog ein gilydd?

Gweddi
Arglwydd, dwi eisiau byw mor agos atat ti, fel y bydd pobl yn ymwybodol mai alltud ydw i yn y byd. Helpa fi i beidio gwreiddio fy mywyd yn y byd yma, ond bob amser i sylweddoli fod fy nghartref yn un tragwyddol. Rydw i'n gweddïo yn enw Iesu Grist. Amen.

313

Pererin yn crwydro adref

"... i etifeddiaeth na ellir na'i difrodi, na'i difwyno, na'i difa ... ynghadw yn y nefoedd ichwi." (adn. 4)

Beth am ddarllen 1 Pedr 1:1–9 ac yna myfyrio

Yr oeddwn yn dweud ddoe fod y person duwiol yn rhoi'r argraff ei fod yn alltud yr y byd, ond nid yw hyn mewn unrhyw ffordd yn peri ei fod yn ymddangos yr annaturiol neu nad oes ganddo ddiddordeb yn yr hyn sydd yn mynd ymlaen o'i gwmpas. Dywedodd un pregethwr mewn ffordd effeithiol iawn unwaith, "Os oes gennyt ddirnadaeth ysbrydol, pryd bynnag y byddi yn cyfarfod ag un o'r saint, yn wyt yn dod yn ymwybodol o ddau beth sydd yn wir amdano. Ar y naill law, yr wyt yn sylweddoli pa mor naturiol a chartrefol yw'r dyn yma ac yna'r funud nesaf, fe fyddi'n dweud wrth dy hun, mae'r dyn yma'n alltud. Nid yw'n perthyn yma gwbl, mae'n ddieithryn ar daith adref.

Fe fu i mi gyfeirio hefyd at y ffaith bod yr apostol Paul yn brysur dros deyrnas Dduw yn y byd yma, ac eto yn hiraethu am gael bod gartref. Gellir dweud yr un peth am Pedr. Yn yr adnodau sydd i'w darllen heddiw, mae'n atgoffa ei ddarllenwyr o'i gobaith sydd yn cael ei roi i bob crediniwr, gobaith am etifeddiaeth na ellir ei difrodi, sydd ynghadw yn y nefoedd.

Rwy'n gwybod fy mod yn ailadrodd ond mae angen ailadrodd rhai pethau. Fel y mae person yn dod yn fwy duwiol, y mae hefyd yn dod yn fwy ymwybodol o'i nefoedd.

Cymharwch hyn â'r hyn ddywedwyd mewn erthygl mewn cylchgrawn yn ddiweddar. "Does gennyf i ddim diddordeb yn yr hyn sydd yn gorwedd tu hwnt i'r bywyd yma. Mae'r ddaear yn fy modloni i. Pan fydd y bywyd yma drosodd, mi fyddaf wedi cael y cyfan yr ydw i am ei gael." Dyna drist. Ni fyddai gennyf sicrwydd petawn yn cael yr oll yr wyf i yn hiraethu amdano yn y bywyd yma. Mae fy enaid yn hiraethu am rywbeth sydd yn ateb fy angen yn llawnach. Rydw i wedi cael blas ar y nefoedd yma ar y ddaear, ond dim ond blas a gefais. Mae'r wledd eto i ddod.

Beth am fynd ymlaen i ddarllen:
Heb. 13:1–14; 1 Pedr 2:11; Heb. 11:11–13

Meddyliwch am y cwestiynau hyn:
1. Am beth oedd awdur yr Hebreaid yn edrych?
2. Sut oedd arwyr y ffydd yn ystyried eu bywyd?

Gweddi
O Dad, er fy mod wedi cael ychydig o flas y nefoedd yn fy enaid yn barod, nid yw'n ddim i gymharu â'r hyn sydd o'm blaen. Mae'r blas yn felys, ond beth am y wledd? Diolch, Dad nefol. Amen.

Duw yw ein cartref

"... a hefyd rhoddodd dragwyddoldeb yng nghalonnau pobl." (adn. 11)

Beth am ddarllen Y Pregethwr 3:1–14 ac yna myfyrio

Mae'r testun heddiw'n awgrymu fod Duw wrth ein llunio wedi rhoi hiraeth ynom am dragwyddoldeb. Yr hyn sydd wedi fy rhyfeddu dros y blynyddoedd yw gweld sut mae'r gwirionedd syml ac eto grymus yma yn dod i'r amlwg ym mywydau pobl. Mae William Williams, Pantycelyn yn nodi'r hiraeth fel hyn:

> Fy enaid sychedig i sydd,
> wrth deithio dros fryniau mor faith
> yn disgwyl yn dawel bob dydd
> cyfarfod â diwedd fy nhaith,
> fel darfod fy ngofid a'm gwae,
> fy nhrallod, fy mlinder a'm poen,
> a dechrau'm gorfoledd di–drai,
> caniadau tragwyddol i'r Oen.

Sylwch yn y pennill ar y syched mae Pantycelyn yn ei fynegi, syched, wrth deithio drwy'r byd, am gael gweld diwedd ei daith. Dyma'i gartref nefol, a Duw yw ei gartref. Oddi wrth Dduw y daeth pob un ohonom i fod, a hyn sydd i gyfrif am yr hiraeth yna sydd yng nghalon pob un. Rwy'n credu bod yr hiraeth yno. Yr ydym wedi ein creu gan Dduw i Dduw, ac mae yna anesmwythyd ynom na fydd yn diflannu nes y cawn wneud ein cartref yn Nuw. Mae pawb yn teimlo hyn, ond nid yw pawb yn deall hyn. Roeddwn yn siarad â gŵr yn ddiweddar tra oeddwn ym Maleisia. Dyn da a dyn duwiol, a dywedodd wrthyf, "Pam nad wyf byth yn teimlo yn gartrefol yn y byd yma?" Atebais, "Ni fwriadwyd i ti deimlo yn gartrefol yma."

Beth am fynd ymlaen i ddarllen:
Math. 6:1–21; 19:16–21; Luc 12:33

Meddyliwch am y cwestiynau hyn:
1. Beth ddysgodd Iesu am fuddsoddiadau?
2. Pa gyngor a roddodd Iesu i'r gŵr ifanc am fuddsoddi?

Gweddi
O Dad grasol, er mor brydferth ac ardderchog yw'r byd yma, hefo sêr y nefoedd, hefo'r mynyddoedd, dyffrynnoedd a'r moroedd, eto, nid hwn yw fy nghartref parhaus. Mae fy ngwir gartref hefo ti. Rwyf yn disgwyl yn awyddus. Amen.

Y drychineb eithaf

"Oherwydd y mae ef wedi dirymu marwolaeth, a dod â bywyd ac anfarwoldeb i'r golau trwy'r Efengyl. (adn. 10)

Beth am ddarllen 2 Timotheus 1:1–12 ac yna myfyrio

Bu i ni gyffwrdd ddoe â'r gwirionedd fod Duw wedi rhoi tragwyddoldeb yn ein calonnau ac ni ddylem synnu pan fo pobl yn siarad hefo ni am eu hiraeth am anfarwoldeb. Ni ddylem synnu pan fo pobl yn siarad fel petaent yn ddieithriaid yn y byd hwn. Fel y dywedais, mae pawb yn teimlo hyn, ond nid yw pawb yn deall hyn. Mae'r rhai hynny sydd â thuedd athronyddol ynddynt yn cael gafael yn y ffaith yma yn haws na'r rhai sydd yn byw am bleser y funud. Un oedd â meddwl effro iawn oedd Malcolm Muggeridge, ac yn ei lyfr *Jesus Rediscovered* mae'n dweud ei fod o bryd i'w gilydd, pan oedd yn blentyn, yn ymwybodol ei fod fel dieithryn yn y byd, a bod yna fyd arall y tu hwnt i hwn. Teimlai ei fod yn symud tuag ato. Fel hyn yr ysgrifennodd:

"Rwy'n ymdrechu, er mwyn clywed y gerddoriaeth o bell. Mae fy llygaid yn hiraethu am weld y golau sydd ar y gorwel. Yr unig drychineb eithafol a all ein gorchfygu yn y byd hwn yw teimlo yn rhy gartrefol yma. Tra ydym eto yn ddieithriaid a phererinion, ni allwn anghofio ein gwir gartref."

Mae'r neges Gristnogol yn gwneud yr hiraeth yma am anfarwoldeb, newyn yr enaid am gartref, yn glir i ni. Dyna pam mai dim ond y rhai sydd â'u calonnau wedi eu goleuo gan yr Efengyl sydd yn deall yr hiraeth yma am gartref yn iawn. Nid yw'r rhan fwyaf o ddynion a gwragedd yn y byd yma yn gwybod beth sydd o'i le yn eu bywyd. Maent yn ymwybodol o'r adegau hynny pan nad yw cwmni neb yn ddigon. Maent yn edrych ar y sêr, edrych ar y byd, edrych hyd yn oed ar farwolaeth, yn disgwyl deall a dirnad eu bywyd. Maent yn ymwybodol fod yna hiraeth am rywbeth, ond beth? Dylem fod yn ddiolchgar fod yr hyn y mae ein henaid yn hiraethu amdano wedi ei egluro i ni drwy yr Efengyl.

Beth am fynd ymlaen i ddarllen:
Ioan 14:1–7; Heb. 11:16; Phil. 3:20

Meddyliwch am y cwestiynau hyn:
1. Beth oedd prif ffocws enwogion y ffydd?
2. Beth ddylai fod prif ffocws ein bywyd ni?

Gweddi
O Dad, diolch am egluro i mi y rheswm dros yr hiraeth sydd yn fy nghalon. Mae dyfnder fy enaid yn galw ar y dyfnder sydd ynot ti. Ni fuaswn byth wedi deall beth oedd achos yr hiraeth, oni bai i ti ddod ataf i yn Iesu Grist. Rwyf am ddiolch i ti am byth. Amen.

Yr afiechyd cyffredin

"... safodd Iesu a chyhoeddi'n uchel: 'Pwy bynnag sy'n sychedig, deued ataf fi ac yfed.'" (adn. 37)

Beth am ddarllen Ioan 7:25–43 ac yna myfyrio

Yr ydym am ddal fod yna hiraeth yng nghalon pob dyn a gwraig am y nefoedd. Ychydig amser yn ôl mewn erthygl yn *Bob Dydd gyda'r Iesu* nodais fod y gair 'hiraeth' yn deillio o ddau air Groeg – *nostos* sy'n golygu 'dychwelyd adref', ac *algos* sy'n golygu 'poen'. O'r gair hwn y mae'r gair Saesneg *nostalgia* yn dod. Bellach, mae'r hiraeth am gartref yn glefyd na ellir ei wella ond drwy gael bod gartref. Clywais un seiciatrydd Cristnogol yn dweud unwaith, "Mae'r hiraeth am gartref yn glefyd cyffredin i bob un ac o hwn y mae llawer o broblemau eraill yn deillio." Beth, tybed, a olygai? Tybiaf mai dyma ei ystyr. Gan fod Duw wedi deiladu hiraeth amdano ef i mewn i'n henaid, mae yna rywbeth ynom, felly, na all byd ei fodloni. Ni wnaiff arian ei fodloni. Ni wnaiff enwogrwydd ei fodloni. Ni wnaiff pleser ei fodloni. Ni wnaiff hyd yn oed mam, tad, gŵr neu wraig, neu'r ffrind gosaf ei fodloni. Mae'r hyn yr ydym ni yn hiraethu amdano yn ein henaid y tu hwnt i unrhyw berthynas ddaearol. Mae gwadu neu anwybyddu'r hiraeth y mae Duw wedi ei roi yn ein henaid amdano ef yn sicr o farwhau rhan o'n henaid, y rhan honno sydd yn disgwyl amdano. Mae'r marwhau yma yn cynhyrchu lefel o nesmwythyd yn ein personoliaeth. Gallwn wneud dim ond ceisio ei wadu neu geisio ei fodloni mewn ffyrdd sydd yn gwadu Duw.

Mae gwrthod cydnabod ein hiraeth ysbrydol yn perygu ein henaid. Ni ddaw unrhyw ymwybyddiaeth o ddiogelwch, ni ddaw unrhyw ymwybyddiaeth o gyflawnder i'n henaid os nad yw Duw yno. Heb ddiogelwch neu heb gyflawnder, yr ydym yn agored i bob math o anawsterau.

Beth am fynd ymlaen i ddarllen:
Salm 42:1–2; 73:18–25; Eseia 26:9

Meddyliwch am y cwestiynau hyn:
1. I ba beth y cymharodd y salmydd ei hun?
2. Beth oedd ei gasgliad?

Gweddi
Arglwydd Iesu, does dim yn medru bodloni y rhan hynny ohonof sydd yn hiraethu amdanat ti. Tyrd, Arglwydd Iesu, ac ateb fy angen. Helpa fi i brofi fy sicrwydd a'm pwrpas ynot ti. Er mwyn dy enw. Amen.

Hiraeth sydd y tu hwnt i gysur

"Pam y gwariwch arian am yr hyn nad yw'n fara, a llafurio am yr hyn nad yw'n
digoni?"(adn. 2)

Beth am ddarllen Eseia 55:1–13 ac yna myfyrio

Mae'n amlwg, yn ôl ein hastudiaethau y diwrnodau diwethaf, fod y rhan fwyaf o
bobl wedi profi y teimlad o hiraeth o fod ymhell oddi cartref yn y byd yma, gan fod
rhywbeth mwy pwysig yn eu disgwyl. Dywed Aldous Huxley, "Yn hwyr neu'n
hwyrach, mi fydd rhywun yn gofyn i Beethoven neu i Shakespeare, 'ai hyn yw
cwbl?'" Mae C. S. Lewis yn disgrifio hyn fel yr hiraeth sydd yn ddigysur, yn
newyddion o wlad ddiarth. Nid oes angen i chi fod yn Gristion i brofi yr hyn yr wy
yn cyfeirio ato. Bu Awstin yn sôn am hyn ymhell cyn ei dröedigaeth. Bu raid i C
S. Lewis frwydro yn galed ac ymladd yn erbyn tarddiad yr hiraeth na ellir ei gysuro
ymladd yn erbyn Duw, y gwirionedd mai Duw crefydd traddodiadol oedd tarddiad
yr hiraeth yma. Mae Lewis yn disgrifio ei ymchwil am y Duw hwn yn y geiriau
canlynol: "Gellid disgrifio'r ymchwil fel ymchwil llygoden am gath."

Mae hyn yn ein harwain at gwestiwn sydd yn rhaid aros uwch ei ben dros y
dyddiau nesaf. Os yw'n wir fod yna hiraeth am y nefoedd wedi ei adeiladu i mewn
i'n calon ni, sut mae y rhan fwyaf o bobl yn delio gyda hyn? Un ffordd, yn sicr, yw'
esgus nad yw elfen ddirgel ein bodolaeth yn bodoli o gwbl. Mae'n ffaith ryfedd
mewn bywyd fod yr agwedd yma ar y natur ddynol, hiraeth yr enaid am gartref, heb
ei hastudio'n fanylach. Pam tybed? Efallai gan nad yw'n syrthio i'r categorïau
arferol mewn astudiaethau meddyliol. Ni ellir ei labelu, ni ellir ei rhoi mewn blwch
Oherwydd hyn, ni all gwŷr a gwragedd lunio llwybr i'w hosgoi, gan fynnu nad yw'
hiraeth yn bodoli. O geisio ei hosgoi yr ydym yn gwadu'r ffaith.

Beth am fynd ymlaen i ddarllen:
Salm 63:1–11; 143:6; 119:174

Meddyliwch am y cwestiynau hyn:
1. Sut y disgrifiodd y salmydd y byd yma?
2. Sut y mae'n siarad dros ddynoliaeth?

Gweddi
Fy Nhad a fy Nuw, er ei bod yn ymddangos yn rhyfedd bellach fod pobl am geisio
osgoi'r gwirionedd yma, yr wyf yn ymwybodol, cyn i mi gyfarfod â thi, fy mod i yr
un fath. Bellach, cefais hyd i'r hyn yr oedd fy enaid yn hiraethu amdano. Am
hynny, rwy'n llawenhau. Amen.

Eistedd yn dawel gerbron dirgelwch

"Ymlonyddwch, a deallwch mai myfi sydd Dduw." (adn. 10)

Beth am ddarllen Salm 46:1-11 ac yna myfyrio

Yr ydym yn parhau heddiw i drafod y cwestiwn: "Os yw'n wir fod yna hiraeth am y nefoedd wedi ei adeiladu i mewn i galon dyn, sut y mae'r rhan fwyaf o ddynoliaeth yn delio gyda hyn?" Un o'r ffyrdd a nodwyd ddoe yw ceisio llunio ffordd osgoi, ei osgoi a mynd i gyfeiriad arall. Ffordd arall, beth bynnag, yw i wynebu'r ffaith fod yna hiraeth na ellir ei gysuro yn y galon ac yna ceisio esboniad rhesymol iddo. Yr ydym yn wastad yn ceisio rhoi pethau anesboniadwy i mewn i gategorïau lle y gellir cael esboniad cyfun. Mae hyn yn gwneud yr anesboniadwy yn dderbyniol i ni. Mae Dr Lawrence Crabb, sydd yn Gristion ac yn seicolegydd, yn aml yn pwysleisio'r pwynt yma yn ei ysgrifeniadau: "Yn hytrach nag eistedd yn dawel o flaen dirgelwch, yr ydym bob amser am ei ddwyn i gylch rheolaeth. Yr ydym yn ffyliaid."

Pan fyddwn yn gwneud hyn, ni ddylai ein synnu o gwbl fod yr hyn yr ydym yn ceisio siarad amdano yn dioddef cryn dipyn yn y broses. Dywedodd seiciatrydd arall, William Kirk Kilpatrick, wrth geisio disgrifio'r broses yma: "Mae fel ceisio llodi esgid maint 12 i mewn i focs esgidiau maint 4, neu geisio rhoi aderyn gwyllt mewn caets caneri. Wedi i chi ei gael i mewn, ni fydd yn edrych fel aderyn gwyllt mwyach."

Mae'r sêl sydd yn ein nodweddu wrth inni geisio esbonio pethau yn arwyddo ein hawydd i'w rheoli. Yr ydym yn teimlo yn fwy grymus pan ydym yn medru rheoli pethau a syniadau, ac yn sicr yn teimlo yn fwy cysurus pan ydym yn wynebu dirgelwch. Ond ni ellir rheoli'r pethau sydd yn ymwneud â'n henaid bob amser; yn aml yr ateb gorau yw eistedd yn dawel o flaen Duw mewn gweddi breifat.

Beth am fynd ymlaen i ddarllen:
Salm 131:1-3; Job 37:14; Eseia 30:15

Meddyliwch am y cwestiynau hyn:
1. Beth lwyddodd y salmydd i'w ddweud?
2. Beth oedd cyhuddiad Duw yn erbyn Israel?

Gweddi
O Dduw, mae cymaint amdanaf yn ddirgelwch llwyr. Helpa fi i roi mwy o amser i'th adnabod di nag i adnabod fy hunan. Wrth i mi dy adnabod di y byddaf yn adnabod fy hunan yn well. Rwy'n gofyn hyn yn enw ardderchog Iesu Grist. Amen.

Neb mor ddall

"Oherwydd y mae bod â'n bryd ar y cnawd yn elyniaeth tuag at Dduw; nid yw hynny, ac ni all fod, yn ddarostyngiad i Gyfraith Duw." (adn. 7)

Beth am ddarllen Rhufeiniaid 8:1–17 ac yna myfyrio

Yr ydym am barhau i adlewyrchu ar y ffaith fod gwŷr a gwragedd yn y byd yma wrth iddynt ddod yn ymwybodol o hiraeth am rywbeth y tu hwnt i'w bywyd, yn hytrach na throi at Dduw a darganfod Duw yn ateb eu hiraeth, yn mynd i gyfeiriadau eraill, mynd i lefydd ac ar hyd ffyrdd sydd yn arwain i unman.

Un ffordd o ddianc yw ffordd osgoi; ffordd arall yw ceisio dwyn y anesboniadwy o dan reolaeth. Os ydych erioed wedi darllen llyfr C. S. Lewis, *The Silver Chair*, fe fyddwch yn gyfarwydd â'r adran lle mae brenhines y tanddaearolion yn ceisio perswadio plant y byd uwchben mai ei theyrnas ddiflas hi yw'r unig realiti sydd yn bod ac mai breuddwyd yw eu teyrnas hwy. "Nid oes haul," meddai. "Y ydych wedi gweld fy lampau a chredu fod yna haul." Mae'r ffordd y mae'r frenhines yn rhesymu yn ffordd y mae llawer am ei defnyddio heddiw, yn arbennig y rhai hynny o gymdeithas y byddwn ni yn eu galw yn seicolegwyr. Clywais un seicolegydd yn dweud ar y teledu unwaith, "Gellir esbonio'r hiraeth yr ydym yn ei deimlo ynom yn nhermau ein rhywioldeb ac mae'r hiraeth y mae'r Cristion yn dweud ei fod yn hiraeth am nefoedd neu am gartref yn ddim byd mwy na dymuniad i ddychwelyd groth mam." Tybed a ydych yn clywed rhesymeg brenhines y tanddaearolion rydych wedi gweld y lampau ac yna'n credu fod yna haul?

Efallai yng ngoleuni ein testun heddiw na ddylem feio'r anghredinwyr yn ormodol oherwydd eu dallineb. Ac eto, nid oes neb mor ddall â'r rhai nad ydynt am weld.

Beth am fynd ymlaen i ddarllen:
Eseia 59:1–10; Eff. 4:17–19; 1 Ioan 2:11

Meddyliwch am y cwestiynau hyn:
1. Sut mae Eseia yn disgrifio canlyniad dallineb ysbrydol?
2. Sut mae Paul yn disgrifio meddwl y cenhedloedd?

Gweddi
Fy Nhad a fy Nuw, mae'n debyg fod pobl yn barod i wneud unrhyw beth, er mwyn ceisio esbonio'r hiraeth yr wyt ti wedi ei roi yng nghalon dyn, yn hytrach na'i dderbyn Arglwydd, rwy'n gofyn i ti dorri trwy eu rhesymoli fel y gwnest yn fy mywyd i. Yn enw Iesu Grist. Amen.

Mor felys yw Iwtopia

"Y mae'r galon yn fwy ei thwyll na dim, a thu hwnt i iachâd, pwy sy'n ei deall hi?" (adn. 9)

Beth am ddarllen Jeremeia 17:1–10 ac yna myfyrio

Mae gwŷr a gwragedd yn ceisio delio gyda'r ffaith, fod yna rywbeth mwy pwysig yn ein disgwyl na'r hyn a gawn yma ar y ddaear, drwy ddehongli hyn fel ymdrech i efydlu Iwtopia. A wyt ti'n gyfarwydd â'r gair 'Iwtopia'? Nid yw'r gair i'w glywed awer bellach ond pan oeddwn i ar fy mhrifiant, fe glywyd y gair yn aml iawn. Lle lychmygol yw Iwtopia lle mae'r amgylchiadau cymdeithasol a gwleidyddol yn berffaith, a phob peth o amgylch yn berffaith.

Yn y 1920au a'r 30au, roedd gwleidyddion yn credu yn gryf y medrent ddwyn fath gyflwr i fodolaeth gyda chynnydd mewn addysg, gyda mwy o wybodaeth, gwell dealltwriaeth o rymoedd cymdeithasol. Yr ydym yn dod i'r pwynt lle byddwn yn medru darparu bywydau llawn a defnyddiol bob dydd. Yna, daeth yr Ail Ryfel Byd, ac yn sgil hyn fe ddarganfuwyd fod un o'r cenhedloedd, oedd wedi ei breintio i'r addysg gorau, hefyd wedi bod yn llofruddio miliynau o Iddewon. Ni fu llawer o sôn am Iwtopia ers hynny. Ond, yn awr ac yn y man, mi fyddaf yn clywed rhai gwleidyddion eto yn ceisio creu math o nefoedd ar y ddaear. Tybiant fod hyn o fewn eu gallu petaent yn medru rheoli'r gwahanol amgylchiadau sydd yn effeithio ar hapusrwydd. Nid ydynt yn sylweddoli fod awyrgylch diwylliedig yn annigonol ddelio â phechod y galon ddynol. Dro ar ôl tro, gwnaed ymdrech i wella'r amgylchiadau hyn ond, i raddau helaeth iawn, bu'r ymdrechion yn fethiant. Mae'n lebyg ei bod yn wir y medrwch roi mochyn mewn parlwr, ond mae'n anos rhoi'r parlwr yn y mochyn.

Beth am fynd ymlaen i ddarllen:
Esec. 13:1–10; Jer. 6:14; 8:11

Meddyliwch am y cwestiynau hyn:
1. Beth yw y gri gyffredin?
2. Beth yw'r diwedd arferol?

Gweddi
O Dduw, pryd y bydd dynion a gwragedd yn sylweddoli'r angen i newid y galon ac nai dim ond ti sy'n gallu peri'r newid yna? Diolch i ti, Arglwydd, am y newid yr wyt ti wedi ei wneud i'm bywyd i. Amen.

Dim ond arosfan

"Cofia amdano... cyn i'r llwch fynd yn ôl i'r ddaear lle y bu ar y cychwyn."
(adn. 6–7)

Beth am ddarllen Y Pregethwr 12:1–7 ac yna myfyrio

Mae'n siŵr eich bod wedi clywed rhai pobl yn mynegi'r dyhead nad oes yna nefoedd ond gellir troi'r byd yma yn nefoedd. Mae'n siŵr, er mwyn bod yn deg, bod nifer o'r bobl sy'n mynegi'r dyhead yma yn ddidwyll iawn yn eu credo. Gwleidyddion yn benodol. Ond, gallwch fod yn ddidwyll ac yn anghywir. Nid ymdrech ar eu rhan yw hon i dawelu eu hymwybyddiaeth o alltudiaeth, ond ymdrech sydd yn dod o dywyllwch eu calon.

Nid y byd yma yw pen draw ein siwrnai, dim ond arosfan. Os gwnawn y byd y lle mwyaf cyfforddus, ni fydd hyn yn bodloni ein henaid. Yn ysgrifeniadau Milton fe gofiwn fod yr angylion a syrthiasant yn ceisio perswadio ei gilydd nad oedd y lle cynddrwg â hynny. Dyna'r hyn mae cynifer o wŷr a gwragedd yn ei wneud. Maen am geisio perswadio ei gilydd, a pherswadio eraill, y gellir edrych heibio i'r agwedda hyll yna sydd ar fywyd, ac yna edrych ar y byd fel math o nefoedd. Wrth edrych ambell i gyfeiriad, mae'r byd yn lle prydferth, ond o gyfeiriad arall, mae'n lle drwg Mae'n fyd o fforestydd prydferth, o lynnoedd, mynyddoedd, moroedd prydferth, a eto o fewn i bob calon ddynol, mae clefyd pechod, ac ni all yr amgylchfyd ddile hwn.

Dywedodd William Kirk Kilpatrick: "Ar i fyny mae'r meddwl iach yn edrych nid i lawr. Mae'n gweld golau ac mae hyn yn ei arwain i feddwl am yr haul, ni gweld haul a bodloni ar olau lamp." Dyna yw dylanwad pechod. Mae'n peri'r fath niwed i'r enaid fel nad ydym yn edrych i fyny o gwbl, heb sylweddoli fod o'n mewn ni hiraeth am dragwyddoldeb. Rydym yn bodloni ar yr hyn sydd, yn hytrach na' hyn fydd.

Beth am fynd ymlaen i ddarllen:
Math. 15:1–20; Luc 6:43–45; Diar. 4:23

Meddyliwch am y cwestiynau hyn:
1. Pam na ellir gwneud y byd yma yn fath o nefoedd?
2. Beth ydym i'w amddiffyn?

Gweddi
O Dduw, yr wyf yn ymwybodol o'r clwy mae pechod wedi ei greu yn fy enaid, clwy sydd yn bodloni ar y tymhorol, yn hytrach na'r tragwyddol. Achub ni, rhag i n fodloni ar oleuadau lampau yn hytrach na golau yr haul. Rydym yn gweddïo hy yn enw Iesu. Amen.

Mor drist

"...eto ni fynnwch ddod atat fi i gael bywyd." (adn. 40)

Beth am ddarllen Ioan 5:31–47 ac yna myfyrio

Yr ydym am ddreulio un diwrnod arall yn meddwl a chofio mai nid ein cartref yw y byd yma. Mae'r rhai hynny sydd yn cael eu perswadio mai hwn yw ein hunig gartref yn darganfod fel *Alice in Wonderland* fod eu byd, a hwythau, yn mynd yn fai. Mae byd fel hwn, er ei fod yn brydferth, eto ddim yn ddigon da i gael ei alw yn gartref. Lle i aros, ie; lle i fyw, ie; ond nid cartref, nid go iawn. Mae ceisio gwneud un fach o'r hiraeth sydd ynom am y nefoedd, yr hiraeth am dragwyddoldeb, yn cael ei un effaith ar ein henaid a chyffuriau ar y meddwl. Maent yn arafu y meddwl, yn narwhau y meddwl, llawer gwell yw gwrando ar yr hiraeth sydd o'n mewn.

Yr wyf am gynnal fod yna rywbeth o'n mewn sydd yn gwrthod credu mai y byd yma yw y cyfan sydd gan Dduw ar ein cyfer. Cyn gynted ag y bo dyn yn teimlo i fod wedi rhoi y dyheadau yma i gysgu, maent yn deffro eto ac yn llefain am fodlonrwydd. Nid oes yr un o'r gwahanol foddion y mae arbenigwyr y byd yma yn ei gynnig yn ateb y dyhead hwn. Mae'n debyg mai ateb ein cymdeithas i ddelio ag anesmwythyd yw darganfod eich hunan, derbyn eich hunan, meddyliwch yn dda am eich hunan. Ond y gwir plaen yw fod llawer iawn o bobl sydd wedi darganfod eu hunain heb fod yn hoff iawn o'r hyn y maent wedi ei ddarganfod. Sut y medrwch hoffi yr hunan sydd wedi ei staenio â phechod? Mae'r rhai sydd wedi darganfod eu hunain yn dweud: "Ai hyn yr wyf wedi bod yn edrych amdano drwy fy mywyd?" ac yn gweld yn glir mai nid hwn yw pen draw eu hiraeth a'u dyhead. Os ydynt yn fodlon, maent yn anfodlon hefyd, oherwydd o'u mewn maent yn gwybod fod y gwagle yn parhau. Mae'r cyfan mor drist, yn drist iawn.

Beth am fynd ymlaen i ddarllen:
Preg. 2:17–26; 1:2; 4:16

Meddyliwch am y cwestiynau hyn:
1. Beth oedd casgliadau awdur llyfr y Pregethwr?
2. Beth oedd nod ei ymchwil?

Gweddi
O Dad, sut y medraf ddiolch i ti ddigon am egluro i mi ble mae fy nghartref a sut mae cyrraedd yno. Rwy'n adnabod bywyd, oherwydd fy mod yn adnabod awdur bywyd, y bywyd fydd yn para am byth. Rwyf am ddiolch i ti. Amen.

Mae gennym ei air

"... a fyddwn i wedi dweud wrthych fy mod yn mynd i baratoi lle i chwi." (ad. 2)

Beth am ddarllen Ioan 14:1–14 ac yna myfyrio

Bellach, yr ydym am droi at y cwestiwn: "A yw'r hiraeth am nefoedd, yr hiraeth mae Duw wedi ei roi yn fy nghalon, er bod llawer yn anwybyddu hyn (neu yn ceisio ei wadu), yn ddigon o dystiolaeth fod yna nefoedd?" Mi fydd llawer sydd yn meddwl yn wyddonol yn barod i ddadlau nad yw syniad goddrychol fel hyn yn ddigonol. Rhaid wrth brofion gwrthrychol, neu mae'n bosibl eich bod yn eich twyllo eich hunan. Dywedodd un gwyddonydd ifanc wrthyf unwaith: "Mae'r rhai sydd wedi teithio ar draws anialwch yn ymwybodol o'r perygl o ddychmygion. Mae dyn yn gweld dŵr o'i flaen. Mae'n barod i fentro ei fywyd ei fod yno, ond wrth ymestyn yfed, mae'n diflannu." Mae hyn yn dangos fod ein meddwl yn medru bod yn gaeth i ddychmygion. Mae'n debyg, wrth i ni hiraethu am rywbeth, y gall ein meddwl berswadio ei fod ar gael. Sut, felly, mae bod yn siŵr mai nid dychymyg yw ein dyhead am y nefoedd?

Cyfeiriais y gwyddonydd ifanc at eiriau ein testun heddiw, lle mae Iesu'n sôn ei fod am fynd i baratoi lle i ni. Mae gennym ni y prawf gorau posibl. Dywedodd Iesu fod yna nefoedd, fod yna le wedi ei baratoi yno ar gyfer gwŷr a gwragedd sydd yn credu ynddo. Pa dystiolaeth well sydd ei hangen na geiriau Iesu? Wrth gwrs, os nad yw person yn credu yn Iesu, neu'n barod i dderbyn ei fod yn Fab Duw, mae hynny yn fater gwahanol. Mae gair Iesu yn ddigon i mi, ac rwy'n siŵr ei fod yn ddigon i chi sydd yn darllen y geiriau yma. Mae wedi dweud wrthym yn glir ei fod am gyfarfod â'r rhai sydd yn credu ynddo, a chyfarfod â hwy yn y nefoedd. Dywedodd Iesu: "Myfi yw'r gwirionedd" a'r Iesu hwn sydd wedi rhoi ei air i ni.

Beth am fynd ymlaen i ddarllen:
Luc 11:1–4; Ioan 17:1; Math. 5:1–12

Meddyliwch am y cwestiynau hyn:
1. I ble y cyfeiriwn ein gweddïau yn gyntaf?
2. Pam, yn ôl Iesu, y dylem lawenhau?

Gweddi
Arglwydd, rwy'n diolch i ti mai nid fy syniadau goddrychol i sy'n llywio fy nghred am y nefoedd. Mae gair dy Fab wedi setlo hyn i mi am byth. Gallaf golli hyder yn fy nheimladau ond ni allaf byth golli ffydd yn Iesu. Amen.

Atgofion

"'Yn wir, yn wir,rwy'n dweud wrthych,cyn geni Abraham, yr wyf i.'" (adn. 58)

Beth am ddarllen Ioan 8:48–58 ac yna myfyrio

Iesu Grist yw'r unig un sydd erioed wedi byw yn y byd yma a chanddo, ar yr un pryd, wybodaeth am y nefoedd. Beth, tybed, fuasai eich ymateb petai rhywun yn ymddangos ar y teledu, gan honni ei fod yn medru rhoi adroddiad dibynadwy i chwi am fywyd ar blaned arall. Sut byddech yn ymateb? Mae'n debyg mai'r cwestiwn a fyddai'n aros yw "Sut wyt ti'n gwybod? Sut medri di ddweud os nad wyt ti wedi bod yno."

Yn y testun heddiw, fe welwn yn glir fod Iesu yn gwybod o ble yr oedd wedi dod. I ba raddau yr oedd Iesu yn cofio'r gogoniant yr oedd wedi ei adael? Pa mor ymwybodol oedd Iesu o'r bywyd yr oedd wedi ei fyw yn y nefoedd? Mae rhai am ddadlau nad oedd Crist yn cofio dim o'r gogoniant yr oedd wedi ei roi heibio. Dywedant mai'r rheswm ei fod yn gwybod am ei gynfodolaeth oedd fod Duw y Tad wedi datguddio hyn iddo. Mae eraill am ddadlau ei fod yn cofio yn iawn am ei ddyddiau yn y nefoedd.

Mae'n debyg mai yn y canol yn rhywle y mae'r gwirionedd. Roedd gan Iesu rai atgofion o'r nefoedd, ond dim ond digon i'w alluogi i gyflawni ei waith achubol. Roedd rhai pethau, mae'n amlwg, nad oedd yn eu gwybod yn ei ddyndod, gan ei fod yn wirfoddol wedi bodloni eu gosod o'r neilltu. Un o'r pethau hyn yw gwybod am ddydd ac awr yr Ailddyfodiad (Mathew 14:36). Ond mae'n debyg ei fod yn ymwybodol i raddau oedd yn gweddu i'w ddyndod, o'r awyrgylch, y gogoniant a'r llawenydd sydd yn y nefoedd. Petai yn gwybod dim am ei gynfodolaeth, yn gwybod dim am fywyd y nefoedd, sut yn y byd y byddai wedi medru dweud: "Pe na byddai felly, a fyddwn i wedi dweud wrthych?" (Ioan 14:2)?

Beth am fynd ymlaen i ddarllen:
Dat. 1:1–18; Ioan 17:5; Heb. 7:3

Meddyliwch am y cwestiynau hyn:
1. Beth ddywedodd Iesu amdano ei hun?
2. Beth a gadarnhaodd yn ei weddi?

Gweddi
Arglwydd Iesu, os na fedri di ddweud wrthym am y nefoedd, ni all neb ddweud wrthym. Yr wyt wedi rhoi dy air fod y fath le, ac yr wyf am angori fy mywyd ar dy air di, a hynny er mwyn dy enw annwyl. Amen.

Y dyn sy'n Dduw

"Wedi iddo ddweud hyn, a hwythau'n edrych, fe'i dyrchafwyd, a chipiodd cwmwl
ef o'u golwg." (adn. 9)

Beth am ddarllen Actau 1:1–11 ac yna myfyrio

Mae'n rhyfeddol fod ein Gwaredwr ni wedi dod i'r ddaear a gwisgo ein dyndod,
marw ar y groes drosom, atgyfodi o'r bedd i'n cyfiawnhau, ac esgyn i mewn i'r
gogoniant i ddadlau ein hachos. Mae'r dyndod yma'n awr yn cael ei gynrychioli
gan Iesu yn y nefoedd. Mae'r emyn canlynol yn atseinio yn ein calon:

> Ymhlith holl ryfeddodau'r nef
> hwn yw y mwyaf un
> gweld yr anfeidrol, ddwyfol Fod
> yn gwisgo natur dyn.

Ac yna, emyn John Elias:

> Esgynnodd mewn gogoniant llawn
> goruwch y nefoedd fry;
> ac yno mae, ar sail ei Iawn,
> yn eiriol drosom ni.

Meddyliwch fod Duw wedi dod yn ddyn, a bod yr un a fu yn ddyn yn awr yn
y nefoedd. Mae'r gwir ddyn yn y gogoniant, un sydd wedi rhannu ein dyndod yn
awr yn eistedd ar yr orsedd. Un o'r athrawiaethau y mae'r Eglwys wedi bod yn ei
thrafod ar hyd y canrifoedd yw a ydi Duw yn medru teimlo? Sut y gall yr un sydd
yn rheoli'r bydysawd gael ei flino gan ein blinderau ni? Fe all ein gweld, ein deall,
ond a all adnabod ein teimladau? Mae'n siŵr y byddai'n hawdd deall fod hyn y tu
hwnt i Dduw, petai Iesu erioed wedi dod i'r ddaear a gwisgo ein cnawd. Mae'n
debyg fod yr ymgnawdoliad yn ychwanegu at ein gobaith ni yn Nuw. Ond a all
Duw ddysgu rhywbeth? Mae'n amlwg o'r Ysgrythur fod y Mab wedi dysgu. Yn
Hebreaid 5:8, fe glywn hyn am Iesu: "Er ei fod yn Fab fe ddysgodd ufudd–dod trwy
ei ddioddefaint." Mae Duw yng Nghrist wedi meddiannu ein cyflwr, a bellach mae
ein dyndod yn cael ei gynrychioli ar yr orsedd. Nesewch. Mae'r Duw tragwyddol
yn teimlo eich teimladau.

Beth am fynd ymlaen i ddarllen:
Luc 24:36–51; Math. 16:19; Heb. 9:24

Meddyliwch am y cwestiynau hyn:
1. Beth yw arwyddocâd Dydd yr Esgyniad?
2. Sut ddylem ddathlu'r dydd hwnnw?

Gweddi
O Dad, yr wyf am dy ganmol am yr anogaeth sydd i mi nesau atat ti, o gofio er na fu
i ti gymryd arnat yn Iesu fy nghyflwr pechadurus, eto fe wisgaist fy nghyflwr dynol.
Yr wyt yn teimlo fel yr wyf fi yn teimlo. Ni allaf fynegi fy niolch. Amen.

Realaeth frawychus

"Pan welodd Iesu dyrfa o'i amgylch, rhoddodd orchymyn i groesi i'r ochr draw." (adn. 18)

Beth am ddarllen Mathew 8:18–27 ac yna myfyrio

Yr ydym am ddychwelyd yn awr at y syniad bod dyhead y Cristion am y nefoedd yn gorffwys nid ar deimladau goddrychol, ond yn hytrach ar eiriau clir Iesu ei hunan. "Yn nhŷ fy Nhad, y mae llawer o drigfannau," meddai. "Pe na byddai felly, a fyddwn i wedi dweud wrthych fy mod yn mynd i baratoi lle i chwi?"

Yr ydym am aros ychydig gyda'r geiriau diwethaf yma, "Pe na byddai felly", gan fy mod yn tybied fod mwy yn y geiriau nag yr ydym yn ei weld ar y cychwyn. Ddeuddydd yn ôl, fe ddarganfuom fod y geiriau hyn yn arwyddo atgof Iesu o fywyd y nefoedd. Yn wir, ni allai fod wedi ynganu'r geiriau "Pe na byddai felly" oni bai ei fod yn cofio. Ond mae'r geiriau hefyd yn datguddio rhywbeth arall. Maent yn datguddio gonestrwydd yr Arglwydd. Tebyg na all y rhai ohonom sydd yn ei ddilyn ef gredu y byddai yn barod i ganiatáu i ni ein twyllo ein hunain am ein dyfodol. A wyt ti'n tybied y byddai Iesu yn gofyn i ti roi ffydd mewn celwydd? O'r cyfan yr ydym yn ei wybod o Iesu, yr ydym yn gorfod dweud ym mhob amgylchiad fod ei air yn wirionedd.

Fe roedd Iesu yn credu mewn realaeth. Ni fynnai ein twyllo fod unrhyw beth yn wahanol i'r hyn ydyw. Edrychwch ar y ffordd y mae'n delio hefo'r dyn yn yr adran heddiw. "Yr wyf am dy ddilyn di ble bynnag yr ei," meddai'r dyn gyda brwdfrydedd. Mae Iesu yn dwyn realaeth wyneb yn wyneb â'i frwdfrydedd. Mae gan lwynogod ffeuau, mae gan yr adar nythod, ond nid oes gan Fab y Dyn un lle i roi ei ben. Mae'r Arglwydd yn mynd i eithafion er mwyn gwneud yn siŵr fod pawb yn ei ddeall. Mae'n mynd i'r un eithafion i sicrhau nad oes neb yn ei gamddeall.

Beth am fynd ymlaen i ddarllen:
Luc 10:1–18; Ioan 1:1–18

Meddyliwch am y cwestiynau hyn:
1. Beth gyhoeddodd Iesu ynglŷn â'r hyn yr oedd yn dyst iddo?
2. Beth ddywedodd Ioan ynglŷn â chynfodolaeth Crist?

Gweddi
O Dad, ar gyfrif yr hyn yr wyf yn ei wybod am dy Fab, mae fy nghalon yn llefain. Yr wyf yn sicr na fyddai fy Meistr yn caniatáu i mi gael fy nhwyllo, na chael fy nghamarwain, nac ychwaith roi fy ffydd ar rywbeth sydd yn ddi–sail. Mae ei onestrwydd yn gysur. Diolch i ti, O Dad. Amen.

Yn onest ac yn eofn

"Troes yntau, a dywedodd wrth Pedr, 'Dos ymaith o'm golwg, Satan'" (adn. 23)

Beth am ddarllen Mathew 16:21–28 ac yna myfyrio

Yn yr adran sydd o'n blaen ni heddiw, cawn enghraifft arall o allu Iesu i ddelio gyda realiti a'i wrthodiad i ganiatáu i'w ddisgyblion fyw gydag unrhyw gamargraff. Wrth i Iesu sôn am fynd i Jerwsalem, a dioddef llawer o bethau dan law yr henuriaid, yr archoffeiriaid, ac athrawon y Gyfraith, mae Pedr am geisio ei berswadio i osgoi'r perygl. A dweud y gwir, roedd Pedr a'r disgyblion eraill yn treulio eu hamser yn breuddwydio am ryw awdurdod dychmygol, ar waetha'r ffaith fod Iesu wedi gwneud yn glir beth oedd gwir gymeriad ei deyrnas ef. A yw'r Arglwydd, i bwrpas rhwyddineb, yn caniatáu i feddyliau ei ddisgyblion gael eu rheoli gan y fath freuddwydion? Dim o gwbl! Mae'n troi at Pedr ac yn dweud, "Dos yn fy ôl i Satan. Maen tramgwydd wyt i mi, oherwydd nid yw pethau Duw yn dy feddwl, ond pethau dynion." Geiriau cryf.

Mae un esboniwr yn awgrymu fod yr ymadrodd, "Troes yntau" yn arwyddo fod Iesu wedi gwelwi wrth ystyried fod un o'i ddisgyblion yn ceisio ei berswadio i beidio dilyn y llwybr y daeth i'r ddaear i'w gerdded. Efallai fod yr esboniwr yn mynd ymhellach na'r testun, ond mae'n amlwg fod sylwadau Pedr wedi cael effaith fawr ar yr Arglwydd, a hyn yn ei dro yn arwain at ymateb rhyfeddol. Mae Iesu yn hollol onest ac yn eofn. Felly, oherwydd ei fod wedi dweud, "Pe na byddai felly" mewn perthynas â bodolaeth y nefoedd, gallwn fod yn sicr ei fod o ddifrif yn yr hyn yr oedd yn ei ddweud a gallwn ei gymryd ar ei air. Mi fyddai wedi dweud wrthym, mae hynny yn sicr.

Beth am fynd ymlaen i ddarllen:
Ioan 3:1–11; 5:19–25; 6:26–47; 8:34–56

Meddyliwch am y cwestiynau hyn:
1. Beth yw'r cymal y mae Iesu yn ei ddefnyddio yn fynych fel rhagarweiniad i'w sylwadau?
2. Beth yw ei arwyddocâd?

Gweddi
Arglwydd Iesu, mae'n gysur mawr i mi i wybod wrth ddelio hefo ti fy mod i'n delio hefo un na fyddai byth yn cuddio'r gwir oddi wrthyf, a hynny er mwyn arbed fy nheimladau. Rwyt yn onest, rwyt ti'n eofn wrth gysuro fy enaid. Diolch i ti, fy Ngwaredwr. Amen.

Gonestrwydd caredig

"... rhedodd rhyw ddyn ato a phenlinio o'i flaen a gofyn iddo, 'Athro da, beth a wnaf i etifeddu bywyd tragwyddol?'" (adn. 17)

Beth am ddarllen Marc 10:17–31 ac yna myfyrio

Rwyf am wneud ymdrech eto heddiw i bwysleisio fod yr hyn y mae'r Arglwydd yn ei ddweud mewn perthynas â'r nefoedd "Pe na byddai felly, buaswn wedi dweud wrthych" yn wir. Pam? Oherwydd fe welwn yn ei berthynas â'i ddilynwyr ei fod bob amser yn onest ac yn eofn. Ni fyddai byth yn cuddio'r gwirionedd oddi wrth ei blant er mwyn arbed eu teimladau. Mae'r stori heddiw yn esiampl arall o hyn.

Mae yna ŵr ifanc, cyfoethog, yn rhedeg at Iesu, yn syrthio wrth ei draed ac yn gofyn, "Beth sydd yn rhaid i mi ei wneud i etifeddu bywyd tragwyddol?" Mae ateb yr Arglwydd yn glir ac yn gryno. "Cadw'r gorchmynion, paid â llofruddio, paid â godinebu," ac yn y blaen. Mae'r gŵr ifanc yn mynnu, cyn belled ag y mae cadw gorchmynion yn y cwestiwn, ei fod yn ffyddlon. Beth bynnag, mae Iesu yn edrych i mewn i'w enaid ac yn gweld, er ei fod, ar yr wyneb, yn ufudd i'r gorchmynion, yn ei galon, mae yna gariad at gyfoeth. Sylwch ar yr hyn sydd yn cael ei ddweud yn adnod 21, "Edrychodd Iesu arno ac fe'i hoffodd." Nid yw yr hoffter yma yn hoffter sentimental. Mae'n gariad sydd yn ddigon cryf i wynebu'r gŵr ifanc gyda'r gwirionedd. Gyda'i resymeg arferol, mae Iesu yn torri drwy unrhyw ystrydeb gan ddweud, "Dos, gwerth y cwbl sydd gennyt a dyro i'r tlodion, a chei drysor yn y nef; a thyrd, canlyn fi." Nid yw hyn yn apelio at y gŵr ifanc. Yr unig wir dduw sydd gan y gŵr yma yw ei gyfoeth, ac nid yw am golli y cyfoeth hwnnw. Unwaith eto, mae'r Arglwydd yn dangos fod ei gariad yn un sydd yn datgelu'r gwirionedd er bod hyn, o bryd i'w gilydd, yn brifo teimladau. Mae'n onest ac yn garedig.

Beth am fynd ymlaen i ddarllen:
Math. 5:13–18; 18:3–4; 18:13

Meddyliwch am y cwestiynau hyn:
1. Beth mae Iesu yn aml yn ei gysylltu â'r ymadrodd y buom yn meddwl amdano ddoe?
2. Beth arall mae ef yn ei gysylltu â'r nefoedd?

Gweddi
O Dad, wrth i mi weld yn gynyddol onestrwydd dy Fab, yr wyf yn dod yn fwyfwy ymwybodol na fyddai yn fy nhwyllo am ddim. Yr wyf am ymddiried ynddo wrth iddo siarad â mi am y nefoedd, yn yr un modd ag yr wyf yn ymddiried ynddo wrth iddo siarad â mi am bopeth arall. Amen.

Fedrwch chi feddwl?

"Nid oes neb wedi esgyn i'r nef ond yr un a ddisgynnodd o'r nef, Mab y Dyn."
(adn. 13)

Beth am ddarllen Ioan 3:1–16 ac yna myfyrio

Hawdd iawn fyddai mynd trwy'r efengylau, gan luosogi'r enghreifftiau sydd yn profi realaeth a gonestrwydd Crist. Ond tybiaf fod y tair esiampl yr ydym wedi edrych arnynt yn ystod y tridiau diwethaf yn ddigon. Wrth ddelio â Iesu, yr ydym yn delio ag un na fyddai byth yn caniatáu i ni gael ein camarwain, byth yn caniatáu i ni weithio o dan dwyll, nac ychwaith yn caniatáu i ni roi ein ffydd yn rhywbeth sydd yn ddi-sail. Wrth ddweud, mewn perthynas â'r nefoedd, "Pe na byddai felly, buaswn wedi dweud wrthych," yna, mi fedrwn gymryd ei air fel gwirionedd.

Ond rhag ofn fy mod wedi darlunio yn ormodol gymeriad Iesu fel un sydd yn realydd, gadewch i mi gyflwyno'r syniad yn awr fod Crist, nid yn unig yn onest, ond hefyd yn gydymdeimladol. I sôn am hyn mewn ffordd arall, nid yn unig mae Iesu yn glir o ran ei onestrwydd, ond hefyd yn annwyl o ran ei gydymdeimlad. Mae cydymdeimlad ei galon yn peri fod yr wybodaeth sydd ganddo am y nefoedd yn wybodaeth y mae am ei rhannu gyda'i ddilynwyr. Mae'n gwybod yn iawn fod dynion a gwragedd yn hiraethu am air clir ynglŷn â'u dyfodol. Mae'n gwybod fod y cwestiwn sydd yn aros yn ein calon wrth edrych ymlaen y tu hwnt i'r bedd, yn gwestiwn sydd yn pwyso ar ein heneidiau. Mae'n adnabod consýrn a theimladau ein calon wrth i ni wynebu angau. Sut y gall Crist sydd â'r fath galon o gydymdeimlad tuag at ei blant aros yn dawel, ac yntau'r unig un yn y byd i gyd oedd â'r gallu ganddo i godi'r llen ar yr hyn sydd yn gorwedd tu hwnt i'r bedd. Sut y gallai gelu'r gwirionedd sydd o'i lefaru yn medru dwyn y fath gysur i eneidiau clwyfedig. Gan mai Iesu yw y Crist, rhaid iddo lefaru a dweud, "Pe na byddai felly, buaswn wedi dweud wrthych." Buasai peidio â dweud yn amhosibl i'w ystyried.

Beth am fynd ymlaen i ddarllen:
Ioan 6:25–38; 3:31; 8:23; 13;3

Meddyliwch am y cwestiynau hyn:
1. Beth ddywed Iesu am ei gynfodolaeth?
2. Beth oedd Iesu yn ei wybod?

Gweddi
O Arglwydd Iesu Grist, diolch dy fod yn cydymdeimlo. Nid oes dim yn fwy anghredadwy na chredu dy fod ti wedi profi llawenydd a gorfoledd y nefoedd, a'th fod wedyn yn ceisio celu yr wybodaeth yma oddi wrth fy nghalon. Diolch dy fod wedi dweud wrthym. Diolch am dy gydymdeimlad sydd yn gysur. Amen.

Mae'n wir felly!

"Pethau na welodd llygad, ac na chlywodd clust, ... y cwbl a ddarparodd Duw ar gyfer y rhai sy'n ei garu." (adn. 9)

Beth am ddarllen 1 Corinthiaid 2:1–16 ac yna myfyrio

Yr ydym am dreulio un diwrnod arall yn meddwl sut y bu i Iesu, yr un sydd â chydymdeimlad yn ei galon, yr un sydd yn gwybod ffeithiau bendigedig am y nefoedd, ddatguddio'r ffeithiau yma i'w ddilynwyr. A fuasai'n bosibl i ddychmygu y byddai Columbus, o ddarganfod yr Amerig, yn dymuno cadw'r wybodaeth yma iddo ef ei hunan, neu y buasai Capten Cook, o ddarganfod Seland Newydd, yn dymuno gadael y byd heb wybod am ei ddarganfyddiad? Mae'r ddwy sefyllfa yma yn anghredadwy o ystyried cymeriad a dyheadau'r dynion hyn. Yr un modd, nid yw'n bosibl i ni feddwl y buasai Iesu, wedi treulio tragwyddoldeb ym mhresenoldeb ei Dad, bellach am gelu oddi wrth ei ddilynwyr, y gogoniant sydd yn perthyn i'r byd hwnnw. Mae'n dweud: "Os mai ond deg a thrigain o flynyddoedd o fywyd y gellwch ei ddisgwyl, yr wyf am fod yn onest â chi ac yr wyf am eich annog i wneud y gorau ohonynt, ond, yn nhŷ fy Nhad."

Fe ddywedir am yr Athro T. H. Huxley, gŵr a fathodd y term 'agnostig' i ddisgrifio ei hunan, ei fod ychydig cyn marw wedi newid ei feddwl ac wedi dod i gredu yn Nuw ac mewn bywyd y tu hwnt i'r bedd. Wrth iddo orwedd yn marw, yn ôl ei weinyddes, fe chododd ei hun i fyny, gan edrych i'r pellter fe petai yn edrych am rywbeth oedd yn anweladwy, ac yna fe syrthiodd yn ôl ar ei obennydd gan sibrwd, "Mi roedd yn wir, mi roedd yn wir!"

Nid oes angen y fath ddatguddiad â hyn ar Gristnogion i'w perswadio ynglŷn â realiti y nefoedd. Mae'n ddigon i mi ein bod wedi ei glywed ef yn dweud, "Yn nhŷ fy Nhad, y mae llawer o drigfannau. Pe na byddai felly, buaswn wedi dweud wrthych." Nid oes angen gwelediaeth ar yr un sydd wedi clywed y gair hwn.

Beth am fynd ymlaen i ddarllen:
2 Cor. 12:1–10; Luc 23:43; Dat. 2:7

Meddyliwch am y cwestiynau hyn:
1. Beth oedd tystiolaeth Paul?
2. Pa air arall mae Paul yn ei ddefnyddio i ddisgrifio'r nefoedd?

Gweddi
O Dad, sut y gallwn wybod fod yna nefoedd, oni bai fod yna rywun wedi dweud wrthyf? Mae rhywun wedi dweud wrthyf, rhywun yr wyf yn ei gredu, dy Fab dy hunan. Yn awr, mae fy holl ofnau wedi diflannu. Rwyf am ddiolch i ti. Amen.

Cadw'r nefoedd yn ein golygon

"Oherwydd yr oedd ef yn disgwyl am ddinas ac iddi sylfeini, a Duw yn bensaer ac yn adeiladydd iddi." (adn. 10)

Beth am ddarllen Hebreaid 11:1–10 ac yna myfyrio

Yr ydym am symud ymlaen yn awr i ystyried yr awgrym na ddylai'r nefoedd fyth fod ymhell o'n meddwl wrth i ni deithio drwy'r byd. Gall rhai ymateb i hyn trwy ddweud, "Mae'n siŵr fod ystyriaeth gyson am y nefoedd am amharu ar ein gwaith, yr hyn yr ydym i'w gyflawni yma ar y ddaear." Mae'n siŵr y gall. Ond yr hyn yr wyf am ei awgrymu yw golwg glir a chyson ar y mater, gan roi nid rhy ychydig ac nid gormod o ystyriaeth.

Wrth ddarllen yr hanes Cristnogol a hanes Cristnogion, yr wyf wedi dod i'r casgliad mai y Cristnogion sydd wedi gwneud y cyfraniad mwyaf i fywyd y byd yw'r rhai sydd wedi meddwl am y bywyd nesaf. Gellir dadlau, a dadlau yn llwyddiannus, fod y Cristnogion hynny sydd byth yn caniatáu i'w hunain feddwl am y byd tu hwnt i hwn, yn gyffredinol yn aneffeithiol yn eu gwaith. A dweud y gwir, mae'r rhan fwyaf ohonom yn mynd trwy'n bywyd gyda'n golygon ar y byd yn unig. Nid ydym yn edrych nac yn disgwyl am y nefoedd. Peth arall sydd yn rhyfeddol yw fod y rhai sydd â'u llygaid wedi eu dyrchafu yn sylweddoli fod pethau'r ddaear yn dod yn bwysig yn eu golwg, bod amser yn bwysig fel y mae tragwyddoldeb yn bwysig. Mae'r atgof parhaus ein bod ar daith i ddinas, pensaer ac adeiladydd yr hon yw Duw, yn peri ein bod yn cadw popeth yn y byd yma mewn persbectif iawn. Mae'n golygu nad ydym yn dal gafael rhy dynn ym mhethau'r byd, gan mai pethau dros dro yw'r cyfan. Yn ôl y Cardinal Newman, y rhai hynny sydd yn gweld y Jerwsalem newydd uwchben yw'r rhai sydd yn gweithio yn effeithiol dros y Jerwsalem newydd yn y byd. Mae gan y rhain batrwm bendigedig i weithio tuag ato.

Beth am fynd ymlaen i ddarllen:
Col. 1:1–8; Titus 2:1–14; Heb. 6:19

Meddyliwch am y cwestiynau hyn:
1. Sut y bu i Paul gysylltu amser â thragwyddoldeb?
2. Beth a rydd gobaith y nefoedd i ni?

Gweddi
O Dad, maddau i mi fod fy ngolwg, yn aml, ddim ond ar y byd, fy mod yn meddwl yn aml am bethau sydd ar ddarfod, yn hytrach nag ar y pethau sydd yn dragwyddol. Helpa fi heddiw i newid hyn. Rwy'n gofyn yn enw bendigedig Iesu. Amen.

Rhwng dwy ardd

"Gyrrodd y dyn allan; a gosododd gerwbiaid i'r dwyrain o ardd Eden."
(adn. 24)

Beth am ddarllen Genesis 3:17–24 a Datguddiad 22:1–5 ac yna myfyrio

Pam, a siarad yn gyffredinol, y cawn y fath anhawster i gerdded drwy'r byd yma gyda golwg ar y nefoedd yn ganolog? Un rheswm, efallai, yw ein bod yn credu y gallwn gael y nefoedd yn awr. Mae yna ganran uchel o gredinwyr yn ymddangos fel petaent yn credu fod bod yn Gristion yn golygu nad oes angen i ni mwyach ymladd gydag anawsterau a phroblemau, ac na fyddwn byth yn dioddef o unrhyw anhwylder, ac yn y blaen. Mae angen dweud yn syth fy mod wedi gweld digon o wyrthiau i beri fy mod yn credu yn sicr yng ngallu Duw i'w cyflawni. Yn wir, credaf fod llawer ohonom yn araf i feddiannu'r adnoddau sydd gan Iesu i gyfoethogi ein bywyd yn y byd. Mae Duw yn dymuno bendithio ei bobl. Yn wir, mae'n ymhyfrydu yn eu bendithio. Nid yw yn anghywir i ofyn i Dduw ateb yr anawsterau. Nid yw'n anghywir i ofyn i Dduw iachau. Nid yw'n anghywir i ofyn am wyrth pan fyddwn mewn trafferthion. Gwelais ef yn gweithio yn fy mywyd fy hun yn y ffyrdd uchod, ac yr wyf yn disgwyl y bydd Duw yn ei drugaredd yn gwneud hynny eto.

Wedi dweud hynny, rhaid i'r olwg sydd gennym fel Cristnogion fod yn un wastad, heb gredu am eiliad fod bod yn Gristion yn golygu na fydd raid i ni wynebu anawsterau a thrafferthion. Wedi i Dduw anfon Adda ac Efa allan o ardd Eden, rhoddodd warchodwr wrth y porth i'w hatal rhag mynd yn ôl i mewn. Yr ydym yn awr yn byw y tu allan i'r ardd mewn byd sydd â chlwy pechod ymhobman. Mae yna ardd arall yn ein disgwyl, ond mae honno yn y dyfodol. Yn y cyfamser, mae'n rhaid i ni fyw mewn gardd sydd, er yn brydferth, eto yn meddu ar ddrain a mieri. Mae'r rhai sydd yn anwybyddu hyn yn bradychu agwedd meddwl anwastad i'r bywyd Cristnogol.

Beth am fynd ymlaen i ddarllen:
Rhuf. 1:18–32; Salm 37:35–36; 102:25–26

Meddyliwch am y cwestiynau hyn:
1. Sut mae'r salmydd yn disgrifio ein bywyd?
2. Beth yw ei ganlyniad?

Gweddi
O Dad, dysga fi i fod yn onest ynglŷn â'r modd yr wyf yn delio â'm bywyd. Dysga fi i fod yn onest ynglŷn â byw mewn gardd sydd â drain a mieri. Nid y byd yma yw'r nefoedd, ond medraf gael blas wrth deithio tua'r nefoedd. Diolch i ti, O Dad. Amen.

Llawenydd gyda gorthrwm

"... yn hytrach cawsom ein gorthrymu ym mhob ffordd – brwydrau oddi allan ac ofnau oddi mewn." (adn. 5)

Beth am ddarllen 2 Corinthiaid 7:1–16 ac yna myfyrio

Ddoe, buom yn sôn am fyw rhwng dwy ardd berffaith, gardd Duw yn Eden a gardd Duw yn y paradwys sydd o'n blaen. Mae'r ardd yr ydym yn byw ynddi ar hyn c bryd yn ardd o dan felltith, ac er ei bod yn brydferth ar brydiau, mae yna ddigon c ddrain a mieri o'n cwmpas.

Cawsom ein creu ar gyfer gardd wahanol iawn. Ni fwriadodd Duw i ni orfod brwydro gydag afiechyd, brwydro gydag euogrwydd, brwydro gydag iselder, brwydro gyda ffaith marwolaeth. Mae'n wir dweud fod yr hyn a gyflawnodd Iesu drosom ar y groes, yr hyn a seliwyd trwy ei atgyfodiad a'i esgyniad, yn dwyn i ni faddeuant o'n pechodau, a'r addewid am yr Ysbryd Glân i'n cynorthwyo a'n cysuro wrth i ni deithio drwy'r byd. Ond, er hyn i gyd, mae'r byd yr ydym yn byw ynddo wedi syrthio. Mae'n fyd na chrewyd ni ar ei gyfer. Dyna pam, hyd yn oed yn ein llawenydd, yr ydym yn profi mesur o orthrwm. Yr hyn yr wyf yn ei olygu wrth ddweud hyn yw fod ein munudau mwyaf llawen wedi eu plethu gyda mesur o dristwch sydd yn deillio o'r ffaith ein bod mewn awyrgylch annaturiol, yn annaturiol yn yr ystyr ei fod yn lle na fwriadodd Duw i ni fod. Rhaid i ni ddeall y gwirionedd yma neu fe'n hwynebir yn fuan gan siomiant. Mae'n debyg fod Oswald Chambers yn dweud y gwir pan ddywedodd fod bywyd yn fwy o drasiedi nag o drefn. Mae'r bywyd yma yn fywyd mewn byd anodd, byd sydd yn parhau i ddioddef o ganlyniad y cwymp. Mae peidio â chydnabod na deall hyn yn peri y bydd ein disgwyliadau ni yn uwch nag y dylent fod. Ymhellach, bydd dyfnder ein siom yn ddyfnach nag y dylai fod.

Beth am fynd ymlaen i ddarllen:
Rhuf. 8:18–27; 15:4; Heb. 6:18

Meddyliwch am y cwestiynau hyn:
1. Beth ddywed Paul am y greadigaeth?
2. Beth mae yn ei roi fel ateb i hyn?

Gweddi
O Dad, unwaith eto, yr wyf yn gofyn i ti am gymorth i wynebu'r byd gyda realaeth. Rwy'n gofyn i ti fy helpu i ddeall nad yw y llawenydd yr wyt yn ei roi i mi yn difa pob siom. Ond, yr wyt am fy nghynorthwyo i fyw mewn llawenydd, wyneb yn wyneb â siom ac anhawster. Arglwydd Iesu, cynorthwya fi. Amen.

Brwydro'n llwyddiannus

"... dim ond inni gadw'n golwg, nid ar y pethau a welir,
ond ar y pethau na welir." (adn. 18)

Beth am ddarllen 2 Corinthiaid 4:5–18 ac yna myfyrio

Beth am edrych yn ôl am eiliad ar y materion yr ydym wedi eu hystyried dros y diwrnodau diwethaf. Rhaid cadw'r nefoedd yn wastad o flaen ein llygaid. Mae'n ein cynorthwyo i feddu persbectif iawn ar ein bywyd. Cred rhai y gallwn feddiannu'r nefoedd yn awr, iechyd a chyfoeth nes i ni farw. Nonsens yw hyn, wrth gwrs, celwydd anysgrythurol. Mae Duw yn ateb ein gweddïau. Mae Duw yn cyflawni gwyrthiau ond nid yw yn gwneud hyn bob tro. O bryd i'w gilydd, mae'n caniatáu i bobl ddioddef. Does dim diben dweud bod y rhai sydd yn dioddef yn dioddef oherwydd diffyg ffydd. Nid yw hyn yn wir, nid yw yn Feiblaidd. Mae angen diwinyddiaeth dioddefaint ar yr Eglwys er mwyn cael balans i'w diwinyddiaeth am wyrthiau.

Yr ydym yn byw mewn byd nad ydym wedi ein creu ar ei gyfer. Am hynny, mae yna orthrwm hyd yn oed yn ein llawenydd. Yn ein munudau gorau, sylweddolwn ein bod yn profi rhywbeth sydd yn llai na'r hyn a fwriadodd Duw ar ein cyfer. Nid meddwl yn negyddol yw hyn, ond cael golwg real ar ein hamgylchiadau. Nid yw cydnabod y realiti yma yn lleihau ein llawenydd. Yn hytrach, mae yn ein cynorthwyo i wynebu bywyd. Dyma realaeth Gristnogol, rhywbeth sydd ar goll mewn llawer o eglwysi heddiw. Ystyriwch yr hyn y mae yr apostol yn ei ddweud yn yr adran yma. Mae'n amlwg ei fod yn brwydro ond yn brwydro yn dda. Yr ydym yn cael Paul yn sôn am gael ei orthrymu ond nid ei lethu, ei fwrw i ansicrwydd ond nid i anobaith, ei erlid ond heb ei adael yn amddifad. Er y cyfan, yr oedd yn gwybod am fyd gwell i ddod â'r wybodaeth a'r adnabyddiaeth yma oedd yn ei gynorthwyo i symud ymlaen. Mae'r rhai sydd am feirniadu Cristnogaeth yn cyfeirio at rai fel Paul, fel pobl sydd yn dianc o'r byd real, ond nid dihangfa oedd hyn i'r apostol. Mae'n wynebu realiti'r nefoedd ac ar gyfrif hynny y mae yn medru wynebu realiti'r byd.

Beth am fynd ymlaen i ddarllen:
Heb. 11:31–40; Salm 42:1–11

Meddyliwch am y cwestiynau hyn:
1. Beth oedd rhai o brofiadau'r gwŷr a'r gwragedd yma a feddai ffydd?
2. Sut y disgrifiodd y salmydd ei hunan mewn amgylchiadau fel hyn?

Gweddi
O Dad, beth bynnag yw'r brwydrau a roddi ar fy llwybr yn y byd yma, cynorthwya fi i frwydro yn dda. Addewaist ti na fuaset yn fy ngadael yn amddifad byth. Yr wyt gyda mi ym mhob peth. Rwy'n diolch i ti yn enw Iesu. Amen.

Popeth yn brydferth

"Oherwydd fe wyddom fod yr holl greadigaeth yn ochneidio ... hyd heddiw."
(adn. 22)

Beth am ddarllen Rhufeiniad 8:18–27 ac yna myfyrio

Eto heddiw, yr ydym am gadw golwg ar y nefoedd ynghanol ein golygon ni. Yr ydym wedi nodi mai nid y ddaear yma yw ein cartref ni. Dim ond teithio drwodd mae'r saint. Fe ddylai pawb sydd yn sylwi ar fywyd Cristnogion gael ei berswadio nad yw'r rhain wedi eu creu ar gyfer y byd hwn. Mae'r saint wedi eu creu ar gyfer byd gwell. Gan fod pechod wedi dod i mewn i greadigaeth fendigedig Duw, yr ydym yn awr yn byw mewn byd sydd wedi syrthio. Nes y daw nefoedd a daear newydd, yr ydym yn ochneidio am yr hyn nad oes gennym. Dywed yr apostol yn yr adran yma bod y greadigaeth i gyd yn ochneidio. Mae popeth sydd yn byw yn byw gyda realiti clefyd a marwolaeth. Dywed rhai Cristnogion mwy sensitif na'i gilydd eu bod yn ymwybodol o'r ochneidio yma sydd yn y greadigaeth pan fyddant yn gweddïo. Disgrifiodd un y profiad i mi fel ynni sydd wedi ei gaethiwo yn ceisio dianc. Mae yna emyn sydd yn gyfarwydd iawn yn y Saesneg, *All things bright and beautiful.*

Mae'n emyn cyfarwydd iawn, ond mae'n ddiddorol fod awdures yr emyn yn edrych ar ran o'r greadigaeth yn unig wrth ei ysgrifennu. Mae'n siarad mewn un pennill am wynt oer y gaeaf, ac mae hynny yn sicr yn brofiad sydd yn real i ni. Ond nid oes yr un pennill yn delio â'r rhannau hynny o'r greadigaeth sydd yn hyll, er enghraifft, anifeiliaid sydd yn rhwygo ei gilydd. Mae'r awdures yn ddewisol yn ei thestun. Nid beirniadaeth yw hyn, ond yn yr Ysgrythur fe welwn fod Gair Duw yn edrych ar y greadigaeth yn ei chyflawnder. Mae rhan o'r greadigaeth yn brydferth, ond mae pechod wedi gwneud rhannau eraill o'r greadigaeth yn hagr ac yn hyll.

Beth am fynd ymlaen i ddarllen:
Rhuf. 2:1–9; Math. 24:1–13; Ioan 16:33

Meddyliwch am y cwestiynau hyn:
1. Sut y disgrifiodd Iesu ddiwedd yr oes hon?
2. Beth ddywedodd Iesu y byddem yn ei brofi yn y byd hwn?

Gweddi
O Dad, mae'r ffaith fod pechod wedi effeithio mor drwm ar dy greadigaeth yn dod yn fwy amlwg i mi o ddydd i ddydd. Mae'r greadigaeth yn ochneidio am gael ei rhyddhau, am ddydd y pryniant, ac felly yr wyf fi yn hiraethu, O Arglwydd. Diwalla fy hiraeth, Arglwydd, yn enw Iesu. Amen.

Byw gyda thensiwn

"... nyni sydd â blaenffrwyth yr Ysbryd gennym, yr ydym ninnau'n ochneidio ynom ein hunain." (adn. 23)

Beth am ddarllen Rhufeiniaid 8:23–39 ac yna myfyrio

Ddoe, sylwyd fod y greadigaeth i gyd yn ochneidio, ond nid y greadigaeth yn unig. "Yr ydym ni hefyd," meddai'r apostol Paul, "yn ochneidio wrth ddisgwyl i weld pechod a'i effeithiau yn cael ei alltudio o fydysawd Duw." Mae'n bwysig sylwi mai'r rhai sydd wedi eu meddiannu gan yr Ysbryd sydd yn ochneidio fel hyn. Nid yw'r anghredinwyr yn rhannu'r profiad. Gwaith yr Ysbryd yw gwneud i'n heneidiau sylweddoli fod yna rywbeth o'i le gyda phob peth. Nid ein llenwi â digalondid y mae'r ffaith yma, ond yr ydym yn ei derbyn. Mae rhai Cristnogion, wrth gwrs, yn gwrthod derbyn yr agwedd yma ar y bywyd Cristnogol, gan fodloni yn hytrach ar ddealltwriaeth rannol o weinidogaeth yr Ysbryd sy'n esgor ar gariad, llawenydd, heddwch, ac yn y blaen. Ond, mae profi llawenydd a heddwch yn rhan o'r un profiad sydd yn esgor ar brofi'r ochenaid yn y galon.

Os mai'r llawenydd a'r heddwch yn unig sydd yn ein meddiant, mae rhywbeth rhyfedd ynglŷn â'n profiad. Hawdd iawn fuasai i ni fynd trwy ein bywyd yn meddwl am ddim ond am ein hunain, gan anwybyddu cyflwr y greadigaeth. Yr ochenaid sydd yn diogelu balans wrth inni sylweddoli na all perffeithrwydd ddeillio ymdrechion dynol yn unig. Yn y seithfed bennod o'r epistol hwn at y Rhufeiniaid, mae'r apostol yn sôn am ei hun fel un sydd wedi ei werthu yn gaethwas i bechod. Does ryfedd, wrth inni ystyried y drwg mae pechod wedi ei greu yn y byd, a'r hyn mae pechod yn parhau i'w greu, ein bod yn ochneidio. Peidiwch â gwadu'r ochenaid sydd yn deillio yn uniongyrchol o bresenoldeb yr Ysbryd. Nid wyf am aralleirio'r Ysgrythur trwy ddweud mai etifeddiaeth yr Ysbryd yw ochenaid, ond nid yw ymhell o'r hyn sydd yn wir.

Beth am fynd ymlaen i ddarllen:
2 Cor. 5:1–10; Ioan 15:19; 18:36

Meddyliwch am y cwestiynau hyn:
1. Pa ddau ddimensiwn sydd yn perthyn i'n hochenaid ysbrydol?
2. Pa beth a ffafria'r apostol?

Gweddi
O Dad, er fy mod yn gweld y tensiwn sydd rhwng llawenydd ac ochenaid, eto yr wyf i fyw â'r ddau. Mae fy llawenydd yn deillio o'r ffaith dy fod wedi fy achub. Mae'r ochenaid yn deillio o fyw mewn byd sydd wedi ei alltudio. Cynorthwya fi i fyw gyda'r tensiwn yma trwy Iesu Grist. Amen.

Esbonio, nid ychwanegu

"Oherwydd yr ydym ni sydd yn y babell hon yn ochneidio dan ein baich."
(adn. 4)

Beth am ddarllen 2 Corinthiaid 5:1–10 ac yna myfyrio

Efallai fod rhai ohonoch yn ei chael hi'n anodd i ddilyn rhesymeg yr apostol pan sonia am yr ochenaid fel rhan o etifeddiaeth y Cristion. Mae'n llawer haws i feddwl am lawenydd yr Ysbryd, ond, fel y gwelwyd eisoes, mae'r ochenaid yn rhan o'n profiad. Efallai y buasai'n ddymunol petai Paul wedi ychwanegu at ei ddysgeidiaeth ar y mater yma, er mwyn gwneud pethau ychydig yn fwy clir. Os ydych yn eich cael eich hun yn ymateb fel hyn, caniatewch i mi ddweud y bydd yn rhaid i chi drafod y mater gyda'r apostol ei hunan. Cefais un pregethwr yn dweud wrth ei gynulleidfa unwaith: "Fy ngwaith i yw esbonio llythyrau'r apostol, nid ychwanegu atynt."

Beth am ystyried ymhellach y cwestiwn o fyw gyda'r tensiwn rhwng llawenydd y Cristion ac ochenaid y Cristion. Mae'r rhai sydd yn gwybod dim ond am y llawenydd, ac yn gwybod dim am yr ochenaid, yn byw bywyd ar lefel ansensitif iawn. Nid ydynt yn ystyried fod nifer helaeth iawn o bobl y byd yma yn byw mewn newyn, rhai yn newynu i farwolaeth. Mae bod yn ddall i'r ffaith yma, ac i nifer o ffeithiau eraill, yn golygu na fyddwn yn medru arddangos cydymdeimlad Crist. Ar y llaw arall, mae'r rhai sydd ond yn ymwybodol o'r ochenaid, a byth yn mynd i mewn i lawenydd yr Ysbryd, yn medru eu cael eu hunain yn isel iawn, gyda phroblemau'r byd yn pwyso yn drwm ar eu hysgwyddau. Nid yw byw gyda'r tensiwn yma yn rhwydd, eto, fe'n gelwir i fyw gyda'r tensiwn. Roedd Paul yn byw felly. Yn yr un modd, rhaid i ninnau astudio ymhellach.

Beth am fynd ymlaen i ddarllen:
Luc 13:31–35; 19:41

Meddyliwch am y cwestiynau hyn:
1. Sut y bu i Iesu ochneidio dros Israel?
2. Pryd oedd y tro diwethaf i chi ochneidio dros eich cenedl?

Gweddi
O Dad, rwy'n diolch i ti am realaeth yr apostol. Yr wyf am fod yn ymwybodol o realiti bywyd fel yr oedd Paul. Ond, gallaf wneud hyn ond i'r graddau yr wyt yn fy nghynnal â'th orfoledd. Dyma fy etifeddiaeth. Cynorthwya fi i'w feddiannu yn enw Crist. Amen.

Gwneud yr hyn mae'r Tad yn ei wneud

"Beth bynnag y mae'r Tad yn ei wneud,
hyn y mae'r Mab yntau yn ei wneud yr un modd." (adn. 19)

Beth am ddarllen Ioan 5:1–23 ac yna myfyrio

Mae bywyd ar y ddaear yma sydd wedi ei effeithio gan bechod yn medru bod yn frwydr. Rwy'n adnabod rhai, er enghraifft, fydd yn siŵr o ddweud: "Dewch, peidiwch â bod yn negyddol! Gall bywyd fod yn anodd ond, ar yr un pryd, gall bywyd fod yn braf iawn hefyd." Yn ystod sgwrs â gweinidogion yn Borneo ychydig yn ôl, dyfynnais Oswald Chambers pan ddywedodd bod bywyd yn fwy o drasiedi nag o drefn. Wedi ei ddyfynnu, ac wedi gorffen y ddarlith, daeth dyn ataf gan ddweud: "Yn fy marn i, petaem yn edrych ar y byd trwy lygaid mwy positif, fe welwn fod popeth yn brydferth." "Rwy'n falch dy fod yn meddwl hynny," atebais, "ond paid â bod yn or–galed arnaf fi os wyf yn cymryd agwedd ychydig yn wahanol."

Ychydig cyn siarad hefo'r gweinidogion, bûm yn sgwrsio â gwraig yn ei hugeiniau cynnar oedd yn sôn am yr alwad a deimlai i wasanaethu'r Arglwydd, ac yr oedd ar fin mynd i Goleg Beiblaidd. Ond, yr oedd ei meddyg wedi dweud wrthi ei bod yn dioddef o glefyd angheuol. Gofynnodd i mi weddïo ar Dduw i'w iachau a gwnes hynny. Ond ar yr un pryd, yr oeddwn yn ymwybodol fod y driniaeth oedd yn ei haros yn driniaeth beryglus a doedd na ddim gwarant am lwyddiant. Nid oedd gwarant ychwaith y buasai Duw yn ei iachau. Buaswn wrth fy modd o glywed ei bod, bellach, yn iach. Mae Duw yn iachau pobl o glefydau angheuol ond y gwirionedd yw nad yw'n gwneud hyn bob amser. Sut ddylem ni wynebu sefyllfa fel hyn? Dylem ofyn i'n Tad sydd yn y nefoedd beth a ddylem weddïo, a sut y dylem weddïo. Yn yr adran heddiw, gwelwn Iesu yn iachau un mewn grŵp eang o bobl oedd angen iachâd. Pam dim ond un? Yn ôl ein testun, mae'n edrych yn gyntaf tua'r nefoedd i weld yr hyn oedd ei Dad yn ei wneud ac yna yn gafael yn llaw Duw, fel petai, i weini gyda'r un bwriad.

Beth am fynd ymlaen i ddarllen:
Salm 40:1–8; 143:10; Iago 4:15

Meddyliwch am y cwestiynau hyn:
1. Beth oedd dyhead y salmydd?
2. Beth oedd ei gais?

Gweddi
O Dad, cynorthwya fi i ddilyn yr egwyddor yma yn fy mywyd gweddi, nid i weddïo unrhyw fath o weddi, ond gofyn i ti beth a fynni di i mi ei wneud. Ac yna yn fy ngweddi, cynorthwya fi i afael yn dy law di i sylweddoli dy fwriadau. Amen.

Yn barod i fynd

"... y mae arnaf awydd ymadael a bod gyda Christ,... ond y mae aros yn fy nghnawd yn fwy angenrheidiol er eich mwyn chwi." (adn. 23–24)

Beth am ddarllen Philipiaid 1:12–26 ac yna myfyrio

Drwy hanes yr Eglwys, mae pobl yr Arglwydd wedi eu cysuro wrth wynebu anawsterau gan yr addewid am nefoedd. Sut, er enghraifft, y bu i'r caethweision yn yr Amerig ddioddef eu gorthrwm? Mae'r caneuon y bu iddynt eu cyfansoddi yn rhoi awgrym i ni. Buasent yn canu yn aml am yr addewid o'r nefoedd. Roedd yn addewid y byddent, un diwrnod, yn cael bod gyda Iesu mewn byd perffaith. Roedd yr addewid yma yn cael dylanwad grymus ar eu bywyd yn y byd presennol, gan eu galluogi i ddelio â'r anawsterau, oherwydd bod yr addewid yn rhoi iddyn nhw obaith. Mae'n debyg iawn i'r meddyg sydd yn dweud wrth wraig: "Ychydig o boen, ac yna fe ddaw y baban i dy freichiau."

O'n blaen y mae'r nefoedd, ac yn y nefoedd lawenydd sydd y tu hwnt i'n disgrifiad ni. Mae Paul yn dweud wrthym yn yr adran heddiw ei fod yn hiraethu am gael mynediad i'r nefoedd, ond gan fod ei arhosiad yn y byd yn angenrheidiol, mae'n barod i aros. Clywais un pregethwr yn dweud fod Paul yn awyddus i fynd ond yn barod i aros. Yr ydym ni yn awyddus i fynd ond yn barod i aros. A ydych wedi sylwi pa mor aml mae Paul yn defnyddio gobaith y nefoedd i'w gynorthwyo i wynebu anawsterau ei fywyd? Meddyliwch am y geiriau yn Rhufeiniaid 8:18. "Yr wyf fi'n cyfrif nad yw dioddefiadau'r presennol i'w cymharu â'r gogoniant sydd ar gael ei ddatguddio i ni."

Dywedodd ffrind unwaith: "Yma ar y ddaear mae rhywbeth o'i le ar bopeth; yn y nefoedd ni fydd dim o'i le ar ddim." Yma yr ydym yn teithio, yno yr ydym yn perthyn. Rwyf am ddal y byddwn yn cyflawni'r holl waith sydd ar ein cyfer yn y byd yma gyda sêl a brwdfrydedd, oherwydd trwy ffydd ein bod yn gweld y nefoedd o'n blaen.

Beth am fynd ymlaen i ddarllen:
Actau 24:1–16; Diar. 14:32; Titus 2:11–15

Meddyliwch am y cwestiynau hyn:
1. Beth oedd tystiolaeth Paul gerbron Ffelix?
2. Sut ddylem fyw heddiw yng ngoleuni'r nefoedd?

Gweddi
Arglwydd, wrth i mi feddwl am yr holl bobl sydd wedi eu meddiannu gan dy Ysbryd di drwy'r canrifoedd, sydd wedi gweithio mor effeithiol ar y ddaear oherwydd eu bod yn siŵr o'r nefoedd, yr wyf am eu dilyn. Caniatâ hyn yn enw Iesu Grist. Amen.

Talwch wrth y dollfa

*"... ni all cig a gwaed etifeddu teyrnas Dduw, ac ni all llygredigaeth etifeddu
anllygredigaeth." (adn. 50)*

Beth am ddarllen 1 Corinthiaid 15:35–58 ac yna myfyrio

Ni all yr un drafodaeth ar y nefoedd fod yn gyflawn heb i ni ystyried sut y cawn
ynedfa i'r ddinas dragwyddol. Cyfrwng ein trosglwyddiad yw ein marwolaeth ni.
At hyn yr ydym yn awr am droi ein sylw.

Yn syth wedi fy nhröedigaeth, a minnau yn fy arddegau, byddwn yn arfer
meddwl, "O, na fyddai'n braf cael gadael y byd hwn. Duw yn fy nghymryd a'm rhoi
yn y nefoedd heb yr angenrheidrwydd o orfod profi marwolaeth." Yn anffodus, mae
bechod wedi effeithio ar y bywyd dynol i'r fath raddau fel bod ein cyrff bellach yn
lygredig, ac o ganlyniad yn gorfod cael eu gadael y tu yma i ddrws angau. Yn ôl ein
estun heddiw, ni all cig a gwaed etifeddu teyrnas Dduw. Mae marwolaeth wedi ei
disgrifio droeon fel y dollfa. Wrth y dollfa, rhaid talu. Mae'r corff yr ydym yn byw
ynddo yn un o'r taliadau yna sydd yn rhaid eu gwneud. Mae'n corff yn perthyn i'r
ddaear. Yr ydym yn byw yma mewn byd materol, a'r unig ffordd y medrwn gysylltu
i'n hamgylchfyd yw trwy'r materol. Ond byd ysbrydol yw y nefoedd, ac felly,
rhaid gadael y ffyrdd yma ar ôl. Gadewch i'r corff ddychwelyd i'r ddaear o ble y
daeth. Mae wedi cyflawni ei waith.

Gofynnwyd unwaith i William James, seicolegydd enwog, oedd hefyd yn
athronydd, "Wyt ti'n credu mewn anfeidroldeb personol?" "Wrth gwrs, fy mod i,"
meddai, "ac yn credu fwyfwy wrth i mi heneiddio." "Pam?" gofynnwyd eto.
"Oherwydd," meddai, "rwyf yn paratoi i fyw." Roedd y bywyd oedd o'i fewn yn
mynnu ymwthio ei ffordd i'r wyneb. Am y rheswm yma, nid oedd ganddo'r un
anhawster ynglŷn â thalu'r doll. Roedd y taliad yma yn agor y ffordd i fywyd iddo,
y bywyd real.

Beth am fynd ymlaen i ddarllen:
Gen. 3:16–19; Salm 104:29; Preg. 3:19–21; Heb. 10:19–21

Meddyliwch am y cwestiynau hyn:
1. Beth ddywedodd Duw wrth Adda?
2. Sut mae yr Hebreaid yn ateb cwestiwn y Pregethwr?

Gweddi
O Dad, cynorthwya fi i weld marwolaeth mewn persbectif iawn. Dyma'r funud pan
fo'r bywyd sydd o'm mewn yn ymwthio allan o'i amgylchfyd daearol ac yn cael
mynedfa i fywyd tragwyddol. Bellach, yr wyf am fyw fel un sydd yn anfeidrol. Yn
enw Iesu Grist. Amen.

Syrthio i gysgu

"Nid yw'r plentyn wedi marw, cysgu y mae." (adn. 39)

Beth am ddarllen Marc 5:35–43 ac yna myfyrio

Ni ddywedodd Iesu Grist lawer am ein cyflwr yn y byd ar ôl y byd hwn. Ond mae realiti ein bodolaeth i'w ddarganfod yn y cyfan a ddywedodd. Yr ydym eisoes wedi llawenhau yn y geiriau clir hynny, "Yn nhŷ fy Nhad, y mae llawer o drigfannau. Pe na byddai felly, buaswn wedi dweud wrthych." Sut y gall y Cristion wynebu marwolaeth gydag ofn pan fo marwolaeth yn ei ddwyn i mewn i bresenoldeb y Tad

Sylwch hefyd fod Iesu Grist yn y darn yr ydym yn ei ddarllen heddiw yn sôn am gwsg lle y byddai eraill yn sôn am farwolaeth. Wrth y rhai oedd yn galaru amgylch corff y ferch fach dywedodd, "Nid yw'r plentyn wedi marw, cysgu y mae." Nawr mae rhai yn dehongli'r digwyddiad fel hyn. Roedd y bobl o amgylch y ferch yn meddwl ei bod yn farw, ond, mewn gwirionedd, dim ond cysgu yr oedd hi. Roedd Iesu yn gwybod hyn, ac felly, dim ond angen ei hiachau oedd arno ac nid ei dwyn o farwolaeth i fywyd. Beth, tybed, y mae'r fath ddehonglwyr yn ei wneud o eiriau Iesu yn Ioan 11:11 pan mae'n cyfeirio at farwolaeth Lasarus yn yr un geiriau "Mae'n cyfaill, Lasarus, wedi syrthio i gysgu." Nid oes dim amheuaeth nad oedd Lasarus, yn ôl ein diffiniad ni, wedi marw. Pam fod Iesu'n defnyddio'r term 'cysgu' wrth sôn am farwolaeth? Oherwydd gwelodd farwolaeth yn ei bersbectif cywir - syrthio i gysgu mewn un byd i ddeffro mewn byd arall.

Wrth gwrs, mae'r byd y byddwn yn deffro iddo yn dibynnu ar ein perthynas â Iesu Grist. Mae'r rhai nad ydynt yn adnabod Iesu, y rhai sydd heb brofi maddeuant o'u pechodau, y rhai hynny sydd heb gael sicrwydd o fywyd tragwyddol, yn debyg o weld marwolaeth mewn ffordd fwy bygythiol na syrthio i gysgu. Ac felly y bydd Ni all dim fod yn fwy trychinebus na syrthio i gysgu yn y byd yma a deffro mewn byd lle nad yw'r Arglwydd Iesu.

Beth am fynd ymlaen i ddarllen:
Actau 7:54–60; 1 Cor. 15:6; 1 Thes. 4:13–15

Meddyliwch am y cwestiynau hyn:
1. Sut y disgrifir marwolaeth Steffan?
2. Beth, yn ôl Paul, oedd yr hyn na ddylem fod yn anwybodus yn ei gylch?

Gweddi
Arglwydd Iesu Grist, mae'r sicrwydd fy mod i yn eiddo i ti, a dy fod ti yn eiddo i mi yn bwrw allan ofn o farwolaeth, oherwydd dy fod ti yn fyw, byddaf i fyw. Nid yw marwolaeth yn golygu dim mwyach, mwy na chau fy llygaid ar y ddaear a'u hagor yn y nefoedd. Diolch i ti, Arglwydd. Amen.

Vita! Vita! Vita!

"A hyn yw bywyd tragwyddol: dy adnabod di, yr unig wir Dduw, a'r hwn a anfonaist ti, Iesu Grist." (adn. 3)

Beth am ddarllen Ioan 17:1–19 ac yna myfyrio

Yn ôl yr hanes, roedd y Cristnogion cynnar yn cerfio ar furiau eu carcharau y geiriau, Vita! Vita! Vita!', sef 'Bywyd! Bywyd! Bywyd!' Ni allai muriau'r carchar gyfyngu im ar y bywyd yr oeddent wedi ei brofi, oherwydd bywyd tragwyddol oedd hwn. Ni all angau ddifa'r bywyd yma. O ran ei natur, mae'n sicr o barhau y tu hwnt i ngau. A all y plisgyn gyfyngu ar fywyd yr hedyn? Na all, ac ni all amgylchiadau'r byd gyfyngu ar fywyd Duw yn enaid y dyn neu'r ddynes sydd wedi adnabod perthynas bersonol hefo Iesu Grist.

Sylwch nad yw Iesu byth yn defnyddio'r gair 'anfeidrol' wrth siarad am ein bywyd i ddod. Gwell ganddo yr ymadrodd, 'bywyd tragwyddol', oherwydd mae hyn yn cyfleu, nid yn unig, hyd, ond hefyd ansawdd y bywyd sydd mor gyfoethog, mor helaeth ac mor dragwyddol. Ni all gael ei gyfyngu i'n bodolaeth bresennol. Yn ôl un pregethwr, mae bywyd tragwyddol o ran ansawdd yn hollol wahanol i fywyd yffredin. Yr un modd ag y mae bywyd cyffredin mor hollol wahanol i fywyd nifail.

Wrth i Charles Kingsley, y nofelydd, agosáu at ei farwolaeth, dywedodd, 'Maddau i mi os wyf yn anghywir, ond rwyf yn edrych ymlaen gyda chwilfrydedd archus." Dywedodd Thomas Carlyle, "Mae tragwyddoldeb sydd bellach heb fod ymhell i ffwrdd yn ddinas gadarn i mi. Rwyf yn edrych yn eiddgar arni o bryd i'w gilydd. Mae pob ofn yn diflannu." Mor wahanol yw'r geiriau yma i eiriau'r agnostic a glywais unwaith yn dweud wrth ymyl bedd ei frawd, "Ffarwél, frawd, yma ddiwedd popeth." Dywed y Cristion yn wyneb marwolaeth, "Nid y diwedd yw hwn, ond dyma'r dechrau."

Beth am fynd ymlaen i ddarllen:

Ioan 3:12–21; 5:24; 12:25; Gal. 6:8

Meddyliwch am y cwestiynau hyn:

1. Sut bu i Iesu ddiffinio bywyd tragwyddol?
2. Beth yw'r gwahaniaeth rhwng 'tragwyddol' ac 'am byth'?

Gweddi

Arglwydd Iesu Grist, rwy'n ddiolchgar dy fod ti wedi dwyn bywyd ac anfarwoldeb oleuni. Ynot ti, mae marwolaeth yn gwbl amhosibl ac mae bywyd tragwyddol mor bosibl. Boed pob gogoniant ac anrhydedd i dy enw bendigedig. Amen.

Pob peth

"Crist ynoch chwi, gobaith y gogoniant." *(adn. 27)*

Beth am ddarllen Colosiaid 1:24–29 ac yna myfyrio

Dywedodd un ymgymerwr angladdau wrthyf unwaith fod Cristnogion yn delio gyda marwolaeth mewn ffordd lawer iawn gwell na'r rhai nad ydynt yn Gristnogior. Gofynnais iddo pam ei fod yn tybied hyn? Wedi oedi am ychydig eiliadau, medda "Mae'n debyg oherwydd bod gan Gristnogion obaith tu hwnt i'r bedd." Mae hyn y syml, ond yn wir. Mae'r gair 'gobaith' yn air sydd angen eglurhad oherwydd ei for yn golygu gwahanol bethau i wahanol bobl. Mae rhai pobl yn gweld gobaith fe peth tlawd iawn a rhyw freuddwyd, rhyw obaith gwag. Ond nid felly mae'r Testamer Newydd yn disgrifio'r gair. Mae Paul yn gwneud gobaith yn un o rinweddau penna y bywyd Cristnogol.

Sut mae'r gymhariaeth yma, rhwng y rhai sydd yn ystyried gobaith fe breuddwyd a'r rhai sydd yn ei ystyried fel rhinwedd, yn codi? Nid yw'r ateb y anodd. Mae'r ddau grŵp yn siarad am rywbeth hollol wahanol. Mae yna obait sydd yn obaith, a gobaith sydd yn anobaith. Mae gobaith gwir, ac, mae gobait gwag. Mae yna obaith sydd yn aur, ac mae yna obaith sydd yn wellt. Mae'r hyn mae'r byd yn ei ddisgrifio fel gobaith yn aml yn ddim mwy na optimistiaeth. Wrt gwrs, mae optimistiaeth yn well na phesimistiaeth. Mae'r pesimist yn dweud, "Dwi' meddwl fod yna laeth yn y gwpan yna." Mae'r optimist yn dweud, "Estynnwch llaeth, os gwelwch yn dda."

Mae'r gobaith y mae'r Beibl yn siarad amdano, beth bynnag, yn obaith an fywyd y tu hwnt i'r bedd. Mae hyn yn fwy nag optimistiaeth. Mae wedi ei seilio a ffaith ddigyfnewid atgyfodiad Iesu Grist oddi wrth y meirw. Oherwydd, nid cyhoedd bywyd wedi marwolaeth mae Iesu yn unig, ond ei arddangos. Heb yr arddangosf yma, ni fyddai gan anfarwoldeb gymaint o apêl. Bellach, mae pob apêl yn perthy iddo. Pob peth.

Beth am fynd ymlaen i ddarllen:
1 Cor. 15:1–58; 1 Thes. 4:13–14; Math. 5:4

Meddyliwch am y cwestiynau hyn:
1. Beth sydd yn nodweddiadol o alar y Cristion?
2. Pam fod Paul yn dweud y medrwn sefyll yn gadarn?

Gweddi
Arglwydd Iesu Grist, petaet wedi methu yng ngwyneb angau, yna mi fuaswn innau' methu hefyd, ac yn methu am byth. Ond fe groesaist yr afon yna i fywyd, a chan f mod ynot ti, caf adnabod yr un bywyd. Gan na elli di farw, ni allaf innau ychwaith Haleliwia! Amen.

Tebyg yn dwyn ei debyg

"Ac wrth iddynt ei labyddio, yr oedd Steffan yn galw, 'Arglwydd Iesu, derbyn fy ysbryd.'" (adn. 59)

Beth am ddarllen Actau 7:48–60 ac yna myfyrio

Rhaid i ni dreulio diwrnod arall yn meddwl am y ffordd y mae'r byd yn defnyddio'r gair 'gobaith' a'r modd y mae'r gair yn cael ei ddefnyddio yn yr Eglwys Gristnogol. Mae gan yr arlunydd, G. F. Watts, lun sydd yn dwyn y teitl 'Gobaith'. Mae'r llun yn darlunio gwraig hefo mwgwd yn eistedd ar sffêr, yn dal ei phen mewn un llaw ac yn dal telyn yn y llaw arall. Mae pob un o dannau'r delyn wedi torri ar wahân i un, a does ond un seren yn disgleirio yn yr awyr dywyll. Mae'r rhai sydd yn cael anhawster gyda symbolau yn cael anhawster deall yr ystyr. Mae'n debyg bod dau drempyn oedd wedi dod i mewn i'r galeri ryw ddiwrnod er mwyn dianc rhag yr oerfel wedi edrych i fyny ar y llun, a dywedodd y naill, "Gobaith? Pam y gelwir y llun yma yn 'obaith'?" Atebodd y llall, wrth edrych ar y wraig yn eistedd ar y sffêr, "Mae'n debyg oherwydd ei bod yn gobeithio na fydd yn syrthio."

Dyna sut mae llawer yn dehongli 'gobaith'. Maent yn ei weld fel rhywbeth tlawd a gwag iawn. Ond mae'r gobaith sydd gennym ni fel Cristnogion am fywyd gwell y tu hwnt i farwolaeth wedi ei seilio ar atgyfodiad Iesu Grist. Nid yn unig mae Iesu yn cyhoeddi bywyd ar ôl marwolaeth, ond mae yn arddangos bywyd wedi marwolaeth.

Mae rhai'n mynnu fod y disgyblion wedi dwyn corff Iesu Grist tra oedd y milwyr yn cysgu. A yw'r disgyblion yr ydych yn eu hadnabod ar dudalennau llyfr yr Actau yn eich taro fel pobl fyddai'n cuddio cyfrinach dwyllodrus? A ydynt yn eich taro fel pobl a oedd yn dwyn cyrff? Na. Pobl oedd y rhain oedd yn mynd trwy bob math o filwriaeth a gwrthwynebiad, oedd yn canu mewn carchardai, oedd yn dawnsio wyneb yn wyneb ag angau. Pam? Ar gyfrif twyll? Nid yw'r math yma o dwyll yn cynhyrchu Haleliwia. Nid yw dwyn cyrff yn trawsnewid bywydau.

Beth am fynd ymlaen i ddarllen:
Jer. 17:1–8; Salm 31:24; 33:18; Eff. 1:18–20

Meddyliwch am y cwestiynau hyn:
1. Beth yw canlyniad gobaith?
2. Beth oedd gweddi Paul dros yr Effesiaid?

Gweddi
Arglwydd Iesu Grist, mae dy atgyfodiad di yn rhoi gobaith i mi sydd yn obaith gwirioneddol. Ni allaf ddweud fy mod yn byw yng Nghrist ac yntau yn farw. Rwyf yn fyw yn rhywun sydd yn fyw, ynot ti, Arglwydd. Boed gogoniant i'th enw bendigedig. Amen.

Nid atgof ond sylweddoliad

"... byddwch chwi'n fy ngweld, fy mod yn fyw; a byw fyddwch chwithau hefyd."
(adn. 19)

Beth am ddarllen Ioan 14:15–31 ac yna myfyrio

Efallai mai'r rheswm pennaf pam nad yw Cristnogion yn ofni marwolaeth yn yr un ffordd â'r rhai nad ydynt yn Gristnogion yw eu bod yn adnabod yr Iesu sydd yn fyw. Mae'n testun yn cyhoeddi heddiw, oherwydd ei fod ef yn fyw, byw fyddwn ninnau hefyd.

Mae sôn am ddau ŵr digrefydd yn trafod yr atgyfodiad, gan ddweud wrth ei gilydd pam ei bod yn amhosibl derbyn y gwirionedd. Ar yr eiliad honno, daeth hen ŵr heibio. Roeddent yn adnabod y gŵr yma fel Cristion. Dyma ofyn iddo: "Syr, dywedwch wrthym pam yr ydych yn credu fod Iesu wedi codi o'r meirw?" "Wel," meddai'r hen ddyn, "un rheswm yw fy mod yn siarad gydag ef ychydig funudau yn ôl."

Mae'r rhai sydd wedi ildio i Iesu Grist yn ei adnabod fel un sydd yn fyw, oherwydd ei fod yn byw ynddynt. Mae'r hyn sydd yn wir yn hanesyddol wedi dod yn wir yn brofiadol. Mae'r ffaith fod Iesu Grist yn fyw yn wirionedd sydd yn cael ei gadarnhau ym mhrofiadau Cristnogion o ddydd i ddydd. Mae'n siŵr y bydd rhai yn anghytuno gyda hyn, ond nid y rhai sydd yn adnabod Crist fel Arglwydd a Gwaredwr. Ym mhob cenhedlaeth, ym mhob gwlad, ymhob diwylliant, mae gwŷr a gwragedd sydd wedi derbyn Iesu'n profi'r un peth, yr adnabyddiaeth fod Crist yn fyw, yn prynu, yn dwyn llawenydd, yn dwyn cariad, yn rhoi sicrwydd o nefoedd. Nid yn unig ei gofio a wna'r rhai sydd yn ei garu. Yr ydym yn ei adnabod, ac yn adnabod ei bresenoldeb ynom. Mae'r nefoedd yn realiti i ni oherwydd ein bod eisoes wedi profi rhywfaint o'r nefoedd yma. Mae'r bywyd y tu hwnt i'r bedd yn ddeniadol yn ein golwg, oherwydd yr ydym wedi cael blas arno eisoes.

Gofynnodd merch i'w thad unwaith yn yr Alban a fyddai'n hoffi iddi ddarllen y Beibl iddo, gan ei fod yn gorwedd ar ei wely angau. "Na, fy merch," meddai'r tad, "rwyf wedi rhoi to ar y tŷ cyn i'r storm yma gyrraedd."

Beth am fynd ymlaen i ddarllen:
Gal. 2:1–20; Eff. 3:17–18; 1 Ioan 3:24

Meddyliwch am y cwestiynau hyn:
1. Sut y disgrifiodd Paul ei fywyd?
2. Sut, yn ôl Ioan, yr ydym yn gwybod fod Duw yn fyw?

Gweddi
O Dad, mae adnabod dy Fab wedi rhoi rhagflas i mi o'r nefoedd, ac rwyf yn sicr y bydd yr hyn sydd yn fy aros yn well nag unrhyw beth y medraf ei ddychmygu yn fy mywyd yn awr. Mae'r blas yn felys, ni allaf ddisgwyl am y wledd. Amen.

Gwaith angau

"Er imi gerdded trwy ddyffryn tywyll du, nid ofnaf unrhyw niwed, oherwydd yr wyt ti gyda mi." (adn. 4)

Beth am ddarllen Salm 23:1–6 ac yna myfyrio

Prun ai a ydym yn Gristnogion ai peidio, mae rhywbeth o'n mewn sydd yn ceisio cuddio oddi wrth realiti angau. Mae llawer o Gristnogion wedi dweud wrthyf, "Nid wyf yn ofni marwolaeth, ond rwyf yn poeni am y ffordd y byddaf yn gorfod marw. A fyddaf mewn poen? A fydd marwolaeth yn hir? A fyddaf yn faich ar y rhai sydd yn fy ngharu?" Mae'r cwestiynau yma yn rhai naturiol, ac ni ddylid eu hanwybyddu. Beth bynnag fydd amgylchiadau marwolaeth, rhaid i ni beidio anghofio y bydd Crist gyda ni i'r diwedd. Ond yr hyn sydd raid i ni ei gofio uwchlaw popeth yw nad oes gan farwolaeth ond un gwaith – ein tywys i mewn i bresenoldeb ein Tad nefol, ac i roi i ni gartref parhaus yng nghwmni'r rhai sydd wedi eu prynu.

Mae gennyf gyfaill o bregethwr sydd yn dweud iddo, pan oedd yn blentyn, fynd ar goll mewn dinas fawr. Cyn gynted ag y sylweddolodd ei fod ar goll, fe ddechreuodd ei ddagrau lifo cyn i blismon caredig ddod ato a chymryd ei law a'i arwain i swyddfa'r heddlu. Yno, fe fu raid iddo aros am ychydig oriau cyn i'w dad ddod i'w nôl. Pan ddaeth un o'r heddweision i'w arwain yn ôl at ei dad, ni wyddai i ble yr oedd yn mynd, ac roedd y dagrau yn llifo unwaith eto. Ond, mewn ystafell ar ben draw coridor tywyll, fe welodd ei dad ac fe sychodd ei ddagrau. Gafaelodd ynddo, gan ryfeddu at yr ofn a brofodd ynghynt.

Ni fydd yn wahanol iawn i hyn ar adeg ein marwolaeth ni. Bu i Iesu sôn am 'dŷ fy Nhad' (Ioan 14:2). Gyda'n golwg ar dŷ ein Tad, gadewch i ni weithio tra pery gwaith y dydd.

Beth am fynd ymlaen i ddarllen:
2 Cor. 5:1–10; 1 Ioan 3: 1–3; 1 Cor. 13:12

Meddyliwch am y cwestiynau hyn:
1. Sut mae Paul yn disgrifio hyn?
2. Beth, yn ôl Ioan, yw'r hyn yr ydym yn ei wybod?

Gweddi
O Dad, mae'n gysur mawr i wybod mai gwaith angau yw fy arwain atat ti. Tawela fy ofnau, fy ofnau ynglŷn â natur fy marwolaeth, a gad i mi feddiannu'r ffaith na fydd i ti byth fy ngadael yn amddifad. Yn enw Iesu Grist. Amen.

Yr ysgariad mawr

"... llydan yw'r porth ac eang yw'r ffordd sy'n arwain i ddistryw." (adn. 13)

Beth am ddarllen Mathew 7:1–13 ac yna myfyrio

Nid oes yr un ystyriaeth o'r nefoedd yn gyflawn heb i ni ystyried realiti uffern. At hyn yr ydym yn awr am droi. Nid yw uffern yn destun melys i'w ystyried, yn arbennig mewn llyfr fel hwn. Ond rhaid i ni roi sylw iddo, beth bynnag. Mae'r athrawiaeth am uffern yn rhywbeth y mae Cristnogion cyfoes yn amharod i siarad amdano. Mae rhai hyd yn oed am ei daflu o'r neilltu yn gyfan gwbl. Beth bynnag yw'r ffordd yr ystyrir y mater yma, mae'r gredo mewn uffern yn gwbl Feiblaidd. Mae Iesu ei hunan yn siarad am uffern yn fynych.

Dwy ganrif yn ôl, ysgrifennodd William Blake lyfr gyda'r testun 'Priodas Nefoedd ac Uffern' (*The Marriage of Heaven and Hell*) ac, yn y llyfr yma, mae'n ceisio dadlau nad yw realiti byth yn cyflwyno 'naill ai... neu' i ni, ac mewn amser, bydd pob drwg yn cael ei droi yn dda, heb yr angenrheidrwydd am wrthodiad tragwyddol. Mae'r safbwynt yma yn boblogaidd iawn ac yn un sydd yn cael ei gadarnhau mewn nifer o gylegau diwinyddol rhyddfrydol y dyddiau hyn. Mewn ymateb i'r llyfr, 'Priodas Nefoedd ac Uffern', ysgrifennodd C. S. Lewis gyfrol fechan, 'Yr Ysgariad Mawr' (*The Great Divorce*). Yn y llyfr yma, mae C. S. Lewis yn dadlau mai nid ffyrdd cylchynol sydd yn arwain yn y diwedd i'r canol yw pob ffordd. Yn hytrach, fel y dywed yr Arglwydd wrthym yn y testun heddiw, mae'r ffyrdd yn arwain i gyfeiriadau cwbl wahanol – i'r nefoedd ac i uffern. Ond nid yw bod ar y ffordd anghywir, y ffordd lydan yma, yn golygu yn naturiol y byddwn yn mynd i uffern. Fe allwn benderfynu i droi oddi ar y ffordd yma a chymryd y ffordd arall, y ffordd gul, y ffordd sydd yn arwain i fywyd ac i'r nefoedd.

Beth am fynd ymlaen i ddarllen:
Math. 22:1–14; 8:5–12; 25:46

Meddyliwch am y cwestiynau hyn:
1. Beth mae Iesu yn ei ddysgu yn y ddameg yma?
2. Sut mae Iesu'n disgrifio uffern?

Gweddi
O Dad, arwain fy meddwl wrth i mi ystyried y testun anodd yma. Rwyf am wybod y gwirionedd, er bod y gwirionedd yma yn anodd i'w dderbyn. Cynorthwya fi i ddod i'r casgliadau cywir, casgliadau Beiblaidd. Yn enw Iesu Grist. Amen.

Gwaith Duw yn achub

"Myfi yw'r drws; os daw rhywun i mewn trwof fi, caiff ei gadw'n ddiogel."
(adn. 9)

Beth am ddarllen Ioan 10:1–18 ac yna myfyrio

Yn ein hastudiaeth ddoe, bu i ni nodi fod un, er ar y ffordd lydan sydd yn arwain i ddistryw, yn medru troi oddi ar y ffordd honno ac adnabod bywyd Iesu Grist. Gallwn ddewis y ffordd gyfyng, y ffordd sydd yn arwain i'r bywyd ac i'r nefoedd. Mae'r gwaith mawr o achub a gyflawnodd Duw yn Iesu Grist wrth ei ddanfon i'r byd yn ein galluogi i symud o un ffordd i'r llall.

Mae'r syniad y bydd pob drygioni yn cael ei drechu i'r fath raddau fel y bydd yna briodas rhwng nefoedd ac uffern yn nonsens ac yn beryglus iawn. Dyma eiriau C. S. Lewis: "Mae daioni, wrth iddo flodeuo, yn gynyddol yn dod yn fwy gwahanol, nid yn unig i ddrygioni, ond i ddaioni arall. Fe ellir cywiro unrhyw waith mathemateg ond er mwyn gwneud hynny, mae'n rhaid mynd yn eich ôl nes darganfod y camgymeriad ac yna cychwyn o'r fan honno. Ni ellir cywiro wrth gadw i fynd ymlaen." Mae'r rhai hynny sydd yn credu y gall uffern gael ei buro nes, ryw ddydd, y bydd yn ymbriodi â'r nefoedd, o bryd i'w gilydd yn seilio eu rhesymeg ar eiriau Paul yn Rhufeiniaid 8:28 lle mae'n siarad am bob peth yn cydweithio er daioni. Ond nid cyfeirio at uffern y mae Paul yn y geiriau yma. Mae'n siarad yn hytrach am fywyd ar y ddaear yma. Ymhellach, mae'n disgrifio'r cyfnewidiad o ddrygioni i ddaioni fel cyfnewidiad sydd yn digwydd ym mywyd y rhai sydd yn ei garu ef, y rhai sydd wedi eu galw yn ôl ei fwriad.

Dim ond gwaith achubol Duw yn Iesu Grist ar y groes sydd yn abl i'n gwared ni rhag uffern. Oherwydd hyn, nid oes neb yn mynd i uffern oherwydd eu bod yn ddrwg yn unig, ac nid oes neb yn mynd i'r nefoedd ychwaith oherwydd eu bod yn dda. Maent yn mynd i'r naill neu'r llall ar sail eu perthynas â'r Arglwydd Iesu Grist.

Beth am fynd ymlaen i ddarllen:
Ioan 11:25; Heb. 10:19–22; 1 Tim. 2:5

Meddyliwch am y cwestiynau hyn:
1. Beth ddywedodd Iesu wrth Martha?
2. Beth yw ystyr y gair 'cyfryngwr'?

Gweddi
O Dad, sut y medraf ddiolch i ti? Rwyt wedi rhoi dy Fab dy hun i selio fy iachawdwriaeth. Ni allaf ddychmygu bellach beth fyddai fy niwedd ar wahân i'm perthynas â Iesu. Nid oes terfynau i'm diolchgarwch. Diolch, Arglwydd Iesu. Amen.

349

"Naill ai... neu"

"Ac os yw dy law dde yn achos cwymp iti, tor hi ymaith." (adn. 30)

Beth am ddarllen Mathew 5:21–30 ac yna myfyrio

Mae angen bod yn glir ynglŷn ag un peth. Does ond dwy dynged yn disgwyl dyn. Enw'r naill yw y nefoedd, y llall uffern. Yn yr adran heddiw, mae'r Arglwydd yn cyflwyno sialens ddifrifol i ni. Mae'n egluro fod uffern yn 'naill ai... neu'. Naill ai yr ydym yn rhoi heibio ein ffordd bechadurus o fyw, neu yr ydym yn wynebu uffern. Mae'r geiriau yma yn eiriau difrifol iawn, a pheth gwirion fuasai eu hanwybyddu. Os ydym yn mynnu dal gafael yn ein ffyrdd pechadurus, yna ni welwn y nefoedd. Os ydym am feddiannu'r nefoedd, rhaid penderfynu i ollwng gafael ar rai pethau.

Yr ydym yn defnyddio ein llygaid i weld y pethau sydd yn agosáu atom ac yna gallwn eu meddiannu. Felly, rhaid i ni yn ysbrydol fod ar wyliadwriaeth, oherwydd mae gweld yn creu chwant. Mae chwant yn creu emosiwn, ac yn y frwydr rhwng yr ewyllys a'r emosiwn, mae emosiwn bron bob amser yn ennill. Y llaw yw'r aelod sydd yn cymryd gafael, yr aelod sydd yn meddiannu yr hyn yr ydym ei eisiau. Peidiwch byth â meddiannu dim heb sylweddoli y gall pob peth eich meddiannu chi.

Yr hyn y mae Iesu yn ei ddweud yn yr adran yma yw hyn: rhaid i ni wrth ysbryd disgybledig sydd yn gwrthod y pethau hynny y mae'r nefoedd yn eu gwrthod. Rhaid bod yn bendant os ydym o ddifrif am y nefoedd, oherwydd, fel y dywedais eisoes, mae'n bywyd wedi marwolaeth yn dibynnu i raddau ar yr hyn yr ydym yn ei geisio yn y byd yma. Tybiaf ei bod yn wir i ddweud na fydd neb yn y nefoedd yn edifar am unrhyw beth y bydd iddynt ei adael yn y byd yma, pa mor eithafol bynnag y bu'r gadael hynny. Mi fydd trysor y nefoedd bob amser yn rhagori ar unrhyw drysor oedd gan y byd i'w gynnig.

Beth am fynd ymlaen i ddarllen:
Dat. 20:10; 20:15; 2:6–27; 1 Cor. 6:9–10

Meddyliwch am y cwestiynau hyn:
1. Sut y disgrifir uffern yn Datguddiad?
2. A beth y cymherir hyn?

Gweddi
O Dad cariadlon a grasol, mae dy eiriau yn torri i mewn i'm calon fel cleddyf. Eto, yr wyf yn gwybod eu bod yn wir. Cynorthwya fi i dorri i ffwrdd o'm bywyd y pethau hynny nad ydynt yn perthyn i ti. Yn enw Iesu Grist rwy'n gofyn hyn. Amen.

Rhaid ildio

"Dysg i mi wneud dy ewyllys, oherwydd ti yw fy Nuw." (adn. 10)

Beth am ddarllen Salm 143:1–12 ac yna myfyrio

Un o'r pethau tristaf a welir mewn cylchoedd Cristnogol y diwrnodau hyn yw'r symud oddi wrth y gredo draddodiadol mewn uffern. Mae yna nifer o Gristnogion rhyddfrydig eu meddwl yn mabwysiadu cyffredinoliaeth – y syniad y bydd pawb yn y diwedd yn cael eu hachub ac yn cyrraedd y nefoedd. Oi gymharu â hyn, mae nifer o Gristnogion efengylaidd yn mabwysiadu'r theori ynglŷn â darfodiad llwyr popeth – y gredo mai ond Cristnogion fydd yn byw am byth, oherwydd fe fydd yr annuwiol yn cael eu difa yn llwyr.

Fe all fod yna rai dadleuon o blaid y syniad yma, er nad wyf yn eu credu yn bersonol. Ond nid oes dadl o gwbl dros gyffredinoliaeth – y syniad y bydd pawb yn y diwedd yn cyrraedd y nefoedd. Nid yw'r theori yma yn rhoi ystyriaeth o gwbl i rym yr ewyllys ddynol. Pan fu i Dduw roi ewyllys i ni, gwnaeth hynny gan wybod y byddem yn defnyddio grym ein hewyllys i'w wrthwynebu. Eto, mae'n rhoi'r ewyllys yma i ni. Mae'n llawenydd fel unigolion yn gorwedd yn unig yn y ffaith ein bod yn ildio'r ewyllys yna i'r Creawdwr. Ond y mae'n rhaid i ni ildio, neu bydd Duw yn ein gorfodi.

Fe fyddai'n braf i weinidogaethu yn y cyd-destun bod pawb yn y diwedd yn mynd i gael eu hachub. Er hynny, rhaid i mi gytuno gyda C. S. Lewis a ysgrifennodd fel hyn: "Pan fo pobl yn dweud wrthyf fod pawb yn mynd i fod yn gadwedig, mae fy rheswm yn dweud, gyda'u hewyllys neu heb eu hewyllys. Os dywedaf heb eu hewyllys, rwy'n gweld anhawster. Sut gall y gwaith yma o ildio'r ewyllys fod yn rhywbeth yr ydym yn ei wneud yn anfoddog. Os dywedaf gyda'u hewyllys, mae fy rheswm yn ateb, sut, os nad ydynt yn barod i ildio?

Beth am fynd ymlaen i ddarllen:
Josua 24:11–15; Deut. 30:19; 1 Bren. 18:21

Meddyliwch am y cwestiynau hyn:
1. Beth oedd cynnig Josua i'r bobl?
2. Beth oedd ei ymateb ef ei hun?

Gweddi
O Dad trugarog a grasol, diolch fod ffynnon fy llawenydd yn gorffwys yn y gallu a roddaist i mi i ildio fy ewyllys ti. Diolch, wrth roi'r gallu, dy fod ti hefyd wedi meddiannu fy ewyllys. Yr wyf yn diolch i ti yn dragwyddol. Amen.

All y nefoedd fod yn uffern?

"Oddi allan y mae'r cŵn, y dewiniaid, y puteinwyr, y llofruddion, yr eilunaddolwyr, a phawb sy'n caru celwydd ac yn ei wneud." (adn. 15)

Beth am ddarllen Datguddiad 22: 12–21ac yna myfyrio

Heddiw, yr ydym am barhau i fyfyrio ar y gwirionedd mai'r unig ffordd i osgoi uffern ac i gyrraedd y nefoedd yw trwy ildio ein hewyllys, ildio ein henaid i ddwylo trugarog Iesu Grist. Ond beth os ydym yn anfodlon i ildio? Beth yw tynged yr unigolyn hwnnw?

Yr wyf am ddweud ychydig am hanes gŵr arbennig, y gŵr mwyaf calon-galed a adnabyddais erioed. Er ei fod yn ŵr gweddol gyfoethog, yr oedd yn trin ei wraig fel darn o faw. Roedd yn fwli yn ei berthynas â'i blant. Roedd yn defnyddio'r iaith fwyaf anweddus gyda phawb ac yn gwawdio'r syniad o Dduw. "Os yw Duw yn bodoli," meddai, "yna, nid yw'n ddim gwahanol i ni. Nid yw'n poeni dim am y bydysawd, a dwi ddim chwaith." Bu farw, mor belled ag y gwyddom, heb edifarhau. Ychydig oriau cyn ei farwolaeth, fe'i clywyd yn dweud: "Os oes yna uffern, yna dyna'r lle yr wyf am fynd. Ni allwn ddychmygu bod gyda'r bobl dda yma."

Nawr, rhaid bod yn ofalus nad ydym yn dweud nad yw dyn fel hwn yn haeddu'r nefoedd a'i fod yn haeddu uffern, oherwydd nid yw hyn yn agwedd meddwl Gristnogol. Nid yw ewyllysio colledigaeth dragwyddol rhywun yn ddim mwy na phechod. Ond os nad yw dyn neu wraig yn barod i blygu glin i Iesu, pa dynged sydd yn eu disgwyl? Eu rhoi yn y nefoedd gyda'r rhai sydd wedi derbyn maddeuant ac wedi eu hachub, a'u gadael yno yn chwerthin yn braf oherwydd eu bod wedi twyllo pawb a phopeth? Mae'r fath syniad yn nonsens. Yr unig dynged sydd yn aros y rhai sydd yn mynnu gwrthod Iesu Grist yw uffern. Mi fuasai eu rhoi yn y nefoedd yn gwneud y nefoedd yn uffern. Nid wyf yn dweud hyn mewn unrhyw ffordd goeglyd, ond ymdrech sydd yma i gyfleu'r ffeithiau fel y maent yn yr Ysgrythur.

Beth am fynd ymlaen i ddarllen:
Math. 13:24–30; 13:49; 25:31–46

Meddyliwch am y cwestiynau hyn:
1. Beth, yn ôl Iesu, yw'r hyn sydd yn gwahaniaethu?
2. Sut mae'n darlunio hyn?

Gweddi
O Dad, rwy'n diolch i ti fod dy iachawdwriaeth, nid yn unig yn fy mharatoi ar gyfer y nefoedd, ond yn fy mharatoi i fwynhau'r nefoedd. Am hyn rwy'n diolch. Amen.

Gwrthwynebiadau i uffern

"Nid yw'r Arglwydd yn oedi cyflawni ei addewid; bod yn amyneddgar wrthych y mae, am nad yw'n ewyllysio i neb gael ei ddinistrio, ond i bawb ddod i edifeirwch." (adn. 9)

Beth am ddarllen 2 Pedr 3:1–18 ac yna myfyrio

Beth yw'r prif wrthwynebiad i'r syniad o uffern? Mae llawer gwrthwynebiad. Nid dyma'r lle i'w hystyried i gyd. Ond rwyf am ganolbwyntio ar yr un sydd yn cael ei ailadrodd yn fynych. "Mae uffern yn anghyson â chymeriad Duw." Efallai eich bod wedi clywed dadleuon tebyg. O bryd i'w gilydd, fe gyflwynir y ddadl fel hyn: "Mae Duw yn rhy dda i anfon pobl i uffern." Neu: "Mae'r Hollalluog yn Dad sydd yn maddau; felly, onid yw'n rhesymol i feddwl y bydd pawb yn y diwedd yn cael maddeuant?"

Beth am gymryd fersiwn gyntaf y ddadl yma: "Mae Duw yn rhy dda i anfon pobl i uffern." Onid y gwir yw nad yw Duw yn danfon neb i uffern. Maent yn mynd yno o ganlyniad i'w hewyllys eu hunain. Maent yn gwrthod y cynnig o drugaredd ac o ras sydd yn Iesu Grist. Beth am yr ail ddadl? Onid yw'r ffaith fod Duw yn Dad cariadlon yn golygu y bydd pawb yn y diwedd yn cael maddeuant? Fe seilir y ddadl yma ar gamddealltwriaeth o beth yw maddeuant. Pan fyddwch yn penderfynu i edrych heibio i ryw bechod, yr ydych yn esgusodi'r pechod yna. Rhaid i faddeuant gael ei dderbyn er mwyn i'r maddeuant fod yn gyflawn. Mae person sydd yn gwrthod cydnabod unrhyw euogrwydd hefyd yn gwrthod unrhyw faddeuant. Caniatewch i mi ddyfynnu C. S. Lewis eto: "Mae'r rhai gaiff eu melltithio mewn un ystyr yn wrthryfelwyr llwyddiannus i'r diwedd. Mae drysau uffern yn cael eu cloi o'r tu mewn. Nid nad wyf yn credu y bydd y rhain yn dymuno dod allan o uffern, ond yn sicr nid ydynt yn ewyllysio hynny. Maent yn mwynhau am byth y rhyddid ofnadwy y maent wedi ei fynnu, ac o ganlyniad mae eu caethiwed yn rhywbeth y maent yn ei ddwyn arnynt eu hunain.

Beth am fynd ymlaen i ddarllen:
Math. 10:24–31; 18:1–9; 23:15

Meddyliwch am y cwestiynau hyn:
1. Beth oedd geiriau difrifol Iesu Grist i'w ddisgyblion?
2. Beth oedd ei eiriau i'r Phariseaid?

Gweddi
Arglwydd, rwyf mor ddiolchgar dy fod wedi fy ngalluogi i ildio fy ewyllys i ti, ac i feddiannu yn fy nwylo gwag i dy faddeuant cyfoethog di. Mae hyn wedi setlo fy mherthynas â thi, nid yn unig am nawr, ond am dragwyddoldeb. Diolch O Dad. Amen.

Codi dwrn

"Oherwydd ef yw ein heddwch ni wedi chwalu trwy ei gnawd ei hun y canolfur o elyniaeth oedd yn eu gwahanu." (adn. 14)

Beth am ddarllen Effesiaid 2:11–22 ac yna myfyrio

Yr ateb terfynol i'r rhai hynny sydd yn gwrthod yr athrawiaeth am uffern yw hyn. Mae Duw wedi gwneud pob peth er mwyn achub pobl rhag uffern, a'r unig rai a fydd yn debygol o fynd yno yw'r rhai sydd yn dewis mynd yno. Does dim diben dweud y dylai Duw faddau eu pechodau a rhoi cychwyn newydd iddynt. Mae eisoes wedi gwneud hynny ar Galfaria. Sut y gall Duw faddau i'r rhai nad ydynt yn dymuno maddeuant?

Petaem ni yn gweld y natur ddynol fel y mae Duw yn ei weld, fe fyddem yn darganfod rhywbeth fyddai'n ein synnu. Mae'n debyg mai gweld yr hyn a welodd y diwinydd, Henri Nouwen, y byddem, sef dyn yn codi ei ddwrn. Mae'n testun heddiw yn sôn fod yna ganolfur o wahaniaeth rhwng pobloedd ac mai'r canolfur yma yw ein gelyniaeth. Mae felly rhyngom ni â Duw. Mae'r geiriadur yn diffinio'r gair 'gelyniaeth' fel 'stad o ryfel'. Fe'n ganwyd â natur sydd, nid yn unig, heb ddiddordeb yn Nuw, ond, yn hytrach, sy'n casáu Duw. Mae hyn yn wir, hyd yn oed, am y gorau o bobl. Mae yna agwedd meddwl sydd yn codi dwrn yng ngwyneb Duw. Mae yna rai, beth bynnag a ddigwydd, na fyddant byth yn ildio i'w Creawdwr. Gwell gan y rhain elyniaeth i ildio, rhyfel yn hytrach na heddwch. Beth ddylid ei wneud â'r fath bobl? Onid y gwir yw y dylent gael eu gadael ar eu pen eu hunain? Dyna yw uffern. Dywedodd yr awdures, Dorothy Sayers, fod uffern yn fwynhad o'ch ffordd eich hun am byth.

Mae geiriau C. S. Lewis yn llawer mwy grymus. Mae'n sôn fod yna ddau ddosbarth o bobl yn y bydysawd: "Y rhai hynny sydd yn dweud wrth Dduw 'Dy ewyllys di a wneler' – y saint, a'r rhai hynny mae Duw yn dweud wrthyn nhw, 'Dy ewyllys di a wneler' – y pechaduriaid." Ym mha ddosbarth ydych chi heddiw?

Beth am fynd ymlaen i ddarllen:
Rhuf. 5:2; Ioan 7:7; Heb. 10:1–20

Meddyliwch am y cwestiynau hyn:
1. Sut y disgrifiodd Iesu ei hun?
2. Ym mha dermau y mae'r awdur at yr Hebreaid yn gosod hyn?

Gweddi
O Dad, nid wyf am sefyll o dy flaen gyda dwrn wedi ei gau, ond, yn hytrach, gyda dwylo a chalon agored. Rwy'n ildio i dy bwrpas di. Dy ewyllys di yw fy ewyllys i. Dy bwrpas, fy mhwrpas. Boed iddi fod felly trwy gydol fy mywyd. Er mwyn dy enw. Amen.

Dinasyddion gwlad newydd

"Oherwydd yn y nefoedd y mae ein dinasyddiaeth ni." *(adn. 20)*

Beth am ddarllen Philipiaid 3:12–21 ac yna myfyrio

Yn awr yr ydym am symud ymlaen i fyfyrio ar agwedd ddiddorol iawn o'n thema. Y ffaith, yn ôl yr apostol yn ein testun heddiw, yw ein bod yn ddinasyddion y nefoedd. Beth a olyga bod yn ddinesydd y nefoedd? Beth am edrych ar gyd–destun yr adnod am eiliad?

Mae'r apostol wedi bod yn sôn am y rhai sydd â'u meddyliau ar bethau daearol. Y rhain yw gelynion croes Crist yn adnod 18. Mae'r gwir Gristionogion, yn ôl Paul, yn edrych at y pethau sydd yn dragwyddol ac mae eu bryd ar bethau nefol.

Roedd Philipi fel dinas yn ddinas Rufeinig, ac ar gyfrif hyn roedd ei phobl yn mwynhau breintiau ei stad. Ond mae Paul am i'r darllenwyr yma ddeall fod ganddynt ddinasyddiaeth uwch na hyn. Roeddent yn ddinasyddion y nefoedd. Mae bod yn ddinesydd y nefoedd yn golygu ein bod trwy ein bywyd yma ar y ddaear yn ufuddhau i gyfraith y wladwriaeth, yn talu ein trethi, yn ymddwyn yn anrhydeddus ac yn onest ym mhob amgylchiad. Ond mae ein gwir gariad mewn lle arall. Gorchmynion y nefoedd sydd uchaf yn ein bywyd ni, a meddwl brenin y nefoedd yw'r meddwl yr ydym ni am ei adnabod.

Mae'r byd yr ydym yn byw ynddo yn gadael ei ôl ar bob un ohonom. Mae ei farnau yn effeithio arnom ni. Nid yw ei amgylchiadau yn ein cynorthwyo yn ein pererindod ysbrydol, ac mae ei bwysau arnom mewn mil o ffyrdd. Hawdd iawn, heb ddeall, yw cydymffurfio â'r byd. Mae Paul yn rhybuddio rhag hyn yn Rhufeiniaid 12:2. Fe ddylem fod yn ddinasyddion ffyddlon yn y wlad lle rydym yn byw, ond mae'n ffyddlondeb i'n gwlad yn eilradd, oherwydd yn gyntaf yr ydym am fod yn ffyddlon i'n dinasyddiaeth yn y nefoedd.

Beth am fynd ymlaen i ddarllen:
Luc 22:24–30; 1 Pedr 1:4; Dat. 21:27

Meddyliwch am y cwestiynau hyn:
1. Beth a ddarluniodd Iesu i'w ddisgyblion?
2. Beth yw cofrestr dinasyddion y nefoedd?

Gweddi
O Dad, mae'n gyffrous i ystyried fy mod, er yn ddinesydd mewn gwlad, mewn cymuned, eto, yn sylweddoli mai yn y nefoedd mae fy ninasyddiaeth dragwyddol. Bydded i gyfreithiau'r nefoedd lwyddo ym mhob peth y byddaf yn ei wneud. Gofynnaf hyn yn enw Iesu Grist. Amen.

355

Llysgenhadon

"Felly cenhadon dros Crist ydym ni."

Beth am ddarllen 2 Corinthiaid 5:11–21 ac yna myfyrio

Yr ydym am barhau i feddwl am yr hyn sydd yn oblygedig mewn bod yn ddinesydd y nefoedd. Mae pob dinesydd i fod yn llysgennad. Felly, llysgenhadon Crist ydym. Llysgenhadon? Cynrychiolwyr personol ein brenin nefol. Mae ffyddlondeb llysgennad yn gyntaf i'w wlad ei hun ac i bennaeth ei wladwriaeth. Er enghraifft, mae llysgennad yr Unol Daleithiau ym Mhrydain yn byw yn Llundain, ond mae'n ddinesydd yr Unol Daleithiau, ac mae ei gariad a'i ffyddlondeb i'w gartref.

Mae'n fraint aruchel i fod yn llysgennad, ond mae yna beryglon hefyd ynglŷn â'r swydd. Yn ôl yr Arglwydd Templewood yn ei lyfr *Ambassador on a Special Mission*, un o'r peryglon y mae llysgennad yn ei wynebu yw aros yn rhy hir yn y wlad lle y'i danfonwyd. Hynny yw, os nad yw'n ymweld yn gyson â'i wlad ei hun, yn anadlu awyr ei wlad ei hun, yn ei ailatgoffa ei hunan o draddodiad a diwylliant ei wlad, os nad yw yn ymwybodol o'r cyfan sydd yn mynd ymlaen yn ei wlad, yn fuan iawn mae'n anghofio. Rhaid iddo ddychwelyd adref yn aml. Rhaid iddo gael ei atgyfnerthu trwy berthynas iach â'i dir genedigol er mwyn diogelu ei berthynas.

Sut y medrwn ni sydd yn ddinasyddion y nefoedd ein diogelu ein hunain rhag colli ein dinasyddiaeth? Sut y gallwn osgoi'r posibilrwydd yma? Rhaid i ni hefyd anadlu o awyrgylch y nefoedd drwy siarad yn aml â Duw mewn gweddi, aros yn hir uwchben yr Ysgrythurau, a gosod ein calon ar y pethau sydd uchod lle mae Crist yn eistedd ar ddeheulaw Duw (Colosiaid 3:1). Rhaid anadlu mor aml ag sydd bosibl o awyr iach y nefoedd.

Beth am fynd ymlaen i ddarllen:
Eff. 6:10–20; Col. 3:1–4; 1 Cor. 7: 31; 2 Tim. 2:4

Meddyliwch am y cwestiynau hyn:
1. Sut mae Paul yn disgrifio ei hunan?
2. Pa ddarlun mae Paul yn ei gyflwyno i Timotheus?

Gweddi
Arglwydd grasol, cynorthwya fi i gadw fy ngolwg ar y nefoedd. Cynorthwya fi i ddal cysylltiad agos â'r nefoedd drwy fy ngweddïau, drwy fy myfyrdod. Cynorthwya fi i anadlu o'r awyr iach sydd yno yn dy gwmni di. Yn enw Iesu. Amen.

Gwyliwch y perygl!

"Paul, apostol Crist Iesu trwy ewyllys Duw." (adn. 1)

Beth am ddarllen 2 Corinthiaid 1:1–11 ac yna myfyrio

Gadewch i ni ein hatgoffa ein hunain o sut y gall llysgennad ei gael ei hun mewn trafferthion. Pan fo'n cyrraedd y wlad lle'i danfonwyd, mae'n gweld popeth o bersbectif ei wlad ei hunan. Ond, yn araf ac yn ddiarwybod, mae'n dechrau meddwl ynddo'i hun fod yna ffyrdd gwahanol o edrych ar bethau. Wrth iddo fyw yn y wlad ddieithr, wrth iddo wrando ar safbwyntiau gwahanol, ac os yw, ar yr un pryd, yn methu â dal cysylltiad gyda'i wlad enedigol, mae'n syrthio i'r perygl o golli ei ddinasyddiaeth.

Dywedodd un hen ŵr wrthyf yn fuan wedi fy nhröedigaeth: "Cyfrinach llwyddiant yn y bywyd Cristnogol yw sylweddoli eich bod yn perthyn i genedl newydd. Rwyt yn Gymro o ran genedigaeth naturiol, ond, oherwydd dy fod wedi dy eni o'r newydd, rwyt bellach yn ddinesydd y nefoedd. Os bydd i reolau'r nefoedd ddod i wrthdaro â rheolau'r ddaear, cofia mai rheolau'r nefoedd sydd i gael y flaenoriaeth. A chofia eto," meddai, "mai cyfrinach dy lwyddiant yw gweddi. Gwylia dros dy amser tawel gyda Duw, bob dydd. Mae'n bwysig dy fod yn siarad ag ef, yn gwrando arno, ac yn cyfrif fel perygl bopeth sydd am dorri dy gysylltiad ag ef." Mae'r geiriau "Cyfrif fel perygl bopeth sydd am dorri dy gysylltiad ag ef" yn dal i atseinio yn fy atgof ysbrydol. Does yr un ffordd i'r llysgennad Cristnogol ddiogelu ei wir ddinasyddiaeth yn y byd dieithr yma heb iddo yn gyson, yn ddyddiol gobeithio, weddïo a myfyrio ar yr Ysgrythur. Rhaid dychwelyd mor fuan ag sydd bosibl i wlad dy ddinasyddiaeth di.

Beth am fynd ymlaen i ddarllen:
Luc 18:1–8; 1 Cron. 16:11; Math. 26:41; 1 Thes. 5:17

Meddyliwch am y cwestiynau hyn:
1. Beth mae Iesu'n ceisio ei ddwyn allan o'r ddameg hon?
2. Beth oedd anogaeth Paul i'r Thesaloniaid?

Gweddi
Arglwydd, diogela fi rhag cael fy niweidio oherwydd nad wyf yn dal cysylltiad gyda'r nefoedd. Cadw fi'n effro i'r angen i dreulio amser yn dy gwmni di. Cadw fi'n effro i'r angen i dreulio amser yn gyson, nid nawr ac yn y man. Er mwyn Iesu Grist. Amen.

Cefais fy ngeni iddi

"Ond dywedodd Paul, 'Cefais i fy ngeni iddi.'" (adn. 28)

Beth am ddarllen Actau 22:22–29 ac yna myfyrio

Cawn yr apostol Paul yn cyfeirio at y ffaith ei fod yn ddinesydd Rhufeinig ar fwy nag un achlysur yn llyfr yr Actau. Mae'r achlysur sydd o'n blaen heddiw yn un esiampl. Cafodd yr apostol ei ddwyn i'r ddalfa yn Jerwsalem (gweler Actau 21:27–36) ac yntau, yn anfwriadol, wedi tarfu ar heddwch y ddinas. Ond fe brofodd ei fod yn un o'r carcharorion mwyaf rhyfedd yr oedd y pen-capten erioed wedi ei arestio.

Yn gyntaf, synnodd Paul ef drwy siarad yn yr iaith Roeg. Roedd y pen-capten yn tybied mai Eifftiwr oedd Paul ac felly mae'n dweud, "O! rwyt yn deall Groeg?" (Actau 21:37). Wedi cael caniatâd i siarad â'r dyrfa, mae Paul yn synnu y pen-capten ymhellach trwy dawelu'r dyrfa mewn Aramaeg perffaith. Ac yna, pan gynhyrfwyd y bobl ac anfonwyd y milwyr i labyddio Paul, fe synnodd ef drachefn. Dywedodd wrth y canwriad oedd yn sefyll yn ei ymyl: "A yw'n gyfreithlon i ti labyddio dinesydd Rhufeinig?" Danfonodd y canwriad am y pen-capten, ac fe ddaeth hwnnw ar unwaith a gofyn i Paul: "A wyt ti yn ddinesydd Rhufeinig?" "Ydwyf," meddai Paul. Ymatebodd y pen-capten drwy ddweud: "Bu raid i mi dalu pris uchel am fy ninasyddiaeth i." "Ond cefais i fy ngeni iddi," meddai Paul.

Mi fedrech ddod yn ddinesydd Rhufeinig mewn amryw o ffyrdd: drwy gael eich geni i rieni Rhufeinig neu drwy ymddeol o'r fyddin; drwy gael eich rhyddhau o gaethwasanaeth gan feistr Rhufeinig; yn rhodd gan ben-capten Rhufeinig, neu ei phrynu. Beth bynnag am hynny, does ond un ffordd i feddiannu dinasyddiaeth y nefoedd. Rhaid i chi fod yn ddinesydd y nefoedd trwy enedigaeth. Nid genedigaeth naturiol, ond genedigaeth o'r nefoedd.

Beth am fynd ymlaen i ddarllen:
Ioan 3:1–11; 1:13; Titus 3:5

Meddyliwch am y cwestiynau hyn:
1. Beth oedd achos brwydr Nicodemus?
2. Beth danlinellodd Iesu fel yr hyn sydd yn hanfodol i enedigaeth newydd?

Gweddi
Fy Nuw a fy Nhad, rwyf mor ddiolchgar nad wyf yn gorfod ennill fy ninasyddiaeth yn y nefoedd. Petai hynny yn wir, ni fuaswn byth yn ddinesydd. Rwyf wedi derbyn fy ninasyddiaeth trwy gael fy ngeni oddi uchod. Boed clod a mawl i ti am byth. Amen.

Nid "gwna", ond "gwnaed"

"Oherwydd dioddefodd Crist yntau un waith am byth dros bechodau, y cyfiawn dros yr anghyfiawn." (adn. 18)

Beth am ddarllen 1 Pedr 3:8–22 ac yna myfyrio

Ddoe, fe fu i ni sylwi mai'r unig ffordd y gall dyn neu ddynes ddod yn ddinesydd y nefoedd yw trwy enedigaeth. Mae miloedd o bobl yn credu y gallant ddod yn ddinasyddion y nefoedd trwy ffyrdd eraill, ond mae'r syniad yn un anghywir. Rwyf am ddweud eto, yr unig ffordd y gall rhywun ddod yn ddinesydd y nefoedd yw trwy enedigaeth.

Caniatewch i mi nodi rhai o'r syniadau anghywir y mae dynion a gwragedd yn eu coleddu mewn perthynas â dinasyddiaeth nefol. Mae rhai'n credu y gallwch ddod yn ddinesydd y nefoedd trwy ymdrech foesol, hynny yw, medrwch ennill hyn trwy weithredoedd da. Ond yn ôl un pregethwr enwog, ac mae'r gymhariaeth yn un ragorol, ni allwch weithio eich ffordd i'r nefoedd. Mae dynion a gwragedd wedi ceisio gwneud hyn ym mhob cenhedlaeth ond maent bob amser wedi methu. Yn nyddiau Iesu Grist, ymdrechodd y Phariseaid i wneud hyn. Ymdrechodd John Wesley yntau ar hyd y ffordd yma, nes iddo sylweddoli mai'r gair allweddol mewn perthynas â'r bywyd Cristnogol yw nid 'gwna' ond 'gwnaed'. Nid yw cael mynediad i'r nefoedd yn rhywbeth yr ydym i'w wneud, ond yn rhywbeth a wnaed drosom ni ar y groes gan yr Arglwydd Iesu Grist.

Dywedodd dyn wrthyf unwaith: "Ni fyddaf byth yncolli'r y cyfle i geisio gwneud daioni i rywun. Rwy'n teimlo ei fod, bob amser, yn beth iawn i'w wneud. Os oes nefoedd, rwy'n disgwyl cael mynd yno. Dyna'r lle y dylwn i fod." Ni all yr holl weithredoedd da y medraf eu cyflawni yn y byd i gyd fy ngwneud i'n deilwng i gael dinasyddiaeth y nefoedd. Mae'n beth rhagorol i fod ag awydd i wasanaethu Duw ond yn gyntaf mae'n rhaid cael cymod gyda Duw. Gallwch ddod yn ddinesydd gwlad trwy ennill y fraint honno, trwy weithio a byw yn y wlad am gyfnod. Ond nid yw hyn yn wir os am fod yn ddinesydd y nefoedd.

Beth am fynd ymlaen i ddarllen:
1 Pedr 1:13–23; 1 Ioan 5:1; 2 Cor. 5:17

Meddyliwch am y cwestiynau hyn:
1. Beth yw'r had llygradwy?
2. Sut y gwyddom ein bod wedi ein geni o Dduw?

Gweddi
O Dad, yr wyf yn ymwybodol iawn na allaf weithio fy ffordd i'r nefoedd. Diolch fod fy nhocyn wedi ei brynu i mi â gwaed dy Fab ar ben Calfaria. Sut fedraf ddiolch a chanmol dy enw ddigon. Bendigedig fo dy enw am byth. Amen.

Mwy o ddychmygion

"... plant wedi eu geni nid o waed nac o ewyllys cnawd nac o ewyllys gŵr, ond o Dduw." (adn. 13)

Beth am ddarllen Ioan 1:1–18 ac yna myfyrio

Ffordd arall y mae pobl yn camddeall dinasyddiaeth nefol yw trwy gredu y gellir ei hennill ar sail ffydd rhieni. Mae'n beth bendigedig iawn i gael rhieni Cristnogol. Rwyf yn diolch i Dduw fod fy nau riant yn Gristnogion, ac, fel Timotheus, er yn blentyn, roeddwn yn adnabod yr Ysgrythurau. Fe all rhieni duwiol gynorthwyo mewn sawl ffordd. Maent yn gallu ein cyflwyno i'r Arglwydd, yn gallu ein bedyddio. Gallant ddysgu i ni egwyddorion y ffydd, gallant ein dwyn i glywed pobl Dduw yn addoli yn ei Eglwys, ond mae un peth na allant ei wneud – ni allant sicrhau lle i ni yn y nefoedd.

Roedd gan Hoffni a Phinees dad da yn Eli, ond fe ddygwyd gwarth ar genedl Israel trwy eu hymarweddiad. Roedd gan Absalom hefyd dad da, ond fe dorrodd galon ei dad ac fe fu farw yn fradychwr. Ni allaf gyfrif sawl gwaith y mae pobl wedi awgrymu i mi fod ffydd eu rhieni mewn rhyw ffordd yn sicrhau'r nefoedd iddyn nhw. Yr wyf yn dyst i glywed llawer yn dweud y byddai Duw yn eu derbyn ar sail y ffaith fod eu rhieni, a gweithredoedd da eu rhieni, yn ateb drostynt. Breuddwyd yw hyn.

Syniad anghywir arall a goleddir gan nifer fawr o bobl yw y byddant yn etifeddu'r ddinasyddiaeth trwy gyfrannu i amryw o achosion da ac achosion elusennol. Nid rhadlonrwydd yw y ffordd i gyrraedd y nefoedd. Iesu yw y ffordd. Pan oedd yn blentyn, ysgrifennodd fy nhad ar ddalen flaen un o fy Meiblau: "Mae arian, yn gyffredinol, yn medru darparu popeth ond llawenydd, ac yn medru prynu tocyn i bob man ar wahân i'r nefoedd." Gall arian brynu llawer o bethau i chi yma ar y ddaear, ond ni all brynu lle ichi yn y nefoedd.

Beth am fynd ymlaen i ddarllen:
Math. 7:1–22; Rhuf. 3:20; Gal. 2:16; Eff. 2:8–9

Meddyliwch am y cwestiynau hyn:
1. Pam fod y gyfraith yn gysgod?
2. Beth yw ateb Duw?

Gweddi
O Dad, mae'n drist i weld cynifer o bobl yn amharod i fwrw eu beichiau arnat ti; cymaint o bobl sydd yn ceisio cyrraedd y nefoedd drwy eu hymdrechion eu hunain. Diolch mai ond ymddiried ynot ti sydd ei angen. Datguddia dy hun i'r bobl hyn ac achub nhw. Clyw fy ngweddi. Yn enw Iesu Grist. Amen.

Y porth o berl

"A deuddeg perl oedd y deuddeg porth; pob porth wedi ei wneud o un perl."
(adn. 21)

Beth am ddarllen Datguddiad 21:1–27 ac yna myfyrio

Os na fedrwn brynu dinasyddiaeth nefol, os na fedrwn ei hennill, os na ellir ei throsglwyddo i ni gan rieni, sut medrwn ddod yn ddinasyddion y deyrnas nefol? Mae'r darn o'n blaen heddiw yn ein gwahodd i ystyried y nefoedd fel dinas â deuddeg porth iddi.

Mae rhai'n tybied fod yr awdur yn darlunio'r nefoedd yn ddamhegol. Os yw hyn yn wir ai peidio, mae'n berffaith glir ei fod yn disgrifio lle anghyffredin o brydferth. Sylwch fod pob un o'r pyrth i'r Jerwsalem newydd wedi eu gwneud o berl.

Rwyf wedi nodi droeon yn *Bob Dydd gyda'r Iesu* fod y perl yn ganlyniad i boen enbyd. Pan fo'r wystrysen mewn perygl, efallai dan ychydig o dywod, mae'n rhyddhau hylif sydd yn caledu, ac yna'n troi yn berl. Tybiaf mai'r rheswm pam fod pyrth y Jerwsalem newydd yn cael eu gwneud o berl yw er mwyn cyfleu i ni bod ein mynedfa i'r ddinas dragwyddol yn agored i ni drwy glwyfau Crist ar y groes. Er eu bod bellach wedi eu hachau, maent yn parhau am byth yr un ffordd honno i mewn i bresenoldeb y dwyfol. A ydych tybed yn deall arwyddocâd hyn?

Yr unig ffordd i mewn i ddinas Duw yw trwy borth a wnaed o berl. Mewn geiriau eraill, mae'r rhai sydd yn dod i mewn i'r ddinas yma yn dod trwy ymddiried yng ngwaith Crist drostynt ar y groes. Ni allwch fynd dros y muriau, rhaid mynd trwy'r porth, porth a wnaed o berl. Derbyniwch hyn mewn edifeirwch. Derbyniwch yr aberth a wnaed drosoch gan Iesu Grist ar y groes, ac ni fydd dim yn eich rhwystro rhag meddiannu dinasyddiaeth y deyrnas ddwyfol.

Caniatewch i mi ofyn y cwestiwn yma i chi: Os nad ydych yn ddinesydd y nefoedd, a ydych yn dymuno bod yn ddinesydd y nefoedd? Os ydych, gweddïwch y weddi yma yn awr:

O Dad, rwy'n ildio fy mywyd i ti heddiw ac yn derbyn mai dioddefaint dy Fab ar y groes yw'r unig warant y caf fynedfa i'r nefoedd. Rwy'n troi oddi wrth fy mhechod ac yn bwrw fy holl obaith arnat ti. Rwy'n gofyn hyn yn enw Iesu Grist. Amen.

Beth am fynd ymlaen i ddarllen:
Math. 13:44–46; 1 Tim. 6:19; 1 Cor. 6:20; 7:23

Meddyliwch am y cwestiynau hyn:
1. Sut y defnyddiodd Iesu y darlun o'r perl?
2. A ydych yn barod i ranu'r newyddion da am deyrnas y nefoedd gyda rhywun heddiw?

Ni allwn ddarganfod y geiriau

"Teilwng wyt ti, ein Harglwydd a'n Duw, i dderbyn y gogoniant a'r anrhydedd a'r gallu." (adn. 11)

Beth am ddarllen Datguddiad 4:1–11 ac yna myfyrio

Mae'n amser nawr i ddod i'r afael â'r cwestiwn: Sut le yw'r nefoedd? Er nad yw'n bosibl i brynu llyfr sydd yn disgrifio'r ddinas nefol, mae llyfr y Datguddiad, yn fwy na'r un llyfr arall yn y Beibl, yn rhoi rhyw syniad i ni o sut le yw'r nefoedd.

Pan fyddaf yn nesáu at lyfr y Datguddiad, byddaf yn cael fy atgoffa o stori a glywais unwaith am ferch fach a anwyd yn ddall. Roedd ei mam yn arfer disgrifio prydferthwch y byd iddi, ond gan nad oedd y ferch fach erioed wedi gweld, nid oedd ganddi fawr o syniad ynglŷn â'r hyn a ddisgrifiwyd. Pan oedd hi'n ddeuddeg oed, cafodd lawdriniaeth ar ei llygaid ac fe gafodd ei golwg yn ôl. Pan welodd ogoniant y greadigaeth am y tro cyntaf, fe drodd at ei mam a dweud: "Mam, pam na ddywedaist wrthyf ei bod mor brydferth?" Atebodd ei mam, "Gwnes ymgais, ond roedd yn amhosibl darganfod geiriau digonol." Dyna sut yr wyf fi'n teimlo wrth ddarllen disgrifiad Ioan o'r nefoedd. Mae'n ceisio dweud wrthym sut le yw'r nefoedd, ond er ei fod yn ddisgrifiadol, mae dyn yn teimlo nad yw iaith yn abl i ddarlunio'r nefoedd yn ddigonol.

Yn y bennod o'n blaen heddiw, mae Ioan yn dangos fod y nefoedd yn fan lle ceir mawl parhaus. Mae pob llygad yn y nefoedd wedi ei gyfeirio tuag at yr orsedd. Mae pob creadur yn canmol ac yn addoli Duw ac yn addoli'r Oen. Un o'r pleserau pennaf ar y ddaear yw adnabod enaid yn cael ei feddiannu gan fawl i Dduw. Ond yn y nefoedd, nid yn unig byddwn yn cael ein meddiannu gan hyn, byddwn yn ymgolli yn llwyr ynddo. Gellir disgrifio ein mawl ar y ddaear fel rihyrsal cyn cael mynd i gymanfa'r cyntafanedig.

Beth am fynd ymlaen i ddarllen:
Salm 19:1; 22:23; Rhuf. 15:6; Actau 7:55

Meddyliwch am y cwestiynau hyn:
1. Beth y mae'r nefoedd yn ei ddatgan?
2. Beth welodd Steffan yn y nefoedd?

Gweddi
O Dad, ni allaf ddisgrifio'r llawenydd sydd yn dod i'm henaid wrth dy addoli di yma ar y ddaear. Ond rwy'n gweld yn y nefoedd pan fo ffydd yn cael ei cholli ar gyfrif golwg, pan fyddaf yn cael adnabod fel yr wyf fi yn cael fy adnabod, beth fydd mesur y mawl a'r llawenydd fydd ddeng mil o weithiau yn fwy cyffrous. Ni allaf ddisgwyl. Diolch i ti, O Dad. Amen.

I'r Oen y perthyn y gogoniant

"Teilwng yw'r Oen a laddwyd i dderbyn gallu, cyfoeth, doethineb a nerth, anrhydedd, gogoniant a mawl." (adn. 12)

Beth am ddarllen Datguddiad 5:1–14 ac yna myfyrio

Mae'n amlwg o'r disgrifiad y mae Ioan yn ei roi i ni o'r nefoedd mai'r peth cyntaf sydd yn ei daro ynglŷn â'r lle yw'r modd y mae y Duwdod yn cael ei ganmol. Ym mhennod 4, Duw y Creawdwr yw'r un sydd yn cael ei addoli. Ym mhennod 5, mae'r Oen yn dod yn wrthrych yr addoliad.

Nid wyf yn siŵr a ydych wedi sylwi, ond mae'n ymddangos i mi fod y mawl sydd yn cael ei ddisgrifio ym mhennod 5 yn rhagori, hyd yn oed ar y mawl ym mhennod 4. Yn sicr, mae'n rhagori o ran maint. Mae'r ddwy bennod yn sôn bod y pedwar arweinydd ysbrydol ar hugain wedi eu meddiannu gan fawl. Felly hefyd y pedwar creadur byw, ac maent yn mynegi eu haddoliad gyda didwylledd a grym. Ond sylwch fod pennod 5 yn ychwanegu: "Yna edrychais a chlywais lais angylion lawer; yr oeddent o amgylch yr orsedd a'r creaduriaid byw a'r henuriaid. A'u rhif oedd myrdd myrddiynau a miloedd ar filoedd meddent â llef uchel: 'Teilwng yw'r Oen a laddwyd i dderbyn gallu, cyfoeth, doethineb a nerth, anrhydedd, gogoniant a mawl." Mae'n ymddangos o addoli'r Oen fod holl ddinas dragwyddol Duw yn atseinio gydag anthemau pob creadur.

Beth tybed mae hyn yn ei ddweud wrthym ni? Mae'n amlwg mai prif ffocws addoliad y nefoedd yw'r Oen. A yw hyn yn gwneud y Tad a'r Ysbryd Glân yn eiddigeddus? Nac ydi, wrth gwrs. Er mai'r Oen yw canolbwynt yr addoliad, mae yna fawl i Dduw y Tad ac mae yna addoliad i Dduw yr Ysbryd Glân hefyd; maent hwythau yn rhan annatod o'n hiachawdwriaeth ni. Yma ar y ddaear, yr Oen yw canolbwynt ein haddoliad, ac mae'r un peth yn wir yn y nefoedd. Yn ôl un emyn: "I'r Oen y perthyn y gogoniant, yn nhir Emanuel."

Beth am fynd ymlaen i ddarllen:
Ioan 1:26–36; 1 Cor. 5:7; 1 Pedr 1:19; Dat. 7:9

Meddyliwch am y cwestiynau hyn:
1. Beth gyhoeddodd Ioan?
2. Beth yw natur yr olygfa o amgylch yr orsedd?

Gweddi
O Dad, rwy'n gweld yn y nefoedd fod addoliad ohonot ti a dy Fab yn cael ei fynegi yn llafar. Diolch fod gennyf eisoes ran yn yr addoliad yma, a bod yna ran a lle wedi ei gadw i mi trwy waed yr Oen. Diolch yn oes oesoedd. Amen.

Gweithio gyda Duw – am byth

"... y maent o flaen gorsedd Duw, ac yn ei wasanaethu ddydd a nos yn ei deml."
(adn. 15)

Beth am ddarllen Datguddiad 7:1–17 ac yna myfyrio

A lenwir ein hamser yn y nefoedd yn gyfan gwbl gyda mawl? Nid yn ôl yr Ysgrythur. Mae'r digrifwyr wedi cael hwyl anghyffredin yn disgrifio'r nefoedd fel gwasanaeth eglwysig di-ben-draw lle mae rhai daearol yn magu esgyll ac yn cael lle parhaus mewn côr tragwyddol. Mae sôn am Lloyd George, a fu'n brif weinidog, wrth gwrs, yn dweud unwaith, pan oedd yn fachgen, fod y syniad o nefoedd yn codi braw arno, a hynny'n fwy nag uffern, gan ei fod yn credu ei bod yn ddydd Sul parhaus. Er mwyn deall y braw a brofodd, rhaid cofio yn ei ddydd ef fod y Sul yn ddydd tawel difrifol, ac yn aml yr oedd yn rhaid i blant aros i mewn wedi bod yn yr eglwys, a gwneud dim ar wahân i ddarllen. Mynnodd fod ei ddealltwriaeth o'r nefoedd wedi ei arwain i droi at anghrediniaeth, er iddo'n ddiweddarach mewn bywyd ddod i, o leiaf, dderbyn y syniad o Dduw a'r syniad o nefoedd.

O gymharu â hyn, mae ein testun heddiw yn cyhoeddi bod y rhai a brynwyd yn y nefoedd yn ei wasanaethu ef ddydd a nos. Felly, nid lle o fawl yn unig yw'r nefoedd. Mae'n lle o wasanaeth parhaus. Un o'r pethau melys yr ydym yn ei brofi yma ar y ddaear yw'r wybodaeth ein bod yn gweithio gyda Duw. Ni fydd yn llai melys yn y nefoedd. Nid oes dim ynglŷn â'r nefoedd fydd yn ei gwneud yn ddiflastod i'r saint. Yr ydym yn gwasanaethu Duw sydd â'r gallu parhaus i greu. Yn ôl Iesu, yr oedd ei Dad bob amser yn gweithio (Ioan 5:17). Mae rhai pobl yn ystyried hyn fel cyfeiriad at waith Duw yn achub, ac felly, pan fydd y gwaith yma yn dod i ben, mi fydd Duw yn peidio â gweithio. Eto, mae'n anodd credu am Dduw a fydd yn ddi-waith neu am Dduw fydd ryw ddiwrnod yn ymddeol. Fe fydd yn barhaus yn parhau i greu, ac fe fyddwn ni a'i Eglwys yn cydweithio gydag ef.

Beth am fynd ymlaen i ddarllen:
Rhuf. 12:1–18; Ioan 12:26; 17:24; Eff. 6:7; 1 Thes. 5:23–24

Meddyliwch am y cwestiynau hyn:
1. Beth yw'r berthynas rhwng addoliad a gwasanaeth?
2. Beth oedd anogaeth Paul?

Gweddi
O Dad, mae'n felys ystyried na fydd yna ddim diweithdra yn y nefoedd. Rwyt ti yn gweithio, a byddaf innau yn gweithio. Rwyf yn gwybod y bydd y gwaith yma yn cael ei gyflawni, nid er fy mwyn i, ac nid er mwyn gweithio, ond fe fydd yn waith â phwrpas iddo. Diolch, O Dad. Amen.

Ynghanol y cyfan

"Yn y ddinas bydd gorsedd Duw a'r Oen, a'i weision yn ei wasanaethu."
(adn. 3)

Beth am ddarllen Datguddiad 22:1–11 ac yna myfyrio

Yr ydym am barhau i edrych ar y gwirionedd nad lle i addoli yn unig yw'r nefoedd, ond hefyd yn lle i weithio yn barhaus. Onid yw gwaith yn dwyn blinder? Mae'n wir ei fod yma ar y ddaear, ond nid yn y nefoedd. Yr oeddem yn sôn ddoe na fydd Duw byth yn ddi–waith nac ychwaith yn ymddeol. Fe ddarluniodd Thomas Carlyle, yr arlunydd, Dduw fel un oedd yn eistedd ar orsedd tragwyddoldeb yn gwneud dim. Nid felly yr wyf yn ei ddychmygu. Gwelaf ef fel gweithiwr fydd yn cynnwys ei blant yn ei waith gydag ef, yn eu cynnwys mewn gwaith fydd yn arddangos pwrpas ac yn eu bodloni.

Mor wahanol yw darlun Thomas Carlyle i eiriau Henry Ward Beecher, y pregethwr enwog o'r Unol Daleithiau. Wrth gerdded gyda'i dad Lyman Beecher mewn mynwent unwaith, dywedodd: "Rwy'n tybied y byddant yn fy nwyn i allan yma ryw ddiwrnod ac yn fy ngadael, ond ni fyddaf yn aros yma." "Wel, ble fyddi di?" gofynnodd ei dad. "Dwi ddim yn siŵr iawn," atebodd, "ond rhywle yn ei chanol hi yn gweithio dros Dduw." A dyna'r lle yn union y byddwch chi a fi, reit yn ei chanol hi.

Beth am fynd ymlaen i ddarllen:
Rhuf. 8:1–29; Ioan 6:38; Phil. 3:21; Col. 3:4; Dat. 22:5

Meddyliwch am y cwestiynau hyn:
1. Beth oedd pwrpas yr Arglwydd Iesu?
2. Beth yw pwrpas Duw i ni?

Gweddi
Arglwydd, mae meddwl am waith heb flinder braidd yn anghredadwy, ac eto rwy'n gwybod fod hyn am fod yn wir. Mae fy nghalon yn llefain am ddydd o orffwys a buddugoliaeth. Gwawria, O hyfryd ddydd. Tyrd, felly, Arglwydd Iesu. Amen.

Llawenydd – gwaith go iawn

"... byddi'n fy llenwi â llawenydd yn dy bresenoldeb." (adn. 28)

Beth am ddarllen Actau 2:22–28 ac yna myfyrio

Ynghyd â bod yn lle i fawl a gwasanaeth, mae'r nefoedd hefyd yn le o lawenydd anghyffredin. Mae rhai awduron Cristnogol, ynghyd â rhai esbonwyr, yn mynnu mai dyma nodwedd bennaf y nefoedd. Ysgrifennodd C. S. Lewis yn un o'i lyfrau mai llawenydd yw gwir waith y nefoedd. Meddyliwch pa mor aml mae llawenydd a nefoedd yn cael eu cysylltu yn y Testament Newydd. Dywedodd Iesu ar un achlysur fod yna lawenydd gerbron angylion Duw dros un pechadur sydd yn edifarhau (Luc 15:10). Ac, wrth adrodd Dameg y Talentau, addawodd i'r rhai oedd yn defnyddio eu talentau ac yn eu lluosogi y byddent ryw ddydd yn clywed eu Meistr yn dweud: "Dos i mewn i lawenydd dy Arglwydd." (Mathew 25:21).

Ond a fydd yna fesur o dristwch yn y nefoedd i rai, wrth iddynt sylweddoli bod pobl yr oeddent yn arfer eu caru ar y ddaear yn uffern? Oni fydd i golledigaeth un enaid dawelu ychydig ar lawenydd y rhai a achubwyd? Fe fynegwyd hyn gan un yn y termau canlynol: "Ni allaf dderbyn iachawdwriaeth os oes un creadur yn cael ei adael allan yn y tywyllwch." Nawr, mae hyn yn swnio yn dderbyniol iawn, ond nid yw yn cymryd i ystyriaeth holl agweddau'r sefyllfa. Meddyliwch beth fyddai'n rhaid i Dduw ei wneud er mwyn ymateb i hyn. Mae'n syml yn golygu mai'r gwrthynysig bellach fyddai yn rheoli y bydysawd. Uffern mewn awdurdod dros y nefoedd. Nid wyf yn gwybod a fydd yna dristwch yng nghalonnau'r rhai hynny fydd yn darganfod fod pobl yr oeddent yn eu caru bellach yn uffern. Ond yr wyf yn gwybod y bydd pob un ohonom yn gweld pethau lawer yn gliriach nag yr ydym yn eu gweld yn awr, gan y byddwn yn meddiannu persbectif Duw. O weld yn glir, fe fyddwn yn teimlo'n iawn. Dyna lle mae'n rhaid i ni adael y mater.

Beth am fynd ymlaen i ddarllen:
Math. 25:14–30; Luc 15:7–10

Meddyliwch am y cwestiynau hyn:
1. Beth ddywedodd Iesu wrth y gweision ffyddlon?
2. Beth â ddywedwyd wrth y gweision anffyddlon?

Gweddi
O Dad, mae'n wir fod y cwestiwn yma yn aml yn fy mhoeni i. Ond rwyf yn gwybod fod yn rhaid i mi adael y cwestiwn hefo ti. Rwy'n gwybod mai "ond gweld o ran yr wyf" yn awr. Cynorthwya fi i ymddiried ynot ti nes daw'r dydd yna pryd y bydd pob cwestiwn yn cael ei ateb. Yn enw Iesu. Amen.

Chwerthin yn iach

"A dywedodd Sara, 'Parodd Duw imi chwerthin.'" (adn. 6)

Beth am ddarllen Genesis 21:1–7 ac yna myfyrio

Heddiw, yr ydym eto am edrych ar y ffaith fod llawenydd yn weithgarwch difrifol yn y nefoedd. Gair sydd wedi ei gysylltu â llawenydd yw 'chwerthin'. Fe ofynnwyd i mi yn aml: "A fydd yna chwerthin yn y nefoedd?" Yn bersonol, nid oes gennyf ddim amheuaeth. Credaf y bydd chwerthin iach yn atseinio ymhlith y rhai sydd wedi eu cadw ac fe fyddwn yn darganfod, mi dybiaf i, fod hynny o chwerthin a wnaethom ar y ddaear yn ddim o'i gymharu â'r chwerthin fydd yn y nefoedd. Mae'r Ysgrythur yn awgrymu fod llawenydd a chwerthin yng nghalon Duw. Pam dim ond awgrymiadau? Os yw yr Arglwydd yn gorchuddio'i ogoniant rhag iddo fod yn ormod i lygad meidrol, onid yw efallai'n wir ei fod hefyd yn gorchuddio ei orfoledd? Un o'r pethau yr wyf wedi sylwi wrth eistedd yn gweinidogaethu i Gristnogion sydd ar fin cyfarfod ag angau, ac mae hyn yn cynnwys fy ngwraig fy hun, yw eu bod o bryd i'w gilydd yn sôn am glywed chwerthin. "Wyt ti'n clywed?" maent yn gofyn. "A elli di glywed pobl yn chwerthin?"

Ychydig amser yn ôl, clywais hanes am fachgen oedd wedi ei ddwyn i fyny mewn teulu tlawd a chwerylgar iawn. Nid oedd y plentyn erioed yn cofio chwerthin. Wedi iddi nosi, mi fyddai'r plentyn bach yn mynd at gymdogion. Roedd yn mynd oherwydd ei fod yn gwybod fod y teulu yma yn llawen, ac mi fyddai'n eistedd wrth ymyl ei ffenestr, dim ond er mwyn eu clywed yn chwerthin. Yna, mi fyddai'n mynd adref ac yn gorwedd ar ei wely ac yn gofyn os deuai'r diwrnod pryd y byddai yntau hefyd yn medru chwerthin. Efallai mai dychmygu hyn yr wyf, ond, o bryd i'w gilydd, wrth weddïo, wrth wrando ar lais Duw a llais Ysbryd Duw, tybiaf fy mod yn clywed chwerthiniad y nefoedd. Gallaf ddweud gyda hyder: Nid oes yr un ohonom wedi chwerthin yma yr un modd ag y byddwn ni'n chwerthin yn y nefoedd.

Beth am fynd ymlaen i ddarllen:
Dat. 19:1–7; 1 Thes. 2:19

Meddyliwch am y cwestiynau hyn:
1. Beth oedd y lliaws yn ei wneud yn y nefoedd?
2. Beth, fyddai Paul yn ei wneud ym mhresenoldeb Iesu?

Gweddi
Dad trugarog, a yw'n bosibl dy fod ti yn gorchuddio dy ogoniant ac, ar yr un pryd, yn gorchuddio dy orfoledd a dy chwerthiniad? Rwy'n dechrau gweld fod yna fwy o orfoledd nag yr wyf erioed wedi ei ddychmygu. Un diwrnod, caf ei weld a mynd i mewn i'r gorfoledd yma. Arglwydd, diolch i ti. Amen.

Dim mwy

"Ond, pan ddaw'r hyn sy'n gyflawn, fe ddiddymir yr hyn sy'n anghyflawn."
(adn. 10)

Beth am ddarllen 1 Corinthiaid 13:1–13 ac yna myfyrio

Yr ydym am edrych yn awr ar nodwedd arall o fywyd y nefoedd. Mae'n lle c
berffeithrwydd absoliwt.

Yn y ddwy bennod olaf yn llyfr y Datguddiad, mae Ioan yn defnyddio nifer
o ymadroddion negyddol er mwyn ein cynorthwyo i ddatblygu darlun o'r nefoedd.
Ni fydd marwolaeth, ni fydd llefain na galar, ni fydd poen, ni fydd melltith, ni fydd
loes, ac yn y blaen. Fe ddisgrifir y ddwy bennod olaf yma yn Datguddiad gan nifer
o esbonwyr fel y ddwy bennod 'ni fydd'. Mae Ann Griffiths yn disgrifio'r nefoedd
yn y geiriau canlynol:

> Byw heb wres na haul yn taro,
> byw heb allu marw mwy,
> pob rhyw alar wedi darfod,
> dim ond canu am farwol glwy.

A'r un modd, mae Pantycelyn yn mynegi yr un disgwyliad:

> Nid oes gofid, nid oes terfysg,
> nid oes achwyn o un rhyw,
> nid oes poen ac nid oes galar
> o fewn dinas bur fy Nuw;
> > cariad perffaith
> yno sy'n anadlu'r lle.

Y rheswm dros berffeithrwydd y nefoedd yw fod pechod, achos pob
amherffeithrwydd, wedi ei ddisodli a heb le o gwbl yn y ddinas dragwyddol. Ond a
yw'n bosibl y bydd i bechod dorri allan eto yn y nefoedd? Fe wnaeth unwaith yn
hanes y Diafol. A ddaw rhywun eto i dorri ar brydferthwch a harmoni presenoldeb
Duw? Does dim perygl. Nid yn unig y bydd pechod yn amhosibl, ond ni fydd hyd
yn oed meddwl am bechod. Mi fydd hyn mor amhosibl i ni ag yw i'r Gwaredwr, yr
un yr ydym yn awr yn byw yn ei gwmni.

Beth am fynd ymlaen i ddarllen:
Dat. 21:1–7; Eseia 25:1–8; 35:10; 51:11; 60:20; Dat. 7:17

Meddyliwch am y cwestiynau hyn:
1. Darlun o beth yw Seion?
2. Beth fydd yn dod yn ei lle?

Gweddi
O Dad, rwy'n diolch i ti na fydd y nefoedd byth eto yn gartref i bechod. Mi fydd fy
nghalon i a chalonnau fy mrodyr a'm chwiorydd wedi eu gorlenwi â'th bresenoldeb
di i'r fath raddau ag y bydd yn lladdfa i bechod. Rwy'n edrych ymlaen at y dydd
hwnnw. Yn enw Iesu. Amen.

Enw newydd

"...ac yn ysgrifenedig ar y garreg enw newydd na fydd neb yn ei wybod ond y sawl sydd yn ei derbyn." (adn. 17)

Beth am ddarllen Datguddiad 2:12–17 ac yna myfyrio

Yr ydym wedi nodi dros y diwrnodau diwethaf fod yna bedair nodwedd arbennig yn perthyn i'r nefoedd. Yn gyntaf, mae'n lle o fawl parhaus. Mae'n lle o wasanaeth parhaus. Mae'n lle o orfoledd parhaus ac mae'n lle o berffeithrwydd parhaus. Wrth gwrs, nid y rhain yw unig nodweddion y nefoedd, ond maent yn ddigon i ni gael blas o ogoniant ein dinas dragwyddol, yn ddigon i beri ein bod yn edrych ymlaen i gyfarfod â'n Harglwydd ac i eistedd ag ef yn swper yr Oen.

Y peth olaf yr wyf am ei adael gyda chwi yw'r hyn a gyfyd o'n testun heddiw. Yn y nefoedd, fe fydd gan bob un ohonom enw newydd. Fel y gwyddoch, mae enw yn y Beibl, nid yn unig yn arwydd o bwy ydym ond yn ddisgrifiad o bwy ydym. Roedd ystyr i enw Jacob – twyllwr, ystyr i enw Iesu – Gwaredwr. Mae yna gannoedd o esiamplau yn yr Ysgrythur o enwau yn disgrifio cymeriad person, neu ddiffyg cymeriad. Beth sydd yn fwy personol i ni na'n henw? Does dim gwaeth na rhywun yn cyfeirio atom fel rhif. Nid rhif ydw i, ond person gydag enw. Mae'n debyg, er hynny, y byddwn yn y nefoedd yn cael enw newydd, ac fe fydd yr enw yma yn gyfrinach rhyngom ni a Duw. "Ysgrifennaf ar y garreg enw newydd ac ni fydd neb yn ei wybod ond y sawl sydd yn ei derbyn."

Beth yw arwyddocâd y gyfrinachedd yma? Wel, fe fydd pob un ohonom mewn perthynas bersonol iawn â Duw. Ni fydd angen i neb deimlo fod bod yn rhan o gymuned y ddinas dragwyddol golygu y bydd inni golli ein perthynas bersonol â'r Drindod. Ni fydd neb yn mynd ar goll yn y gynulleidfa. Fe fydd dy berthynas â Duw yr un mor bersonol, os nad yn fwy personol nag yr hyn yw yn awr. Fe fyddi di'n rhan o lu y nefoedd, ond, ar yr un pryd, fe fydd dy berthynas â'th Dad yn gwbl bersonol.

Beth am fynd ymlaen i ddarllen:
Math. 10:29–31; Heb. 12:23; Salm 139:13–18

Meddyliwch am y cwestiynau hyn:
1. Sut bu i Iesu ddisgrifio adnabyddiaeth bersonol Duw ohono?
2. Sut bu i'r salmydd ddisgrifio hyn?

Gweddi
O Dad, rwy'n diolch i ti na fydd yn y nefoedd yr un ohonom ar goll mewn môr o wynebau. Diolch y bydd fy mherthynas â thi yn berthynas bersonol. Fe fyddwn yn cyfathrebu fel petai yno ond y ddau ohonom. Ni allaf braidd ddychmygu gogoniant fy ninas dragwyddol. Diolch i ti, Arglwydd. Yn enw Iesu. Amen.

Teithio tuag adre

*"Oherwydd nid oes dinas barhaus gennym yma; ceisio yr ydym, yn hytrach,
y ddinas sydd i ddod." (adn. 14)*

Beth am ddarllen Hebreaid 13:7–21 ac yna myfyrio

Beth yw ein casgliad, a ninnau bellach wedi cyrraedd diwrnod olaf ein myfyrdod a
thema'r nefoedd? Rhaid mai dyma'r casgliad pennaf. Wrth i ni feddwl am y nefoedd
fe ddylai ein meddyliau gael eu llenwi gyda'r gwirionedd ein bod ar ein taith tua
thre.

Gadewch i mi adrodd hanes wrthych. Nifer fawr o flynyddoedd yn ôl, a
arfordir dwyreiniol yr Unol Daleithiau, fe fu i ddwy long fynd heibio ei gilydd, un
yn llong fawr gyda hwyliau mawr arni, yr un arall yn llai. Nawr, roedd y llong oedd
yn llai yn un oedd yn gwneud dim mwy na mynd o borthladd i borthladd ar y
arfordir dwyreiniol, gan symud pethau fel te, coffi ac yn y blaen. Roedd y llong
hwyliau anferth, gyda'i hwyliau mawr, gwyn yn chwythu yn y gwynt yn olygfa
ardderchog, ac, wrth iddi basio, fe glywyd aroglau persawr a pherlysiau yn dod ar y
awel. Yn ôl arfer y cyfnod, fe fyddai capten y llong fechan yn codi ei uchelseinydd
ac yn cyfarch y llong hwylio fel hyn: "Y fi yw capten y *Mary Anne*. Rwyf wedi bod
allan o Miami ers deuddeg diwrnod yn cludo gwahanol bethau i wahano
borthladdoedd. Rwyf ar fy ffordd i Loegr Newydd. Pwy ydych chi?" Mewn ymateb
daeth llais cryf dros uchelseinydd y llong hwylio: "Y fi yw y *Begun of Bengal*
Rwyf wedi teithio 123 o ddiwrnodau allan o Canton, wedi mynd â phersawr a
pherlysiau i lawer o borthladdoedd dros y byd, a bellach ar fy ffordd adref.

Fel Cristnogion, gallwn wneud yr un honiad. Yr ydym yn mynd o borthladd
i borthladd ac yno'n gadael persawr y nefoedd ar ein ffordd drwy'r byd. Ond testur
ein llawenydd pennaf yw ein bod ar y ffordd adref.

Beth am fynd ymlaen i ddarllen:
Heb. 11:8; 12:22; Dat. 21:10; 22:19

Meddyliwch am y cwestiynau hyn:
1. Fel Abraham, beth yw'r hyn yr ydym yn edrych ymlaen i'w weld?
2. Pa ddisgrifiad a geir yn llyfr y Datguddiad?

Gweddi
Fy Nuw a fy Nhad, cynorthwya fi o heddiw ymlaen i beidio byth ag anghofio fy
mod ar hyn o bryd ond mewn arosfan. Mae fy nghartref yn y nefoedd, ac mae fy lle
yno wedi ei sicrhau i mi trwy waed yr Oen yn unig. Diolch i ti, O Dad. Yn Iesu
Grist. Amen.